Clevenger

Instructor's Annotated Edition

Interacciones

Fourth Edition

Instructor's Annotated Edition

Interacciones

Fourth Edition

Emily Spinelli
University of Michigan – Dearborn

Carmen García
Arizona State University

Carol E. Galvin Flood
Bloomfield Hills (Michigan) Schools

HEINLE & HEINLE
THOMSON LEARNING

Australia • Canada • Mexico • Singapore • Spain
United Kingdom • United States

HEINLE & HEINLE

THOMSON LEARNING

Spanish Editor: Ken S. Kasee
Development Editor: Jeff Gilbreath
Marketing Manager: Katrina Byrd
Project Manager, Editorial Production: Angela Williams Urquhart
Print/Media Buyer: Lisa Kelley
Permissions Editor: Shirley Webster
Production Service: TSI Graphics
Photo Researcher: Judy Mason
Copy Editor: Catalina Vasquez
Cover Image: Jose Ortega
Cover Printer: Lehigh Press
Compositor: TSI Graphics
Printer: RR Donnelley
Credits appear on pp. C1 and C2

Printed in the United States of America
1 2 3 4 5 6 7 05 04 03 02 01

For more information about our products, contact us at:
Thomson Learning Academic Resource Center
1-800-423-0563

For permission to use material from this text, contact us by:
Phone: 1-800-730-2214 **Fax:** 1-800-730-2215
Web: http://www.thomsonrights.com

ISBN: 0-03-033941-3

Asia
Thomson Learning
60 Albert Street, #15-01
Albert Complex
Singapore 189969

Australia
Nelson Thomson Learning
102 Dodds Street
South Melbourne
Victoria 3205
Australia

Canada
Nelson Thomson Learning
1120 Birchmount Road
Toronto, Ontario M1K 5G4
Canada

Europe/Middle East/Africa
Thomson Learning
Berkshire House
168-173 High Holborn
London WC1 V7AA
United Kingdom

Latin America
Thomson Learning
Seneca, 53
Colonia Polanco
11560 Mexico D.F.
Mexico

Spain
Paraninfo Thomson Learning
Calle/Magallanes, 25
28015 Madrid, Spain

For the many wonderful instructors with
whom we have taught *Interacciones*.
We thank you for the friendship you have
shared with us over the years.

Emily Spinelli

Carmen García

Carol E. Galvin Flood

Contents for the Instructor's Annotated Edition

Contents in Brief

Scope and Sequence

CHAPTER TITLE AND CULTURAL THEME	VOCABULARY	COMMUNICATIVE FUNCTIONS AND GRAMMATICAL STRUCTURES	
Capítulo preliminar: Un autorretrato Introduction to the Spanish-Speaking World	Physical and character description Leisure-time activities Numbers 0-100 Expressions for asking for personal information	Expressing small quantities Discussing when things happen Providing basic information	Numbers Telling time Present tense of regular verbs
Bienvenidos a España Basic information about Spain **Capítulo 1: La vida de todos los días** Spain The Hispanic schedule	Common daily activities Daily routine Expressions of frequency and sequence of actions Expressions for lack of comprehension Question words	Discussing daily activities Talking about other activities Describing daily routine Asking questions	Present tense of irregular verbs Present tense of stem-changing verbs Reflexive verbs Question formation
Capítulo 2: De vacaciones Spain Leisure time and vacations	Vacations Beach activities Tourist resorts and hotels Evening activities Expressions for making a personal phone call Expressions for circumlocuting Dates and months	Talking about past activities Discussing other past activities Discussing when things happened Discussing past actions Distinguishing between things and people Avoiding repetition of nouns	Preterite of regular verbs Preterite of irregular verbs Expressing dates Preterite of stem-changing verbs Personal **a** Direct object pronouns
Herencia cultural: España People, art, and literature of Spain			

Instructor's Annotated Edition

CHAPTER TITLE AND CULTURAL THEME	VOCABULARY	COMMUNICATIVE FUNCTIONS AND GRAMMATICAL STRUCTURES	
Capítulo 8: En la ciudad Peru Hispanic cities	Buildings, places and points of interest in a city Cultural activities of a city Amusement parks Expressions for asking for, understanding, and giving directions Expressions of persuasion	Telling others what to do Asking for and giving information Talking about other people Discussing future activities Expressing probability Suggesting group activities	Formal commands Passive **se** and third person plural passive Uses of the indefinite article Future tense Future of probability **Nosotros** commands
Herencia cultural: Bolivia, El Ecuador y el Peru People, architecture and literature of Bolivia, Ecuador and Peru			
Bienvenidos a la comunidad hispana en los EE.UU. Basic information about Hispanics in the U.S. **Capítulo 9: En la agencia de empleos** The Hispanic community: Cubans and Puerto Ricans The concept of work in the Hispanic world	Careers and professions Offices and office equipment Computers and technology Expressions for a job application and interview Expressions for changing directions in a conversation	Explaining what you would do under certain conditions Describing how actions are done Indicating quantity Talking about unknown or nonexistent people and things Explaining what you want others to do Expressing exceptional qualities	Conditional Adverb formation Adjectives of quantity Subjunctive in adjective clauses Indirect commands Absolute superlative

Preface

Interacciones is a complete intermediate Spanish program that emphasizes an interactive, communicative approach to the teaching of language and culture. The *Interacciones* program adheres to the goals of the national *Standards for Foreign Language Learning* (see the Summary Document on page IAE lxviii) and stresses the teaching of the four skills of listening, speaking, reading, and writing within the interpersonal, interpretive, and presentational modes of communication. The program also helps students develop a sensitivity to and appreciation for the perspectives, practices, and products of Hispanic culture and guides them in cross-cultural comparisons. The program consists of several components that promote the use of language to converse with others and to accomplish tasks in a variety of situations so that students will be able to learn to communicate and function within Hispanic culture. A complete description of how *Interacciones* incorporates the national standards can be found on pages IAE lxiv-lxvii.

This fourth edition of *Interacciones* utilizes considerable input and advice from reviewers, instructors, and students. The careful integration of their suggestions has helped to make this text an even more effective tool in the development of language skills and the appreciation of Hispanic culture. The features that were enthusiastically received by third edition users have been enhanced but not compromised in this edition.

Author Background

Emily Spinelli

Emily Spinelli received her Ph.D. in Spanish from Ohio State University where she studied Spanish language and Hispanic literature and culture and was exposed to foreign language education and second language acquisition theory. Currently she is professor of Spanish at the University of Michigan–Dearborn where she teaches courses in all levels of Spanish language, literature, language of business, as well as culture and civilization. Professor Spinelli also coordinates the foreign language teaching-certification program and teaches courses in foreign language methodology. In addition to her textbooks, Professor Spinelli has also published many articles and reviews in scholarly journals. She is a frequent speaker and presenter at local, state, and national conferences and has consulted with school districts and universities throughout the country on issues related to foreign language education and methodology. Through the years Professor Spinelli has been very active in professional organizations. She has served on the Executive Council of the American Council on the Teaching of Foreign Languages and is a past president of that organization. Currently, she is serving as editor of *Foreign Language Annals*, the official journal of ACTFL.

Carmen García

Carmen García, a native of Lima, Perú, received her Ph.D. from Georgetown University in Linguistics. She is currently associate professor of Spanish applied linguistics and sociolinguistics and director of lower division Spanish language courses at Arizona State University. Professor García is author or co-author of several college-level Spanish textbooks. She has also published many articles in national and international journals on foreign language teaching as well as on Spanish discourse analysis and cross-cultural communication. She is a frequent speaker and presenter at local, regional, national, and international meetings and conferences and a member of the many national language organizations.

Carol E. Galvin Flood

Carol E. Galvin Flood has a M.A. degree in foreign language education from the University of Michigan as well as a M.A. degree in Spanish language and literature from Wayne State University (Detroit). Currently, she teaches Spanish in the Bloomfield Hills (Michigan) school district where she has helped develop and implement a two-year program to prepare high school students for the Advanced Placement Spanish Language Exam.. During the past 34 years she has taught Spanish at many levels ranging from early elementary bilingual-bicultural classes to university advanced composition and conversation. She has been active in professional organizations such as the AATSP and ACTFL throughout her teaching career.

Philosophy of the Authors

As experienced and well-respected teachers and authors, Professors Spinelli, García, and Flood are strong advocates of an approach to the teaching of languages that emphasizes interpersonal communication as well as the integration of language and culture. The texts written by these three authors focus on authentic language and materials and include numerous exercises and activities that integrate the four skills within the interpersonal, interpretive, and presentational modes of communication. Such exercises and activities are designed to help students learn to use language to accomplish tasks and to communicate with others while developing an understanding of and appreciation for Hispanic culture.

Highlights of the Interacciones program

- **Interactive exercises, activities and role plays**. The numerous exercises, activities, and role plays simulate the language tasks performed by native speakers and promote real communication.

- **Integrated language and culture.** The cultural information represents the countries and regions of the Spanish-speaking world, including Hispanics in the United States. The cultural information is thoroughly integrated into exercises and activities so that students learn about the culture as they learn to function within it.

- **Authentic materials and language models.** The use of authentic materials and authentic language models provide students with the same type of listening and reading materials that native speakers hear and read.

- **Skill development strategies.** Strategies for developing the listening, reading, and writing skills are presented in each chapter. Students then practice these strategies in exercises and activities that will help them become independent learners of Spanish.

- **Spiral sequencing of grammar.** The presentation of grammar structures in smaller, more manageable units, combined with the recycling of these structures allows students to proceed from conceptual to partial to full control of individual structures with less frustration.

- **Vocabulary acquisition.** Vocabulary has been carefully selected and controlled to focus on linguistic functions in a variety of situations. The vocabulary is presented early in each chapter and is practiced throughout in order to develop the students' ability to describe and narrate in the target language.

- **Cross-cultural information.** The cross-cultural comparisons and contrasts help students develop a sensitivity to and appreciation for Hispanic culture as well as a deeper understanding of their own culture. Information on people, art, architecture, and literature gives students insight into the cultural achievements of the Hispanic peoples.

- **Development of proficiency.** The presentation and practice of intermediate-level communicative functions, such as creating with language within a variety of contexts; asking and answering questions; initiating, sustaining, and closing a conversation; and learning to respond to a predictable situation in the target culture, serve as a foundation for the development of advanced-level proficiency.

- **Language skills and modes of communication.** The four skills of listening, speaking, reading, and writing are taught and practiced independently and in combination in order to develop the three communicative modes: interpersonal, interpretive, and presentational.

- **Functional terms.** Terminology that focuses on communicative functions is used in the presentation of vocabulary, grammar, and expressions so that students see the relationship between the grammatical structures and their communicative use.

New to this edition

- **A new textbook design,** with a full-color illustration program, enhances the teachability of Interacciones.

- **A new** *Instructor's Annotated Edition (IAE)* has been developed to simplify lesson planning and preparation. Numerous teaching annotations as well as answers to exercises have been placed in the margins of the IAE while suggestions for using the student textbook and other relevant information are located in the opening pages.

- **A video component** emphasizing Hispanic culture has been added to the textbook. Students are exposed to authentic language and culture and can practice their listening and interpretive skills.

- **Expanded cultural information** on famous historical and contemporary personalities from the countries or regions of the Hispanic world has been added. These famous persons represent a wide variety of cultural areas such as literature, sports, politics, and entertainment.

- **Expanded cross-cultural information and exercises** allow students to gain greater cultural sensitivity and appreciation, make comparisons with their own cultures, and learn how to function in Hispanic culture.

- **New readings and reading strategies** have been added. Approximately one third of the cultural readings from newspapers and magazines and one half of the literary readings have been replaced to reflect more current cultural trends.

- **Information gap activities,** based on two versions of the same drawing, allow students to practice the negotiation of meaning by asking and answering questions in order to discover what is missing from the drawings and complete the communicative task.

- Links to the national *Standards for Foreign Language Learning* are provided in order to help instructors meet these new curricular goals.

- **A new** *Interacciones* Web site www.heinle.com with an instructor's and a student's component, has been added. Through the World Wide Web activities, students can connect to additional cultural information and link to other disciplines.

- **The expanded** *Student Activities Manual* combines the *Cuaderno de ejercicios* and *Manual de laboratorio*. Additional mechanical exercises have been added to the workbook so that students can engage in more writing practice with new structures and vocabulary.

- **An improved** *Instructor's Resource Manual* provides a complete testing program with two versions of each examination, additional video exercises, and tapescripts for the laboratory manual and the video program.

- **NEW! Interacciones WEBCT™ AND BLACKBOARD™ E-SAM.** The *Cuaderno de ejercicios y Manual de laboratorio* (*Student Activities Manual* or *SAM*) and the audio listening program are provided in these two very popular interactive course management systems.

- **NEW! Interacciones Interactive CD-ROM.** Our proven World Language Instructor Grade Book Feature™, rich M-PEG video and many other distinguishing features, not commonly found on other language CD-ROM's are included on the CD-ROM.

Organization of the student textbook

The student textbook is composed of a *Capítulo preliminar* followed by twelve chapters. The chapters are grouped in units of two, each of which centers around a Spanish-speaking country or region. Each chapter is organized around a place or situation that is likely to be encountered by a person living, studying, working, or traveling in a Spanish-speaking area. These situations include places such as a bank, restaurant, shopping center, and multinational firm and events, such as a wedding, Sunday dinner with the family, and a job interview. The vocabulary, functional expressions, cultural information, and grammar structures taught within each chapter relate to the situation and provide the student with the skills needed to be able to function within that situation. Each chapter is divided into three sections called *situaciones* so that vocabulary, structures, and culture can be presented in smaller, more manageable amounts. This material is then expanded upon and re-entered throughout the chapter.

A VISUAL GUIDE TO INTERACCIONES

1. **Bienvenidos** Each two-chapter unit of the student textbook begins with the *Bienvenidos* section, which provides information in outline form about the geography, climate, population, important cities, government, and economy of the countries under study. Photos and an exercise on the information round out this section.

2. **Chapter opener** Each chapter begins with an opening page that contains a photo related to the chapter theme and a list of the cultural themes and communicative goals for the chapter.

3. **Presentación** The first two **situaciones** of each chapter begin with a **Presentación** designed to develop the speaking skill and to provide basic vocabulary for the situation of the chapter. The **Presentación** consists of a scene to describe followed by exercises and activities to practice the new vocabulary.

4. **Así se habla** This section follows the **Presentación** and contains the expressions used to perform a linguistic function related to the chapter situation. Students learn the expressions for functions such as agreeing and disagreeing, ordering in a restaurant, expressing good wishes, making a personal and business phone call, or making introductions. The functional expressions are listed and illustrated in the context of a brief written dialogue. Exercises and activities in the form of role plays practice the expressions of this section.

5. **Estructuras** The grammar presentation follows a spiral sequencing; only one aspect of a difficult grammar structure is presented per *situación*. For example, the preterite forms and uses are reviewed in one chapter, the imperfect in another, and the distinction of the imperfect/preterite in still another chapter. However, exercises and activities practicing narration in the past are included in almost all subsequent chapters of the textbook so that students have many opportunities to practice this important function and progress in a natural fashion from conceptual to partial to full control. Contextualized and interactive exercises follow each grammar explanation.

6. **Information Gap Activities** Information gap activities, based on two versions of the same drawing, have been added to many textbook chapters. Students practice negotiation of meaning as they ask and answer questions in order to discover what is missing from the drawings and complete the communicative task. The information gap activities practice vocabulary and/or grammatical structures and are located in either the *Presentación* or *Estructuras* sections.

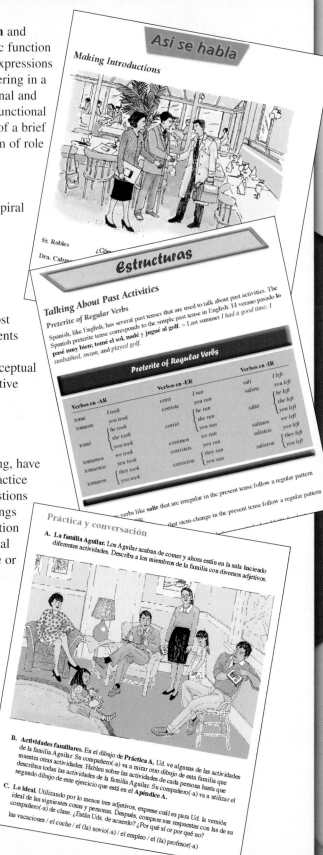

7. **¿Qué oyó Ud.?** The *¿Qué oyó Ud.?* section occurs at the end of the *Segunda situación* of each chapter. This section begins with a listening strategy and prelistening exercises. Students then listen to a dialogue found on the audio CD that accompanies the student textbook. The dialogue contextualizes the vocabulary, expressions, and grammar of the chapter and helps the student put into practice the listening strategy under consideration. Postlistening exercises and activities include content-based questions as well as questions requiring analysis of the style, tone, and register of the language heard.

8. **Perspectivas** The third *situación* of each chapter begins with the *Perspectivas* section in which the students receive information in Spanish on cultural practices, products, and perspectives relating to the Spanish-speaking world. Topics include concepts and values such as last names, daily schedules, housing, and transportation in the Hispanic world. Authentic materials in the form of brochures, forms, and other realia are used as instructional tools in this section. The information is provided in Spanish and is followed by activities and role-play exercises.

9. **Panorama cultural** The *Interacciones* video component provides authentic listening and viewing materials from a variety of Spanish-speaking countries or regions, including the United States. The episodes are related to the culture, grammar, vocabulary or general theme of the chapter and emphasize real-life situations. *Panorama cultural* consists of two exercises that generally focus on global understanding of the video segment. Further exercises on the same video segment are found in the *Instructor's Resource Manual*.

¿Qué oyó Ud.?

Focusing on Specific Information

When you listen to a passage, conversation, or announcement, you do not always need to understand every single word that is being said. Sometimes you just focus on certain details or specific information. For example, if you are at the airport and you want to know what gate your flight leaves from, you do not listen attentively to everything the announcer has to say. Instead, you just focus on your flight number and gate number.

Ahora, escuche el diálogo entre Teresa y Leonor. Preste atención a lo que dicen y haga los siguientes ejercicios.

A. **Información general.** Despué...

Tercera situación

Perspectivas

El horario hispano

Madrid: Palacio Real

El horario (*schedule*) español es muy distinto del horario estadounidense. Por lo general los españoles trabajan ocho horas al día pero dividen el día en dos partes. En España la mayoría de las oficinas, las tiendas y los negocios abren a las diez de la mañana y cierran a las dos de la tarde. Pero abren de nuevo entre las cuatro y las ocho. Entre las dos y las cuatro de la tarde los españoles comen su comida principal en casa y después de comer se quedan un rato allá hablando con la familia o descansando. Este descanso entre las dos y cuatro se llama **la siesta**. Se nota que esta tradición de la siesta está desapareciendo en las grandes ciudades. Las tiendas, museos y negocios que no cierran para la siesta. Al... las ocho de la noche muchos españoles se pasean (*stroll*)... ...ven a casa para cenar entre las diez y las once ...variaciones pero generalmente ...s siete y las nueve de la

Panorama cultural

El chocolate en la cocina mexicana

A. **El chocolate.** Con un(-a) compañero(-a) de clase, haga una lista de las maneras en que usamos el chocolate; incluya aperitivos, platos principales, dulces, postres y bebidas. ¿Cuál es su favorito? Después, miren la siguiente foto y descríbanla. En su opinión, ¿qué está preparando Patricia Quintana?

10. Para leer bien, Lectura The *Para leer bien* section provides reading strategies for facilitating the comprehension of the *Lectura cultural* that follows. *Para leer bien* offers explanations and exercises on such topics as predicting and guessing content, scanning, skimming, using background information, and identifying point of view. The readings of the *Lectura cultural* are taken from articles in contemporary Hispanic magazines and newspapers and are chosen for their relation to the cultural theme of the chapter. By experiencing numerous authentic reading selections from a variety of sources, the student should gain confidence in reading and progress rapidly. Postreading exercises to check comprehension are provided. The last exercise of the section, *Defensa de una opinión,* helps students develop critical thinking skills and the ability to analyze and discuss the readings.

11. Para escribir bien, Composiciones *Para escribir bien* contains writing strategies to help students prepare the suggested writing activities that follow. Students learn how to write for travel, work, and social situations, as well as how to prepare more formal compositions for academic purposes. The *Composiciones* section includes topics that combine the various grammatical structures and vocabulary taught within the chapter. Although most of the topics emphasize real-life writing activities and are task-oriented, topics for more academic compositions are also included.

12. Actividades The *Actividades* section is composed of a series of exercises that combine the communicative, cultural, and functional aspects of the entire chapter. Although some activities are geared to the individual student, most are paired or group activities; games and role-playing are stressed. This set of activities is intended to be the culminating activity of the chapter and one which allows the student to use the language in interesting and entertaining ways.

Para leer bien

Scanning and Skimming

Scanning and skimming are techniques that good readers use automatically and frequently in their native language. These techniques can be even more valuable in a foreign language. *Scanning* is the process used to discover the general content of a reading selection. People frequently scan books, magazines, and newspapers to choose the selections they wish to read. When scanning you run your eyes quickly over the written material. You look at its layout, that is, the design of the material on the page, the title and subtitles, any accompanying photos, drawings, or charts, and even the typeface used. Together these elements combine to provide general clues as to the content and purpose of the written material.

Skimming is the technique used to locate specific or detailed information within a reading passage. Skimming is similar to scanning in that your eyes move quickly over the material. However, skimming differs from scanning in that the purpose is to notice a particular word, phrase, or piece of information. You often apply this technique to a reading of schedules or menus. Skimming can also follow a close reading when you wish to recall particular details or review the information quickly.

When approaching a reading selection for the first time, you frequently scan the material to determine what type of information it contains. You then skim the reading to locate items or details of particular interest.

Práctica

A. Los elementos generales. Dé un vistazo a *(scan)* los siguientes elementos de la lectura que sigue: la composición *(layout)* general, el título y las fotos. ¿De q
lectura? ¿Cuál es el tema general?

B. Un examen superficial. Exami
sobre el metro de M

Para escribir bien

SEQUENCING EVENTS

When writing about events that took place in the past, you often need to tell in what order or when the various activities took place. The following expressions can be used to indicate the proper sequence of activities.

primero	*first*
el primer día / mes / año	*the first day / month / year*
la primera semana	*the first week*
la segunda semana	*the second week*
el tercer día / mes / año	*the third day / month / year*
entonces	*then, at that time*
luego / después	*then, later, afterwards, next*
más tarde	*later*
a la(-s) …	*at … o'clock*
era(-n) la(-s)… cuando	*it was … o'clock when*
por fin / finalmente	*finally*

Composiciones

A. Mis vacaciones. Escriba una composición breve sobre unas vacaciones reales o imaginarias que Ud. tomó.

B. Unas tarjetas postales. Ud. acaba de terminar el quinto día de una semana de vacaciones en Benidorm. Sacando información de la lectura **24 Horas: De vacaciones en Benidorm,** escríbales una tarjeta postal a sus padres explicándoles lo que Ud. hizo durante los primeros días allí. También escríbale una tarjeta a su mejor amigo(-a) explicándole lo que hizo de noche.

C. Las vacaciones norteamericanas. Escriba un artículo breve explicando lo que hicieron unas familias típicas durante sus vacaciones de verano en los EE.UU.

Actividades

A. Los pasatiempos. You are a reporter for a Hispanic radio station in Miami, Florida and are preparing a feature on leisure-time activities in your city. Prepare at least five questions about the frequency of typical leisure-time activities. Report your general findings to the class; then interview four of your classmates.

B. ¿Quién soy yo? In groups of three or four, each person will pretend to be a famous person. Do not tell each other your identity. Describe your daily routine, including details about your job and leisure activities, so the group can guess who you are. If necessary, you can include a brief description of your person.

C. Así son las otras culturas. You are the host of a Spanish TV talk show that examines the life style of other cultures; the show is entitled *Así son las otras culturas.* Today's topic is daily routine in the U.S. compared with the Hispanic daily routine. Your classmates will play the roles of two guests on the show —Antonio(-a) Guzmán, a Spanish university student, and Julio(-a) Rivera, a Spanish-speaking resident of Los Angeles. Ask each guest about his/her daily routine and the advantages and disadvantages of it so you can compare the two life styles.

13. **Herencia cultural** Each two-chapter unit closes with a section entitled *Herencia cultural*; it is designed to introduce the student to the achievements of the Hispanic peoples and their visual and literary arts. Each section correlates with the country or region to which the two-chapter unit is devoted. *Personalidades de ayer y de hoy* provides information on six historial or contemporary figures that represent the countries under study. *Arte y arquitectura* provides information about important museums, artists, and works of art or architecture; photos and comprehension exercises accompany the explanations. The *Lectura literaria* is composed of short stories, memoirs and poetry by authors from the country or region represented in the two-chapter unit. Each reading is preceded by a *Para leer bien,* which provides information on literary topics, such as genre, theme, character, figurative language or symbolism.

Additional Features The appendices include (**A**) *Information Gap Activities: Alternate Version of Drawings;* (**B**) *Vocabulary at a Glance*, thematic lists of vocabulary such as numbers, colors, and geographical terms that can be very useful for describing the scenes of the *Presentación* sections; (**C**) *The Metric System,* (**D**) *The Writing and Spelling System,* outlining the alphabet, syllabication, accentuation, capitalization and spelling hints; and (**E**) *Verb Conjugations* of regular, stem-changing, orthographic-changing, and irregular verbs. The Spanish-English vocabulary and the index conclude the textbook.

The complete Interacciones program

The following components accompany *Interacciones*, Fourth Edition. To receive a review or desk copy of any of these components, please contact your local Heinle sales representative, call our Sales Office at 1-800-237-2665, or visit our Web site at www.heinle.com.

- **Student Textbook with Free Audio CD (ISBN 0-03-033956-1).** The *Interacciones*, Fourth Edition student text with free accompanying audio compact disc is available for purchase by the student.

- **Instructor's Annotated Edition with Free Audio CD (ISBN 0-03-033963-4).** This component, which is an expanded version of the student textbook, contains detailed suggestions for using the various components of the *Interacciones* program as well as a transcription of the *¿Qué oyó Ud.?* dialogues of the student textbook. Instructor's annotations provide supplemental vocabulary and grammar, material for varying and expanding the textbook exercises, answers to the textbook exercises, and additional cultural information. The student audio CD is included with this component.

- **Student Activities Manual (SAM) (ISBN 0-03-033974-X).** This component, which includes the *Cuaderno de ejercicios*, and *Manual de laboratorio,* was written by the authors in order to ensure pedagogical consistency; it is considered to be a principal and integral part of the *Interacciones* program. The *Student Activities Manual* is available for purchase in traditional, printed format. An electronic *Student Activities Manual (E-SAM)* is available on the *Interacciones* Web Site in WebCT™ and Blackboard™ formats.

  The *Cuaderno de ejercicios* is composed of exercises designed to develop the writing skill and consists of contextualized exercises practicing vocabulary and grammar structures, exercises on geographical and cultural information, and numerous exercises and activities designed to improve the describing and narrating functions as well as writing for academic, social and work situations. Each chapter of the *Cuaderno de ejercicios* concludes with a special section entitled *Expansión de vocabulario,* which contains exercises to help students select the correct vocabulary item and to recognize cognates.

  The laboratory portion of the program includes sections that specifically emphasize the development of the listening skill in mechanical and communicative exercises related to the chapter situation. The lab manual also includes listening comprehension strategies with applications, pronunciation exercises, oral exercises for practicing vocabulary and grammar, and other activities that are designed to improve the listening comprehension skill.

- **Lab Manual Audio CDs (ISBN 0-03-034006-3).** This component is available for purchase by the student, but can also be used in a media center or language laboratory. The CDs are to be used in conjunction with the laboratory manual section of the *Student Activities Manual*.

- *Interacciones* **Interactive CD-ROM (ISBN 0-03-003983-9).** The *Interacciones CD-ROM* is an interactive program on dual-platform (Windows / Macinstosh) compact discs. The *Interacciones CD-ROM* contains exercises for practicing the vocabulary and grammar of each chapter of the student textbook. It also contains audio and video-based activities as well as cultural practice. All four skills are practiced.

- **The *Interacciones* Text-specific Video Program (ISBN 0-03-033638-4).** The *Interacciones* text-specific video program was filmed on location in several countries of the Spanish-speaking world. The video program is composed of real-life situations that reflect the vocabulary, grammar, communicative functions and/or culture presented in each chapter of the student text. The exercises for the video segments are located in the *Panorama cultural* section of the textbook. The *Instructor's Resource Manual* contains suggestions for using the video program as well as additional exercises for the video segments.

- **Instructor's Resource Manual with Testing CD (ISBN 0-03-033998-7).** The *Instructor's Resource Manual* contains many different elements designed to assist the instructor with daily lesson planning, testing, and evaluation.

  Text-specific Testing Program. The testing program includes two versions of the following items: a quiz for the *Capítulo preliminar*, tests for each of the twelve chapters, and a comprehensive final examination. Each of the tests and the final examination include an authentic reading passage taken from magazines and newspapers of the Spanish-speaking world.

  Testing CD. An audio disc containing listening comprehension materials for the chapter tests and final examination is also provided.

  Tapescript for the Listening Comprehension Sections of the Testing Program. A complete transcription of the listening comprehension sections for each exam is included in this component.

  Correlation of *Interacciones* Chapters to *Topics and Situations for Oral Evaluation*. A chart correlating each chapter of *Interacciones* with specific topics and situations is included in this component.

  Answer Key for the Testing Program. The answer key for the individual quizzes and exams completes the *Testing Program* section.

  Using the *Interacciones* Video Program. A guide for the use of the *Interacciones* videocassette includes a table of contents for the videocassette and general suggestions on how to incorporate the video into the language classroom. Additional exercises for each segment of the video program are also provided.

  Tapescript for the *Interacciones* Video Program. A complete transcription of each segment of the video program is included in this component.

  Tapescript for the *Manual de laboratorio*. A complete transcription of all the audio material on the lab cassettes or CDs is included in this component.

- **Topics and Situations for Oral Evaluation.** A series of topics and situations for evaluating the speaking skill accompanies the Interacciones program and is available on the *Interacciones* Web site (http://www.heinle.com). These conversation topics and role-play situations test discrete items related to vocabulary, grammatical structures, and/or linguistic functions. The topics and situations may also be used for impromptu speaking practice in the classroom. The situations are written in English so that students are not given key vocabulary or grammar structures in the target language. A guide containing many suggestions for evaluating the speaking skill is also provided.

- **Interacciones World Wide Web Site (www.heinle.com).** *Interacciones* now has its own Web site containing materials for both students and instructors. Students may access activities and information linked to chapter themes as well as resource materials such as dictionaries or maps. The instructor's section of the *Interacciones* Web site provides instructional tips and resources.

  The electronic version of the *Student Activities Manual (E-SAM)* is available on the Web site.

- **NEW! Interacciones WEBCT™ AND BLACKBOARD™ E-SAM.** The *Cuaderno de ejercicios y Manual de laboratorio* (Student Activities Manual or SAM.) and the audio listening program are provided in these two popular interactive course management systems.

Visual icons

Certain key features of the *Interacciones* textbook and the *Instructor's Annotated Edition* are indicated with icons or visual symbols.

Visual Icons Used Throughout the Student Textbook

The Information Gap Activity Icon is used to help students and instructors readily identify the information gap activities that relate to the vocabulary and/or grammatical structures of the lesson.

The CD-ROM icon is found at the end of the *Primera situación* and the *Segunda situación*. This icon direct students to the *Interacciones* CD-ROM where they will find additional vocabulary and grammar exercises relating to the *situación* they have just completed.

The Web icon is found at the end of each *Bienvenidos, Personalidades* and *Arte y arquitectura* section as well as at the end of each *situación* of the textbook chapter. The Web icon directs students to the *Interacciones* web site for additional information and exercises related to the topic presented.

The listening icon is used with the *¿Qué oyó Ud.?* sections to indicate that the section correlates with recorded material on the Student Listening CD that accompanies each new textbook.

The video icon accompanies the *Panorama cultural* sections to indicate that the exercises and activities of the section relate to information found on the *Interacciones* videocassette.

The reading icon is located at the beginning of the *Para leer bien* sections to point out the reading strategy and the cultural or literary reading that follows.

The writing icon is located at the beginning of the *Para escribir bien* sections to point out the writing strategy and the composition topics that follow in the *Composiciones* sections.

The communicative icon is located at the beginning of the *Actividades* section to point out the communicative nature of the activities and role plays of this section.

Visual Icons Used in the Instructor's Annotated Edition

The 5Cs or standards icon is placed near a marginal annotation that explains how near-by material relates to the national *Standards for Foreign Language Learning*. Generally, the standards icon is placed in the following places: (1) at the beginning of each *Bienvenidos, Perspectivas, Personalidades,* and *Arte y arquitectura* section to explain the products, practices, and perspectives being taught and to point out the cultural comparisons; (2) at the beginning of the *Actividades* section to list the communicative modes incorporated into the activities of the section.

Using the Interacciones program

As stated in the Preface, *Interacciones* is a complete intermediate Spanish program that emphasizes an interactive, communicative approach to the teaching of language and culture. The *Interacciones* program adheres to the goals of the national *Standards for Foreign Language Learning* and stresses the teaching of the four skills of listening, speaking, reading, and writing within the interpersonal, interpretive, and presentational modes of communication. The program also helps students develop a sensitivity to and appreciation for the perspectives, practices, and products of Hispanic culture and guides them in cross-cultural comparisons. The program consists of several components that promote the use of language to converse with others and to accomplish tasks in a variety of situations so that students will be able to learn to communicate and function within Hispanic culture.

The Student Textbook

The student textbook is, of course, the most important feature of the *Interacciones* program. It offers a variety of unique features in organization and approach. Its main objective is the teaching of the speaking skill and the development of the reading skill while providing strategies for the development of the listening and writing skills.

The student textbook is composed of a *Capítulo preliminar* plus 12 chapters. The chapters are grouped in units of two, each of which centers around a Spanish-speaking country or region. Each textbook chapter is organized around a place or situation likely to be encountered by a person living, studying, working or traveling in a Spanish-speaking area. These situations include places such as banks, restaurants, shopping centers, and multinational firms and events such as weddings, Sunday dinner with the family and a job interviews. The vocabulary, functional expressions, cultural information, and grammar taught within each chapter relate to the situation and provide the student with the skills needed to function within that situation. *Capítulo 4*, for example, is organized around the restaurant. The communicative goals for the chapter include reading a menu, ordering a meal, and expressing preferences about food. The cultural theme for the chapter relates to foods of Hispanic countries and the importance of social life in the cafés and restaurants.

Each chapter is divided into three sections called *situaciones*; each *situación* is designed to teach a particular communicative goal. Vocabulary, structures, and culture are, thus, presented in more manageable amounts and the information is then expanded upon and re-entered throughout the chapter. One of the distinct advantages of dividing each chapter into three *situaciones* is that vocabulary, structures, and culture can be presented to the students in smaller, more manageable units. This information is then expanded upon and reviewed throughout the chapter. Thus, the *Interacciones* text is structured in such a way that instructors and course supervisors should be able to limit the time and energy they devote to course outlining and preparing inexperienced instructors for using the text. Each chapter and *situación* is sequentially arranged to allow for a gradual progression in amount and difficulty of material presented; there is ample practice at appropriate points.

An outline for a typical chapter includes the following sections:

CHAPTER OPENER
    Cultural Themes, Communicative Goals

PRIMERA SITUACIÓN
    Presentación
    Así se habla
    Estructuras

SEGUNDA SITUACIÓN
    Presentación
    Así se habla
    Estructuras
    ¿Qué oyó Ud.?

TERCERA SITUACIÓN

    Perspectivas

    Panorama cultural

    Para leer bien

    Lectura cultural

    Para escribir bien

    Composiciones

    Actividades

An outline for a typical two-chapter unit includes the following sections:

BIENVENIDOS

CHAPTER A

CHAPTER B

HERENCIA CULTURAL

    Personalidades de ayer y de hoy

    Arte y arquitectura

    Para leer bien

    Lectura literaria

The following suggestions for using the various components of *Interacciones* are given to guide the instructor. *Interacciones* is a flexible program; there is no one correct way to teach the sections or present the material. Instructors are encouraged to create new and effective ways to change, expand, and vary the exercises and activities to fit their particular teaching situation. So long as the students learn to function and communicate within Hispanic culture, the goals of the program are met.

Bienvenidos

The 12 chapters of *Interacciones* are grouped into units of two chapters, each of which centers around a Spanish-speaking country or region. The *Bienvenidos* section introduces the unit and provides information in outline form about the geography, climate, population, important cities, government, and economy of the countries under study. Photos related to the area, and an exercise on the material presented round out this section.

Suggestions for Using Bienvenidos

- Recent surveys attest to the lack of basic geographic knowledge on the part of U.S. high school and college students. This section is formulated to help intermediate-level students become familiar with the Spanish-speaking world, its countries, cities, and geographic and economic features.

- Since the information provided in *Bienvenidos* is expressed in simple Spanish, the material can be discussed in Spanish very early in the first semester. It is highly recommended that the instructor ask questions about this section in Spanish beginning with *Capítulo 1*.

- Begin by locating the geographic region on a map. Use the map provided in the opening pages of the textbook, a transparency of the map in the textbook or a classroom wall map to point out the countries and regions of the *Bienvenidos* section under study. Ask students where the country/region is located; what countries / regions are nearby; what major geographical features are visible (mountains, rivers, lakes, seas). Have students locate the major cities on the map. Attempt to keep the country/ region under consideration in its geographical context.

- Have students describe the photos of the *Bienvenidos* section. If necessary, ask students questions such as *¿Qué hay en la foto? ¿Cuántas personas hay y cómo son? ¿Qué hacen las personas? ¿Qué edificios o rasgos geográficos se ven? Descríbalos.*

- Supplement the color photographs in the textbook with slides and / or videos of the areas under study.

- Complete the textbook exercises using the textbook map, transparency map, or the classroom wall map.

- Compare geographical features of the Hispanic world with those of the U.S. Use the target language.

- Compare countries and regions within the Hispanic world. Use the target language.

- Geographic and cultural information could be included on quizzes and exams.

- Supplement the textbook exercises by playing "Jeopardy" in Spanish. Use slides or photos for identification of the countries, cities and geographic features. Identify names of cities, rivers, and other features.

Chapter Opener, Cultural Themes, Communicative Goals

The chapter opener contains a photo that illustrates the cultural theme of the chapter. The cultural themes and communicative goals for the chapter are then listed.

Suggestions for Using the Chapter Opener, Cultural Themes, and Communicative Goals

- Begin each chapter by reviewing the region of the Spanish-speaking world under study. Point out (or have students explain) the region on the textbook map, a transparency map or a classroom map.

- Have students describe the chapter opener photo. If necessary, ask students questions such as *¿Qué hay en la foto? ¿Cuántas personas hay y cómo son? ¿Qué hacen las personas? ¿Qué edificios o rasgos geográficos se ven? Descríbalos.*

- Have students explain what the cultural themes are for the chapter. Brainstorm with them the types of cultural information they can expect to learn.

- Have students look at the list of communicative goals for the chapter and brainstorm with them the communicative tasks they will be expected to accomplish.

- Brainstorm with students the possible grammar structures that will be taught to complete the communicative tasks for the chapter.

Presentación

The first two *situaciones* of each chapter begin with a *Presentación* that teaches the vocabulary necessary for describing a situation and communicating within it. As has been previously stated each chapter is structured around a communicative theme. *Capítulo 7*, for example, is entitled «*De compras*». The *Presentación* of the *Primera situación* teaches vocabulary for the variety of stores and/or merchandise typically found in a shopping center. The *Segunda situación* expands on clothing vocabulary as well as fabric type, color and design.

Each *Presentación* opens with an illustration of the place, situation, or event under study. Students first name or list and enumerate the people and objects seen in the illustration using the new vocabulary presented in a list at the end of the *Presentación*. Other contextualized vocabulary acquisition exercises follow. These exercises end with *Creación*, an exercise in which students must describe what is happening in the illustration. The *Creación* serves to develop narration skills in the present, past, and future. Thus, students progress from mechanical vocabulary drills to communicative exercises involving the new vocabulary.

Approximately 40 to 45 vocabulary items are listed at the end of each *Presentación*. The items are grouped semantically in categorized lists for ease of learning. For example, in the chapter on shopping the groups for the *Primera situación* include *El centro comercial* (names of store types), *La joyería* (jewelry items), and *La zapatería* (footware items). Within each semantic group words are alphabetized and grouped by part of speech.

The vocabulary has been selected keeping in mind the regional diversity of the Hispanic language as well as the varying ability levels of intermediate students. In most cases only one Spanish equivalent is presented for a given idea or item. A variant for Spain as well as Latin America or another region is presented only for certain standard or well-known variants such as the word for *potato* which is listed as *la papa* (A) and *la patata* (E). At the intermediate level students need to be aware that regional vocabulary differences exist and that certain words are appropriate only in certain regions. Students should be told which form(s) will be used within the classroom and/or tested.

Most students should enter an intermediate level language course with a certain basic or core vocabulary. To avoid the repetition of this most basic vocabulary within the *Presentación*, items such as colors, articles of clothing, and calendar terms are included in *Vocabulary at a Glance* which appears at the end of the student text. Words used to describe an illustration or photo are also included within this appendix.

Suggestions for Using Presentación

- Briefly state or explain the communicative goal of the chapter or situation. For example an appropriate statement for *Capítulo 7: De compras* might be: "In this chapter you will learn how to make routine purchases and to discuss your shopping activities. We will begin by learning vocabulary for describing where you shop and what you buy."

- Briefly discuss any vocabulary items that need further cultural or linguistic explanation.

- The illustrations are an important feature of the *Presentación*. They are not meant as mere decoration but are thoroughly integrated into the introduction and/or practice of new vocabulary. The illustrations help reinforce vocabulary meaning without the use of English translation. In addition, the illustrations help students develop the linguistic function of describing.

- You may want to make your own transparencies of the illustrations that begin the *Presentación* and use them to introduce and practice the vocabulary for the *situación*.

- Begin each set of exercises in the *Presentación* section with a warm-up exercise entitled *¿Qué hay en el dibujo?* Using an overhead projector, screen, and transparency of the illustration (or the illustration in the textbook) for the *Presentación*, have students list and enumerate the people and objects seen in the illustration. Students should prepare a mental list (not written) of the people, objects or activities that are seen in the illustration. A marginal annotation in the early chapters also reminds the instructor to begin the vocabulary exercises by having students list and enumerate the contents of the illustration. (See *Using Photos and Illustrations* for further suggestions on using the art work that accompanies the *Presentación*.)

- Ask questions based on the new vocabulary and illustration. For example, using the drawing of the woman's clothing boutique in *Capítulo 7, Segunda situación*, ask: *¿Qué está probándose la mujer? ¿Está contento su esposo? ¿Por qué sí o no? ¿Qué otras personas están en la boutique? ¿Qué hacen? ¿Cómo es la boutique? ¿Hay una boutique semejante en su ciudad?*

- Continue with the remaining vocabulary acquisition exercises allowing sufficient time to complete the *Entrevista* or *Creación* exercises that allow students to communicate with each other using the new vocabulary.

- When two or more days are allotted to a given *situación*, begin the second class period with a review of the *Presentación*. Some possible review formats include:

1. Using the transparency of the illustration, have students work in pairs and describe the scene to each other.

2. Have each student write a brief description of the scene.

3. Have students work in pairs or small groups and prepare a written description of the scene.

4. Have students work in pairs or small groups and create a dialogue for the scene and then role-play it for the entire class.

5. Have students write a narrative explaining what is happening / what happened / what will happen in the illustration.

- Vocabulary acquisition is an essential component for developing foreign language proficiency. The vocabulary lists presented in *Interacciones* are basic vocabulary for the intermediate level. Many students will want or need additional vocabulary for describing and discussing their personal life and activities. In addition to learning this basic vocabulary, have students keep a personal vocabulary list for each chapter. This supplemental vocabulary can be provided by the instructor, dictionaries, native speakers, or class members.

Así se habla

The *Así se habla* sections of the first two *situaciones* contain the routines, patterns, and gambits of normal discourse. The phrases listed expand upon the vocabulary of the *Presentación* and allow the student to perform additional linguistic functions pertinent to the situation of the chapter. In the example chapter «*De compras*» the *Así se habla* sections teach the phrases for making routine purchases and complaining, two important linguistic functions associated with the shopping situation.

The *Así se habla* section begins with a brief printed dialogue that contextualizes the vocabulary of the *situación* as well as the new functional phrases. The printed dialogue is followed by the phrases and expressions for the linguistic function under consideration. The phrases and expressions are accompanied by exercises that emphasize role playing in corresponding situations. Students do the exercises in pairs or small groups. The exercises review the vocabulary of the *Presentación* and expand upon the type of situations in which students can function.

Suggestions for Using Así se habla

- Teaching the phrases of the *Así se habla* section is similar to teaching the new vocabulary of the *Presentación*. Begin by explaining the situation or purpose of the *Así se habla* section under study.
- Model the pronunciation and discuss the use of the new phrases in the *Así se habla* sections. Point out differences in the usage of similar expressions within the list and discuss additional linguistic or cultural information about the phrases in the list. Explain which phrases are less or more formal / emphatic / polite / intense.
- Have students locate the phrases of the *Así se habla* list in the printed dialogue.
- Point out (or have students point out) the phrases and expressions found in the *Presentación* that are related to the *Así se habla* section. Discuss their meaning and use.
- Assign a student to each of the roles of the printed dialogue and have them read the dialogue aloud.
- Have students do the exercises of the *Práctica y conversación*. The exercises simulate situations encountered while living, traveling, working, or studying in the target culture. Such situations generally occur as conversations involving two or three persons. Thus, paired and small group work is particularly important here. After all students have completed the exercises, one or two pairs can be selected to present their situations to the entire class.
- The exercises of the *Así se habla* are also important since they help prepare students for the activities of the Actividades section found at the end of the chapter.

Estructuras

In a communicative textbook, grammar retains a central position in terms of importance. However, many differences in grammar sequencing and presentation can be noted when a communicative text is compared to a traditional text with a grammar-based syllabus.

In a communicative textbook, grammar is not an end in itself; grammar has a purpose. The grammar structures of the *situaciones* are related to the communicative theme of the chapter and can be used in order to function in the situation under consideration. For example, the communicative goal of the *Primera situación* of *Capítulo 7: De compras*, is making routine purchases. The corresponding *Estructuras* section explains and practices the present progressive and the superlative forms of adjectives. These grammar points are tied respectively to the functions of expressing actions in progress and making comparisons. These functions are, of course, useful when making routine purchases. Likewise, in another chapter, the teaching of the future tense is combined with the situation involving activities in the city so that tourists can discuss where they will go and what they will see when they travel to the city in the future.

In a communicative text grammar also has meaning. One problem with the grammar explanations of many traditional textbooks is that the explanation fails to tell students when and where the structure can be used; such explanations contain little meaning for learners. In *Interacciones* care has been taken not only to relate the grammar structures to the situation of the chapter but also to link each structure to a linguistic function so that students see the relationship between the grammar structure and its meaning. For example, in *Capítulo 7: De compras* superlative forms of adjectives are introduced in the following manner:

Making comparisons

Superlative forms of adjectives

In certain situations such as shopping or discussing family or friends, you often want to compare objects or persons and set them apart from all others: *This is the largest mall in the state*. To make statements comparing one item to many others in the same category, the superlative form of the adjective is used. The English superlative is composed of *the most* or *the least* + adjective or the adjective + the ending *-est*.

The titles of the *Estructura* sections also link the purpose and meaning of the grammar structure under consideration with the traditional name of that structure: e.g., "Indicating Ownership: Possessive Adjectives"; "Expressing Likes, Dislikes, and Interests: Verbs like **gustar**."

The learning of grammar structures involves three stages: the learner passes from conceptual control to partial control to full control of the grammar points s/he is taught. The amount of time required to obtain full control of a given structure will vary according to the student and to the difficulty of the structure. For example, an intermediate student should have full control of present tense verbs and will make few errors using them in simple conversations. However, an intermediate student will have only partial control of the preterite and imperfect tenses; the student will sometimes use the forms correctly but will not be able to narrate in the past with fluency or accuracy. Finally, an intermediate student will have only conceptual control of contrary-to-fact *if* clauses. The student will understand and will recognize the verb forms involved, but will need considerable practice to complete mechanical exercises with accuracy and is a very long way from the full control of the structures needed for hypothesizing.

Many of the other intermediate texts currently on the market do not take into account the fact that intermediate students will have full control of certain structures, partial of others, and only conceptual control of difficult items. In many existing texts all grammar structures are generally treated in the same fashion and practiced to the same extent; that is, they are explained and practiced as if they were being presented for the first time in a beginning text. Further, the grammar sequencing in most other intermediate texts is the same as that found in traditional first year textbooks. As a result, students become easily bored doing exercises for which they have full control and frustrated that they do not receive enough practice on structures such as narrating in the past for which they have only partial control.

In *Interacciones* we have attempted to eliminate some of these problems of scope and sequence by giving only cursory review to items that should already be under full control and more explanation and practice to items that are in the conceptual or partial control phase.

Another salient feature of a communicative textbook is spiral grammar sequencing, that is, the more difficult grammar structures are presented in small doses and re-entered, recombined, and reviewed throughout the textbook so that students can progress naturally from conceptual control to partial control to full control of the various grammar structures. In *Interacciones* only one aspect of difficult grammar structures is presented per *situación*. For example, preterite forms and uses are reviewed in one chapter, the imperfect in another, and the distinction between the imperfect and preterite is treated in still another chapter. In addition, exercises and activities practicing narration in the past are included in almost all subsequent chapters of the textbook so that students have many opportunities to practice this important function. In this way, there is ample opportunity for re-entry and constant review of the grammar.

Within each chapter there are normally five to six subsections of the *Estructuras*; each subsection treats one grammar point. The grammar point is explained with the aid of charts and examples. Care has been taken to provide only those rules and examples that are necessary for the communicative goal under study.

Suggestions for Using **Estructuras**

- Begin by relating the function or purpose of the grammar point under consideration to the name of the grammar structure: i.e., "Today we are going to learn to use possessive adjectives and pronouns so that you can indicate ownership and make explanations such as the following: *This is my book bag, not his.*"

- Try to keep explanations to a minimum; it is better to use class time to practice the language than to talk about it. As a rule of thumb, explanations should take less than five minutes; explanations of three to four minutes would be the norm. Make students responsible for reading the grammar explanations prior to coming to class and simply review the grammar points with them; this is a far more effective use of class time than lengthy grammar explanations.

- Have students locate examples of the grammar structure in the written dialogue of the *Así se habla* section.

- Proceed to the *Práctica y conversación*. Start with the warm-up exercises provided in the *Instructor's Annotated Edition*. The exercises in the student text begin with mechanical, skill-building exercises that emphasize form; such exercises are quite controlled and usually only one answer is possible. The exercises proceed to meaningful practice in which the student is able to express his or her own ideas. These exercises are less controlled and there is no one right answer; any logical and appropriate response is acceptable. The *Práctica y conversación* generally concludes with communicative exercises that simulate actual conversation or use language to obtain or relay information. In all three types of exercises paired and small group work is emphasized. It should be noted that the exercises are related to the chapter theme and the communicative goal of the *situación*. The vocabulary of the *Presentación* is recycled and reviewed throughout the *Estructura* sections.

- The exercises have been designed so that instructors can choose those that best fit the needs of each individual class. Items within exercises can be eliminated as can entire exercises. When choosing exercises for use in class, try to maintain balance and progression so that the students proceed from mechanical to meaning to communicative exercises. Students can pick up basic forms and do basic mechanical drills on their own, especially with the aid of a computer. Class time becomes more effective and interesting when meaningful, communicative exercises are completed.

- Many exercises conclude with an item signaled with Spanish questions marks: ¿?. In such cases, students should be encouraged to talk or inquire about things that interest them. A feature of a communicative textbook and classroom is that it promotes and works toward true conversation. True conversation is uncontrolled and open-ended. Students need to learn to take risks and attempt to converse; the use of the ¿? item is one way to encourage communication and conversation even within a mechanical exercise.

Information Gap Activities

Many chapters of *Interacciones* include an information gap activity that is based on two versions of the same illustration. Students practice negotiation of meaning as they ask and answer questions in order to discover what is missing from the drawings and complete the communicative task. The information gap activities practice vocabulary and/or grammatical structures and are located in either the *Presentación* or *Estructuras* sections.

Suggestions for Using the Information Gap Activities

- The first time that students encounter an information gap activity, make certain that all students fully understand the instructions before having them begin the activity.

- Point out that the information gap activities provide practice with chapter vocabulary, phrases, and grammar as well as with general linguistic functions such as asking and answering questions, listing and enumerating, and creating with language. The activities also provide practice with using language for a real world purpose—the sharing of information.

- Read the instructions for the Information Gap Activity with the students.

- Explain to students (or remind students) that one student will use the version of the illustration for the activity that is placed within the activity itself in the student textbook chapter. The other student will use the alternate version of the illustration located in Appendix A.

- Have students find a partner (or assign partners) with whom to work and have them form pairs.

- Circulate around the classroom and monitor students so that all students are on task. Answer questions without directly providing answers for the activity.

- When students have completed the activity, go over the answers with the entire class.

¿Qué oyó Ud.?

The *¿Qué oyó Ud.?* sections located at the end of the *Segunda situación* of each chapter are designed to develop the listening comprehension skill and interpretive mode of communication. The placement of these sections in the *Segunda situación* allows the student to review the functional vocabulary and phrases of the entire chapter. The student textbook is sold with the audio compact disc containing the conversations of the *¿Qué oyó Ud.?* section.

Each *¿Qué oyó Ud.?* section begins with a listening strategy that provides the student with techniques to help improve listening comprehension in the target language. After studying the listening strategy, students listen to a dialogue on the audio compact disc that accompanies the textbook. The dialogue is organized around the phrases and expressions of the *Así se habla* section and relates to the chapter cultural theme.

After listening to the dialogue, students complete two exercises; the first exercise checks comprehension about factual information contained in the dialogue and practices the listening strategy. The second exercise asks students to analyze linguistic, sociolinguistic and cultural elements of the dialogue and encourages critical thinking.

Suggestions for Using ¿Qué oyó Ud.?

*   In the early weeks of the course, it is advisable to do the *¿Qué oyó Ud.?* section in class so that students learn how to handle the section and how to develop the listening skill.

*   In the first few chapters, explain that students should listen for general meaning or gist and should not shut down mentally when they hear words or phrases they do not understand.

*   Prior to playing the listening section in class, carefully set the scene by going over the direction lines that provide the background information for the conversation.

*   Play the recorded conversation. Suggest that students take notes in Spanish to remember details such as the names of people or places mentioned.

*   Do the listening comprehension exercise in the textbook. You may want to play the conversation a second time to clarify a difficult question or to ask for more in-depth information concerning content. However, it is not advisable to provide students with the opportunity to repeat everything. Most actual listening material is not repeated, and students need to learn to understand the gist of a conversation from only one listening opportunity.

Tercera situación

The first two *situaciones* of each chapter present and practice the vocabulary, situational phrases, grammatical structures, and basic cultural information that will be re-combined and synthesized in the *Tercera situación*. The *Tercera situación* has been designed so that students engage in activities and tasks that involve real communication and will use language for real world purposes such as the tasks that native speakers engage in on a daily basis. To accomplish this goal, the *Tercera situación* includes a variety of sections so that students will practice and use all four language skills—listening comprehension, speaking, reading, and writing in the three communicative modes—interpersonal, interpretive, and presentational. The following sections are included in the *Tercera situación*.

Perspectivas	Information related to the cultural theme of the chapter
Panorama cultural	Video (listening and viewing) segment
Para leer bien	Reading strategy
Lectura cultural	Cultural reading
Para escribir bien	Writing strategy
Composiciones	Topics for composition and writing activities
Actividades	Topics for oral communication

Cultural Information in Interacciones: *Perspectivas*

The cultural objectives of *Interacciones* are to help students learn more about the products, practices, and perspectives of Hispanic culture. Students will also learn more about their own culture through cross-cultural comparisons with Hispanic culture. In order to accomplish these objectives, the *Interacciones* program

1. introduces students to the various geographic regions where Spanish is spoken and to the diverse ethnic backgrounds of the people who speak the language.

2. provides the cultural information necessary to successfully function in Hispanic countries.

3. point outs and explains cultural differences and provides exercises that help the student become aware of the differences and similarities among cultures.

4. avoids stereotyped aspects of culture and emphasizes positive aspects without distorting reality.

5. helps students become sensitive to the target and native cultures while appreciating the best features of both.

The cultural information is presented in several places within each two-chapter unit: *Bienvenidos, Presentación, Perspectivas, Panorama cultural, Lectura cultural,* and *Herencia cultural.* In addition, many grammar exercises are designed to present functional culture or cross-cultural information.

The *Perspectivas* section is designed to help students learn to function within the Spanish-speaking world. The section consists of a reading that is related to the cultural theme of the chapter, a photo or piece of realia that helps illustrate the cultural information, and exercises designed to check comprehension and help students assimilate cultural differences. In *Capítulo 1: La vida de todos los días* the student learns about the daily schedule in the Spanish-speaking world; in *Capítulo 3: En familia* the student learns about surnames and how they are formed; in *Capítulo 4: En el restaurante* the student learns how to read a basic menu in several Spanish-speaking countries or areas. Authentic materials in the form of brochures, pamphlets, instruction cards, forms and applications are used as instructional tools in this section. Thus, in *Perspectivas* the student is given the cultural information needed to understand Hispanic culture and how to function effectively in a Spanish-speaking region or country.

A marginal annotation in the *Instructor's Annotated Edition* explains the relationship of each *Perspectivas* section to the Culture and Comparisons standards of the national *Standards for Foreign Language Learning* by pointing out the products, practices, and perspectives being taught as well as the cross-cultural information presented. A second annotation entitled *Práctica intercultural* provides instructors with warm-up questions about the student's own culture; these questions help students make cross-cultural comparisons and awaken background knowledge.

Suggestions for Using Perspectivas

- Read the marginal annotation that explains the focus of the *Perspectivas* section in terms of the Culture and Comparisons standards of the national *Standards for Foreign Language Learning.* This information should help the instructor plan how to present the *Perspectivas* section to the students.

- Relate the *Perspectivas* section to the cultural theme of the chapter.

- Complete the *Práctica intercultural* warm-up exercise provided in the marginal annotation.

- Make a transparency of the realia and complete the exercises with the aid of the transparency and an overhead projector.

- After students have read the information, proceed to the exercises. Have students role-play scenes and situations.

- Use the photo and/or realia as a basis for continuing the cross-cultural comparisons. Ask students to describe the photo; ask additional questions about similarities and differences in the native and target cultures.

- Use the *Perspectivas* section as a brief reading comprehension exercise. Have the students read the selection in class; then ask them the content questions.

- The *Perspectivas* section can also serve as a pronunciation exercise if the students read the information aloud in class.
- The *Perspectivas* section lends itself to further classroom work and study on the topic(s) under consideration. This is a time to show slides or videos related to the topic, provide examples of the products described, and further discuss cross-cultural values and institutions. It is also an opportune moment to have students share their own experiences with the products, practices or perspectives under study.

Panorama cultural

The *Interacciones* program contains a video component that was filmed on location in several countries of the Spanish-speaking world. The video program is comprised of real-life situations that reflect the vocabulary, grammar, and communicative functions and/or culture presented in each chapter of the student textbook. The textbook exercises for the video segments focus on global understanding of the video segment. A video still from the segment under study is provided to serve as an advance organizer for the exercises. Additional exercises that focus on other aspects of the same video segment are found in the *Instructor's Resource Manual*.

Suggestions for Using Panorama cultural

- The *Panorama cultural* sections are designed as classroom work. The exercises serve as a general introduction to the video.
- Activate students' background knowledge by providing a sentence or two about the general content of the video segment.
- Proceed to the first exercise of the *Panorama cultural* section. This first exercise serves as an advance organizer and helps students prepare for the video content. Have students complete the exercise in class.
- Have students read the instructions and items for the second exercise. In this way they will know what to listen and watch for in the video segment.
- Show the video segment. Students may take notes while listening and viewing.
- After viewing, have students complete the second exercise. They may work individually, in pairs, or in small groups.
- Go over the exercise with the entire class. If students have difficulty with the exercise or with individual questions, play the video segment again. An alternative would be to have the students view the video again in the media center or language laboratory and complete the exercise outside of class.
- After completing *Panorama cultural*, you can complete the additional exercises in the *Instructor's Resource Manual* in class or assign these exercises for out-of-class work.

The Reading Skill: Para leer bien

Reading used to be referred to as a "passive skill" which implied that little or no effort was required on the part of the reader to develop or use the skill. Today, however, reading is labelled a receptive skill, a term that acknowledges effort on the part of the learner. In the case of the productive skills of speaking and writing, the instructor knows almost immediately if students are grasping a new structure or form; the spoken or written words are readily available for assessment. However, it is not easy to ascertain if students are reading correctly or even if they are reading at all. Therefore, instructors need to prepare students for reading with as much or even more care than they give to speaking preparation. This is one way to avoid frustration and error on the part of the student.

Reading is also an important component of the communicative mode of interpretation. In the interpretive mode, students read (or listen) and then interpret what they have learned. Frequently, they will need to discuss or write about what they have read. Thus, reading, and the interpretive mode, often link to the productive skills of speaking and writing.

As stated before, one of the main purposes of *Interacciones* is the development of the reading skill. To that end the following sections are provided: *Perspectivas, Para leer bien + Lectura cultural, Personalidades, Arte y arquitectura, and Para leer bien + Lectura literaria.*

Recent research on reading has shown that comprehension of a reading passage is facilitated if students are provided with information about content, vocabulary, and structures of the selection prior to actually reading it. This information in the form of explanations and exercises called advance organizers allows the students to organize their thinking and previous knowledge in order to make the correct predictions and guesses about content.

Para leer bien is a brief section that serves as an advance organizer for facilitating the reading of the *Lectura cultural* that follows. It precedes the reading selection and offers concise explanations and exercises on such topics as cognate recognition, word families, prefixes and suffixes, predicating and guessing content, scanning, skimming, contextualized meanings, and chronological ordering. The content of this section is related to the content of the reading selection that follows; most examples and exercise items are taken directly from that reading selection.

Suggestions *for Using* Para leer bien

- The development of the reading skill in *Interacciones* depends on having students think and learn about the reading passage prior to the actual reading. Students should be taught not to simply plunge into the reading selection. The attempt to read without preparation results in frustration and/or resorting to translation into English.
- Option 1: Do the *Para leer bien* in class and then allow class time for students to read the *Lectural cultural*.
- Option 2: Do the *Para leer bien* at the end of the class hour before assigning the reading of the *Lectura cultura*l for out-of-class preparation and in-class discussion the following class period.

    Note: Option 1 is most effective during the early weeks of an intermediate course. Option 2 should be the option used during the latter part of the course.

- Briefly explain or discuss the content of the *Para leer bien* section.
- Do the *Práctica* as a group in class.
- If time is short, the *Para leer bien* can be assigned for self-study and preparation. However, to de-emphasize or eliminate the *Para leer bien* sections from class routine gives the impression that they are of little importance. It is suggested that instructors use the *Para leer bien* sections in class for at least the first three chapters. After students have completed several sections and realize their value, then they can be assigned for self-study.
- Review the main steps involved in pre-reading and de-coding: predicting and guessing content, skimming, scanning, locating main ideas and supporting elements. This review of strategies prior to reading is an important step in the early stages of the course.

Lectura cultural

The readings of the *Lectura cultural* are taken from articles in contemporary Hispanic magazines and new spapers and are chosen for their relation to the cultural theme of the chapter. By providing students with a variety of topics from a variety of sources, students should gain confidence in reading and progress rapidly.

Following each reading is a series of exercises to check comprehension, improve cultural knowledge and develop the reading skill.

Suggestions *for Using the* Lectura cultural

- The *Lectura cultural* reading can be used as an in-class or an outside-of-class assignment.
- Prior to making the assignment, explain and/or discuss the *Para leer bien* section and complete the exercises accompanying the reading strategy.

- In the beginning chapters where the reading selections are briefer, it is advisable to do the reading in class. There are several reasons for this approach. (1) In this manner the instructor can properly prepare the students for reading by completing the *Para leer bien* sections; students will, thus, learn how to approach reading. (2) The instructor can monitor the reading process and eliminate reliance on a dictionary. (3) Students will remember the content of the reading and will be better able to complete the exercises and discuss content. (4) Reading in class builds reading confidence. Allow some about ten minutes to complete the readings in class.

- Prior to having students read the selection, go through a series of exercises to awaken background knowledge.

  1. To encourage students to predict and guess content, ask, "Given the title, what topics or themes would you expect to see developed in the reading?" "Look at the photo(s). What do you expect the reading to be about?"

  2. Encourage students to guess the meaning of words by relying on prefix or suffix information, word families, cognate recognition, and so on.

  3. Discourage word-for-word translation as well as reliance on a dictionary. It is recommended that the reading be completed in the classroom to avoid translation and overreliance on a dictionary.

- After the reading of the selection is completed, proceed to the exercises of the *Comprensión*. The exercises generally consist of a set of comprehension questions and several other exercises to reinforce meaning or vocabulary.

- The final exercise in the *Comprensión* section is entitled *La defensa de una opinión*. These exercises are designed to help students learn to use a reading as a source of information and/or topic for conversation. This exercise trains them to look for specific facts and phrases that support the thesis of the article. The exercise can be done as an oral or written activity or assignment. It can be done individually, in pairs, or in small groups.

- Since most of the readings develop a cultural topic, discuss cross-cultural implications of the reading in English or in Spanish.

Para escribir bien, Composiciones

The *Para escribir bien* sections offer a series of strategies designed to teach writing as a process. Students are given general writing techniques (such as information on preparing to write, improving accuracy, or using a dictionary) as well as the expressions and techniques for writing for specific situations (such as extending and replying to an invitation, filling out an application, and writing personal and business letters).

Each *Para escribir bien* section is followed by the *Composiciones* section that provides composition topics that are related to the chapter and that practice the writing strategy. The topics represent a variety of types of writing: forms; informal notes; messages; letters; as well as more formal, academic topics. The emphasis, however, is on writing tasks that are similar to those performed by native speakers on a routine basis.

Suggestions for Using Para escribir bien, Composiciones

- In the early chapters, go over the *Para escribir bien* sections with the students to emphasize their importance and to establish a study pattern. As students progress, assign *Para escribir bien* as an out-of-class activity.

- Select one composition topic for the entire class, or allow each student to select the topic that most appeals to him/her.

- In the early chapters, the compositions should be a about a page in length. The length should increase as the student progresses; by the end of the textbook a student should be able to write a page and a half or even two or more pages.

- Not all compositions need to be graded. It is frequently enough to make comments about content in the margins to indicate that the instructor has read the composition. Comments such as, "This happened to me also," "I'm happy for you," "I agree," or "How funny" indicate interest in the composition and are great motivators for the student to want to continue writing.

- Another idea for grading is to correct and assess only certain appropriate grammar points, for example, adjective agreement in a composition describing someone or something or the use of the preterite/imperfect in a past narration.

- When a grade is to be assigned, look for broad linguistic functions and general comprehensibility of the composition. Inaccuracies of a minor nature that do not interfere with general comprehension should not be given heavy consideration when assigning a grade. Try to encourage writing by not being overly harsh about minor errors in accuracy.

- At times, divide students into groups of three or four to have them write a group composition in class. One student acts as secretary and submits one composition from the group. The instructor can then correct and/or grade the composition, assigning the same grade to all members of the group. Allow 8 to 10 minutes for the in-class group composition.

Actividades

The *Actividades* section is intended to be the culminating activity of the chapter and one that allows the students to use the language in interesting and entertaining ways. Nevertheless, this section is pedagogically sound since each activity combines the vocabulary, grammar, linguistic functions, and cultural information of the entire chapter in new communicative patterns. The activities are varied; although some activities are geared to the individual student, most are pair or small group activities. Many activities are task-oriented and involve the students in realistic situations such as those encountered in the target culture; games and role-playing are stressed. Marginal annotations in the *Instructor's Annotated Edition* provide information about the communicative modes practiced in the individual activities; these annotations help the instructor link this section to the national **Standards for Foreign Language Learning.**

Suggestions for Using the Actividades

- Allow an entire class period for the performance of the *Actividades* section in class. It is not advisable to eliminate this section. If pressed for time during a term, reduce the length and number of mechanical exercises done in class and maintain the exercises and activities that practice and emphasize true communication and conversation.

- The activities of the *Actividades* section should be prepared outside of class. There are several possible ways to assign the activities.

  1. Assign all activities to all students; students should prepare the activities orally outside of class and do them in class the next class meeting.

  2. Divide the class into as many small groups as there are activities; assign each activity to one group.

  3. Allow students to choose one or two activities they would like to prepare.

- To avoid monotony, vary the way you assign the activities throughout the course.

- On the day the *Actividades* section is to be completed in class, allow about five minutes at the beginning of the class period so students can practice the activity.

- The activities day should be a pleasant learning experience. Most students enjoy role-playing and the activities. It is not a good idea to stop to correct students during the performance of an activity; it breaks the rhythm and mood of the activity and can result in embarrassment.

- Some instructors may want to grade the activities of this section. When grading or making comments or corrections, try to keep them private; jot down notes on a piece of paper to give to the student later. When grading, look for broad linguistic abilities. The key factor should be whether or not the student communicates his/her point in a comprehensible manner. Inaccuracies of a minor nature that do not interfere with general comprehension should not be given much importance in the grading process.

- Remember that language learning takes place while the students prepare and practice the activities; little learning takes place during performance. The oral presentation / performance is given so that the instructor can check and monitor progress and/or assign a grade. The aim of the activities is to increase language proficiency, not to achieve perfection of performance as in a play or skit.

Herencia cultural

Each two-chapter unit closes with a section entitled *Herencia cultural;* it is designed to introduce the student to the achievements of the Hispanic peoples and their visual and literary arts. Each section correlates with the country or region to which the two-chapter unit is devoted. *Personalidades de ayer y de hoy* provides information on six historical or contemporary figures that represent the countries under study. *Arte y arquitectura* provides information about important museums, artists, and works of art or architecture; photos and comprehension exercises accompany the explanations. The *Lectura literaria* is composed of short stories, memoires and poetry by authors from the country or region represented in the two-chapter unit. Each reading is preceded by a *Para leer bien* which provides information on literary topics such as genre, theme, character, figurative language or symbolism.

Personalidades de ayer y de hoy

• Each *Herencia cultural* section begins with *Personalidades de ayer y de hoy*. Generally two historical and four contemporary figures pertaining to the country or region of the unit are highlighted. A portrait or photo is provided along with brief biographical information.

Supplementary Information for Personalidades

ESPAÑA: Información suplementaria para *Personalidades de ayer*

As you discuss each historical figure, you can provide the class with additional information such as the following. **El Cid Campeador:** Rodrigo Díaz de Vivar nació en una familia noble de Vivar del Cid, al norte de Burgos. Luchó para la causa cristiana en la Reconquista, la guerra contra los musulmanes. Conquistó Valencia en 1094 y gobernó la ciudad hasta su muerte. Por su heroismo se le llamó El Cid, del árabe *sidi* que significa *señor*. **Fernando e Isabel:** Fernando (1452-1516) e Isabel (1451-1504) fueron modelos de reyes renacentistas a causa de su preocupación por la grandeza del país. El año 1492 fue un año clave para ellos y la historia de España. En enero los Reyes Católicos conquistaron Granada, el último reino árabe que existía en la península y así obtuvieron la unidad política del país. En octubre del mismo año Cristóbal Colón llegó a las Américas y los Reyes Católicos extendieron su imperio.

ESPAÑA: Información suplementaria para *Personalidades de hoy*

As you discuss each contemporary figure, you can provide the class with additional information such as the following. **Pedro Almodóvar:** La primera película de Almodóvar, *Pepi, Luci, Beni y otras chicas del montón,* salió en 1979. Con su película *Mujeres al borde de un ataque de nervios* (1988), que fue nominada para un premio Óscar como la mejor película en lengua extranjera, consiguió la fama internacional. Otras películas suyas son *Átame* (1990), *Tacones lejanos* (1991), *Kika* (1993), *La flor de mi secreto* (1995), *y Carne trémula* (1997). **Enrique Iglesias:** (1975–) Es el artista latino que vende más discos en el mundo. Es el hijo de Julio Iglesias e Isabel Preysler. Entre sus álbumes más populares están *Enrique Iglesias Vivir y Cosa del amor.* En 1999 salió su primer single en inglés-español: *Bailamos* que fue un éxito inmediato. La lista de premios y trofeos de Enrique Iglesias es impresionante; 116 discos de platino, 27 de oro, el Grammy al Mejor Artista Latino 1996 entre otros. **La familia real española:** Juan Carlos I de Borbón y Borbón nació en Roma en 1938 y subió al trono al morir el Generalísimo Francisco Franco el 22 de noviembre de 1975. Es un símbolo de la tolerancia y la democracia. Con el apoyo del Rey Juan Carlos I el pueblo español aprobó una nueva constitución en 1978. La familia real española es una familia muy unida y deportiva; participan en deportes acuáticos como la navegación. **Sergio García:** (1980-) nació en Borriol, Castellón. Su padre Víctor es golfista profesional en el Club del Mediterráneo donde Sergio aprendió a jugar al golf; fue campeón de ese club a los 12 años de edad. Su objetivo es ser el mejor del mundo.

MÉXICO: Información suplementaria para *Personalidades de ayer.*

As you discuss each historical figure, you can provide the class with additional information such as the following. **Cuauhtémoc:** Fue el sobrino de Moctezuma II. Resistió a los españoles durante 75 días en la batalla por Tenochtitlán, en la cual murieron miles de aztecas. **Sor Juana Inés de la Cruz:** Era una niña precoz y aprendió a leer a los tres años. Poco después aprendió el latín. Decidió entrar en un convento porque sabía que si se casaba nunca tendría tiempo para estudiar y escribir.

MÉXICO: Información suplementaria para *Personalidades de hoy*

As you discuss each contemporary figure, you can provide the class with additional information such as the following. **Vicente Fox Quesada:** Nació en la capital pero su familia se trasladó a un rancho cerca de un pequeño municipio en Guanajuato. Es el segundo de nueve hijos. Tiene cuatro hijos, todos adoptados. **Salma Hayek:** Nació en un pueblo pequeño en Veracruz. Su padre es comerciante y su madre es cantante de ópera y buscadora de talentos. Llegó a los EE.UU. sin saber hablar inglés; lo aprendió a través de cursos intensivos. **Luis Miguel**: Luis Miguel Gallego Bastery nació en Puerto Rico pero cuando tenía pocos meses de edad su familia se trasladó a México donde todavía vive. Creció en una familia de músicos y recibió el apoyo incondicional de su padre para su trabajo. **Carlos Fuentes**: Ganó la fama en 1958 con la publicación de su primera novela *Donde el aire es transparente*. Su programa de televisión *El espejo enterrado / The Buried Mirror* sobre la historia de México tuvo mucho éxito en los EE.UU. y se usa en muchos cursos de cultura y civilización mexicana.

CENTROAMÉRICA, COLOMBIA Y VENEZUELA: Información suplementaria para *Personalidades de ayer*

As you discuss each historical figure, you can provide the class with additional information such as the following: **Simón Bolívar:** Fue un hombre culto que admiraba mucho los EE.UU. y a los liberales franceses de la época. Tuvo la idea de liberar la región de Sudamérica de los españoles y de formar una sola nación independiente. En 1819 derrotó *(defeated)* a los españoles y más tarde fue nombrado Presidente de la Gran Colombia, actualmente Venezuela, Colombia, Panamá y Ecuador. En 1826 libertó Perú, (actualmente Perú y Bolivia). Nunca realizó su idea de formar una gran nación como los EE.UU. de América, al norte. **Rubén Darío:** Publicó su primer libro de poesía en 1887 a los 20 años de edad. Viajó mucho por la América Latina y entre América y Europa y sirvió de lazo de unión entre los poetas de muchas nacionalidades. Para muchos críticos literarios Rubén Darío fue el primer escritor verdaderamente profesional de Latinoamérica. Gracias a él, la poesía hispanoamericana tiene una preocupación más seria por la forma y el lenguaje.

CENTROAMÉRICA, COLOMBIA Y VENEZUELA: Información suplementaria para *Personalidades de hoy*

As you discuss each contemporary figure, you can provide the class with additional information such as the following. **Óscar Arias Sánchez:** Como Presidente de Costa Rica estaba convencido de que nunca podrían solucionarse los problemas económicos de Costa Rica mientras perdurara la guerra en los países vecinos. Así Costa Rica pasó de un peligro de guerra a la paz y la seguridad. **Shakira:** Shakira Isabel Mebarak Ripoll nació en Barranquilla, Colombia de un padre árabe (William Mebarak) y una madre colombiana (Nidia Ripoll). Su nombre en árabe significa «mujer llena de gracia». En 1998 encabezó el listado de las 50 Latinas de Billboard con su segundo álbum *¿Dónde están los ladrones?* **Rigoberta Menchú Tum:** En su juventud sólo hablaba quiché y aprendió el español a los 20 años de edad. Hacía solamente tres años que hablaba y escribía español cuando publicó su libro. Hoy en día sigue escribiendo contra la opresión social en Guatemala. **Rubén Blades:** Entre sus películas están *Crossover Dreams* (1985), *The Milagro Beanfield War* (1988), y *The Devil's Own* (1997). Obtuvo su título de abogacía en Panamá y una maestría en derecho internacional en la Universidad de Harvard. Vive cerca de Hollywood con su esposa, la actriz Lisa Lebenzon.

LOS PAÍSES ANDINOS: BOLIVIA, EL ECUADOR Y EL PERÚ: Información suplementaria para *Personalidades de ayer*

As you discuss each historical figure, you can provide the class with additional information such as the following. **José de San Martín:** Nació en la Argentina pero su familia se trasladó a España cuando él era muy joven. En 1812 regresó a Sudamérica para luchar por la independencia. Con Bernardo O´Higgins libertó a Chile. Después fue al Perú y luchó contra los españoles. Se retiró a Francia para no participar en los problemas y luchas internas de las nuevas repúblicas de Sudamérica. **Antonio José de Sucre:** Nació en

Venezuela y desde muy joven participó en la guerra de la independencia. Fue un buen amigo de Bolívar. Después de retirarse San Martín, Sucre concluyó la guerra de independencia en el Perú y el Alto Perú.

LOS PAÍSES ANDINOS: BOLIVIA, EL ECUADOR Y EL PERÚ: Información suplementaria para *Personalidades de hoy*

As you discuss each contemporary figure, you can provide the class with additional information such as the following: **Mario Vargas Llosa:** La publicación de su primera novela *La ciudad y los perros* (1963) lo estableció como un autor importante. Entre sus otras novelas están *La casa verde* (1966), *Conversación en la catedra*l (1969) *La tía Julia y el escribidor* (1977) e *Historia de Mayta* (1985). Todas sus novelas utilizan una técnica narrativa compleja. **Jaime Escalante:** Nació en La Paz, Bolivia y emigró a los EE.UU. en 1964. En la película *Stand and Deliver* Edward James Olmos hizo el papel de Escalante. En 1998 se jubiló y regresó a Bolivia. **Tania Libertad:** En el Perú Tania tuvo sus propios programas de televisión y radio y grabó más de diez discos. En México también ha participado en los programas más importantes del país. Entre sus discos más importantes están *México lindo y querido, África en América, y Amar amando.* **Javier Pérez de Cuéllar:** Es conocido por sus habilidades de negociación; como Secretario General de la ONU fue el mediador en la guerra Irán-Irak, en la guerra de las Malvinas entre la Argentina y Gran Bretaña y en muchos otros conflictos. Ha recibido un gran número de premios y distinciones.

LA COMUNIDAD HISPANA DENTRO DE LOS EE.UU.: Información suplementaria para *Personalidades de ayer*

As you discuss each historical figure, you can provide the class with additional information such as the following: **César Chávez:** Nació en Arizona y con su familia emigró a California donde trabajó como obrero migratorio. Se dedicó a la no violencia y a los derechos civiles para todos. Murió en 1993 en Arizona, cerca del lugar donde nació. **Selena:** La superestrella de la música tejana murió muy joven en 1995 cuando una empleada despedida la abaleó. En 1999 su familia abrió un museo en memoria suya en Corpus Christi, Texas, el lugar donde empezó su carrera. Jennifer López hizo el papel de Selena en una película sobre su vida. Todavía tiene millones de aficionados que compran su música y visitan su museo.

LA COMUNIDAD HISPANA DENTRO DE LOS EE.UU.: Información suplementaria para *Personalidades de hoy*

As you discuss each contemporary figure, you can provide the class with additional information such as the following: **Sammy Sosa:** Cuando era joven su héroe era otro jugador de béisbol, el famoso Roberto Clemente. En 1998 logró 66 home runs, pero Mark McGwire logró superarlo con 71. **Cristina Saralegui:** Su era padre fue el dueño de la revista *Vanidades* en Cuba. Ella fue una de las primeras reporteras bilingües de *Cosmopolitan* en español y llegó a ser la editora de la revista en 1979. **Rita Moreno:** Recibió dos premios Emmy por *The Muppet Show* (1977) y *The Rockford Files* (1978); el Grammy (1972) por su participación en la grabación de *The Electric Company*; el Óscar (1962) por su interpretación de *Anita en West Side Story*; el Tony (1975) por ser actriz en *The Ritz*.

CHILE Y LA ARGENTINA: Información suplementaria para *Personalidades de ayer*

As you discuss each historical figure, you can provide the class with additional information such as the following. **Jorge Luis Borges:** Nació en Buenos Aires e hizo sus estudios secundarios en Ginebra, Suiza. Regresó a la Argentina, entró en el mundo literario y fundó varias revistas literarias. Entre sus colecciones de cuentos están *Ficciones (1944), El Aleph (1949) y El hacedor (1960)*. En 1955 una enfermedad lo dejó ciego y de allá en adelante tuvo que dictar todas sus obras. **Juan y Evita Perón:** La primera presidencia (1946-1952) de Juan Perón se caracterizó por los profundos cambios sociales y económicos que trajo al país. Pero durante la segunda (1952-1955), el gobierno entró en una época de desorden administrativo, de persecución a los intelectuales y los partidos democráticos y ataques contra la Iglesia Católica. El gobierno de Perón arruinó el país económicamente. En octubre de 1973 Perón regresó a la Argentina después de 18 años de exilio en España. Llegó a ser presidente otra vez pero se murió el año siguiente. La obra musical *Evita* cuenta la historia de la Argentina durante aquella época.

CHILE Y LA ARGENTINA: Información suplementaria para *Personalidades de hoy*

As you discuss each contemporary figure, you can provide the class with additional information such as the following. **Diego Armando Maradona:** Nació en la Argentina donde empezó su carrera como futbolista. Pronto se convirtió en uno de los mejores futbolistas del país. Pasó al equipo de Barcelona, España en 1982 y de allá a Nápoles en 1984 donde llegó a ser el mejor futbolista del mundo. En Nápoles lo acusaron de consumo de drogas y entró en una época muy controversial. En 1993 regresó a la Argentina y con Maradona como capitán, la Argentina se clasificó para el Mundial aunque perdieron en el partido final. Se retiró del fútbol en 1997. **Mafalda:** Mafalda pertenece a una típica familia de la clase media. Odia la sopa, las tareas escolares y las preguntas infantiles. Sus amigos son Susanita, Manolito y Felipe que también aparecen en la tira cómica. **Isabel Allende:** Su tío fue el presidente chileno Salvador Allende; cuando murió éste en un golpe de estado, Isabel y su familia tuvieron que salir del país. Una película basada en su primera novela, *La casa de los espíritus* (1982) salió recientemente.

Suggestions for Using Personalidades

- Read the marginal annotation that explains the focus of the *Personalidades* section in terms of the Culture and Comparisons standards of the national *Standards for Foreign Language Learning*. This information should help the instructor plan how to present this section to the students.

- Prior to reading the information about any one individual, have students use the portrait or photo and then work in pairs to describe the person.

- Have several students volunteer to read aloud the biographical information about each of the persons in the section.

- Using the *Información suplementaria* provided above, provide students with additional information on each individual.

- Use the comprehension questions of the marginal annotation to ask about the personalities the students have just studied.

- Have students provide the names of additional famous persons from the country or region under study. Have them explain the importance of the individual.

Arte y arquitectura

Arte y arquitectura provides information about important museums, artists, and works of art or architecture for the country or region studied within the two-chapter unit. Photos and comprehension exercises accompany the explanations.

Suggestions for Using Arte y arquitectura

- Since this section is similar in intent to the *Bienvenidos* section, a similar teaching format can be followed.

- Have students read the information in class or as an outside assignment.

- Supplement the related textbook photos with photos, slides and/or videos of the work(s) under consideration.

- Have students describe the photos in the textbook or slides of the art/architecture.

- Complete the textbook exercises.

- Supplement the textbook exercises by playing "Jeopardy" in Spanish. Have the students identify slides or photos of the art work, architecture, museums discussed in the textbook. Or have the students identify the names of important works and artists discussed in the textbook.

- *Arte y arquitectura* correlates well with the *Connections* standard of the national *Standards for Foreign Language Learning*. This section can serve as a springboard for having students do Internet research that links their Spanish class to other disciplines such as art history, anthropology, economics, geography, history, political science, or world literatures.

Lectura literaria

The *Lectura literaria* is composed of short stories, memoirs and poetry by authors from the country or region represented in the two-chapter unit. Each reading is preceded by a *Para leer bien* which provides information on literary topics such as genre, theme, character, figurative language or symbolism. Prereading exercises follow the reading strategy of the *Para leer bien* section. A photograph and short biography of each author is also provided prior to the reading selection. Postreading exercises designed to check comprehension are also provided.

The literary selections have been included in order to provide students with an introduction to the Hispanic literary heritage. It should be noted that many students have little familiarity or practice with the reading of literature and will need to be guided through the process. The end goal for reading these selections is to have students relate a brief summary of the selections and to be able to explain the main theme or importance of the topic. It is not expected that students will be able to engage in deep literary analysis or to apply critical theory to the reading selections.

Suggestions for Using Lectura literaria

- Because the literary readings are similar in format to the other readings of the textbook, follow the procedures for teaching the *Para leer bien* and *Lectura cultural* sections located at the end of each chapter.

- The first time that the students encounter a *Lectura literaria* it is recommended that students receive careful instruction about how to approach the section and that the *Para leer bien* section and the accompanying exercises be covered in class. Read the literary selection in class if there is time. If not, assign the reading as out-of-class work. After students are familiar with this section and with reading literature, the entire section (or portions of this section) could be assigned for out-of-class completion.

- Point out that students are being exposed to the literature that their peers in the Spanish-speaking world read and study.

- In the early chapters of the book it will be necessary to point out that reading literature is different from reading journalistic articles. The *Para leer bien* sections of the *Herencia cultural* are designed to acquaint students with some of these differences.

- Students need to understand the concept of genre. Explain that every literary genre has its own characteristics and special reading techniques that students need to understand. The *Para leer bien* sections in the *Herencia cultural* are also designed to teach students how to approach different literary genres.

- Begin the *Lectura literaria* sections by having students read the *Para leer bien* sections and then complete the accompanying prereading exercises with the students.

- Proceed to the short biography of the author. Then ask questions about the author and his/her works. Have students describe the author using the portrait or photo.

- Ask students what the title of the literary selection is. Brainstorm possible topics to be included in a literary selection with that title or have them explain what the title might mean.

- Following the reading of the selection, go over the postreading comprehension exercises.

- After all exercises have been completed, it is recommended to return to the literary selection in its entirety. If there is time, have individual students read the selection aloud in class. This will allow all students to review the literary selection and to focus on the whole selection instead of the details focussed on in the exercises.

- Use slides, videos and/or photos to relate the literary readings to the countries or areas of the Spanish-speaking world.

Using Photos and Illustrations

Although many textbook photos and illustrations have a decorative value, in *Interacciones* they are designed for use as a pedagogical tool. The photos and illustrations often serve as an advance organizer and/or cultural reference point for readings and dialogues. The illustrations serve as a point of departure for exercises and activities.

It should be remembered that for many students the textbook photos are their main cultural link to the Hispanic world. Thus, the photos should be exploited to their fullest extent. The instructor can use them (a) to develop vocabulary acquisition: What is there in the photo? (b) to reinforce grammar: What are the people in the photo doing? / What did they do? / What will they do? or (c) to promote cross-cultural awareness: Do we have these same objects in our culture? Do they differ? How? Why don't we have these objects in our culture? What is their purpose?

The illustrations and realia can be made into transparencies and used in conjunction with an overhead projector and screen. Or for those instructors with the technological capability, the illustrations and realia can be scanned and shown using a projection system. To do the accompanying exercises that accompany the art or photos, the students should close their books and look at the illustrations on the screen. In this way, students are less dependent on the textbook for vocabulary and phrases for descriptions and role-play activities.

In the later chapters of the text, the photos and illustrations can be used to help students progress from using learned or memorized material to creating with language by using the following suggestions.

- Have students describe the photo/illustration as completely as possible.
- Have students imagine who the people in the photo/illustration are; they should invent a personality and biography for the people.
- Have students explain what is happening or what has happened in the photo/illustration.
- Have students imagine that they are in the photo/illustration; they should create a dialogue for the situation.

Appendixes

Early in the term, instructors should point out the various features of the Appendixes and explain how to use them. The appendixes include **(A) Information Gap Activities: Alternate Version of Drawings; (B) Vocabulary at a Glance** which consists of thematic lists of vocabulary such as numbers, colors, and calendar terms useful for describing the scenes of the illustrations of the *Presentación* sections; **(C) Metric Units of Measurement; (D) The Writing and Spelling System** including the alphabet, syllabication, accentuation, capitalization, and spelling hints; **(E) Verb Conjugations** of regular, stem-changing, orthographic-changing, and irregular verbs.

The student textbook concludes with a Spanish-English Vocabulary and index.

Using the Student Activities Manual

The *Student Activities Manual (SAM)* includes the *Cuaderno de ejercicios* and *Manual de laboratorio.* This component was written by the authors to ensure pedagogical consistency; it is considered to be a principal and integral part of the *Interacciones* program. The *Student Activities Manual* is available for purchase in traditional, printed format. An electronic version of the *Student Activities Manual (E-SAM)* is available on the *Interacciones* Web Site. Instructors can use whichever format best corresponds to the equipment and goals of their Spanish program.

Both the workbook and the laboratory manual provide exercises that parallel the sections of the student textbook as well as additional sections for skill development and improvement of accuracy. Answer keys to the exercises in the print version of the *SAM* are provided at the end of the *Cuaderno de ejercicios* and *Manual de laboratorio,* respectively. The electronic version located on the *Interacciones* Web site has a gradebook feature for instructors that eliminates the need to hand grade.

Cuaderno de ejercicios

The *Cuaderno de ejercicios* is designed to develop the writing skill. To that end there are exercises and activities for three types of writing. The mechanical exercises or drills teach spelling and the formation of verb forms and tenses, adjective and noun endings as well as word order and syntax. There are numerous exercises and activities that simulate writing tasks performed by native speakers. Filling out forms, writing notes, letters, and e-mail messages, composing ads and brochures, taking messages, and making lists are a few of such activities that would be performed by persons living, traveling, or working in the target culture. Lastly, there are exercises that prepare students for writing for academic purposes. Combined with the writing strategies and composition topics of the student textbook, the workbook exercises and activities provide a well-rounded and varied writing component.

Each two-chapter unit of the student textbook begins with the *Bienvenidos* section which presents geographical and cultural background for the Hispanic region covered in the next two chapters. This information is also given written practice in the *Cuaderno de ejercicios*.

Each chapter of the *Cuaderno de ejercicios* is divided into three sections: *Primera situación, Segunda situación,* and *Expansión de vocabulario.* The first two sections provide the written practice for the vocabulary, functional phrases, and grammar taught in the student textbook. The *Expansión de vocabulario* consists of two parts: *Dudas de vocabulario* and *Ampliación.* The *Dudas* section provides definitions and examples of vocabulary items that are similar in meaning or spelling and cause particular problems for students. The words chosen are related to the overall chapter situation or topic. Contextualized cloze exercises provide practice with these vocabulary items. The *Ampliación* section consists of a strategy and exercises devoted to the acquisition of new vocabulary. Information on cognate recognition, prefixes and suffixes, word families and word building is presented to help students guess the meaning of vocabulary items never before seen and to increase their vocabulary for written production. Exercises for learning the material follow each strategy.

An Answer Key is included with the *Cuaderno de ejercicios*.

Suggestions for Using the Cuaderno de ejercicios

The workbook should be used along with the textbook. After completing each of the first two *situaciones* of the student text, the student should complete the corresponding section of the workbook. The *Expansión de vocabulario* may be completed at any time after the completion of the *Segunda situación* of the chapter.

- To encourage completion of the workbook exercises, make specific workbook assignments, collect workbook exercises, and assign a grade.

- Students can self-correct the mechanical drill exercises whose answers appear in the Answer Key.

- Because of the wide variation in the answers to open-ended exercises and compositions, answers to these sections cannot be provided. In the Answer Key the phrase "Answers vary." is used for the open-ended exercises and compositions. Instructors can collect the workbook pages for each chapter and select one or two open-ended exercises or compositions to correct and return to students.

- Students can occasionally work in small groups and correct each other's open-ended exercises.

Manual de laboratorio

The *Manual de laboratorio* and its accompanying audio program are designed to develop the listening skill and improve pronunciation and accuracy in speaking. Each chapter is divided into a *Primera situación* and *Segunda Situación* with exercises that practice the vocabulary, functional phrases, and grammar of the corresponding textbook chapter and situación. Both listening and speaking exercises are provided.

The many listening passages of the *Manual de laboratorio* contain authentic language and are based on the material taught in the textbook chapter. These passages include listening tasks similar to those performed by native speakers. Telephone conversations, weather reports, commercials, and public announcements such as those heard in stores, airports, and train stations are a few of the types of tasks provided for listening. Exercises to check comprehension follow.

Each *situación* reviews the listening strategy taught in the corresponding situación of the student textbook. These strategies provide the student with techniques to help improve listening comprehension in the target language. The student then hears a monologue, dialogue or narrative and puts into practice the listening strategy just taught. A section on pronunciation is also provided in each situación. Explanation and practice of the production of individual Spanish sounds as well as intonation and accentuation is given.

The Answer Key for the listening and speaking exercises is included at the end of the *Manual de laboratorio*.

Suggestions for Using **Manual de laboratorio**

Universities vary widely in their language laboratory or multimedia facilities. As a result, departments have devised a variety of plans for laboratory attendance and listening opportunities. Secondly, most students own or have access to the technology to listen to audio compact discs or cassettes and can do the listening exercises independently. The important point is that students should listen to the materials and do the listening comprehension exercises. No specific scheduling is suggested.

- As in the case of the workbook, the laboratory manual should be used in conjunction with the student textbook and completed after the corresponding textbook sections have been completed.

- Answers to the listening activities are included on the CD itself or in the answer key provided at the end of the laboratory manual.

Instructor's Resource Manual

INSTRUCTOR'S RESOURCE MANUAL

The *Instructor's Resource Manual* is accompanied by the CD for Testing Listening Comprehension and includes the following sections:

I. Testing Program

Introduction

Correlation of *Interacciones* Chapters to the *Topics and Situations for Oral Evaluation*

Exámenes

Answer Key for the *Exámenes*

Tapescript for the Listening Comprehension Sections of the *Exámenes*

II. Video Program

Using the Video Program

Video Exercises

Answer Key for the Video Program

Tapescript for the Video Program

III. Teaching to Heritage Speakers

IV. Tapescript for *¿Qué oyó Ud.?*

V. Tapescript for the audio portion of the *Manual de laboratorio* of the *Student Activities Manual*

Interacciones Testing Program

The text-specific testing program includes two versions of the following items: a quiz for the *Capítulo preliminar*, 12 chapter exams, and a comprehensive final exam. A testing CD containing listening comprehension exercises for each quiz, chapter test, and final examination is also provided. Because students learn what they practice, the exams follow the type of exercises and activities in the textbook, the workbook, and the lab manual.

Each exam tests listening, reading, and writing skills, in addition to grammar, vocabulary, and linguistic functions. All items are presented in context as opposed to the random items that are found on many tests. Therefore, the testing program follows the philosophy and methodology of the text.

To evaluate the speaking skill, the *Topics and Situations for Oral Evaluation* may be used (see IAE–lvii). Another alternative would be for the instructors to conduct their own oral interviews. They could consist of questions and answers, role-playing, verbal problem solving, or other techniques similar to those found in the *Actividades* sections of the textbook.

In addition to the chapter tests, the *Interacciones Testing Program* contains a *Tapescript* for the listening comprehension items and the *Answer Key*.

Suggestions for Using the Testing Program

- The exams may be used in their entirety or sections of the exams could be added to quizzes or tests devised by the instructor to allow for individual preferences.

- The exams could serve as pre-tests or post-tests to check students' assimilation of the material.

Correlation of Interacciones *Chapters to the Topics and Situations for Oral Evaluation*

A series of topics and situations for evaluating the speaking skill accompanies the *Interacciones* program and is available on the *Interacciones* Web site (http://www.heinle.com). These topics and situations correlate to each chapter of *Interacciones* including the *Capítulo preliminar*. There are a sufficient number of topics and situations per chapter so that the same situation need not be repeated frequently, thereby reducing the chances that students will tell each other about the card content before testing. The topics and situations are written in English to avoid giving students key vocabulary or grammar structures. Suggestions on administering speaking tests and evaluating the speaking skill are provided. A guide correlating individual topics and situations to specific *Interacciones* chapters is contained in the *Instructor's Resource Manual*.

Interacciones *Video Program*

As explained in *Using the Interacciones Video Program* for the *Panorama cultural* section of the student textbook, the *Interacciones* text-specific videocassette was filmed on location in several countries of the Spanish-speaking world. The video program is composed of real-life situations that reflect the vocabulary, grammar, communicative functions and/or culture presented in each chapter of the student textbook. The exercises for the video segments are located in the *Panorama cultural* section of the textbook. The *Instructor's Resource Manual* contains suggestions for using the video program as well as additional exercises for the video segments. It also contains a transcription of the entire video.

Suggestions for Using the Additional Video Exercises

- First, complete the exercises of the *Panorama cultural* section of the student textbook.
- Photocopy or reproduce the additional exercises for the chapter under consideration for each student in the class.
- Then, have students complete the additional exercises. Show the video a second time as students complete the exercises. It may be necessary to show the video a third or fourth time in order to complete more detailed exercises.
- An alternative is to place a copy of the video in the media center or language laboratory and have students complete the exercises there.

Other Program Components

Interacciones *CD-ROM*

A text-specific CD-ROM is available as an option from Heinle & Heinle. This exciting dual-platform (Windows/Macintosh) CD-ROM provides additional reading, speaking and cultural activities that complement the rest of the *Interacciones* program. The cultural reading passages can be simply read or an optional audio feature allows the learner to hear a native speaker narrate the passage. These readings are followed by interactive exercises that test the student's comprehension of the passages. In addition, video clips from the new *Interacciones* video are included in the cultual sections, followed by interactive comprehension checks. In addition, the writing function features an internal diacritical palette, and the writing activities can be e-mailed to the professor, saved to a disk, or printed out. Grading is made easy for the instructor. Answers to all quantifiable questions flow into an electronic gradebook for the instructor to track.

Sample Course Outlines

SEMESTER SYSTEM (14-week term)

Semester One: *Capítulo preliminar - Capítulo 6*
Semester Two: *Capítulo 7 - Capítulo 12*

Three Class Periods Per Week (42 class periods)

Semester One:	*Capítulo preliminar + prueba*	=	4 days
	Each *Bienvenidos*	=	1/3 day
	Each *Capítulo* + exam	=	5 1/2 days
	Each *Herencia cultural*	=	1 1/2 days
Semester Two:	Each *Bienvenidos*	=	1/2 day
	Each *Capítulo* + exam	=	6 days
	Each *Herencia cultural*	=	1 1/2 days

Four Class Periods Per Week (56 class periods)

Semester One:	*Capítulo preliminar + prueba*	=	5 days
	Each *Bienvenidos*	=	1/3 day
	Each *Capítulo* + exam	=	7 1/2 days
	Each *Herencia cultural*	=	2 days
Semester Two:	Each *Bienvenidos*	=	1/2 day
	Each *Capítulo* + exam	=	8 days
	Each *Herencia cultural*	=	2 days

Five Class Periods Per Week (70 class periods)

Semester One:	*Capítulo preliminar + prueba*	=	7 days
	Each *Bienvenidos*	=	1/2 day
	Each *Capítulo* + exam	=	9 days
	Each *Herencia cultural*	=	2 1/2 days
Semester Two:	Each *Bienvenidos*	=	1/2 day
	Each *Capítulo* + exam	=	10 days
	Each *Herencia cultural*	=	2 1/2 days

QUARTER SYSTEM (10 week term)

Quarter One: *Capítulo preliminar - Capítulo 4*
Quarter Two: *Capítulo 5 - Capítulo 8*
Quarter Three: *Capítulo 9 - Capítulo 12*

Three Class Periods Per Week (30 class periods)

Quarter 1:	*Capítulo preliminar + prueba*	=	4 days
	Each *Bienvenidos*	=	1/3 day
	Each *Capítulo* + exam	=	5 1/2 days
	Each *Herencia cultural*	=	1 day
Quarters 2 & 3:	Each *Bienvenidos*	=	1/2 day
	Each *Capítulo* + exam	=	6 days
	Each *Herencia cultural*	=	1 1/2 days

Four Class Periods Per Week (40 class periods)

Quarter 1:	*Capítulo preliminar* + *prueba*	=	4 days
	Each *Bienvenidos*	=	1/2 day
	Each *Capítulo* + exam	=	7 1/2 days
	Each *Herencia cultural*	=	1 1/2 days
Quarters 2 & 3:	Each *Bienvenidos*	=	1/2 day
	Each *Capítulo* + exam	=	8 days
	Each *Herencia cultural*	=	2 days

Five Class Periods Per Week (50 class periods)

Quarter 1:	*Capítulo preliminar* + *prueba*	=	5 days
	Each *Bienvenidos*	=	1 day
	Each *Capítulo* + exam	=	9 days
	Each *Herencia cultural*	=	2 days
Quarters 2 & 3:	Each *Bienvenidos*	=	1 day
	Each *Capítulo* + exam	=	9 days
	Each *Herencia cultural*	=	3 1/2 days

Sample syllabus

SEMESTER SYSTEM *(14 weeks per semester)*

Four Class Periods per Week (50-60 minutes per period)

NOTE:	Capítulo 1-1 = Capítulo 1, Primera situación
	Capítulo 1-2 = Capítulo 1, Segunda situación
	Capítulo 1-3 = Capítulo 1, Tercera situación

Week 1
1. *Introduction to a Language Course*
   Capítulo preliminar: Presentación
2. Capítulo preliminar: Así se habla / Estructura 1
3. Capítulo preliminar: Estructuras 2 & 3 / Perspectivas
4. Capítulo preliminar: Panorama cultural / Actividades

Week 2
1. Prueba: Capítulo preliminar
   Bienvenidos I
2. Capítulo 1-1: Presentación / Así se habla
3. Capítulo 1-1: Así se habla / Estructura 1 & 2
4. Capítulo 1-1: Presentación
   Capítulo 1-2: Así se habla / Estructura 1

Week 3
1. Capítulo 1-2: Estructura 2 / ¿Qué oyó Ud.?
2. Capítulo 1-2: Perspectivas / Panorama cultural
   Capítulo 1-3: Para leer bien / Lectura cultural
3. Capítulo 1-3: Actividades
4. Examen: Capítulo 1

Week 4
1. Capítulo 2-1: Presentación
2. Capítulo 2-1: Así se habla / Estructuras 1
3. Capítulo 2-1: Estructuras 2 & 3
   Capítulo 2-2: Presentación
4. Capítulo 2-2: Así se habla / Estructuras 1 & 2

Week 5
1. Capítulo 2-2: Estructura 3 / ¿Qué oyó Ud.?
2. Capítulo 2-3: Perspectivas / Panorama cultural / Para leer bien
3. Capítulo 2-3: Lectura cultural / Actividades
4. Herencia cultural I: Personalidades / Arte y arquitectura

Week 6
1. Herencia cultural I: Para leer bien / Lectura literaria
2. Examen: Capítulo 2
3. Bienvenidos II
   Capítulo 3-1: Presentación / Así se habla
4. Capítulo 3-1: Así se habla / Estructuras

Week 7
1. Capítulo 3-2: Presentación / Así se habla
2. Capítulo 3-2: Así se habla / Estructura 1
3. Capítulo 3-2: Estructura 2 ¿Qué oyó Ud.?
   Capítulo 3-3: Perspectivas / Panorama cultural / Para leer bien
4. Capítulo 3-3: Lectura cultural / Actividades

Week 8
1. Examen: Capítulo 3
2. Capítulo 4-1: Presentación / Así se habla
3. Capítulo 4-1: Así se habla / Estructuras 1 & 2
4. Capítulo 4-1: Estructura 3
   Capítulo 4-2: Presentación

Week 9	1	Capítulo 4-2: Así se habla / Estructuras
	2	Capítulo 4-2: ¿Qué oyó Ud.? / Perspectivas
	3	Capítulo 4-3: Panorama cultural / Para leer bien
	4	Capítulo 4-3: Lectura cultural / Actividades
Week 10	1	Herencia cultural II: Personalidades / Arte y arquitectura
	2	Herencia cultural II: Para leer bien / Lectura literaria
	3	Examen: Capítulo 4
	4	Bienvenidos III
		Capítulo 5-1: Presentación
Week 11	1	Capítulo 5-1: Así se habla / Estructura 1
	2	Capítulo 5-1: Estructura 2
		Capítulo 5-2: Presentación
	3	Capítulo 5-2: Así se habla / Estructura 1
	4	Capítulo 5-2: Estructura 2 / ¿Qué oyó Ud.?
		Capítulo 5-3: Perspectivas / Panorama cultural / Para leer bien
Week 12	1	Capítulo 5-3: Lectura / Actividades
	2	Examen: Capítulo 5
	3	Capítulo 6-1: Presentación / Así se habla
	4	Capítulo 6-1: Así se habla / Estructuras 1 & 2
Week 13	1	Capítulo 6-1: Estructura 3
		Capítulo 6-2: Presentación
	2	Capítulo 6-2: Así se habla / Estructura 1 & 2
	3	Capítulo 6-2: ¿Qué oyó Ud.? / Perspectivas
	4	Capítulo 6-3: Panorama cultural / Para leer bien / Lectura cultural
Week 14	1	Capítulo 6-3: Actividades
	2	Herencia cultural III: Arte y arquitectura
	3	Herencia cultural III: Para leer bien / Lectura literaria
	4	Examen: Capítulo 6 OR Review for final exam

Suggestions for Syllabus Preparation

- Determine the number of class meetings per term by using the **Sample Course Outlines** in the *Instructor's Annotated Edition*, pp. IAE–lviii to IAE–lvix.

- Use the **Sample Course Outlines** to determine the number of class periods to spend on each chapter, the *Bienvenidos* section, the *Herencia cultural* section, examinations, etc.

- Decide how often to give examinations. The sample syllabus above provides time for an examination after each chapter. If you decide to give an examination after every two chapters, you will gain one half day per chapter throughout the term.

- Decide if you want to give an examination immediately after the chapter or if you want to complete the *Herencia cultural* sections prior to an examination.

- When the **Sample Course Outlines** lists half days for a given chapter, you can compensate by going to one more day for one chapter and one less day for a second chapter. For example, if there are 7 1/2 days per chapter:

    Capítulo 1: 7 days

    Capítulo 2: 8 days

    Another solution to the half day situation per chapter would be to use an extra half day for the **Herencia cultural** throughout the term.

Sample lesson plans

Two Consecutive Fifty-Minute Class Periods

Capítulo 7: De compras   Segunda situación

First Class Period

1. Warm-up and/or review   3 minutes

2. *Presentación: Esta blusa no me queda bien*   22 minutes
   - Point out/explain new vocabulary (2)
   - Have students list people and items in the drawing; use transparency of illustration and overhead projector (5)
   - *Práctica A:* Whole class exercise (3)
   - *Práctica B:* Paired work and follow-up by asking students what their partner did (5)
   - *Práctica C:* Whole class discussion of realia (2)
   - *Práctica D:* Paired work to prepare the narration (5)

3. *Así se habla*   15 minutes
   - Students read printed dialogue (3)
   - Discuss new expressions (3)
   - *Práctica A:* Whole class exercise (3)
   - *Práctica B*: Role play exercise (6)

4. *Estructuras*: Indefinites & Negatives   10 minutes
   - Explanation (3)
   - Cartoon: Whole class exercise involving questions on content (2)
   - *Práctica A:* Paired exercise (5)

                                                               TOTAL   50 minutes

Second Class Period

1. Review *Presentación, Práctica A*   10 minutes
   - Use transparency and students describe scene (2)
   - In pairs students role-play the scene as clerk and client (8)

2. *Estructuras:* Indefinites & Negatives   14 minutes
   - Review explanation: Ask students to provide the negative form of indefinites (2)
   - *Práctica B:* Paired exercise (5)
   - *Práctica C:* Small group exercise (7)

3. *Estructuras:* Double object pronouns   20 minutes
   - Explanation (3)
   - *Práctica A:* Whole group exercise (5)
   - *Práctica B:* Paired exercise (5)
   - *Práctica C:* Role-play exercise (7)

4. *Estructuras:* Linking   6 minutes
   - Explanation (2)
   - *Práctica* Whole class exercise (4)   TOTAL   50 minutes

Variations on the Lesson Plan

Although we feel that the placement of each section within a *situación* is logical and appropriate, as the term progresses the teaching of each *situación* in the same fashion can become very monotonous for both students and instructor. To break the routine and increase the teaching effectiveness, the following variations on sequencing of a *situación* can be employed from time to time.

1. Begin with the *estructura* of the most important grammar point for the *situación*. Start with a brief explanation of the grammar point, do one or two exercises and then proceed to the *presentación*. Complete the chapter in the given order; when you reach the *estructuras,* skip the sections / exercises already completed. The remainder of the exercises on the grammar point will be comparable to a review.

2. Begin by explaining the phrases of the *Así se habla* section and complete one exercise. Go to the *Presentación* and continue through the *situación* in the established order skipping those exercises already completed.

3. In the *Segunda situación* begin with the *Así se habla* phrases and exercises. Proceed to *¿Qué oyó Ud.?* and exercise. Then proceed to the *Presentación*. Finish with *Estructuras.*

4. In the *Segunda situación* begin by pointing out the vocabulary of the *Presentación* and proceed directly to *¿Qué oyó Ud.?* and exercise. Return to the exercises of the *Presentación* and continue through the *Segunda situación* in the established order, skipping sections already completed.

How Interacciones incorporates the National Standards

As is stated in the Preface to this edition, the *Interacciones* program emphasizes an interactive, communicative approach to the teaching of language and culture and adheres to the principles outlined in the national *Standards for Foreign Language Learning.*

While the *Interacciones* program incorporates the standards throughout the student textbook and ancillaries, the following outline explains which particular features or sections of the *Interacciones* program incorporate the individual standards.

COMMUNICATION

The national standards stress using the four language skills of listening, speaking, reading, and writing within the three communicative modes: interpersonal, interpretive, and presentational. Thus, the *Interacciones* program introduces each of the skills individually but culminating activities emphasize the communicative modes that combine the four skills as people use them in authentic language and tasks.

Standard 1.1: Interpersonal Mode

The Interpersonal Mode is characterized by the negotiation of meaning in two-way communication. Although this mode is most often reflected in conversation, it is also used in interpersonal reading and writing, such as letters or e-mail messages.

Student Textbook Sections:	*Presentación, Así se habla, Estructuras, Para escribir bien, Composiciones, Actividades*
Student Activities Manual:	*Cuaderno de ejercicios, Manual de laboratorio*

The *Presentación, Así se habla,* and *Estructuras* sections of the student textbook as well as the speaking sections of the *Manual de laboratorio* provide the vocabulary, pronunciation information, speaking strategies, and grammar structures for basic conversation. In many chapters the *Para escribir bien* section focuses on the writing of letters and e-mail messages. The interpersonal exercises of the *Presentación, Así se habla, Estructuras, A escribir* and *Actividades* as well as those found in the *Cuaderno de ejercicios* and *Manual de laboratorio* offer ample opportunities for students to engage in conversations, provide and obtain information, express feelings and emotions, and exchange opinions.

Standard 1.2: Interpretive Mode

The Interpretive Mode is characterized by one-way reading or listening where there is little or no recourse to the active negotiation of meaning with the reader or writer. The Interpretive Mode is used for oral or written texts, film and video, radio and television broadcasts, and speeches.

A. **Interpreting Spoken Language**

Student Textbook:	*Así se habla, ¿Qué oyó Ud.?, Panorama cultural*
Student Activities Manual:	*Manual de laboratorio*
Interacciones CD-ROM	

Students are provided with basic communicative phrases in the *Así se habla* section while the *¿Qué oyó Ud.?* section provides listening strategies. The listening task of the *¿Qué oyó Ud.?* section provides students with an exercise for listening and interpreting those phrases. Similar activities are provided in the *Manual de laboratorio.* The video exercises of the student textbook provide students with additional opportunities to understand and interpret spoken language as do the exercises and activities found on the *Interacciones* CD-ROM.

B.   Interpreting Written Language

Student Textbook: *Perspectivas, Para leer bien, Lectura cultural, Lectura literaria*
Student Activities Manual: *Cuaderno de ejercicios*

The *Para leer bien* sections provide reading strategies that students can use in order to understand and interpret the journalistic readings of the *Lectura cultural* sections and the literary readings found in the *Lectura literaria* sections. In addition, there are additional readings found in the *Cuaderno de ejercicios*.

Standard 1.3: Presentational Mode

The Presentational Mode is characterized by one-way communication in which a spoken or written message is created and then presented to others; there is little or no opportunity for the negotiation of meaning. The Presentational Mode is used for the writing of reports, compositions, and articles and the presentation of speeches.

Student textbook: *Para escribir bien, Composiciones, Actividades*
Student Activities Manual: *Cuaderno de ejercicios*

Many of the strategies of the *Para escribir bien* sections prepare students for the writing of brief compositions, brochures, or advertisements that are practiced in the *Composiciones* section or in exercises found in the *Cuaderno de ejercicios*. Likewise, many activities of the *Actividades* section use the Presentational Mode.

The culminating communicative activity for each chapter is the *Actividades* section. These activities reflect the three communicative modes. Marginal annotations in the *Instructor's Annotated Edition* point out which of the three communicative modes are addressed in the activities of these sections.

CULTURES

Within the standards, culture is viewed in terms of the interrelationships between the three Ps: practices (behavioral patterns of social interactions), products (tangible and intangible), and perspectives (attitudes, values, and ideas). Students should learn to understand the relationship between the practices and perspectives as well as between the products and perspectives of the culture being studied.

Student textbook: *Bienvenidos, Perspectivas, Lectura cultural, Panorama cultural, Herencia cultural: Personalidades, Arte y arquitectura, Lectura literaria*

Students are given basic background information about the countries and regions of the Spanish-speaking world in the *Bienvenidos* sections. Information about the practices and products of Hispanic culture is provided in the *Perspectivas* sections. The exercises in this section encourage students to understand how the practices and products reflect the cultural values and attitudes of the society. The video segments of *Panorama cultural* are highly cultural in content and provide additional information about the practices, products and perspectives of Hispanic culture. Annotations in the *Instructor's Annotated Edition* provide information as to what cultural practice, product, or perspective is being emphasized.

In the *Herencia cultural* section students study the people, art, arquitecture, and literature of the Spanish-speaking world. The readings of the P*ersonalidades, Arte y arquitectura and Lectura cultural* sections provide further information about practices, products, and perspectives. The literary selections of the *Lectura literaria* sections are in themselves examples of a cultural product. In addition, the themes and topics of the literary selections provide additional information about the cultural perspectives of the Hispanic world.

CONNECTIONS

The Connections standard focuses on the use of the foreign language to gain further knowledge about other academic disciplines and for acquiring information. This standard also focuses on the recognition of the distinctive viewpoints that are only available through the foreign language and its cultures.

Student textbook: *Bienvenidos, Lectura cultural, Panorama cultural Personalidades, Arte y arquitectura, Lectura literaria, Interacciones* Web site

Students acquire knowledge about the various facets of Hispanic culture through the variety of readings found in the textbook. In addition, many of the readings provide knowledge about subjects beyond the regions where Spanish is spoken. Through information provided in the *Bienvenidos* and *Herencia cultural* sections, students are encouraged to access the *Interacciones* Web site in order to find additional Web sites that link themes introduced in *Interacciones* to additional information and related topics.

COMPARISONS

The Comparisons Standard focuses on students' understanding of the nature of language through comparisons of the language being studied and their own as well as on student's understanding of the nature of culture through comparisons of the culture being studied and their own.

A. **Standard 4.1: Nature of language**

Student textbook: *Estructuras, ¿Qué oyó Ud.?, Para leer bien, Para escribir bien*
Student Activities Manual: *Cuaderno de ejercicios, Manual de laboratorio*

The explanations and exercises of the *Estructuras* section provide students with information that helps them see the relationships between their own language and Spanish. Likewise the strategies of the *¿Qué oyó Ud.?*, *Para leer bien*, and *Para escribir bie*n sections help students compare Spanish and English.

B. **Standard 4.2: Nature of culture**

Student textbook: *Bienvenidos, Pespectivas, Panorama cultural, Lectura cultural, Personalidades, Arte y arquitectura, Lectura literaria*

In essence, all of the cultural sections focus to a greater or lesser degree on the concept of cross-cultural comparisons. Each *Bienvenidos* section contains exercises that encourage students to compare countries within the Hispanic world to each other and to the United States. The *Perspectivas* section begins with a prereading exercise entitled *Práctica intercultural*. This exercise is designed to have students focus on the topic under discussion within their own culture prior to reading about the topic in Hispanic culture and thus emphasizes cross-cultural comparisons and understandings. The video exercises of the *Panorama cultural* section also focus on cross-cultural comparisons by having students locate similarities and differences. The journalistic and literary readings also help students compare their own culture with the cultures of the Spanish-speaking world.

COMMUNITIES

The Communities standard focuses on the use of the target language both within and beyond the school setting and on the use of the target language for personal enjoyment and enrichment.

Student textbook: *Composiciones, Actividades*

Interacciones Web site:

Many of the culminating speaking and writing activities of the *Composiciones* and *Actividades* sections are designed to help students use the language beyond the classroom setting. Students are encouraged to use the *Interacciones* Web site to gain additional knowledge. Students are also encouraged to travel to Spanish-speaking countries either virtually or in person.

Standards for foreign language learning

Communication

Communicate in Languages Other Than English

Standard 1.1
Students engage in conversation, provide and obtain information, express feelings and emotions, and exchange opinions.

Standard 1.2
Students understand and interpret written and spoken language on a variety of topics.

Standard 1.3
Students present information, concepts, and ideas to an audience of listeners or readers on a variety of topics.

Cultures

Gain Knowledge and Understanding of Other Cultures

Standard 2.1
Students demonstrate an understanding of the relationship between the practices and perspectives of the culture studied.

Standard 2.2
Students demonstrate an understanding of the relationship between the products and perspectives of the culture studied.

Connections

Connect with Other Disciplines and Acquire Information

Standard 3.1
Students reinforce and further their knowledge of other disciplines through the foreign language.

Standard 3.2
Students acquire information and recognize the distinctive viewpoints that are only available through the foreign language and its cultures.

Comparisons

Develop Insight into the Nature of Language and Culture

Standard 4.1
Students demonstrate understanding of the nature of language through comparisons of the language studied and their own.

Standard 4.2
Students demonstrate understanding of the concept of culture through comparisons of the cultures studied and their own.

Communities

Participate in Multilingual Communities at Home and around the World

Standard 5.1
Students use the language both within and beyond the school setting.

Standard 5.2
Students show evidence of becoming life-long learners by using the language for personal enjoyment and enrichment.

Reprinted with permission from the National Standards in Foreign Language Education Collaborative Project.

Tapescript for ¿Qué oyó ud.? listening exercises

Capítulo preliminar

Ahora, escuche el diálogo entre dos estudiantes, José Manuel y Santiago, en una calle de Madrid y anticipe lo que dirán. Antes de escuchar la conversación, lea los ejercicios que se presentan en su libro de texto. Después, conteste.

Santiago Disculpe... pero, ¿por dónde pasa el autobús número cincuenta y dos, el que va para la Universidad de Madrid?

José Manuel El cincuenta y dos pasa por esta calle y para en la esquina a las ocho y treinta...todavía es un poco temprano.

Santiago Es que es mi primer día y como no soy de aquí...

José Manuel Comprendo...yo también soy estudiante. Mira, mi nombre es José Manuel y estudio ingeniería. Estoy en tercer año.

Santiago Yo soy Santiago...Santiago Valverde.

José Manuel Mucho gusto, Santiago. ¿De dónde eres?

Santiago De Sevilla. ¿Y tú?

José Manuel De aquí, de Madrid. ¿Qué estudias en la Universidad, Santiago?

Santiago Arquitectura, estoy en primer año.

José Manuel Oye, ¡qué bien! Mira, ahí viene el cincuenta y dos. Nos vemos entonces, ¿eh? Y ¡buena suerte!

Santiago Igual y gracias por todo.

Capítulo 1

Ahora, escuche el diálogo entre Ada y Tania que hablan de su rutina diaria. Preste atención a su entonación y al tema que discuten para obtener la información general de lo que hablan. Antes de escuchar la conversación, lea los ejercicios que se presentan en su libro de texto. Después, conteste.

Ada Tania dime una cosa: ¿a qué hora te levantas todos los días?

Tania Bueno depende... generalmente a las siete... pero me acuesto a las doce. ¿Y tú?

Ada Yo me levanto a las cinco o seis de la mañana y me acuesto a las doce de la noche también.

Tania ¿Cómo dices? ¿Quieres decir que sólo duermes cinco horas?

Ada Bueno, sí, pero es que también trabajo medio tiempo en una compañía y entonces después de mis clases de la mañana regreso a mi casa, me baño, me arreglo, me cambio y voy al trabajo. A veces regreso a la universidad por un par de horas, y después por la noche voy al gimnasio. Y si no me levanto temprano no me da tiempo para hacer todo.

Tania Pero Ada... ¡Te vas a enfermar así! ¿Cuándo descansas? ¿Nunca echas una siesta?

Ada No te preocupes. Descanso los fines de semana aunque también tengo que hacer una serie de diligencias. Pero, ¿por qué me preguntas? Tu vida debe ser muy parecida a la mía, ¿no?

Tania	Sólo un poco. Por la mañana voy a la universidad, luego después del almuerzo tomo una siesta y luego estudio un poco. Tres veces a la semana me voy a nadar con unas amigas. Mi vida es mucho más tranquila que la tuya.
Ada	Ya veo. ¡Qué suerte!
Tania	¿Por qué tienes que trabajar tanto durante la semana?
Ada	Porque necesito el dinero y también quiero estudiar y hacer ejercicio pero… creo que voy a tener que dejar de ir al gimnasio…. O de repente mejor dejo dos materias… no sé qué hacer.
Tania	Bueno, por favor, ¡cuídate! Estoy muy preocupada por ti. Trata de divertirte un poco, por favor.
Ada	Tienes razón. Voy a ver qué hago.

Capítulo 2

Ahora, escuche el diálogo entre Luisa y Susana, dos amigas que intercambian información acerca de sus actividades en la playa. Antes de escuchar la conversación, lea los ejercicios que se presentan en su libro de texto. Después, conteste.

Sra. Pérez	¿Aló?
Susana	¿Aló? ¿Sra. Pérez?
Sra. Pérez	Sí, ¿eres tú Susanita?
Susana	Sí, señora, ¿cómo está?
Sra. Pérez	Muy bien, Susanita. ¿Quieres hablar con Luisa?
Susana	Sí, por favor.
Sra. Pérez	Bueno, te la lmaol Un momentito, por favor.
Susana	Muchas gracias.
. . .	
Luisa	¿Aló? ¿Susana?
Susana	¡Luisa! ¿Cómo estás?
Luisa	Bien, bien ... te llamé esta mañana ...
Susana	¡Ay! ¡No me digas! ¡Qué pena! Miguel y yo fuimos a la playa y practicamos el windsurf todo el día, hasta las cuatro de la tarde!
Luisa	¡Oye! ¡Qué bien! Pero, ¿no almorzaron? Porque te llamé también a la hora de almuerzo ...
Susana	Bueno, lo que pasó fue que comimos en la playa. Y tú y Pepe, ¿qué hicieron?
Luisa	En realidad, no sólo tomé el sol y Pepe levantó pesas toda la mañana. ¿Te imaginas?
Susana	¡Ay! ¡Qué aburrido! ¡Cuánto lo siento! ¿Por qué no vamos mañana a navegar en velero?
Luisa	¡Perfecto! ¿A qué hora salimos?
Susana	A las diez de la mañana, ¿te parece bien?
Luisa	Claro que sí. Ya es el quince de agosto y pronto se me acaban las vacaciones. Tengo que aprovechar.

Susana	¡Por supuesto! Entonces nos vemos mañana a las diez.
Luisa	Muy bien. Oye, pero, ¿dónde nos encontramos?
Susana	Ven a recogerme a mi casa. Dile a Pepe que venga también y así salimos todos juntos.
Luisa	Perfecto. Mañana estamos en tu casa a eso de las diez entonces.
Susana	Los espero.

Capítulo 3

Ahora, escuche el diálogo entre Teresa y Leonor. Preste atención a la invitación que se hace y haga los ejercicios que se presentan en su libro de texto.

Teresa	Leonor, ¡qué gusto verte! ¿Cómo estás?
Leonor	Ahí bien, – nada nuevo. Y tú, ¿qué cuentas?
Teresa	¡Ah! Yo sí te tengo una gran noticia. No me vas a creer.
Leonor	¡No me digas! ¿De qué se trata? Anda cuéntame, no seas mala.
Teresa	Bueno, vamos a ver qué dices. Este sábado me voy a comprometer. Pepe va a pedir mi mano.
Leonor	¡Ay, Teresita! Pero, ¡qué sorpresa!
Teresa	Sí, hija. Tú sabes que Pepe y yo ya tenemos cuatro años juntos y ya era hora de formalizar la relación.
Leonor	Oye, pero me alegro mucho por los dos. ¡Te felicito! Y dime, ¿vas a hacer fiesta, reunión o va a ser en privado no más?
Teresa	No, va a haber una pequeña reunión en mi casa. ¡Tú sabes cómo es mi mamá! Y, por supuesto, que quiero que estés tú. Van a ir sólo los padres de Pepe, sus hermanos con sus parejas, mis hermanas, mis cuñados y mis amigas íntimas, tú, María Elena, Irma y Diana.
Leonor	¿Y a qué hora puedo ir?
Teresa	Anda como a las siete, ¿te parece bien?
Leonor	¡Perfecto! Mira, ¿puedo ir con Miguel? A ver si se le ocurre algo, tú sabes…
Teresa	Por supuesto. No faltaba más.
Leonor	Nos vemos el sábado, entonces. Te felicito nuevamente.
Teresa	Gracias. Saludos a todos por tu casa.
Leonor	Igualmente.
Teresa	Chau.
Leonor	Chau.

Capítulo 4

Ahora, escuche la conversación que se lleva a cabo en un restaurante entre Javier, Mariela, Fernando y el camarero. Antes de escuchar la conversación, lea los ejercicios que se presentan en su libro de texto. Después, conteste.

Camarero Buenas tardes, Bienvenidos a 'Brisas del Mar.' ¿Les puedo ofrecer algo para beber?

Javier ¿Qué quisieras tomar, mi amor?

Mariela Una limonada bien fría, por favor.

Fernando A mí me trae una cerveza helada.

Javier Y yo otra cerveza bien fría, por supuesto.

Camarero Muy bien, señor. Ahora mismo se las traigo.

[Al poco rato]

Camarero ¿Están listos para pedir?

Javier ¿Qué dices, Mariela?

Mariela Bueno, no sé todavía, Javier. Hoy en el almuerzo comí arroz con pollo, pero no me gustó mucho.

[Dirigiéndose al camarero]: ¿Cuál es el menú del día, por favor?

Camarero De entrada tenemos ensalada de aguacate, cóctel de camarones y ceviche de mariscos. Las sopas del día son gazpacho, menudo y caldo de res. De plato principal tenemos lenguado a la parrilla y arroz con carne de cerdo.

Mariela Bueno…. Yo sólo quiero un ceviche de mariscos.

Fernando A ver, a ver… Yo quiero ceviche de camarones, menudo, arroz con carne de res y un flan con helado de chocolate.

Mariela Fernando, pero ¿vas a poder comer tanto? Acuérdate que ayer te enfermaste por comer así.

Fernando No te preocupes, hoy es otro día. Además, ayer estaba muy cansado, y no me sentía bien. Hoy estoy muerto de hambre y no tengo ningún problema.

Javier Bueno, yo también tengo hambre. Primero, me trae gazpacho y luego un huachinango a la parrilla con arroz, por favor.

Mariela ¡Qué barbaridad, cómo comen Uds.!

Camarero Les sirvo enseguida.

Javier Gracias.

Capítulo 5

Ahora, escuche la conversación entre dos estudiantes, Guillermo y Gerardo, y complete los ejercicios que se presentan en su libro de texto.

Guillermo Hola, Gerardo. ¿Qué cuentas? ¡Tanto tiempo sin verte!

Gerardo Aquí, como siempre yendo a mis clases. Y tú ¿qué cuentas?

Guillermo Nada, ahí no más. Me voy a la biblioteca a estudiar, aunque con este clima tan feo sólo me provoca quedarme en casa y dormir. Todo está nublado y se ve tan triste.

Gerardo	¡Sí, hombre! Esta mañana cuando salí de casa parecía que el clima iba a estar bien, pero ahora todo está nublado. Espero que se mejore el día.
Guillermo	¡Sí, hombre! Yo pensaba que hoy iba a estar mejor. Este es mi segundo semestre aquí en Caracas y todavía no me acostumbro a estos aguaceros. En mi pueblo hace sol y calor todo el tiempo.
Gerardo	¡Qué suerte! Aquí que no te llame la atención si llueve otra vez y más fuerte que ayer todavía.
Guillermo	No, no, no. Ojalá que no llueva, porque dejé mi paraguas en casa. Dime una cosa, ¿por dónde pasa el autobús? Porque si llueve más tarde, al salir de clases tomo el autobús para regresar a casa.
Gerardo	¡Tienes razón! Mira, el autobús pasa por aquí no más, a dos cuadras de aquí y te deja cerca de tu casa. Si quieres voy contigo para que no te equivoques.
Guillermo	Bueno, vamos pues.
Gerardo	Aquí es, ¿ves?
Guillermo	Sí, ya veo. Gracias, Gerardo. No creo que tenga problemas ahora.
Gerardo	Perfecto. Adiós. Mira y no te olvides que "Al mal tiempo buena cara."
Guillermo	(Riéndose): Así es.

Capítulo 6

Escuche la conversacióln entre dos señoras en la casa de una de ellas y tome los apuntes que considere necesarios. Antes de escuchar la situación, lea los ejercicios que se presentan en su libro de texto. Después, conteste.

Rosaluz	Hola Mariana, ¿Cómo sigues?
Mariana	*(sniffing and coughing)*: Ay, hija, aquí igual. Me siento malísima.
Rosaluz	¡Caramba, chica! ¡Esta gripe sí que te está durando!
Mariana	¡Me vas a decir a mí! ¡Ya estoy harta!
Rosaluz	Mira, aquí te traje esta revista que tanto te gusta. Estaba de compras, la vi y me dije "Ésa es la revista favorita de Mariana. Quizás no tenga este número."
Mariana	Ay, pero no te hubieras molestado, Rosaluz. Tienes razón, todavía no lo tengo. Muchísimas gracias.
Rosaluz	No, ¡qué ocurrencia! Mira, también te traje este jugo de naranja. Espero que te guste. Yo creo que es mejor que los otros, tú sabes, es puro jugo natural. Yo misma lo hice.
Mariana	Gracias, mi amor, pero no has debido hacer eso. Mi hijo no tarda en venir y me va a traer mis medicinas y todo lo que necesito. Tú sabes cómo es Gustavo de preocupado.
Rosaluz	No, sí sé, pero no es ninguna molestia. Quiero que te mejores pronto. Y tú sabes que para la gripe no hay nada mejor que el descanso, tomar líquidos y bastante vitamina C.
Mariana	Tienes razón, así es.
Rosaluz	Mira, pero te interrumpí, ¿no? ¿Estabas viendo televisión?
Mariana	Tú nunca me interrumpes, Rosaluz. Tú eres como de la familia. Estaba descansando y acabo de poner la televisión, eso es todo. Pero para decirte la verdad dudo que den algo bueno... Todo es violencia y a mí no me gusta nada de eso. Mas bien me molesta que todo sea matanzas, crímenes, y ese tipo de cosa.

Rosaluz	Sí, hija, para ver algo bueno hay que ir al teatro o a un buen cine. Mira, ¿crees que puedas salir un poco? No hoy, por supuesto, pero quizás el próximo fin de semana, ¿qué te parece?
Mariana	Espero estar mejor para entonces, porque francamente ya estoy cansada de estar metida en la casa todo el tiempo.
Rosaluz	Ya me imagino. Entonces yo te llamo en cualquier momento y si necesitas algo, no te olvides que estoy a tu orden.
Mariana	Gracias, Rosaluz. Nos hablamos entonces.
Rosaluz	Perfecto. Chaíto, pues.

Capítulo 7

Ahora, escuche el diálogo entre una joven y una vendedora en una tienda y tome los apuntes que considere necesarios. Antes de escuchar la conversación, lea los ejercicios que se presentan en su libro de texto. Después, conteste.

Vendedora	Buenos días. ¿En qué puedo servirle?
Graciela	Estoy buscando un vestido pero necesito algo elegante como para una recepción en una embajada. ¿Me podría ayudar a encontrar algo apropiado?
Vendedora	Con mucho gusto. Venga por acá, por favor. ¿Quiere que le enseñe algo fino aunque sea un poquito más caro o prefiere algo de un precio cómodo?
Graciela	Bueno, lo principal es que sea elegante y me quede bien. No quiero nada que sea muy caro, pero tampoco quiero algo feo u ordinario. ¿Comprende?
Vendedora	Sí, sí. Bueno, vamos a ver. ¿Qué le parece este azul? ¿Quisiera probárselo?
Graciela	¡Es precioso! Sí, me lo voy a probar, pero primero quiero que me muestre otros vestidos.
Vendedora	Muy bien. Aquí tiene este rojo y este verde.
Graciela	Me gusta el verde, pero creo que el azul es el más bonito de todos.
Vendedora	El azul cuesta 5.000 bolivianos. El verde es más caro, pero más fino también. Cuesta 7.500.
Graciela	¡Ay, Dios mío! ¡Esto es demasiado! Voy a probarme el azul y si me queda bien me lo llevo… Ojalá que me lo pueda dejar en 4.000…
Vendedora	Bueno, no sé… pero voy a hablar con mi jefe.
Graciela	Espero que diga que sí porque 5.000 bolivianos me parece carísimo.
Vendedora	Pruébeselo y vamos a ver si le gusta cómo le queda. Sígame, por favor.

Capítulo 8

Ahora, escuche la conversacióln entre tres amigas que hablan sobre cómo van a pasar la tarde. Antes de escuchar la conversación lea los ejercicios que se presentan en su libro de texto. Después, conteste.

Vilma	Margarita, Iris, ¿qué dicen? ¿Qué hacemos esta tarde? ¿Vamos a la exposición en el Museo de la Nación o vamos al concierto?
Margarita	¡Ay, Vilma! ¿No crees que sería mejor ir a una corrida de toros? ¡Es más emocionante!
Vilma	¿Una corrida de toros? Pero Margarita, ¿estás loca? Además, a esta hora ya no habrá ni una sola entrada disponible y… bueno, a mí no me gustan las corridas de toros.

Margarita	A ti no te gusta nada.
Vilma	¿Qué te pasa a ti?
Iris	Bueno, bueno, bueno. ¡No discutamos! ¿Qué les parece si mejor vamos a un parque de diversiones? No nos quedemos aquí sentadas discutiendo toda la tarde. ¡Vamos! ¿Qué dicen?
Vilma	No sé, no me convence mucho. Como es sábado, estará todo el mundo ahí, todas las mamás y papás con sus hijitos llorando y gritando. ¡Ay no! Francamente que no. Cuando esté casada y tenga mis hijos iré, pero ahora no.
Margarita	¿Ves que te dije? A ella no le convence nada, ni los toros, ni el parque, ni nada.
Iris	Bueno, bueno. Cálmate. No peleemos. Déjenme pensar.
Margarita	A ver piensa tú, porque si yo sugiero algo, tú ya sabes lo que pasa.
Vilma	Bueno, a mí me parece que hay que tener en cuenta que la exposición en el Museo de la Nación es sólo hasta mañana y si no vamos ahora, no la podremos ver más.
Iris	Sí, es verdad. Me han dicho que está buenísima.
Margarita	No había pensado en eso. Bueno, vamos pues.
Vilma	¿Ves que tenía razón?
Iris	¡No empecemos!

Capítulo 9

Ahora, escuche el diálogo entre dos compañeros de trabajo que hablan de cómo solucionar algunos problemas en su oficina y tome los apuntes que considere necesarios. Antes de escuchar la conversación, lea los ejercicios que se presentan en su libro de texto. Después, conteste.

Mario	Mira, Gerardo, esta situación no puede continuar. Necesitamos contratar otro empleado.
Gerardo	¿Otro empleado dices? ¿Estás seguro?
Mario	Sí, sí, y lo más pronto posible. Todo está atrasado aquí.
Gerardo	Entonces voy a poner un aviso en el periódico.
Mario	Haz lo que sea necesario, pero quiero que alguien venga pronto. Alguien que sea eficiente, responsable, que sepa usar la computadora y que tenga algún conocimiento de contabilidad. ¿Comprendes?
Gerardo	Sí, te entiendo.
Mario	¿Te acuerdas de nuestra antigua secretaria, aquélla que teníamos el año pasado y que renunció cuando se casó?
Gerardo	Sí, pero no comprendo qué quieres decir.
Mario	Bueno, lo que quiero decir es que necesitamos alguien como ella. Una persona seria, trabajadora y de confianza. Pon el aviso en el periódico, ofrece un buen sueldo y luego entrevistamos a los aspirantes. ¿Te parece?
Gerardo	No hay ningún problema.

Capítulo 10

Ahora, escuche el diálogo entre Nerio y un empleado del banco y tome los apuntes que considere necesarios. Antes de escuchar la conversación, lea los ejercicios que se presentan en su libro de texto. Después, conteste.

Nerio	Buenos días, señor. Quisiera abrir una cuenta corriente, por favor
Empleado	Muy bien, señor. Pase por aquí, por favor.
Nerio	Muchas gracias.
	(Nerio y el empleado pasan a un escritorio lateral)
Empleado	¿Su nombre, por favor?
Nerio	Guerrero, Nerio Guerrero.
Empleado	Muy bien, Sr. Guerrero… este… ¿Ud. quiere una cuenta a su nombre solamente o una cuenta mancomunada?
Nerio	No, sólo a mi nombre.
Empleado	Bueno, voy a llenar este formulario en la computadora con algunos de sus datos personales. ¿Me puede decir cuál es su número de Seguridad Social?
Nerio	345-56-7891
Empleado	¿Y hace cuánto tiempo vive en Miami?
Nerio	Hace apenas dos años.
Empleado	¿Cuál es su lugar de empleo y cuánto tiempo lleva ahí?
Nerio	Trabajo para una compañía de construcción y llevo ahí año y medio.
Empleado	Bueno, aquí está. Por favor, firme aquí, en la parte de abajo.
Nerio	Muy bien. ¿Eso es todo? Yo había pensado que iba a ser más complicado.
Empleado	No, señor… eso es todo. El proceso es muy sencillo y como ve, sólo lleva unos minutos. Si fuera tan amable, ahora pase por una de esas ventanillas, haga un depósito y luego viene por aquí nuevamente con el recibo. Después le doy una chequera provisional.
Nerio	Muchas gracias. ¿Cuál es el depósito mínimo que tengo que hacer?
Empleado	Setecientos cincuenta dólares.
Nerio	Muy bien.
	(a los pocos minutos)
Nerio	Aquí está el recibo, señor.
Empleado	A ver, vamos a ver. Su cuenta es la número trescientos ochenta y cinco, novecientos cuarenta y ocho, veintidós. Aquí tiene su chequera provisional y dentro de quince días recibirá sus cheques con su nombre.
Nerio	Muchas gracias. Buenas tardes.
Empleado	Buenas tardes.

Capítulo 11

Ahora, escuche el diálogo entre una pasajera y una empleada de la aerolínea LanChile en el aeropuerto de Santiago y tome los apuntes que considere necesarios. Antes de escuchar la conversación, lea los ejercicios que se presentan en su libro de texto. Después, conteste.

Empleada   Buenos días. ¿Su pasaporte y visa, por favor?

Pilar   Aquí están.

Empleada   ¿Tiene equipaje?

Pilar   Sí. ¿Me lo podría facturar, por favor?

Empleada   Muy bien, pero primero tiene que pasar por Seguridad.

Pilar   ¿Por qué?

Empleada   Son los reglamentos. Todos los pasajeros tienen que pasar su equipaje por Seguridad antes de que se los facturemos.

Pilar   ¡Ay, qué fastidio! ¡Y con toda la gente que hay!

Empleada   Lo siento, señorita.

    (Pilar pasa por Seguridad y regresa al mostrador de LanChile.)

Empleada   ¿Cuántas maletas lleva?

Pilar   Dos y un maletín de mano.

Empleada   Muy bien. Ahora dígame, por favor, ¿prefiere la sección de fumar o no fumar?

Pilar   No fumar, por favor.

Empleada   ¿Y quisiera sentarse en la ventanilla, en el medio o en el pasillo?

Pilar   En la ventanilla si fuera posible.

Empleada   Muy bien.

Pilar   Señorita, por favor, ¿a qué hora sale el vuelo?

Empleada   A las tres y cuarto de la tarde, dentro de cuarenta y cinco minutos.

Pilar   ¡Qué problema! Si tuviera tiempo podría comprar algunas cosas aquí en el aeropuerto.

Empleada   Aquí tiene su pasaporte y su tarjeta de embarque. Pase por la puerta de embarque número dos, pero recuerde que primero tiene que pasar por Inmigración para que le sellen el pasaporte.

Pilar   Muchas gracias, muy amable.

Empleada   ¡Que tenga buen viaje!

Capítulo 12

Ahora, escuche el diálogo entre un médico y un joven deportista y tome los apuntes que considere necesarios. Antes de escuchar la conversación, lea los ejercicios que se presentan en su libro de texto. Después, conteste.

Dr. Velásquez	Y Ricardo, ¿qué pasa? ¿Otra vez por aquí? ¿Algún problema?
Ricardo	Parece que sí, doctor, me duele la rodilla. Me di un golpe muy fuerte. Creo que se me rompió.
Dr. Velásquez	A ver… a ver… déjame ver. Según recuerdo, la última vez que estuviste aquí te dije que no jugaras más al fútbol. ¿Qué pasó? ¿Se te olvidó?
Ricardo	Mire doctor, no sé qué me pasó. Los muchachos pasaron por mi casa y fui con ellos. Ahora parece que se me rompió la rodilla.
Dr. Velásquez	¡Caramba! ¡Pero, Ricardo! ¡Se ve bien fea! ¡Qué mala suerte! Si me hubieras escuchado, no te habría pasado nada.
Ricardo	Yo sé, pero Ud. sabe cómo son las cosas. A uno se le olvida el dolor cuando no lo siente, pero en fin… aquí me tiene otra vez.
Dr. Velásquez	No creo que te la hayas roto, pero sí te has dado un buen golpe. Voy a ponerte una inyección para que se te calme el dolor. Además te voy a dar unas muletas para que no pongas ningún peso sobre esa pierna.
Ricardo	Gracias, doctor. No sé qué habría hecho si Ud. no me hubiera podido atender hoy.
Dr. Velásquez	Bueno, bueno...y ya sabes, nada de fútbol, nada de básquetbol.
Ricardo	Sí, doctor. Muchas gracias.
Dr. Velásquez	¡Que te mejores! Y ya sabes, que no se te vuelva a olvidar, porque a mí se me va a acabar la paciencia.
Ricardo	Sí, sí, se lo prometo. Ahora sí.

Interacciones

Fourth Edition

BELICE
HONDURAS
NICARAGUA
Lago de Nicaragua
EL SALVADOR
GUATEMALA
COSTA RICA
PANAMÁ

MAR CARIBE

OCÉANO ATLÁNTICO

Maracaibo
Barranquilla
Cartagena
San Cristóbal
Lago de Maracaibo
Caracas
Río Orinoco
VENEZUELA
Medellín
Río Magdalena
Bogotá
Cali
Boa Vista
Georgetown **Paramaribo**
GUAYANA **Cayena**
SURINAM
GUAYANA FRANCESA
COLOMBIA

Quito
ECUADOR 0°
Guayaquil
Cuenca
Iquitos
Río Amazonas
ISLAS GALÁPAGOS (Ecuador)
PERÚ
A M A Z O N A S

BRASIL

Lima
Machu Picchu
Ayacucho
Cuzco
BOLIVIA
La Paz
Santa Cruz
Brasilia
OCÉANO PACÍFICO
Lago Titicaca
Sucre
Potosí
LOS ANDES
PARAGUAY
Río Paraná
Río de Janeiro
São Paulo

20°
TRÓPICO DE CAPRICORNIO
Asunción
Iguazú
OCÉANO ATLÁNTICO
CHILE
Río Uruguay

30°
Córdoba
URUGUAY
Viña del Mar
Valparaíso
Santiago
Buenos Aires
Montevideo
Río de la Plata
Concepción
ARGENTINA
Bahía Blanca

Viedma

Elevación en metros
4.000+
2.000–4.000
500–2.000
200–500
Nivel del mar
0–200

0   250   500   750 MILLAS

0   500   1.000 KILÓMETROS

ISLAS MALVINAS (Br.)
Estrecho de Magallanes
TIERRA DEL FUEGO

AMÉRICA DEL SUR

ÁFRICA

NIGERIA
CAMERÚN
Malabo
GUINEA ECUATORIAL
GABÓN
ÁFRICA
0   MILLAS   250
0   KILÓMETROS   500

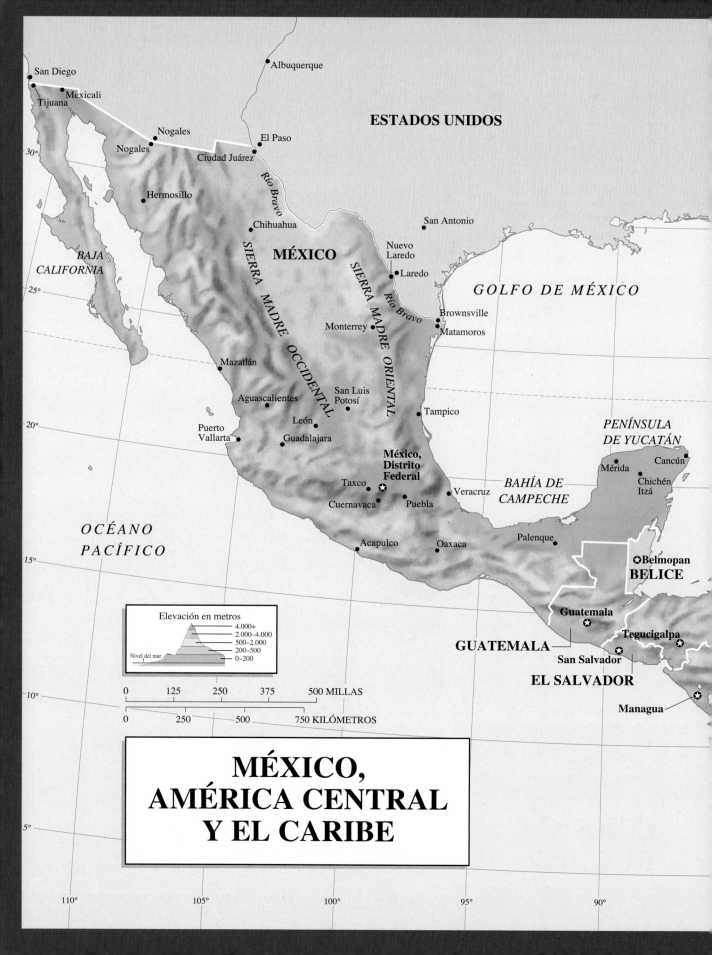

MÉXICO, AMÉRICA CENTRAL Y EL CARIBE

ESTADOS UNIDOS

San Diego
Mexicali
Tijuana
Nogales
Nogales
El Paso
Ciudad Juárez
30°
Hermosillo
Río Bravo
Chihuahua
San Antonio

BAJA CALIFORNIA

Nuevo Laredo
Laredo
SIERRA MADRE OCCIDENTAL
SIERRA MADRE ORIENTAL
Río Bravo
Brownsville
Matamoros

MÉXICO

GOLFO DE MÉXICO

25°

Monterrey

Mazatlán

Aguascalientes
San Luis Potosí
Tampico

20°
León

Puerto Vallarta
Guadalajara

PENÍNSULA DE YUCATÁN
Mérida
Cancún
Chichén Itzá

México, Distrito Federal
Taxco
Cuernavaca
Puebla
Veracruz

BAHÍA DE CAMPECHE

OCÉANO PACÍFICO

Acapulco
Oaxaca
Palenque

15°

✪Belmopan
BELICE

Elevación en metros
4.000+
2.000–4.000
500–2.000
200–500
0–200
Nivel del mar

Guatemala
✪
GUATEMALA

Tegucigalpa
✪

0   125   250   375   500 MILLAS

San Salvador
✪

0   250   500   750 KILÓMETROS

EL SALVADOR

10°

Managua
✪

5°

110°   105°   100°   95°   90°

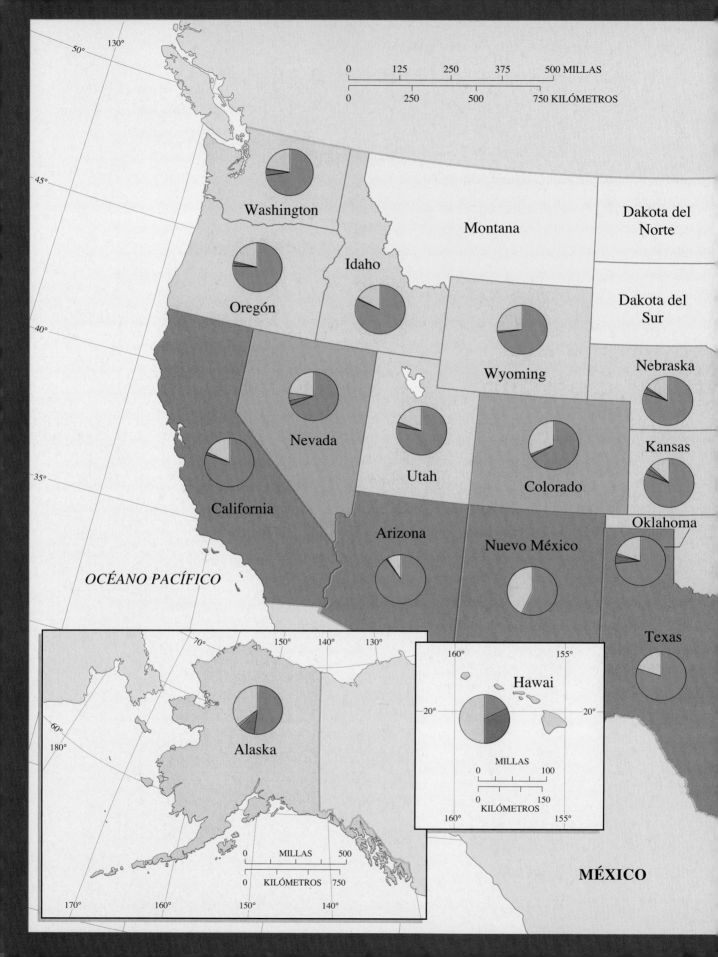

0   125   250   375   500 MILLAS

0   250   500   750 KILÓMETROS

Washington

Montana

Dakota del
Norte

Oregón

Idaho

Dakota del
Sur

Wyoming

Nebraska

Nevada

Kansas

Utah

Colorado

California

Oklahoma

Arizona

Nuevo México

OCÉANO PACÍFICO

Texas

Hawai

Alaska

MILLAS
0   100

150
KILÓMETROS

MILLAS
0   500

0   KILÓMETROS   750

MÉXICO

LOS HISPANOHABLANTES EN LOS ESTADOS UNIDOS

CANADÁ

Maine

Minnesota

Vermont

New Hampshire

Wisconsin

Nueva York

Mass.

Michigan

Conn.

Rhode Island

Pennsylvania

Iowa

Nueva Jersey

Illinois

Ohio

Indiana

Delaware

Virginia Occidental

Misuri

Kentucky

Virginia

Washington, D.C.

Carolina del Norte

Maryland

Tennessee

Arkansas

Carolina del Sur

OCÉANO ATLÁNTICO

Misisipí

Georgia

Alabama

Porcentaje de población hispana

Raíces

20 o más

10–19,9

México

Cuba

3–9,9

0–2,9

Puerto Rico

Otros

Luisiana

Total EE.UU. población hispana

Florida

GOLFO DE MÉXICO

ESPAÑA

Elevación en metros

2.000+
500–2.000
200–500
0–200

Nivel del mar

OCÉANO ATLÁNTICO

MAR CANTÁBRICO

FRANCIA

ANDORRA

PIRINEOS

CATALUÑA

Gerona

Barcelona

Costa Brava

MENORCA

MALLORCA

Palma

ISLAS BALEARES

IBIZA

MAR MEDITERRÁNEO

PRINCIPADO DE ASTURIAS

CANTABRIA

PAÍS VASCO

Santander

Bilbao

CORDILLERA CANTÁBRICA

NAVARRA

Pamplona

LA RIOJA

Río Ebro

Zaragoza

Lérida

ARAGÓN

COMUNIDAD VALENCIANA

Valencia

Alicante

Murcia

Cartagena

MURCIA

GALICIA

Santiago de Compostela

CASTILLA-LEÓN

Valladolid

Salamanca

Segovia

SIERRA DE GUADARRAMA

MADRID

Madrid

Toledo

Río Tajo

CASTILLA-LA MANCHA

Ciudad Real

ANDALUCÍA

Córdoba

Río Guadalquivir

SIERRA NEVADA

Granada

Málaga

Sevilla

Cádiz

Costa del Sol

GIBRALTAR (Br.)

CEUTA (Sp.)

MELILLA (Sp.)

Estrecho de Gibraltar

Tánger

MARRUECOS

EXTREMADURA

PORTUGAL

Lisboa

ISLAS CANARIAS

LANZAROTE

FUERTEVENTURA

Las Palmas

GRAN CANARIA

LA PALMA

TENERIFE

GOMERA

HIERRO

ÁFRICA

200 MILLAS
150
100
50
0

300 KILÓMETROS
200
100
0

MILLAS
100
0

KILÓMETROS
150
0

42°
40°
38°
44°
42°
40°
38°
36°

10°
8°
6°
4°
2°
0°
2°

14°
16°
18°
28°

4°
2°
0°
2°

Interacciones

Fourth Edition

Interacciones

Fourth Edition

Emily Spinelli
University of Michigan – Dearborn

Carmen García
Arizona State University

Carol E. Galvin Flood
Bloomfield Hills (Michigan) Schools

HEINLE & HEINLE

THOMSON LEARNING

Australia • Canada • Mexico • Singapore • Spain
United Kingdom • United States

HEINLE & HEINLE

THOMSON LEARNING

Spanish Editor: Ken S. Kasee
Development Editor: Jeff Gilbreath
Marketing Manager: Katrina Byrd
Project Manager, Editorial Production: Angela Williams Urquhart
Print/Media Buyer: Lisa Kelley
Permissions Editor: Shirley Webster
Production Service: TSI Graphics
Photo Researcher: Judy Mason
Copy Editor: Catalina Vasquez
Cover Image: Jose Ortega
Cover Printer: Lehigh Press
Compositor: TSI Graphics
Printer: RR Donnelley
Credits appear on pp. C1 and C2

Printed in the United States of America
1 2 3 4 5 6 7 05 04 03 02 01

For more information about our products, contact us at:
Thomson Learning Academic Resource Center
1-800-423-0563

For permission to use material from this text, contact us by:
Phone: 1-800-730-2214 **Fax:** 1-800-730-2215
Web: http://www.thomsonrights.com

ISBN: 0-03-033502-7
Library of Congress Control Number: 2001097023

Asia
Thomson Learning
60 Albert Street, #15-01
Albert Complex
Singapore 189969

Australia
Nelson Thomson Learning
102 Dodds Street
South Melbourne
Victoria 3205
Australia

Canada
Nelson Thomson Learning
1120 Birchmount Road
Toronto, Ontario M1K 5G4
Canada

Europe/Middle East/Africa
Thomson Learning
Berkshire House
168-173 High Holborn
London WC1 V7AA
United Kingdom

Latin America
Thomson Learning
Seneca, 53
Colonia Polanco
11560 Mexico D.F.
Mexico

Spain
Paraninfo Thomson Learning
Calle/Magallanes, 25
28015 Madrid, Spain

To the student

¡BIENVENIDOS!

Welcome to the *Interacciones* program and the world of the Spanish language and Hispanic culture. With the *Interacciones* program you will develop your Spanish-language proficiency as you explore the 21 countries where Spanish is spoken and become acquainted with the variety and diversity of Hispanic culture. As authors of the *Interacciones* program we hope that these *interacciones* with the Spanish language and Hispanic culture will be interesting and personally rewarding for you.

BECOMING A SUCCESSFUL LANGUAGE LEARNER

As you continue your study of Spanish, here is a list of general hints and pointers for helping you study and become a successful language learner.

- Keep in mind that you are developing a skill—communicating in another language. As a result, your language class will be very different from classes where the focus is on content such as history, psychology, or economics. In your intermediate Spanish class the focus is on skill development; you will learn to listen, speak, read, and write in Spanish with greater accuracy and in more situations. To develop those skills you will engage in many different types of exercises, activities, and role plays in your language class; you will need to be actively involved. Learning another language is like learning to play a musical instrument or a sport—the more you practice, the better you become.

- Set aside time to study Spanish on a regular, preferably daily, basis. It is far more effective to study for shorter, frequent periods of time than it is to study for one marathon session.

- To develop the speaking skill, practice aloud and preferably with a partner, such as a classmate, a friend who speaks or studies Spanish, or a family member.

- We know that successful language learners have a common personality trait—they are risk takers. They actively participate in class, they volunteer for classroom exercises and activities, and they take advantage of every opportunity to speak and practice. They make intelligent guesses about what words or phrases mean. Most importantly, they are not afraid of making mistakes—even in front of other people. People who become proficient in another language make lots of errors but, nonetheless, they communicate and that, after all, is the goal.

- Remember that vocabulary and grammar structures are the building blocks of language. Learn the vocabulary and grammar as soon as they are presented in class and practice them in the context of exercises and activities.

- As you develop the reading and listening skills, focus on the general meaning. Don't panic or shut down mentally if you don't understand a particular word or phrase. Continue listening or reading and attempt to understand the main idea. If you understand the main idea, the details will fall into place.

- Find opportunities outside the classroom to speak and use Spanish. Read Spanish-language newspapers on the Internet, listen to radio and TV broadcasts in Spanish, watch Spanish-language videos and films, listen to music in Spanish, or speak Spanish with a native speaker. Even if you do not understand every word, the exposure to the language is important and over time it will help improve your pronunciation and build vocabulary.

- Get to know the textbook and its various components. Every chapter in *Interacciones* will have many different sections, each designed for a specific purpose or to develop a specific skill. Become familiar with the various sections and keep the purpose of the section in mind as you do the exercises.

- The *Interacciones* textbook will provide you with many additional strategies or tips on how and what to study. Pay particular attention to the following sections of *Interacciones*.

  Así se habla provides strategies for developing the speaking skill Spanish.

  ¿Qué oyó Ud.? provides strategies for developing the listening skill in Spanish.

  Para leer bien provides strategies for developing the reading skill in Spanish.

  Para escribir bien provides strategies for developing the writing skill in Spanish.

- Remember that the principal goal of your Spanish instruction is for you to be able to communicate with Spanish speakers and to function in a Spanish-speaking culture. Learning vocabulary and grammar is not the end goal; it is a means to develop your ability to communicate. Keeping the goal in mind will help you see the purpose behind the exercises you do and will ultimately help make you a successful language learner.

- Last, and perhaps most important, enjoy your language learning experience and use your developing Spanish language and culture skills for personal satisfaction. Interact with a Spanish-speaking community for entertainment—eat in a Mexican, Spanish or Latin American restaurant, listen to Latin music or go dancing, attend festivals or concerts. Have fun!

¡Buena suerte!

The Interacciones Program Components

The *Interacciones* program has many components that will help you in your study of the Spanish language and Hispanic culture. The components include:

- **Student Textbook with Free Audio CD (0-03-033956-1).** The *Interacciones*, Fourth Edition student text with free accompanying audio compact disc is available for purchase.

- *Student Activities Manual (0-03-033974-X).* This component, which includes the *Cuaderno de ejercicios* and *Manual de laboratorio* is an integral part of the *Interacciones* program. It is available for purchase in traditional, printed format. An electronic *Student Activities Manual (E-SAM)* is available in WebCT™ and Blackboard™ web formats.

  The *Cuaderno de ejercicios* is composed of exercises designed to develop the writing skill and consists of contextualized exercises practicing vocabulary and grammar structures, exercises on geographical and cultural information, and numerous exercises and activities designed to improve the describing and narrating functions as well as writing for academic, social and work situations. Each chapter of the *Cuaderno de ejercicios* concludes with a special section entitled *Expansión de vocabulario* which contains exercises to help you learn to select the correct vocabulary item and to recognize cognates.

  The laboratory portion of the program includes sections that specifically emphasize the development of the listening skill in mechanical and communicative exercises related to the chapter situation. The lab manual also includes listening comprehension strategies with applications, pronunciation exercises, oral exercises for practicing vocabulary and grammar, and other activities that are designed to improve the listening comprehension skill.

- **Lab Manual Cassettes (0-03-033623-6) or Lab Manual Audio CDs (0-03-034006-3).** This component is available for purchase, but can also be used in a media center or language laboratory. The cassettes or CDs are to be used in conjunction with the laboratory manual section of the *Student Activities Manual*.

- *Interacciones* **CD-ROM (0-03-033983-9).** This exciting dual-platform (Windows/Macintosh) CD-ROM provides additional reading, speaking and cultural activities that complement the rest of the *Interacciones* program. The cultural reading passages can be simply read or an optional audio feature allows the learner to hear a native speaker narrate the passage. These readings are followed by interactive exercises that test the student's comprehension of the passages. In addition, video clips from the new *Interacciones* video are included in the cultural sections, followed by interactive comprehension checks. In addition, the writing function features an internal diacritical palette, and the writing activities can be e-mailed to your professor, saved to a disk, or be printed out.

- **The *Interacciones* Videocassette (0-03-033638-4).** The *Interacciones* text-specific video program was filmed on location in several countries of the Spanish-speaking world. The video program is composed of real-life situations that reflect the vocabulary, grammar, communicative functions and/or culture presented in each chapter of the student text. The exercises for the video segments are located in the *Panorama cultural* section of the textbook.

- *Interacciones* **World Wide Web Site (www.heinle.com)** *Interacciones* has its own Web site where you can access activities and information linked to chapter themes. In addition, you have access to resource materials such as dictionaries or maps.

Visual Icons Used Throughout the Text

In order to help you recognize certain key features of the *Interacciones* textbook, we have indicated them with icons or visual symbols.

The Information Gap Activity Icon is used to help you readily identify the information gap activities that relate to the vocabulary and / or grammatical structures of the lesson.

The CD-ROM icon located at the end of the *Primera* and *Segunda situación* directs you to the *Interacciones* CD-ROM where you will find additional vocabulary and grammar exercises relating to the *situación* you have just completed.

The Web icon is found at the end of each *Bienvenidos, Personalidades* and *Arte y arquitectura* section as well as at the end of each *situación* of the textbook chapter. The web icon directs you to the *Interacciones* web site for additional information and exercises related to the topic presented.

The listening icon is used with the *¿Qué oyó Ud.?* sections to indicate that the section correlates with recorded material on the Student Listening CD that accompanies each new textbook.

The video icon accompanies the *Panorama cultural* sections to indicate that the exercises and activities of the section relate to information found on the *Interacciones* videocassette.

The reading icon is located at the beginning of the *Para leer bien* sections to point out the reading strategy and the cultural or literary reading that follows.

The writing icon is located at the beginning of the *Para escribir bien* sections to point out the writing strategy and the composition topics that follow in the *Composiciones* sections.

The communicative icon is located at the beginning of the *Actividades* section to point out the communicative nature of the activities and role plays of this section.

Acknowledgments

The publication of this fourth edition of *Interacciones* could not have been accomplished without the contributions of many people. We would first like to thank Harcourt College Publishers and Phyllis Dobbins, Publisher, for their continued support of the Interacciones program. We would also like to acknowledge Kenneth S. Kasee, Acquisitions Editor, for his guidance that led to the conceptualization of this fourth edition and Katrina Byrd, Market Strategist, for her many suggestions and her skillful marketing of the Interacciones program. We are especially grateful to our hard-working editor Jeffry E. Gilbreath, Senior Developmental Editor. As always, Jeff has been extremely thorough and attentive to detail throughout this project. We thank him for his patience and support, his openness to new ideas, and his ability to listen and negotiate solutions. A special thank you is extended to Bill Peterson, whose delightful and attractive art work has greatly enhanced the visual appeal of this new edition. Thanks also go to Sue Hart, art director and to the creative art and design department at Harcourt College Publishers; Angela Urquhart, Project Manager; Shirley Webster, Photo Researcher; Dee Josephson, Editorial Director, and Rachel Witty at TSI Graphics.

Last, we would like to acknowledge the work of the many reviewers who provided us with insightful comments and constructive criticism for improving our text:

Elaine S. Brooks, University of New Orleans

Carmen J. Coracides, Scottsdale Community College

Luiz González, Wake Forest University

Steve Hunsaker, Emporia State University

Teresa M. Klocker, New Trier High School (Illinois)

Dale Knickerbocker, East Carolina University

Joseph McClanahan, University of Nebraska, Lincoln

Leticia McGrath, Georgia Southern University

Karen R. Martin, Texas Christian University

Edward Miller, Jr., Calvin College

Patricia Moore-Martinez, Temple University

Martha Patricia Orozco Watrel, University of North Dakota

Donnie D. Richards, Georgia Southern University

Andrew A. Tabor, University of Southern Mississippi

Habib Zanzana, University of Scranton

Contents

Interacciones

Fourth Edition

CAPÍTULO
preliminar

For information on the **Cultural Themes and Communicative Goals** section and how to use it, see "Using the *Interacciones* Program" located in the opening pages of the **Instructor's Edition.**

Un autorretrato

Una pareja en un café al aire libre

Cultural Theme

The Spanish-speaking World

Have students provide examples in English of topics, situations, and phrases that would be covered in each of the communicative goals. **MODELO:** *Finding out about others:* Students might answer with questions such as Where do you live?; Where are you from?; What are you studying this semester?

Communicative Goals

Finding out about others

Expressing small quantities

Discussing when things happen

Discussing activities

Presentación

¿Quién soy yo?

For information on the **Presentación** and how to use it, see "Using the *Interacciones* Program" located in the opening pages of the **Instructor's Edition**.

Warm-up 1. Have students explain who the people in the drawing are: **un profesor / una mujer, madre / un joven / un hombre / una chica, muchacha / un joven.**

Warm-up 2. Have students explain what *objects* are seen in the drawing.

Expansión A. After students have described the people in **Práctica A,** have them work in pairs and decide the following: **¿Dónde están estas personas? ¿Adónde va el profesor / la mujer / el joven / el hombre / la chica / el guitarrista? ¿Por qué lleva un televisor el hombre? ¿Cómo recibió la cicatriz el chico con la guitarra?**

Presentación, Práctica A Answers. *Answers vary but should include new vocabulary for this Presentación.*

Presentación, Práctica B Answers. 1. el pasaporte 2. el permiso de conducir 3. el carnet estudiantil o la tarjeta de identidad 4. el permiso de conducir 5. el carnet estudiantil 6. el permiso de conducir

Práctica y conversación

A. **¿Qué se ve en el dibujo?** *(What do you see in the drawing?)* Utilizando el **Vocabulario** a continuación, describa a las personas que se ven en el dibujo.

B. **Su documento de identidad, por favor.** Explique qué documento de identidad Ud. necesita en las siguientes situaciones.

1. Ud. acaba de llegar al aeropuerto de Barajas en Madrid después de un vuelo largo de Nueva York.
2. Un policía lo (la) detiene porque Ud. está conduciendo demasiado rápido.
3. Ud. necesita sacar un libro de la biblioteca de la universidad.
4. Ud. compra un traje de baño y quiere pagar con cheque.
5. Ud. compra entradas para el concierto con descuento estudiantil.
6. Ud. entra en un bar para tomar algo con sus amigos.

C. **Un autorretrato** *(self-portrait).* Conteste las siguientes preguntas describiéndose a sí mismo(-a).

1. ¿Cómo es Ud.?
2. ¿Tiene Ud. señas particulares? ¿Cuáles son?

3. ¿Cuál es su fecha de nacimiento? ¿Su lugar de nacimiento?
4. ¿Cuál es su estado civil?
5. ¿Cuál es su profesión?
6. ¿Cuáles son sus pasatiempos favoritos?

D. La conocí ayer *(I met her yesterday).* Utilice el siguiente anuncio *(advertisement)* para contestar. ¿Quién es este hombre? ¿Cómo es la nueva mujer en su vida? ¿Quién es ella? ¿Qué edad tiene? ¿Cuándo y cómo la conoció?

"La conocí ayer. Se llama Maribel. Pelo negro, ojos claros, chinitos... No me habló una palabra pero su sola presencia me aceleró el corazón. Es la nueva mujer en mi vida...es mi hija.
    Ayer la conocí por teléfono. Por fin mañana la abrazaré."
En larga distancia, nadie le da la ayuda, calidad y años de experiencia de AT&T.

AT&T
La mejor decisión.

E. Creación. En una narración cuente lo que pasa en el dibujo de la **Presentación,** contestando las siguientes preguntas. ¿Cómo son las personas del dibujo? ¿Cómo se llaman? ¿Cuáles son sus pasatiempos favoritos? ¿Adónde van? ¿Cómo sabe Ud. eso? Use su imaginación.

Vocabulario

Vocabulario regional. In Spain the word for *eyeglasses* = **las gafas;** in the Americas *eyeglasses* = **los anteojos, los lentes.**

Vocabulario suplementario. ser débil / esbelto / flaco / fuerte = *to be weak / slender / skinny / strong;* **tener los ojos negros / los ojos verdes / tener el pelo rojizo / el pelo canoso / el pelo liso / el pelo ondulado / el pelo rizado** = *to have dark brown eyes / green eyes / reddish hair / gray hair / smooth hair / wavy hair / curly hair.*

Los documentos de identidad — Identification

el apellido	*last name*
el carnet estudiantil	*student I.D. card*
la dirección	*address*
el domicilio	*residence*
la edad	*age*
el estado civil	*marital status*
la fecha de nacimiento	*date of birth*
el lugar de nacimiento	*birthplace*
la nacionalidad	*nationality*
el nombre	*name*
el pasaporte	*passport*
el permiso de conducir	*driver's license*
la profesión	*profession, job*
la tarjeta de identidad	*I.D. card*
estar casado(-a	*to be married*
divorciado(-a)	*divorced*
separado(-a)	*separated*
quedar viudo(-a)	*to be widowed*
ser soltero(-a)	*to be single*

La descripción física — Physical description

llevar anteojos	*to wear glasses*
lentes *(m.)* de contacto	*contact lenses*
ser alto(-a)	*to be tall*
bajo(-a)	*short*
de talla media	*of average height*
ser atlético(-a)	*to be athletic*
delgado(-a)	*thin*
gordo(-a)	*fat*
ser calvo(-a)	*to be bald*
ser moreno(-a)	*to be brunette*
pelirrojo(-a)	*red-haired*
rubio(-a)	*blond*
tener los ojos azules	*to have blue eyes*
de color café	*brown eyes*

tener el pelo castaño	*to have chestnut hair*
negro	*black hair*
rubio	*blond hair*
tener el pelo corto	*to have short hair*
largo	*long hair*
tener señas particulares	*to have distinguishing features*
tener barba	*to have a beard*
bigote *(m.)*	*a moustache*
una cicatriz	*a scar*
un lunar	*a beauty mark*
pecas	*freckles*

Los pasatiempos — Leisure time activities

bailar	*to dance*
charlar con amigos(-as)	*to chat with friends*
contar (ue) chistes	*to tell jokes*
dar un paseo	*to take a walk*
escribir cartas	*to write letters*
hacer crucigramas	*to solve crossword puzzles*
hacer ejercicios	*to exercise*
ir a bailar	*to go dancing*
ir a un concierto	*to go to a concert*
ir de compras	*to go shopping*
jugar (ue) al fútbol	*to play soccer*
al golf	*golf*
al tenis	*tennis*
leer una novela	*to read a novel*
el periódico	*the newspaper*
una revista	*a magazine*
mirar (ver) la televisión	*to watch television*
practicar los deportes	*to participate in sports*
tocar la guitarra	*to play the guitar*
el piano	*the piano*

For information on the **Así se habla** section and how to use it, see "Using the *Interacciones* Program" located in the opening pages of the **Instructor's Edition.**

![Así se habla]

Finding Out About Others

Yolanda	Oye, Maribel, uno de mis compañeros de la universidad va a venir esta noche a la casa. Vamos a escuchar música y conversar un rato. Quiero presentártelo. Es muy inteligente, guapo y simpático. Te va a gustar.
Maribel	¿Ah, sí? ¿Cómo se llama?
Yolanda	Javier Salas. Es alto, delgado, tiene el pelo castaño y los ojos negros.
Maribel	¡Umm! ¿Y cuántos años tiene?
Yolanda	Calculo que debe tener veinte o veintiún años.
Maribel	¿Sabes a qué hora va a venir?
Yolanda	Entre las siete y las siete y media, más o menos. Va a venir con un amigo, o sea que tienes que venir.
Maribel	¡Oye, qué bien! Vengo como a las ocho, ¿te parece?
Yolanda	¡Perfecto! Nos vemos entonces.

If you want to get someone's attention, you can use the following phrases:

Oiga (Oye)...	*Listen...*
Mire (Mira)...	*Look...*
Dígame (Dime), por favor...	*Please, tell me...*
Quisiera saber...	*I would like to know...*
¿Quiere(-s) decirme(-nos), por favor...?	*Would you please tell me (us)...?*

Warm-up. Have students describe the two women in the drawing.

Before the students read the dialogue, ask them to brainstorm what type of conversation might be taking place between the women in the drawing. Ask students what types of things the women are talking about and what phrases they might be using.

Have two students read the dialogue aloud as a role-play. Then ask the class to locate the phrases in the dialogue that illustrate the function "Finding out about others."

Comprehension check. After students have read the dialogue aloud as a role-play, have them answer the following questions about content. **¿Por qué invita Yolanda a Maribel a su casa? ¿Qué van a hacer? ¿A qué hora van a ir? ¿A qué hora va a ir Yolanda?** *Answers:* **Yolanda invita a Maribel a su casa porque uno de sus compañeros de la universidad va a ir a su casa esa noche. Van a escuchar música y conversar. Van a ir entre las siete y las siete y media. Yolanda va a ir a las ocho.**

Point out. The formal (**Ud.**) form of the phrase is presented first; the familiar (**tú**) form is located within parenthesis.

If you want to find out personal information about someone, you can ask the following questions:

¿Cuál es su (tu) nombre? ⎫
¿Cómo se (te) llama(-s)? ⎭   *What is your name?*

¿Dónde vive Ud. (vives)?   *Where do you live?*

¿De dónde es Ud.(eres)?   *Where are you from?*

¿Dónde nació Ud. (naciste)?   *Where were you born?*

¿Cuál es su (tu) nacionalidad?   *What is your nationality?*

¿Cuántos años tiene Ud. (tienes)?   *How old are you?*

¿Cuándo es su (tu) cumpleaños?   *When is your birthday?*

¿Dónde estudia Ud. (estudias)?   *Where do you study?*

¿Dónde trabaja Ud. (trabajas)?   *Where do you work?*

¿Qué estudia Ud. (estudias)?   *What are you studying? / What do you study?*

¿Cuál es su (tu) pasatiempo favorito?   *What is your favorite hobby?*

¿Cuál es su (tu) profesión?   *What is your profession?*

Así se habla, Realia questions, Answers. Se puede usar estas preguntas en un bar de solteros / en una fiesta / en una reunión. *Answers to the second question vary but could include some of the following items.* ¿Cómo te llamas? ¿De dónde eres? ¿Dónde vives?

Warm-up. Have students provide the questions they would ask other students when they first meet them.

Warm-up Práctica A. Students will work in pairs and ask each other questions in order to get to know each other. Then, have several pairs role-play the situation in front of the class.

Así se habla, Práctica A Answers. *Answers vary but should include most of the following questions.* ¿Cuál es tu profesión? ¿Cuál es tu nacionalidad? ¿Dónde trabajas? ¿Cuál es tu deporte favorito? ¿Dónde vives?

Warm-up Práctica B. Have students brainstorm the type of information they wanted to know about their roommate before they arrived at the university and what type of questions they would have liked to ask him/her.

Así se habla, Práctica B Answers. *Answers vary but should include most of the following questions.* ¿Dónde naciste? ¿Cuándo es tu cumpleaños? ¿Cuánto mides? ¿De qué color es tu pelo? ¿De qué color son tus ojos? ¿Cuál es tu pasatiempo favorito? ¿Cuál es tu especialización?

Fórmulas

Después de encuestar a hombres y mujeres en 50 bares de solteros, el sociólogo Thomas Murray publicó sus conclusiones en un artículo titulado "El lenguaje de los bares de solteros", publicado en la revista American Speech. Según Murray, las cuatro fórmulas más habituales de iniciar una conversación, son las siguientes:

1. Mi nombre es...
2. Me gusta tu (referencia a algún elemento de vestimenta)
3. ¿Viene seguido?
4. Veo que estamos tomando la misma cosa.

¿En qué lugar o situación se puede usar estas preguntas? ¿Qué otras preguntas se puede usar en esta situación?

Práctica y conversación

A. En una reunión social. Ud. está en una fiesta y como no conoce a nadie, comienza a hablar con otra persona que también está sola.

> **MODELO**   Disculpe (Disculpa), mi nombre es... ¿Cómo se llama Ud.? (¿Cómo te llamas?)

Temas de conversación: profesión / nacionalidad / lugar de trabajo / deporte favorito / lugar de residencia

B. Su nuevo(-a) compañero(-a). Es su primer año de la universidad y antes de llegar allí, Ud. habla por teléfono con la persona que va a ser su compañero(-a) de cuarto para conocerlo(-la). Uds. intercambian información personal.

> **MODELO**   Yo soy de Detroit. Tengo 19 años. ¿Y tú?

Temas de conversación: lugar de nacimiento / cumpleaños / estatura / color de pelo / color de ojos / pasatiempo favorito / especialización

Estructuras

Expressing Small Quantities

Numbers

Numbers are the basic vocabulary for many important situations and functions such as counting, expressing ages, telling time, discussing dates, expressing addresses and phone numbers, and requesting and giving prices.

0	cero	10	diez	20	veinte	30	treinta
1	uno	11	once	21	veintiuno	40	cuarenta
2	dos	12	doce	22	veintidós	50	cincuenta
3	tres	13	trece	23	veintitrés	60	sesenta
4	cuatro	14	catorce	24	veinticuatro	70	setenta
5	cinco	15	quince	25	veinticinco	80	ochenta
6	seis	16	dieciséis	26	veintiséis	90	noventa
7	siete	17	diecisiete	27	veintisiete	100	cien, ciento
8	ocho	18	dieciocho	28	veintiocho		
9	nueve	19	diecinueve	29	veintinueve		

a. The numbers 16-19 have an optional spelling: 16 = **diez y seis**; 17 = **diez y siete**; 18 = **diez y ocho**; 19 = **diez y nueve**.

b. The numbers 21-29 may also be written as three separate words: 21 = **veinte y uno**; 22 = **veinte y dos**, etc.

c. The numbers beginning with 31 must be written as three separate words: 31 = **treinta y uno**; 46 = **cuarenta y seis**.

d. When **uno** occurs in a compound number (21, 31, 41, 51, etc.), it becomes **un** before a masculine noun and **una** before a feminine noun.

   21 libros = **veintiún** libros   51 novelas = **cincuenta y una** novelas

e. 1. The word **ciento** is used with numbers 101-199: 117 = **ciento diecisiete**; 193 = **ciento noventa y tres**.

   2. The word **cien** is used before any noun: **cien libros**; **cien novelas**. **Cien** is also used before **mil** and **millones**: 100.000 = **cien mil**; 100.000.000 = **cien millones**.

Práctica y conversación

Antes de empezar los siguientes ejercicios, busque ejemplos de las formas gramaticales de esta sección en el diálogo escrito de **Así se habla**.

A. **¡A contar!** En grupos, cuenten de 30 a 50 / de 60 a 80 / de 0 a 100 de diez en diez / de 0 a 100 de cinco en cinco.

B. **Unos números de teléfono.** Ud. trabaja de telefonista para el servicio de información en Bogotá, Colombia. Déles a los clientes los números que piden.

MODELO

Ramón Gutiérrez / 428-63-11

Cliente	**Quisiera el número de Ramón Gutiérrez, por favor.**
Telefonista	**Es cuatro, veintiocho, sesenta y tres, once.**
Cliente	**¿Cuatro, veintiocho, sesenta y tres, once?**
Telefonista	**Exacto.**
Cliente	**Muchas gracias.**

1. Manolita Reyes / 639-75-15
2. Hotel Colón / 263-11-48
3. Federico González / 584-07-29
4. Clínica Ramírez / 458-92-17
5. Restaurante Cali / 721-56-13
6. Sofía Cano Pereda / 396-31-22
7. Cine Estrella / 885-04-36
8. José Luis Gallegos / 977-61-12

C. Datos personales. You are involved in a minor car accident with a classmate. Exchange relevant information such as your name, home / work / school address and phone number, your license plate number, make and year of your car. Write down the information that your classmate gives you and then have your classmate check it for accuracy.

Discussing When Things Happen

Telling Time

When you want to know what time it is, you ask: **¿Qué hora es?**

¿Qué hora es?

Es la una.

Son las tres y cuarto.

Son las seis y veintidós.

Son las ocho y media.

Son las diez menos veinte.

Son las once menos cinco.

a. From half past to the hour, time can also be expressed in the following manner: 2:35 = **Son las dos y treinta y cinco;** 8:42 = **Son las ocho y cuarenta y dos;** 10:55 = **Son las diez y cincuenta y cinco.** With the increasing use of digital clocks and watches this method is becoming more common.

b. The following variations for **cuarto** and **media** are often used: 3:15 = Son las tres **y quince;** 8:30 = Son las ocho **y treinta;** 9:45 = Son las diez **menos quince.**

c. Other expressions of time include the following:

Son las dos en punto.	*It's two o'clock sharp (on the dot).*
Es mediodía / medianoche.	*It's noon / midnight.*
Es temprano / tarde.	*It's early / late.*
a tiempo	*on time*
tarde	*late*

d. De la mañana / tarde / noche follow a specific time and express A.M. and P.M.

Son las nueve y cuarto **de la noche.**   *It's 9:15 P.M.*

Por la mañana / tarde / noche mean *in the morning / afternoon / evening* and are used without specific times.

Me gusta ir a la discoteca **por la noche.**   *I like to go to the discotheque in the evening.*

e. When you want to know at what time things are taking place, you ask **¿A qué hora...?**

¿A qué hora sales para el concierto?   *(At) What time are you leaving for the concert?*
A las siete y cuarto.   *At 7:15.*

f. In the Spanish-speaking world the 24-hour system is frequently used, especially for expressing time in official schedules. The system begins at midnight and the hours are numbered 0-24.

El concierto empieza **a las 20:30** (veinte y media).   *The concert begins at 8:30 P.M.*

Práctica y conversación

Antes de empezar los siguientes ejercicios, busque ejemplos de las formas gramaticales de esta sección en el diálogo escrito de **Así se habla**.

A. ¿Qué hora es? Exprese la hora y explique lo que hacen las personas.

MODELO   8:30: Federico / mirar la televisión
Son las ocho y media. Federico mira la televisión.

1. 10:00: María / tocar el piano
2. 10:45: tú / hacer ejercicios
3. 1:20: Miguel / jugar al golf
4. 3:27: mi abuelo / leer
5. 7:30: los Ruiz / bailar
6. 8:50: yo / ir al concierto
7. 9:22: Uds. /escribir cartas
8. 11:00: Tomás y yo / charlar

B. ¿A qué hora? Pregúntele a un(-a) compañero(-a) de clase a qué hora hace las siguientes actividades. Su compañero(-a) debe contestar en una manera lógica. *(A ¿? symbol following the last item of an exercise means that you are free to add items of your own. Try to use as many new vocabulary words and structures as you can. This is your opportunity to be imaginative and say what you would like to say.)*

llegar a la universidad / asistir a sus clases / salir de la universidad / comer por la noche / charlar con amigos / trabajar / ¿?

Providing Basic Information

Present Tense of Regular Verbs

In order to discuss activities and provide basic information about yourself and other people, you need to be able to conjugate and use many verbs in the present tense. The following shows the conjugation of regular **-ar, -er,** and **-ir** verbs in the present tense.

	Verbos en -AR **TRABAJAR**	**Verbos en -ER** **APRENDER**	**Verbos en -IR** **ESCRIBIR**
yo	trabajo	aprendo	escribo
tú	trabajas	aprendes	escribes
él ella Ud.	trabaja	aprende	escribe
nosotros nosotras	trabajamos	aprendemos	escribimos
vosotros vosotras	trabajáis	aprendéis	escribís
ellos ellas Uds.	trabajan	aprenden	escriben

a. To conjugate a regular verb in the present tense, first obtain the stem by dropping the **-ar, -er,** or **-ir** from the infinitive. The endings that correspond to the subject noun or pronoun are then added to this stem.

b. When the verb ending corresponds to only one subject pronoun, that pronoun is usually omitted: **trabajo** = *I work*; **trabajas** = *you work*; **trabajamos** = *we work.* **Yo, tú,** and **nosotros** are not used because the verb ending indicates the subject. When the pronouns **yo, tú,** or **nosotros** are used with the verb, the pronoun subject is given extra emphasis.

> **Yo** estudio muchísimo, pero mi   *I study a lot but my roommate*
>   compañero de cuarto no.   *doesn't.*

c. It is often necessary to use the third-person pronouns for clarification since the third-person verb endings refer to three different subject pronouns.

d. Spanish verbs in the present tense may be translated in three different ways: **escribo** = *I write, I am writing, I do write.*

e. Verbs are made negative by placing **no** directly before the verb. In such cases **no** = *not.*

—¿Tocas la guitarra?   *Do you play the guitar?*
—Sí, pero **no toco** bien   *Yes, but I don't play well because I don't*
    porque **no practico** mucho.   *practice a lot.*

Práctica y conversación

Antes de empezar los siguientes ejercicios, busque ejemplos de las formas gramaticales de esta sección en el diálogo escrito de **Así se habla**.

A. Unas actividades estudiantiles. Cuando un(-a) compañero(-a) le dice lo que hace, explíquele si Ud. y sus amigos hacen las mismas cosas o no.

> **MODELO**   COMPAÑERO(-A):   Estudio en la biblioteca.
>   USTED: **Mis amigos y yo estudiamos en la biblioteca también.**
>   **Mis amigos y yo no estudiamos en la biblioteca.**

1. Aprendo español y lo practico mucho.
2. Regreso a casa los fines de semana.
3. Por la noche bailo en una discoteca.
4. Después de mis clases tomo café con mis amigos.
5. Vivo en una residencia estudiantil.

B. Sus pasatiempos. Usando la lista de los pasatiempos del **Vocabulario** de la **Presentación**, explíquele a un(-a) compañero(-a) de clase lo que Ud. hace (o no hace) y con quién lo hace.

> **MODELO**   **Escucho música rock / clásica / popular con mi novio(-a) / mis amigos / mi familia.**

C. Entrevista. Pregúntele a un(-a) compañero(-a) de clase las siguientes cosas. Su compañero(-a) debe contestar de una manera lógica.

> *Pregúntele ...*

1. a qué hora llega a la universidad. ¿Y a la clase de español?
2. si vive en una casa / una residencia / un apartamento.
3. a qué hora regresa a su cuarto / casa / apartamento.
4. si trabaja. ¿Dónde? ¿Gana mucho dinero?
5. lo que estudia este semestre.
6. qué deportes practica.
7. si viaja mucho. ¿Adónde?

Expansión A. 6. Toco la guitarra y canto. **7.** Como en un restaurante a menudo. **8.** Les hablo a mis padres por teléfono cada día.

Estructuras, Present Tense of Regular Verbs, Práctica A Answers. 1. Mis amigos y yo (no) aprendemos español y (no) lo practicamos mucho. **2.** Mis amigos y yo (no) regresamos a casa los fines de semana. **3.** Por la noche mis amigos y yo (no) bailamos en una discoteca. **4.** Después de nuestras clases mis amigos y yo (no) comemos y (no) tomamos café con nuestros amigos. **5.** Mis amigos y yo (no) vivimos en una residencia estudiantil.

Estructuras, Present Tense of Regular Verbs, Práctica B Answers. *Answers vary.*

Estructuras, Present Tense of Regular Verbs, Práctica C Answers. *Answers vary.*

Using Background Knowledge

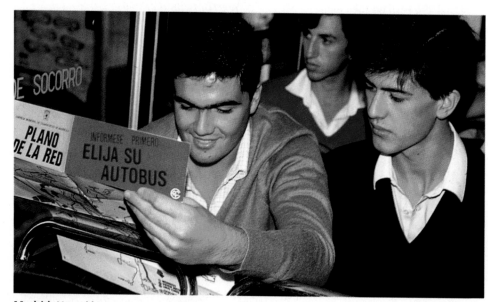

Madrid: Unos jóvenes en un autobús

When you are talking with someone in English or are listening to a narration or description, you anticipate or predict what you are going to hear because of previous experiences you have had in similar situations. For example, when you arrive at the airport, you don't expect the airline ticket agent to ask you about your hobbies or your parents' health. Instead, you expect the person to ask you for your ticket, your seat preference, and so on. This is because your knowledge of the world and your previous experiences in similar situations help you to predict what you are going to hear. Similarly, you should use your knowledge of the world to anticipate what is going to be said when listening in Spanish.

Ahora, escuche el diálogo entre dos estudiantes, José Manuel y Santiago, en una calle de Madrid y anticipe lo que dirán. Antes de escuchar la conversación, lea los siguientes ejercicios. Después, conteste.

A. Información general. Con un(-a) compañero(-a) de clase decida cuál es el tema *(topic)* de la conversación entre José Manuel y Santiago.

1. José Manuel y Santiago quieren ir a Sevilla en autobús.
2. José Manuel y Santiago van a ir a la Universidad de Madrid.
3. José Manuel y Santiago van a trabajar en una compañía de arquitectura.

B. Algunos detalles. Complete las siguientes oraciones con la mejor respuesta.

1. José Manuel estudia en
   a. la Facultad de Ingeniería.
   b. un instituto politécnico.
   c. la escuela secundaria.
2. Santiago necesita información porque
   a. no sabe dónde para el autobús.
   b. no tiene un mapa de la ciudad.
   c. necesita comprar sus libros.
3. José Manuel
   a. trata de confundir a Santiago.
   b. no sabe cómo ayudar a Santiago.
   c. le da a Santiago la información que necesita.

C. Análisis. Conteste las siguientes preguntas usando la información de la conversación.

1. ¿Son corteses o descorteses José Manuel y Santiago? Mencione una frase que ellos dicen para justificar *(justify)* su opinión.
2. ¿Qué tipo de personas son Santiago y José Manuel? Escoja de las siguientes opciones las que Ud. cree que los describen mejor: tímido / temeroso / sociable / amigable / difícil. Mencione una frase que ellos dicen para justificar su opinión.

Siga practicando el vocabulario y las estructuras gramaticales del
Capítulo preliminar en *Interacciones CD-ROM*.

Perspectivas

Addressing Other People in the Spanish-speaking World

The selection of the words and phrases you use to address other persons depends upon the level of formality of the relationship between you and the person(-s) you are addressing. In English in formal situations, you would use a title followed by a last name: *Good morning, Dr. Russell / Ms. Montgomery.* When you address a family member or a friend, you would use a first name: *Hi, Bill / Carol.* The greeting *Good morning* used in a formal situation would change to *Hi* in an informal situation.

In English there is only one pronoun used to address other people: *you.* In the Spanish-speaking world, however, there are several words used as an equivalent for the word *you.* The selection of the correct form of *you* depends upon the level of formality of the relationship between you and the person(-s) you are addressing as well as the area of the Hispanic world in which you live. Each form of *you* has specific corresponding verb endings.

a. **Tú** is the familiar, singular form of *you* used to address one person that you would call by a first name, such as a relative, friend, or child. It is also used with pets.

b. **Usted** is the formal, singular form used to address one person that you do not know well or to whom you would show respect. In general **usted** is used with a person with whom you would use a title such as **profesora, señor,** or **doctor.** When addressing a native speaker, it is better to use **usted;** he or she will tell you if it is appropriate to use the **tú** form. In writing, **usted** is generally abbreviated **Ud.**

c. In Hispanic America and the United States **ustedes** is the plural of both **tú** and **usted.** It is used to address two or more persons regardless of your relationship to them. In Spain **ustedes** serves only as the plural of **usted** and is, thus, a formal, plural form. In writing **ustedes** is generally abbreviated **Uds.**

d. In Spain the familiar, plural forms **vosotros** and **vosotras** are used as the plural of **tú.**

e. In Argentina, Uruguay, and other parts of Hispanic America, the pronoun **vos** replaces **tú** as a familiar, singular pronoun.

f. In this textbook only the forms **tú, Ud.,** and **Uds.** will be practiced in exercises and activities since they are the most widely used forms. However, when living in areas where **vos** or **vosotros** forms are used, it is relatively easy to understand the forms you hear other people using.

Práctica

A. **¿Qué forma usaría Ud.?** Escoja **tú, Ud., Uds., vosotros(-as)**, o **vos** según la situación.

1. Ud. vive en Madrid y habla con sus dos compañeros(-as) de cuarto en la residencia estudiantil.
2. Ud. vive en la Ciudad de México y habla con sus dos compañeros(-as) de cuarto en la residencia estudiantil.
3. Ud. vive en Buenos Aires y quiere hablar con su mejor amigo(-a).
4. Ud. vive en el Perú y necesita hablar con los padres de un amigo.
5. Ud. vive en Panamá y habla con un niño de cinco años.
6. Ud. vive en Colombia y necesita darle de comer a su gato.
7. Ud. vive en Venezuela y necesita hablarle a su dentista.

Perspectivas, Práctica A Answers. 1. vosotros(-as) **2.** Uds. **3.** vos **4.** Uds. **5.** tú **6.** tú **7.** Ud.

B. **Mafalda.** Mafalda es el personaje *(character)* principal en una tira cómica popular. Una de sus características es que no le gusta la sopa. En la siguiente tira, ¿a quién le habla Mafalda? ¿Usa ella la forma familiar o la formal? En su opinión, ¿de dónde es Mafalda? Justifique su respuesta.

Perspectivas, Práctica B Answers. Mafalda le habla a su madre (a su mamá). Usa la forma familiar de *vos*. Es de la Argentina o el Uruguay porque en esos países usan *vos* en vez de *tú*. (*Mafalda* es una tira cómica muy popular de la Argentina.)

El Nuyorican Poets Café

A. Miguel Algarín. Con un(-a) compañero(-a) de clase, utilice la siguiente foto para describir a Miguel Algarín. Después, preparen una lista de preguntas para saber más acerca de él y su Nuyorican Poets Café.

B. El Nuyorican Poets Café. Complete la descripción del Café utilizando información del vídeo y la siguiente lista de palabras.

café / cincuenta / cultura / hamburguesa / inmigrante / internacional / japonés / Manhattan / noche / poesía / puertorriqueño

1. El Café está en el bajo Manhattan que es el lugar de toda clase de _____.
2. El Café se abrió vendiendo un vaso de vino y un vaso de cerveza por _____ centavos al trabajador _____ que vivía en el bajo _____.
3. Poco a poco El Café dejó de ser puramente _____ y se convirtió en un centro _____. El enfoque (*focus*) del café es la _____.
4. A veces grupos de Tokio vienen al café para recitar su poesía en _____ y regresan a Tokio la misma _____.
5. En El Café no se vende una buena _____ ni una buena taza de _____. Lo que se vende es la _____ puertorriqueña.

For information on the **Actividades** section and how to use it, see "Using the *Interacciones* Program" located in the opening pages of the **Instructor's Edition**.

Actividades

A. **Un autorretrato.** You are an exchange student and will be spending your next semester in Quito, Ecuador. You must provide your host family with an audio tape describing yourself and some of your interests and activities. Be accurate in your self-portrait so they will recognize you when they meet you at the airport.

B. **Jugar a la Berlina.** You and your classmates will divide into groups of four to play this popular Latin American game. One person in the group will leave the group for a moment while the others decide to be a famous person such as a movie or TV star, a political personality, or a sports figure. The person re-enters the group and asks *yes* or *no* questions until he / she guesses the identity of the person in question.

C. **Una entrevista.** You are looking for a job and you go to a department store that has an opening for a sales manager. The director of personnel (played by a classmate) interviews you and asks you a series of typical questions such as your name, address, phone number, age, marital status, number of children, names and addresses of previous employers, your education, and so on.

Para saber más:
www.heinle.com

The national **Standards for Foreign Language Learning** promote language proficiency in the three communicative modes: interpersonal, interpretive, and presentational. (See "Using the *Interacciones* Program" in the opening pages of the **Instructor's Annotated Edition** for further information on the **Standards**.) For each of the items in the **Actividades** section, an annotation similar to the one that follows will be provided. These annotations explain the communicative modes that are incorporated in each of the activities. **Communicative modes incorporated A:** presentational **B:** interpersonal **C:** interpersonal.

Vocabulary incorporated. A: Physical description, leisure-time activities; **B:** leisure-time activities, physical description; **C:** physical description, identification, numbers.

Grammar incorporated. A: Present tense of regular **-ar** verbs, adjectives; **B:** Question formation, present tense of regular **-ar** verbs; **C:** Present tense of regular **-ar** verbs.

Assign specific students to one particular activity. Students should prepare the activity as an outside assignment that will be presented in class.

Vocabulario suplementario C. *department store* = **el almacén, los almacenes (E);** *sales manager* = **el (la) jefe(-a) de ventas;** *director of personnel* = **el (la) director(-a) de personal.**

Actividades Answers. *Answers vary for* **Actividades A-C.**

Bienvenidos a Española

For information on the **Bienvenidos** section and how to use it, see "Using the *Interacciones* Program" located in the opening pages of the **Instructor's Edition**.

Have students use the map of Spain located in the opening pages of the textbook.

Ask questions about the content of the photos of the **Bienvenidos a España** section. **¿Qué hay en la foto de la playa? ¿Cuántas personas hay? ¿Qué hacen? ¿Qué tiempo hace? ¿Qué hay en la foto de Las Ramblas? ¿Qué hace la gente? ¿Qué se vende en esta sección de Las Ramblas? ¿Qué tiempo hace?**

Una playa en el Mediterráneo

GEOGRAFÍA Y CLIMA
Tercer país más grande de Europa

País montañoso; es el segundo país europeo en altitud media después de Suiza.

País marítimo; ocupa con Portugal la Península Ibérica; rodeado de mares

Clima muy variado según la región

POBLACIÓN
40.000.000 de habitantes

LENGUAS
El castellano (el español); el catalán (7.000.000 de hablantes); el gallego (3.000.000 de h.); el vascuense (*Basque*) (650.000 de h.)

CIUDADES PRINCIPALES
Madrid (la capital) 3.300.000 de habitantes; Barcelona 1.826.000; Valencia 800.000; Sevilla 720.000

MONEDA
el euro

GOBIERNO
Monarquía constitucional; Juan Carlos I, el rey actual

ECONOMÍA
El turismo; productos agrícolas (vino, fruta y verdura); la pesca; fabricación de acero, barcos, productos de cuero, vehículos

FECHAS IMPORTANTES
Además de las fiestas religiosas que se celebran en todos los países católicos (6 de enero, Jueves y Viernes Santos, Pascua, Navidad), hay otras fiestas religiosas y nacionales. 19 de marzo = San José; 1 de mayo = Día del Trabajo; 24 de junio = San Juan; 25 de julio = Santiago, santo patrón de España; 15 de agosto = la Asunción; 12 de octubre = Día Nacional

Point out. As a member of the European Union, Spain began using **el euro** as the official currency of Spain January 1, 2002. Prior to that date **la peseta** was the official currency. Explain to students that they might see prices listed in pesetas in older publications.

Práctica geográfica

Consulte el mapa de España al principio de este libro para contestar las siguientes preguntas.

1. ¿Cómo se llama la península que ocupa España? ¿Qué otro país también ocupa la península?
2. ¿Cuáles son las montañas que separan España de Francia? ¿Cómo se llaman otras cordilleras (*mountain ranges*)?
3. ¿Qué mares rodean España? ¿Qué industrias de España dependen de los mares?
4. Nombre tres ríos importantes.
5. ¿Por qué se dice que España es un país aislado (*isolated*)?
6. ¿Por qué es España un buen lugar para turistas?
7. ¿Qué ventajas y desventajas ofrece la geografía de España?

While the **Práctica geográfica** can be done as a whole class exercise, it will be more effective to divide the students in pairs. One member of the pair should ask the questions and the other person should answer. After the pairs have completed the exercise, have them report to the class on the information in order to check answers.

Práctica geográfica Answers. 1. la península Ibérica; Portugal 2. 2. los Pirineos; la Cordillera Cantábrica, la Sierra de Guadarrama, la Sierra Nevada 3. el mar Cantábrico, el mar Mediterráneo, el océano Atlántico; la pesca, la fabricación de barcos 4. el río Ebro, el río Tajo, el río Guadalquivir (el río Duero, el río Guadiana) 5. Se dice que España es un país aislado porque se ubica en una península rodeada de mares y separada de Francia por los Pirineos. 6. Es un buen lugar para turistas porque tiene una larga costa con buenas playas y un buen clima; también es montañoso con muchas canchas de esquí. 7. *Answers vary.*

Las Ramblas;
Barcelona,
España

Ask students questions about the
photo: **¿Qué cosas se ven en la
foto? ¿Quiénes son las personas?
¿Qué llevan? ¿Qué hacen?**

La vida de todos los días

Algunos estudiantes españoles en camino a clase

Cultural Themes

Spain

The Hispanic schedule

Have students provide examples in English of topics,
situations, and phrases that would be covered in each of
the communicative goals. **Modelo:** *Discussing daily
activities:* Students might answer with sentences such as:
Everyday I go to my classes, study in the library, and meet
my friends in the student union.

Communicative Goals

Discussing daily activities

Expressing frequency and sequence
of actions

Describing daily routine

Expressing lack of comprehension

Asking questions

Primera situación

Presentación

Un día típico

Práctica y conversación

A. **¿Qué ve Ud. en el dibujo?** Utilizando el **Vocabulario** al final de esta sección, nombre los sitios comerciales que se ven en el dibujo. ¿Cuáles son algunas diligencias que le llevan a Ud. a estos sitios?

B. **Hay que trabajar.** ¿Qué habilidades profesionales necesita Ud. para conseguir empleo en los siguientes lugares?

un banco / una tienda / una escuela primaria / una oficina / una estación de servicio / un supermercado / una biblioteca / una agencia de viajes

Primera Situación, Presentación, Práctica A Answers. *Answers vary but should include new vocabulary for the* ***Presentación.***

Expansión B. Ask students: **¿Adónde va Ud. en las siguientes situaciones? 1. Su traje azul está sucio. 2. Quiere mandar un paquete a Bolivia. 3. No tiene suficiente gasolina para llegar a la universidad. 4. No hay leche en casa. 5. Necesita sacar una fotocopia de una carta. 6. Tiene que prepararse para un examen de español. 7. Quiere descansar.** *Answers.* **1. Voy a la tintorería. 2. Voy al correo. 3. Voy a la estación de servicio. 4. Voy al supermercado. 5. Voy a la biblioteca. 6. Voy a la biblioteca (al laboratorio de lenguas). 7. Voy a casa.**

Primera Situación, Presentación, Práctica B Answers. *Answers vary.*

For information on **Information Gap Activities** and how to use them, see "Using the *Interacciones* Program" located in the opening pages of the **Instructor's Edition.**

Prior to beginning this information gap activity, make certain that students have identified the girl in question; she is seated alone in the café.

Primera Situación, Presentación, Práctica C Answers. *Answers vary.*

Students can also do **Práctica D** in pairs.

Primera Situación, Presentación, Práctica D Answers. Primero, esta persona va a una reunión con Pepe, Susana y Javier. Después, va a clase. Por último, descansa un poco. Sí, (No, no) es un día típico para un(-a) estudiante. *Answers vary.*

The **Entrevista personal** is an activity that is repeated throughout *Interacciones*. Make certain that students understand the directions since this activity type is so important. Model item one of the exercise prior to having students break into pairs. ***Estudiante 1: ¿Qué haces a las 7:30 de la mañana? Estudiante 2: Me levanto a las 7:30 de la mañana.*** The student asking the questions can use the textbook while the student answering the questions should not use the textbook.

Primera Situación, Presentación, Práctica E Answers. *Answers vary.*

Circulate around the classroom and monitor students to make certain that they are completing the exercise according to the instructions.

C. ¡Qué día! En el dibujo hay una chica cansada que está sentada sola en el café al aire libre. Ud. quiere saber lo que ella hace en un día típico. Su compañero(-a) va a mirar otro dibujo que tiene la información que Ud. necesita. Pregúntele a su compañero(-a) lo que hace la chica en primer lugar, en segundo lugar, más tarde, finalmente, etc. Su compañero(-a) va a contestar utilizando el segundo dibujo de este ejercicio que está en el **Apéndice A.**

D. El lunes. Usando la información a continuación, conteste las siguientes preguntas. ¿Qué hace esta persona primero? ¿Después? ¿Y por último? ¿Es un día típico para un(-a) estudiante? ¿Es un día típico para Ud.?

LUNES

8
9.00 reunión con Pepe, Susana y Javier
9
10.00 ir a clase
10
11
12   12.15 almorzar con Pablo
13   13.00 estudiar para los exámenes
14
15
16   16.45 llevar los paquetes al correo
17   17.15 pasar por el supermercado
18   18.30 cenar con la familia
19   19.30 terminar el proyecto para el viernes
20
21
22   22.00 descansar un poco
23
24

E. Entrevista personal. Pregúntele a un(-a) compañero(-a) de clase lo que hace en un día típico.

Pregúntele lo que hace ...

1. a las 7:30 de la mañana.
2. a las 9:00 de la mañana.
3. a las 10:15 de la mañana.
4. al mediodía.

5. a las 2:00 de la tarde.
6. a las 4:45 de la tarde.
7. a las 8:00 de la noche.
8. a las 11:05 de la noche.

F. **Creación.** En una narración cuente lo que pasa en el dibujo de la **Presentación** contestando todas las siguientes preguntas. ¿Qué día de la semana es? ¿Cómo lo sabe Ud.? ¿Por qué está cansada la chica? ¿Qué acaba de hacer? ¿Qué va a hacer ahora?

SER ESPAÑOL UN ORGULLO MADRILEÑO UN TITULO

¿De qué país y de qué ciudad es la persona que va a usar esta pegatina (sticker)? ¿Dónde va a ponerla?

Vocabulario

Descansar	**To relax**	llenar el tanque	*to fill the (gas) tank*
echar una siesta	*to take a nap*	llevar ropa sucia	*to drop off clothing*
mirar	*to watch*	recoger ropa limpia	*to pick up cleaning*
una telenovela	*a soap opera*	revisar el aceite	*to check the oil*
las noticias	*the news*		
los deportes	*sports*	**Trabajar**	**To work**
reunirse con amigos	*to get together with friends*	escribir a máquina	*to type*
		llevarse bien con los clientes	*to get along well with customers*
Estudiar	**To study**	tener empleo en	*to have a job in*
hacer la tarea	*to do homework*	una agencia	*an agency*
prepararse para los exámenes	*to prepare for exams*	un banco	*a bank*
		una compañía	*a company*
tomar apuntes	*to take notes*	una fábrica	*a factory*
		una oficina	*an office*
Hacer diligencias	**To run errands**	tener habilidades profesionales	*to have job skills*
comprar estampillas	*to buy stamps*		
enviar (mandar)	*to send a letter*	trabajar	*to work*
una carta		horas extra	*overtime*
un paquete	*a package*	medio tiempo	*part-time*
hacer compras en	*to shop in the*	tiempo completo	*full-time*
el gran almacén	*department store*	usar una computadora	*to use a computer*
el supermercado	*supermarket*	un escáner	*a scanner*
la tienda	*store, shop*	una fotocopiadora	*a copier*
ir al centro comercial	*to go to the shopping center / mall*	una impresora	*a printer*
		una máquina de fax	*a fax machine*
al correo	*to the post office*	el correo electrónico	*e-mail*
a la estación de servicio	*to the gas station*		
a la tintorería	*to the dry cleaner*		

Así se habla

EXPRESSING FREQUENCY AND SEQUENCE OF ACTIONS

Warm-up 1. Before students read the dialogue, have them work in pairs and discuss their daily routine for the school year and for the summer. After completing this task, each student will report to the class about the partner's routine.

Warm-up 2. Have students describe the drawing. Students should then brainstorm the types of things that the two women are talking about and what phrases they might be using.

After reading the dialogue, have students locate phrases in the dialogue that illustrate the function *Expressing Frequency and Sequence of Actions.*

Comprehension check. Ask students the following questions about Raquel. **¿Cómo está Raquel? ¿Cómo está su mamá? ¿Qué tiene que hacer Raquel por la mañana? ¿Y por la noche? ¿En qué época están en la universidad? ¿Cuándo come Raquel? ¿Cuándo se acuesta? ¿Cuándo terminan los exámenes?** *Answers.* **Raquel tiene cara de cansada. Su mamá está enferma. Por la mañana Raquel tiene un montón de cosas que hacer en la casa. Por la noche tiene que cuidar a sus hermanitos y cocinar. Están en la época de los exámenes. Raquel come mientras estudia. Se acuesta tardísimo, a medianoche. Los exámenes terminan esta semana.**

Patricia Hola, Raquel, ¿cómo estás? ¡Tienes una cara de cansada! ¿Qué te pasa?

Raquel No, nada. Lo único es que tengo a mi mamá enferma y, como comprenderás, todas las mañanas tengo que hacer un montón de cosas en la casa. En las noches tengo que cuidar a mis hermanitos, cocinar y todo eso. Encima de eso estoy en época de exámenes. ¡Imagínate! ¡Como si fuera poco!

Patricia ¡Ay, dios! Pero mira, ¿estás durmiendo bien por lo menos? Porque si no, te vas a enfermar. Nadie puede trabajar del amanecer al anochecer sin un descanso.

Raquel Sí, lo sé. A veces no tengo tiempo ni de comer. Generalmente como algo mientras estudio y todos los días me acuesto tardísimo, a medianoche, más o menos.

Patricia ¡Pero, Raquel, es que te vas a enfermar si sigues así!

Raquel No te preocupes que ya termino los exámenes esta semana.

Patricia ¡Menos mal! ¡Pero bueno, amiga, cuídate, por favor!

Raquel Sí, sí, no te preocupes.

Patricia Mira, dale un beso a tu mamá y dile que espero que se mejore pronto.

Raquel Gracias. Nos vemos.

If you need to express frequency of actions, you can use the following phrases. They answer the questions **¿Cuántas veces?** = *How many times?, How often?* or **¿Cuándo?** = *When?*

a veces / a menudo / algunas veces	*sometimes / often*
siempre	*always*
nunca / jamás	*never*
ya	*already*
(casi) todos los días / todas las mañanas / las noches	*(almost) every day / morning / night*
una vez / dos veces al día / al mes / al año / a la semana	*once / twice a day / month / year / week*
cada dos días / lunes / martes	*every other day / Monday / Tuesday*
frecuentemente	*frequently / often*
de vez en cuando	*from time to time*
del amanecer al anochecer	*from dawn to dusk*
la mayor parte de las veces	*most of the time*
generalmente / por lo general	*generally*

If you want to describe when actions take place in relation to other actions, you can use the following phrases.

primero	*first*
luego / después	*then / afterwards*
más tarde	*later*
finalmente / por último	*finally*
en primer / segundo / tercer lugar	*in the first / second / third place*

Práctica y conversación

A. Vidas diferentes. Ud. es un(-a) atleta en el equipo universitario de natación. Su hermano(-a) está casado(-a) y tiene tres hijos. Uds. hablan de sus actividades diarias, la frecuencia con la que hacen las diferentes cosas, cómo se sienten, etc.

MODELO

USTED: Todas las mañanas me levanto muy temprano, voy a la piscina y nado durante hora y media. Luego, voy a clase, a la biblioteca y ...

HERMANA: Yo también me levanto temprano pero me voy a trabajar. Voy al supermercado una vez a la semana, algunas veces cocino, ...

Así se habla, Práctica A Answers. *Answers vary but should include the phrases to express frequency and/or sequence of actions.*

B. Hablando de su horario. Ud. está muy cansado(-a) porque tiene muchas responsabilidades con sus estudios, su trabajo, etc. Hable con un(-a) compañero(-a) de clase y cuéntele su horario.

MODELO

COMPAÑERO(-A): **¿Qué te pasa...?**

USTED: **¡Estoy muy cansado(-a)! ¡Tengo mucho que hacer! Todos los días tengo que... Dos veces por semana tengo que...**

COMPAÑERO(-A): **Te comprendo. ¡Yo también tengo que... dos veces por semana y ...!**

Así se habla, Práctica B Answers. *Answers vary.*

Temas de conversación: preparar un informe / hacer diligencias / asistir a conferencias / prepararse para los exámenes / reunirse con amigos / ¿?

Estructuras

Discussing Daily Activities

Present Tense of Irregular Verbs

Many of the verbs that you need in order to talk about daily activities are irregular verbs in the present tense. These irregular verbs can be divided into two main groups: verbs that are irregular only in the first person singular (**yo**) form and those that show irregularities in many forms.

Prior to introducing these irregular verbs, review the conjugation of regular **-ar, -er,** and **-ir** verbs in the present tense. Use the following infinitive phrases: **llenar el tanque / recoger ropa limpia / escribir cartas.**

Common Verbs with Irregular YO Forms

hacer *(to do, make)*	**hago**	**traer** *(to bring)*	**traigo**
poner *(to put, place)*	**pongo**	**saber** *(to know)*	**sé**
salir *(to leave)*	**salgo**	**ver** *(to see)*	**veo**

Verbs ending in **-cer** like **conocer** *(to know)*: **conozco**
Verbs ending in **-cir** like **conducir** *(to drive)*: **conduzco**

Common Irregular Verbs

dar *(to give)*	doy	das	da	damos	dais	dan
decir *(to say, tell)*	digo	dices	dice	decimos	decís	dicen
estar *(to be)*	estoy	estás	está	estamos	estáis	están
ir *(to go)*	voy	vas	va	vamos	vais	van
oír *(to hear)*	oigo	oyes	oye	oímos	oís	oyen
ser *(to be)*	soy	eres	es	somos	sois	son
tener *(to have)*	tengo	tienes	tiene	tenemos	tenéis	tienen
venir *(to come)*	vengo	vienes	viene	venimos	venís	vienen

Verbs ending in **-uir** like **destruir** *(to destroy):*
destruyo, destruyes, destruye, destruimos, destruís, destruyen

    a. Common verbs ending in **-cer** include **aparecer** = *to appear;* **conocer** = *to know, be acquainted with;* **merecer** = *to merit, deserve;* **obedecer** = *to obey;* **ofrecer** = *to offer;* **parecer** = *to seem;* **reconocer** = *to recognize.*

    b. Common verbs ending in **-cir** include **conducir** = *to drive;* **producir** = *to produce;* **traducir** = *to translate.*

c. Common verbs ending in **-uir** include **construir** = *to construct;* **contribuir** = *to contribute;* **destruir** = *to destroy.*

Práctica y conversación

Antes de empezar los siguientes ejercicios, busque ejemplos de las formas gramaticales de esta sección en el diálogo escrito de **Así se habla.**

A. Un día típico. Compare las actividades de un día típico en la vida de Manuel con un día típico de Ud. y sus amigos.

MODELO MANUEL: **Conduzco a clase.**
USTED: **Mis amigos y yo conducimos a clase también.**
Mis amigos y yo no conducimos a clase.

1. Soy estudiante y tengo mucho que hacer.
2. Hago compras en el centro comercial.
3. Voy al correo y a la tintorería.
4. Traduzco ejercicios en mi clase de español.
5. Pongo la televisión y oigo las noticias.
6. Veo a mi familia y le doy dinero.

B. ¿Con qué frecuencia? Complete las oraciones siguientes con una de las frases dadas explicando con qué frecuencia Ud. hace las siguientes actividades.

decir la verdad   salir de casa a tiempo
venir a clase   poner la radio / televisión
hacer la tarea   ver a mis amigos
ir al cine   traer libros a clase
conducir rápidamente   obedecer a mis padres

1. _____ a menudo.
2. Nunca _____.
3. _____ (casi) todos los días.
4. Una vez al mes _____.
5. _____ frecuentemente.
6. Siempre _____.
7. Del amanecer al anochecer _____.
8. La mayor parte de las veces _____.

C. Entrevista. Usando las frases de la **Práctica B,** pregúntele a un(-a) compañero(-a) de clase cuándo o con qué frecuencia hace diferentes actividades. Su compañero(-a) debe contestar de una manera lógica.

MODELO USTED: **¿Con qué frecuencia ves a tus amigos?**
COMPAÑERO(-A): **Veo a mis amigos a menudo.**

Talking About Other Activities

Present Tense of Stem-Changing Verbs

To discuss other daily activities such as sleeping or having lunch and activities such as requesting, recommending, preferring, wanting and remembering, you will need to learn to conjugate and use stem-changing verbs. There are three categories of stem-changing verbs.

Warm-up Drill 1. Have students provide the **yo** form of the following verbs: **conducir / poner / saber / hacer / traer / conocer / salir / ver.**

Warm-up Drill 2. *estar:* **tú / María / Carlos y yo / Uds. / yo;** *tener:* **Felipe y Ana / yo / ella / nosotras / tú;** *ser:* **Ud. / los alumnos / yo / tú / nosotros;** *venir:* **ellos / tú / Raúl y yo / la chica / yo;** *oír:* **Federico / tú y yo / los padres / yo / tú.**

Warm-up A. Have students explain if they do or do not engage in the following activities in a typical day: **ir a clase / conducir a la universidad / hacer la tarea / salir con sus amigos / poner la televisión / estar ocupado(-a).** *Answers.* **(No) Voy a clase. (No) Conduzco a la universidad. (No) Hago la tarea. (No) Salgo con mis amigos. (No) Pongo la televisión. (No) Estoy ocupado(-a).**

Estructuras, Present Tense of Irregular Verbs, Práctica A Answers. *All answers begin with* **Mis amigos y yo (no)... 1. somos estudiantes y (no) tenemos mucho que hacer. 2. hacemos compras en el centro comercial. 3. vamos al correo y a la tintorería. 4. traducimos ejercicios en nuestra clase de español. 5. ponemos la televisión y (no) oímos las noticias. 6. vemos a nuestras familias y (no) les damos dinero.**

Estructuras, Present Tense of Irregular Verbs, Práctica B Answers. *Answers vary.*

Estructuras, Present Tense of Irregular Verbs, Práctica C Answers. *Answers vary.*

e → ie **querer** *to wish, want*	o → ue **almozar** *to have lunch*	e → i **pedir** *to ask for, request*
quiero	almuerzo	pido
quieres	almuerzas	pides
quiere	almuerza	pide
queremos	almorzamos	pedimos
queréis	almorzáis	pedís
quieren	almuerzan	piden

a. Certain Spanish verbs change the last vowel of the stem from **e → ie, o → ue,** or **e → i** when that vowel is stressed. These verbs may have infinitives ending in **-ar, -er,** or **-ir.** There is no way to predict which verbs are stem-changing; these verbs must be learned through practice. In many vocabulary lists or dictionaries the stem-changing verbs may be listed in the following manner: **querer (ie); volver (ue); servir (i).**

b. Some common stem-changing verbs **e → ie** are:

cerrar	*to close*	perder	*to lose, waste (time),*
comenzar	*to begin*		*miss (bus)*
empezar	*to begin*	preferir	*to prefer*
entender	*to understand*	querer	*to want, wish*
pensar	*to think*	recomendar	*to recommend*

c. Some common stem-changing verbs **o → ue** are:

almorzar	*to eat lunch, have lunch*	poder	*to be able*
contar	*to count*	probar	*to try, taste*
dormir	*to sleep*	recordar	*to remember*
encontrar	*to find, meet*	soñar	*to dream*
morir	*to die*	soler	*to be accustomed to*
mostrar	*to show*	volver	*to return*

d. Some common stem-changing verbs **e → i** are:

pedir	*to ask for, request*	seguir	*to follow*
repetir	*to repeat*	servir	*to serve*

Práctica y conversación

Antes de empezar los siguientes ejercicios, busque ejemplos de las formas gramaticales de esta sección en el diálogo escrito de **Así se habla.**

A. **Preferencias.** Las siguientes personas no quieren hacer ciertas cosas; prefieren hacer otras. Dígale a un(-a) compañero(-a) de clase lo que prefieren hacer.

MODELO   Miguel: prepararse para los exámenes / practicar deportes
Miguel no quiere prepararse para los exámenes.
Prefiere practicar deportes.

Warm-up Drill. Ask students: **¿Prefieres practicar deportes o echar una siesta? ¿Prefieres reunirte con amigos o hacer la tarea? ¿Prefieres mirar una telenovela o hacer las compras?** *Answers vary but verb form must be* **Prefiero.**

Estructuras, Present Tense of Stem-Changing Verbs, Práctica A Answers. 1. (Tú) No quieres trabajar. Prefieres echar una siesta. **2.** (Nosotros) No queremos mirar una telenovela. Preferimos reunirnos con amigos. **3.** María no quiere hacer la tarea. Prefiere hacer compras. **4.** No quiero ir a la tintorería. Prefiero ir a la tienda. **5.** José y yo no queremos trabajar horas extra. Preferimos estar de vacaciones. **6.** Uds. no quieren trabajar en un banco. Prefieren tener empleo en una oficina.

1. tú: trabajar / echar una siesta
2. nosotros: mirar una telenovela / reunirnos con amigos
3. María: hacer la tarea / hacer compras
4. yo: ir a la tintorería / ir a la tienda
5. José y yo: trabajar horas extra / estar de vacaciones
6. Uds.: trabajar en un banco / tener empleo en una oficina

B. ¡Hay mucho que hacer! Dígale a un(-a) compañero(-a) de clase lo que Paco hace hoy. Luego, dígale si Ud. y sus amigos hacen las mismas cosas.

MODELO   comenzar a estudiar
> **Paco comienza a estudiar.**
> **Mis amigos y yo (no) comenzamos a estudiar.**

despertarse a las seis / encontrar los libros en la biblioteca / empezar a leer una novela / pedirle ayuda a José / almorzar con amigos / jugar al tenis / volver a casa temprano / acostarse antes de la medianoche / soler trabajar los fines de semana

C. Entrevista personal. Hágale preguntas a un(-a) compañero(-a) de clase sobre los planes que tienen él (ella) y sus amigos(-as).

Pregúntele...

1. dónde almuerzan.
2. qué piensan hacer esta noche.
3. si recomiendan una buena película.
4. cuándo vuelven a casa.
5. si quieren jugar al tenis.
6. ¿?

Siga practicando el vocabulario y las estructuras gramaticales de **Capítulo 1, Primera situación** en *Interacciones CD-ROM*.

Para saber más:
www.heinle.com

Segunda situación

Presentación

La rutina diaria

Práctica y conversación

A. ¿Qué ve Ud. en el dibujo? Utilizando el vocabulario al final de esta sección, nombre los ejemplos de actividades de arreglo personal que se ven en el dibujo.

B. Mi arreglo personal. ¿Qué productos usa Ud. para hacer lo siguiente?

despertarse a tiempo / bañarse / lavarse el pelo / lavarse los dientes / afeitarse / rizarse el pelo / maquillarse / perfumarse

C. Las rutinas diarias. Dígale a su compañero(-a) de clase lo que Ud. hace para arreglarse un día típico. Él (Ella) escribirá lo que Ud. dice. Luego, le toca a Ud. escribir lo que su compañero(-a) dice. Cuando terminen, le dirán a su profesor(-a) lo que cada uno(-a) hace para arreglarse.

D. Creación. Cuente en una narración lo que pasa en el dibujo de la **Presentación,** contestando las siguientes preguntas. ¿Está de buen humor el hombre que Ud. ve en el dibujo? ¿Por qué se levanta tan temprano? ¿Para qué se arreglan los chicos? ¿Y las chicas? ¿Qué hace la mujer?

DIFERENTES
POR NATURALEZA

Naturaleza y Vida
selecciona los extractos naturales
de las plantas y
convierte sus propiedades
en cuidados para tu cabello,
restableciendo
con suavidad
su **equilibrio**
y belleza.

NATURALEZA
NY VIDA A
extracto y natural

**Champús y acondicionadores
diferentes por naturaleza**

¿Qué tipo de productos llevan la marca *(brand name)* "Naturaleza y Vida"? ¿Quiénes pueden usar estos productos? ¿Usaría Ud. estos productos?

Vocabulario

El arreglo personal	Personal care
la afeitadora eléctrica	*electric shaver*
el agua (f) caliente	*hot water*
el cepillo de dientes	*toothbrush*
la crema de afeitar	*shaving cream*
el champú	*shampoo*
el desodorante	*deodorant*
el espejo	*mirror*
el jabón	*soap*
la laca	*hair spray*
el lápiz de labios	*lipstick*
el maquillaje	*make-up*
la pasta de dientes	*toothpaste*
el peine	*comb*
el rímel	*mascara*
el secador	*hair dryer*
la sombra de ojos	*eye shadow*
las tenacillas de rizar	*curling iron*
la toalla	*towel*
afeitarse	*to shave*
arreglarse	*to get ready*
bañarse	*to bathe, to take a bath*
cambiarse de ropa	*to change clothes*

cepillarse el pelo	*to brush one's hair*
despertarse (ie)	*to wake up*
desvestirse (i, i)	*to get undressed*
ducharse	*to shower*
lavarse los dientes	*to brush one's teeth*
lavarse el pelo	*to wash one's hair*
levantarse temprano	*to get up early*
tarde	*late*
maquillarse	*to put on make-up*
peinarse	*to comb one's hair*
perfumarse	*to put on perfume*
poner el despertador	*to set the alarm clock*
ponerse la camisa	*to put on one's shirt*
los pantalones	*pants*
el vestido	*dress*
quitarse la camisa	*to take off one's shirt*
rizarse el pelo	*to curl one's hair*
secarse	*to dry off*
secarse el pelo	*to dry hair one's hair*
ser madrugador(-a)	*to be an early riser*
dormilón(-ona)	*a heavy sleeper*
vestirse (i, i)	*to get dressed*

Vocabulario regional. In Spain the word for *toothpaste* = **el dentífrico**; in the Americas *toothpaste* = **la pasta de dientes, la crema dental, la pasta dental.**

Así se habla

Expressing Lack of Comprehension

Warm-up. Have students describe the drawing. Students should then brainstorm the types of things that the women are talking about and what phrases they might be using.

Sara	Ana, ¿qué pasa con Linda que no se levanta? Ya son las once de la mañana y tiene que ir a clases. Incluso, creo que tiene un examen hoy.
Ana	¿Qué dices? ¿Puedes repetir, por favor? No puedo oír nada con este secador de pelo.
Sara	Te preguntaba qué pasaba con Linda que sigue en cama. Ya es tarde.
Ana	¡Ay, hija! Francamente no tengo la menor idea. Hace ya más de una semana que se acuesta como a las cinco de la madrugada y se levanta a las once o doce del día. No se viste, no se peina, no se arregla, ni siquiera se baña. No sé lo que le está pasando. Desde que peleó con Jorge, sólo llora, duerme y no quiere hacer nada.
Sara	No comprendo, no comprendo nada. ¿Y por qué han peleado?
Ana	No sé. Yo tampoco comprendo nada pero no quiero preguntarle. Tú sabes cómo es ella.
Sara	Sí, pero estoy preocupada.
Ana	Yo también.

If you do not understand what is being said to you, you can use the following phrases.

¿Cómo dijo / dijiste?	*What did you say?*
¿Puede(-s) repetir, por favor?	*Can you repeat, please?*
No comprendo / entiendo nada (de nada).	*I don't understand anything.*
¡No entiendo ni pizca!	*I don't understand one bit!*
¡Estoy perdido(-a)!	*I'm lost!*
¡Ya me confundí!	*I'm confused!*
No sé si comprendo bien...	*I don't know if I understand correctly . . .*
A ver si comprendo bien...	*Let's see if I understand . . .*
¿Quiere(-s) decir que... ?	*Do you mean that . . . ?*
¿Mande? *(México)*	*What?*

Práctica y conversación

A. No comprendo. ¿Qué diría Ud. en las siguientes situaciones?

1. Su profesor(-a) le explica un tema de cálculo pero Ud. no entiende nada.
2. Su novio(-a) le está hablando pero hay mucho ruido y Ud. no puede oír bien.
3. Ud. estudió muchas horas pero no sabe nada. Su compañero(-a) le pregunta si está preparado(-a) para el examen.
4. Su profesor(-a) de español le hace una pregunta que Ud. no entiende.
5. Su jefe le dice que está despedido(-a) y Ud. no sabe por qué.
6. Su compañero(-a) de cuarto le hace una pregunta pero Ud. no estaba prestando atención.

B. ¿Por qué necesitas tanto tiempo? Su compañero(-a) de cuarto ocupa el baño dos horas cada mañana antes de ir a clases. Ud. no entiende por qué tiene que tomar tanto tiempo. Hable con él (ella).

MODELO

USTED: **¿Qué haces tanto tiempo en el baño? ¡No entiendo por qué te demoras tanto!**

COMPAÑERA: **Es que me tengo que poner el maquillaje y además tengo que rizarme el pelo y...**

Estructuras

Describing Daily Routine

Reflexive Verbs

Many of the Spanish verbs used to describe and discuss daily routine are reflexive verbs, that is, verbs that use a reflexive pronoun throughout the conjugation. The reflexive pronouns indicate that the subject does the action to or for himself or herself; **me levanto** = *I get (myself) up;* **nos arreglamos** = *we get (ourselves) ready.* In Spanish these reflexive verbs can be identified by the infinitive form which has the reflexive pronoun **se** attached to it: **levantarse** = *to get up.*

Present Indicative Reflexive Verbs		Reflexive Pronouns	
me arreglo	I get ready	**me**	myself
te arreglas	you get ready	**te**	yourself
se arregla	he gets ready / she gets ready / you get ready	**se**	himself / herself / yourself
nos arreglamos	we get ready	**nos**	ourselves
os arregláis	you get ready	**os**	yourselves
se arreglan	they get ready / you get ready	**se**	themselves / yourselves

Point out. Generally the reflexive pronoun is not translated into English: **me levanto** = *I get (myself) up;* **me baño** = *I take a bath (I bathe myself);* **me acuesto** = *I go to bed (I put myself to bed).*

a. In English the reflexive pronouns end in *-self / -selves.* However, the reflexive pronoun will not always appear in the English translation, for it is often understood that the subject is doing the action to himself or herself.

> Silvia siempre **se ducha** y **se lava** el pelo por la mañana.
> *Silvia always takes a shower and washes her hair in the morning.*

Note that with reflexive verbs, the definite article (rather than a possessive pronoun) is used with parts of the body or with clothing.

b. The reflexive pronoun precedes an affirmative or negative conjugated verb.

> Eduardo **se dedica** a sus estudios y **no se queja** nunca.
> *Eduardo devotes himself to his studies and never complains.*

Point out. The reflexive pronoun used with the infinitive changes to agree with the subject: **(Tú) vas a acostarte a las ocho. María va a acostarse a las ocho. (Nosotros) vamos a acostarnos a las ocho.**

c. Reflexive pronouns attach to the end of an infinitive. When both a conjugated verb and an infinitive are used, the reflexive pronoun may precede the conjugated verb or attach to the end of the infinitive. Note that the reflexive pronoun always agrees with the subject even when attached to the infinitive.

> ¿Cuándo vas a **acostarte?**
> ¿Cuándo **te** vas a **acostar?**   *When are you going to bed?*

d. The following list contains common reflexive verbs; others are listed in the **Presentación.**

acordarse (ue) de	*to remember*
acostarse (ue)	*to go to bed*
dedicarse a	*to devote oneself to*
despedirse (i) de	*to say good-bye to*
divertirse (ie)	*to have a good time*
dormirse (ue)	*to go to sleep*
hacerse	*to become*
irse	*to go away, leave*
llamarse	*to be called*
preocuparse (por)	*to worry (about)*
quejarse (de)	*to complain (about)*
sentirse (ie)	*to feel*

Práctica y conversación

Antes de empezar los siguientes ejercicios, busque ejemplos de las formas gramaticales de esta sección en el diálogo escrito de **Así se habla.**

A. Su rutina diaria. Usando las frases dadas describa su rutina diaria en orden lógico.

> **MODELO**   **Primero me despierto.**

primero / en segundo lugar / en tercer lugar / más tarde / después / finalmente

B. Consejos. Explique por lo menos tres cosas que estas personas deben hacer para arreglarse.

1. Ud. toma un examen de matemáticas.
2. Manolo y Pepe van a la escuela primaria.
3. Isabel sale con su novio.
4. Tú vas a una fiesta.
5. Nosotros jugamos al tenis.
6. La Sra. Ruiz habla con unos clientes importantes.

C. Hoy y ayer. Con un(-a) compañero(-a) de clase compare lo que Ud. hace hoy con lo que Ud. hizo ayer.

despertarse / levantarse / vestirse / sentirse / preocuparse / quejarse / acostarse / ¿?

Asking Questions

Question Formation

Since most conversation consists of a series of questions and answers, it is important to learn to form questions in a variety of ways.

Questions requiring a yes / no answer

a. A statement can become a question by adding the tag words **¿no?** or **¿verdad?** to the end of that statement.

Raúl se levanta temprano, **¿no?**	*Raúl gets up early, doesn't he?*
Se divierten en clase, **¿verdad?**	*You have a good time in class, don't you?*

b. A statement can also become a question by inversion, that is, placing the subject after the verb. When using inversion to form a question that contains more than just a subject and verb, the word order is generally:

VERB	+	REMAINDER	+	SUBJECT
¿Se levantan		temprano		Uds.?

However, when the remainder of the sentence contains more words than the subject, then the word order is generally:

VERB	+	SUBJECT	+	REMAINDER
¿Se levantan		Uds.		temprano todos los días?

Questions requesting information

Point out. **Cuál** = *which one* and is used when the expected answer is singular: **Aquí hay dos libros. ¿Cuál es tuyo? Cuáles** = *which ones* and is used when the expected answer is plural: **Aquí hay muchos libros. ¿Cuáles son tuyos?**

Point out. The interrogative word **cuánto** has four forms; it agrees with the noun it precedes or replaces. **¿Cuánto tiempo necesitas para arreglarte? ¿Cuánta ropa nueva necesitas comprar? ¿Cuántos libros necesitas para tu curso de matemáticas? ¿Cuántas horas necesitas trabajar esta semana?**

Point out. **Quién** = *who* and is used when the expected answer is singular; **quiénes** = *who* and is used when the expected answer is plural. **¿Quién mira la televisión en casa?** Mario. **¿Quiénes miran la televisión en casa?** Debra, Carlos y Mateo.

a. Questions requesting information contain an interrogative word such as those in the following list.

¿cómo?	*how?*
¿cuál(-es)?	*which?*
¿cuándo?	*when?*
¿cuánto(-a)?	*how much?*
¿cuántos(-as)?	*how many?*
¿dónde?	*where?*
¿qué?	*what?*
¿quién(-es)?	*who?*
¿por qué?	*why?*

Note that the question word **dónde** has the form **adónde** when used with **ir, viajar,** and other verbs of motion. The form **de dónde** is used with **ser** to express origin.

Jorge, **¿adónde** vas?	*Jorge, where are you going?*
¿De dónde son Uds.?	*Where are you from?*

b. Most information questions are formed by inverting the subject and verb. Note that the interrogative word is generally the first word of the question.

¿Qué se ponen los estudiantes para ir a clase?	*What do the students put on in order to go to class?*

c. **Por qué** meaning *why* is written as two words. The word **porque** means *because* and is often used in answers.

—**¿Por qué** te quitas la chaqueta?	*Why are you taking off your jacket?*
—**Porque** hace calor.	*Because it's hot.*

Práctica y conversación

Antes de hacer los siguientes ejercicios, busque ejemplos de las formas gramaticales de esta sección en el diálogo escrito de **Así se habla**.

Estructuras, Question Formation, Práctica A Answers. *Answers vary.*

A. Barcelona. Haga preguntas para las siguientes respuestas.

1. Barcelona es la capital de Cataluña, la región más próspera de España.
2. Esta gran ciudad cosmopolita tiene importancia comercial e industrial.

3. Está situada entre dos montañas: el Tibidabo y Montjuïc.
4. Hay playas a pocos kilómetros de la ciudad.
5. Las Ramblas es un paseo que va desde el centro de la ciudad hasta el mar Mediterráneo.
6. Al final de Las Ramblas está el monumento a Colón, uno de los monumentos más conocidos de la ciudad.

B. **Las fiestas de Pamplona.** En parejas, hagan todas las preguntas necesarias para informarse sobre estas fiestas españolas.

1. Cada julio se celebran fiestas regionales en Pamplona.
2. Estas fiestas duran varios días.
3. Se celebran en honor a San Fermín.
4. Hay muchas actividades cada día de las fiestas.
5. La actividad más famosa es el encierro.

¿Qué colores predominan en el sello *(seal)* **de Pamplona? ¿Qué animal se ve?**

C. **Entrevista personal.** Pregúntele a un(-a) compañero(-a) de clase acerca de su rutina diaria y su compañero(-a) debe contestar.

Temas de conversación: la hora de levantarse / acostarse; la hora de desayunar / almorzar / cenar; el lugar donde vive / trabaja / estudia; la frecuencia de cambiarse de ropa / lavarse el pelo / peinarse; con quién(-es) vive / estudia / va al cine; las cosas y las personas de las que se queja.

¿Qué oyó Ud.?

Listening for the gist

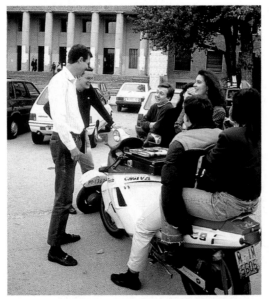

La Universidad de Madrid

When you are talking to someone in English or are listening to a narration or description, you can often understand what is being said by paying attention to a person's intonation or gestures, the topic being discussed, and the situation in which it occurs. Even when you don't understand every word being said, you can still get the gist or the general idea of what the speaker is saying.

Ahora, escuche el diálogo entre Ada y Tania que hablan de su rutina diaria. Preste atención a su entonación y al tema que discuten para obtener la información general de lo que hablan. Antes de escuchar la conversación, lea los siguientes ejercicios. Después, conteste.

A. Información general. Con un(-a) compañero(-a) de clase decidan dónde están Ada y Tania y cuál es el tema general de su conversación.

B. Algunos detalles. Marque una **A** si las siguientes frases describen la vida de Ada y una **T** si describen la vida de Tania. Lea las posibilidades antes de escuchar la conversación.

_____ Está muy cansada.   _____ Su vida no es muy complicada.

_____ Hace los quehaceres domésticos.   _____ Se levanta temprano todos los días.

_____ No entiende a su amiga.   _____ Echa una siesta todos los días.

C. Análisis. Conteste las siguientes preguntas usando información de la conversación.

1. ¿Qué tipo de vida tienen Ada y Tania?
2. ¿Qué tipo de relación existe entre estas dos personas: formal / informal o amistosa / hostil? Justifique su respuesta.

Siga practicando el vocabulario y las estructuras gramaticales de **Capítulo 1, Segunda situación** en *Interacciones CD-ROM.*

Para saber más:
www.heinle.com

Tercera situación

Perspectivas

El horario hispano

Madrid: Palacio Real

El horario hispano.
cultural practice: daily
schedule divided in two
parts to allow for main
meal in the afternoon; the
evening **paseo** or stroll.
Cultural comparison:
office hours, work
schedules, meal times in
the two cultures.

Práctica intercultural.
Ask students the following
questions about their daily
schedule in order to
prepare them for the
cultural information. **¿A
qué hora sale Ud. para
la universidad? ¿Tiene
Ud. problemas con el
tráfico? ¿Por qué? ¿A
qué hora almuerza Ud.?
¿Dónde almuerza Ud.?
¿Cuándo sale Ud. de la
universidad para
regresar a casa? ¿Qué
hace Ud. entre las ocho
y las once de la noche?**
Answers vary.

El horario *(schedule)* español es muy distinto del horario estadounidense. Por lo general los españoles trabajan ocho horas al día pero dividen el día en dos partes. En España la mayoría de las oficinas, las tiendas y los negocios abren a las diez de la mañana y cierran a las dos de la tarde. Pero abren de nuevo entre las cuatro y las ocho. Entre las dos y las cuatro de la tarde los españoles comen su comida principal en casa y después de comer se quedan un rato allá hablando con la familia o descansando. Este descanso entre las dos y las cuatro se llama **la siesta.** Se nota que esta tradición de la siesta está desapareciendo en las ciudades y hay muchas tiendas, museos y negocios que no cierran para la siesta. Al cerrar los negocios alrededor de las ocho de la noche muchos españoles se pasean *(stroll)* por el centro de la ciudad; finalmente vuelven a casa para cenar entre las diez y las once de la noche.

En los países de las Américas el horario tiene muchas variaciones pero generalmente se come entre el mediodía y las dos de la tarde y otra vez entre las siete y las nueve de la noche.

Práctica

Variación. This activity
can be used in place of
one of the items in the
Actividades section for
this chapter. Have
students work in pairs to
prepare their schedule for
Madrid. Then have each
pair present their schedule
to the class.

**Perspectivas, Práctica
Answers.** *Answers vary.*

Una visita a Madrid. Ud. y su familia están en Madrid por dos días y medio. Durante estos días quieren ver lo máximo posible pero también necesitan comer, descansar y cambiar dinero. Prepare un horario con la información dada en la siguiente página.

- Banco Nacional
  10,00-13,30
- Cine Madrileño
  16,00; 18,30; 21,00; 23,30; 1,30
- Club Elegante
  Espectáculos a las 23,30; 1,30
- Corrida de Toros
  17,00

- Excursión al Escorial
  Palacio y monasterio real a unos 35 kilómetros de Madrid. Martes a domingo: 10,00-18,00; Días festivos: Cerrado
- Piscina Municipal
  10,00-13,30; 16,00-20,30
- El Palacio Real
  Lunes a sábado; 9,00-18,00; Domingos y días festivos: 9,00-14,00
- El Prado
  Museo de arte de fama internacional Martes a sábado: 9,00-19,00; Domingos y dias festivos: 9,00-14,00 Lunes: Cerrado

Museo del Prado

Panorama cultural

Los cibercafés

A. **Café America Online.** Con un(-a) compañero(-a) de clase, utilice la foto a continuación y describa al joven en el cibercafé. En su opinión, ¿qué va a hacer él en el Café America Online?

B. Las actividades. Identifique todas las actividades mencionadas en el vídeo que se puede hacer en un cibercafé.

comprar una computadora	escanear fotos	escuchar música
estudiar programación	imprimir fotos	leer el correo electrónico
mirar una película	navegar Internet	reparar una computadora
revisar el aceite	tomar un cafecito	trabajar en Word

Predicting and Guessing Content

To make your reading more efficient and pleasurable, it is a good technique to try to predict an author's main idea prior to actually reading. This technique will help you locate and remember key ideas within the reading passage. The title as well as photographs, drawings, and charts accompanying the passage provide many hints which will help you form a hypothesis about the content. As you read, you will confirm or discard this original hypothesis. First, look at the title of the reading and ask yourself: Given this title, what topics might be covered in the reading? Then, look at the drawings or photos and decide what further ideas come to mind.

Práctica

A. El título. Mire el título de la **Lectura cultural** que sigue: «España está de moda». **La moda** = *style, fashion.* ¿Qué quiere decir el título?

B. Las fotos. Ahora, mire las fotos. ¿Por qué hay flamenco español en los EE.UU. y una corrida de toros en Francia?

C. La idea principal. En su opinión, ¿cuál es la idea principal de la **Lectura cultural** que sigue?

Lectura cultural   España está de moda

España está de moda por primera vez quizás en los últimos cuatro siglos°. Unos meses atrás° la revista francesa Paris Match *decía: «España arrasa en° Francia y en Europa. Sus diseñadores° de moda, su música, su pintura, su cine, se han puesto° de moda en el Continente y es difícil que alguien los desbanque° de esa posición».*

    Es que la cultura española viaja y es bienvenida y aplaudida en los lugares más distantes. Una exposición de Salvador Dalí ocupó el Museo Pushkin de Moscú, el Ballet Nacional de España se presentó en el Metropolitan de Nueva York, y la literatura española se lee por todas partes°. El cine español también es muy popular en todo el mundo y a muchas personas les encantan las películas de Pedro Almodóvar.

centuries / ago
conquers / designers
have become
displace

everywhere

Video follow-up. Have students point out the similarities and differences between computer usage in Hispanic (Latin American) culture and that of the U.S.

For information on the **Para leer bien** and **Lectura cultural** sections and how to use them, see "Using the *Interacciones* Program" located in the opening pages of the **Instructor's Edition.**

Para leer bien, Práctica A Answers. *Spain is in style / is popular.*

Prior to having students answer the questions in **B,** have students describe the two photos explaining what they see in them.

Para leer bien, Práctica B Answers. Hay flamenco español en los EE.UU. y una corrida de toros en Francia porque España está de moda.

Point out. Students need to form a hypothesis about the reading based on the title and accompanying photos. At this point the hypothesis may be incorrect. The point of reading is to confirm, modify, or discard the original hypothesis.

Para leer bien, Práctica C Answers. *Answers vary.*

Flamenco español en Nueva York

Una corrida de toros en Francia

En Francia hay una españomanía en forma de exposiciones de arte y de películas. La fiebre° española alcanzó de lleno° en la ciudad de Nîmes en el sur de Francia, donde un millón de personas vieron corridas de toros°, bebieron sangría° y comieron toneladas° de tortillas de patatas° en un festival de lo español.

En Londres es igual°. Harrods, el más exclusivo de los grandes almacenes° londinenses, dedicó un mes a España con los escaparates° llenos de todo tipo de productos hechos° en España. También hay mucho entusiasmo por el teatro y la pintura española.

A los italianos les encanta España. En los últimos cinco años el número de visitantes de Italia se ha duplicado°; hace un par de años 1.200.000 visitantes italianos se esparcieron° por

fever / reached its peak
bullfights / Spanish wine punch
tons / Spanish omelette
the same / department stores
display windows / made

doubled / spread across

"Nos Encanta el Ambiente Nocturno"

No es la primera vez que visitan España. En esta ocasión, esta pareja va de camino a México y han decidido hacer escala en Madrid. Les encanta el carácter de los españoles, el ambiente nocturno y hacer compras. «La ropa es infinitamente más barata que en Italia», comenta Silvia. Confiesan que son conscientes de la simpatía que despiertan aquí los italianos y se sienten como en casa. ∎

SILVIA Y ENRICO

tierras españolas. En Roma se han abierto dos escuelas de baile flamenco. Pero lo más importante es que la demanda del producto cultural español también se extiende° a los centros urbanos menores. Es cierto que España es un país en movimiento° y la economía española sigue creciendo°.

Españolear° está de moda, y España atrae° y seduce en el mundo por su vitalidad, su capacidad creativa y su prosperidad.

extends
on the move
continues growing
doing it the Spanish way / attracts

Comprensión

A. La idea principal. Escoja entre las siguientes posibilidades la idea principal de la lectura.

1. La gente española lleva ropa moderna.
2. La cultura española es popular en todo el mundo.
3. Las tiendas españolas venden artículos muy de moda.

B. ¿Ciertas o falsas? Lea las siguientes oraciones y decida si son ciertas o falsas. Si son falsas, corríjalas.

1. España se ha puesto de moda en Europa recientemente.
2. España exporta solamente sus productos agrícolas.
3. En Francia recientemente un millón de personas vieron corridas de toros.
4. En Inglaterra no hay interés por los productos españoles.
5. Los italianos tienen miedo de España y no viajan allá.
6. La demanda de la cultura española se extiende a los pueblos italianos.
7. La economía española sufre bastante ahora.

C. La defensa de una opinión. ¿Qué evidencia puede Ud. encontrar en el artículo que confirma la siguiente idea? «España y lo español atraen por su vitalidad, su capacidad creativa y su prosperidad.»

Para escribir bien

Writing Personal Letters and E-Mail Messages

In Spanish there is a great deal of difference in the salutations and closings between a personal letter and a business letter. While business letters tend to be very formal and respectful, personal letters are very warm and loving. Here are some ways of beginning and ending a personal letter or an e-mail message.

Salutations

Querido(-a) Ricardo / Anita: *Dear Ricardo / Anita,*
Queridos amigos / padres / tíos: *Dear friends / parents / aunts and uncles,*
Mi querido(-a) Luis(-a):   *My dear Luis(-a),*
Mis queridas primas: *My dear cousins,*

For information on the **Composiciones** section and how to use it, see "Using the *Interacciones* Program" located in the opening pages of the **Instructor's Edition**.

The topics for the composition can be assigned for out-of-class preparation or as an in-class activity.

Composiciones A Answers. *Answers vary.*

Composiciones B Answers. *Answers vary.*

Expansión Composiciones: Un estudiante de intercambio. Luis Argüello vive en Santiago, Chile pero va a estudiar en la universidad donde Ud. estudia el semestre que viene. Escríbale una carta (o un mensaje de correo electrónico) explicándole la rutina universitaria. Incluya información sobre los estudios y también los pasatiempos. *Answers vary.*

Communicative Modes Incorporated. A: interpersonal, presentational; **B:** interpersonal; **C:** presentational; **D:** interpersonal.

Vocabulary Incorporated. A: leisure-time activities, expressions of frequency; **B:** daily routine, leisure-time activities; **C:** daily routine, leisure-time activities; **D:** errands, daily routine.

Grammar Incorporated. A: present tense verbs, question formation; **B:** present tense verbs, reflexive verbs, question formation; **C:** present tense verbs, reflexive verbs, question formation; **D:** present tense verbs, reflexive verbs, question formation.

Pre-closings

¡Hasta pronto / la próxima semana!	*Until soon / next week,*
Bueno, te / los / las dejo. Prometo escribirte(-les) pronto.	*Well, I must leave you. I promise to write you soon.*
Bueno, es la hora de comer, así que tengo que dejarte(-los /-las).	*Well, it's meal time so I have to leave you.*
Voy a escribirte(-les) de nuevo mañana / la semana próxima.	*I'm going to write you again tomorrow / next week.*

Closings

Un abrazo,	*A hug,*
Abrazos,	*Hugs,*
Un saludo afectuoso de...	*A warm greeting from...*
Cariños,	*Much love,*
Tu amigo(-a), Juan / María	*Your friend, Juan / María*

Composiciones

A. Su rutina diaria. Como es un semestre nuevo, escríbale una carta o un mensaje de correo electrónico a un(-a) amigo(-a) hispano(-a) explicándole su rutina diaria.

B. Sus actividades. Su mejor amigo(-a) asiste a otra universidad. Escríbale una carta o un mensaje de correo electrónico describiendo sus actividades del fin de semana en su universidad.

A. Los pasatiempos. You are a reporter for a Hispanic radio station in Miami, Florida and are preparing a feature on leisure-time activities in your city. Prepare at least five questions about the frecuency of typical leisure-time activities; then interview four of your classmates. Report your general findings to the class.

B. ¿Quién soy yo? In groups of three or four, each person will pretend to be a famous person. Do not tell each other your identity. Describe your daily routine, including details about your job and leisure activities, so the group can guess who you are. If necessary, you can include a brief description of your person.

C. Así son las otras culturas. You are the host of a Spanish TV talk show that examines the life style of other cultures; the show is entitled *Así son las otras culturas.* Today's topic is daily routine in the U.S. compared with the Hispanic daily routine. Your classmates will play the roles of two guests on the show—Antonio(-a) Guzmán, a Spanish university student, and Julio(-a) Rivera, a Spanish-speaking resident of Los Angeles. Ask each guest about his/her daily routine and the advantages and disadvantages of it so you can compare the two life styles.

D. **Las diligencias.** Make a mental list of six errands you must do in the next few days. Your partner must then guess four errands on your list by asking you questions. You must then guess four of the items on your partner's list.

Siga practicando el vocabulario y las estructuras gramaticales de **Capítulo 1, Primera situación** en *Interacciones CD-ROM.*

Para saber más:
www.heinle.com

Have students describe the photo. Ask questions such as: ¿Qué personas y cosas se ven en la foto? ¿Quiénes son las personas? ¿Qué llevan? ¿Dónde están? ¿Qué tiempo hace?

De vacaciones

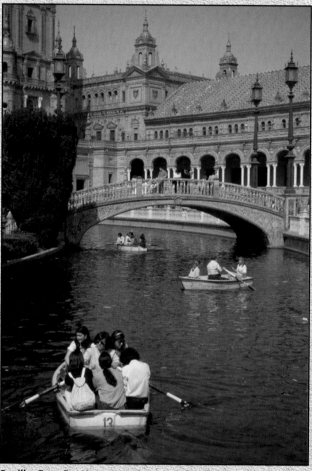

Sevilla, España: Unas vacaciones en familia

Cultural Themes

Spain

Leisure time and vacations

Have students provide examples in English of topics, situations, and phrases that would be covered in each of the communicative goals. **Modelo:** *Making a personal phone call:* Students might provide answers such as: Hello, Who's calling? Sorry, you have the wrong number.

Communicative Goals

Making a personal phone call

Discussing past activities

Circumlocuting

Avoiding repetition of nouns

Primera situación

Presentación

En el complejo turístico

Práctica y conversación

A. Definiciones. A Pablo le gusta hacer crucigramas, pero a veces tiene problemas con las definiciones. Ayúdelo con las palabras que faltan.

1. el movimiento del agua en el mar
2. unos zapatos que se llevan cuando hace calor
3. lo que se pone uno para nadar
4. un producto que ayuda a broncearse

5. algo que protege los ojos del sol
6. un barco de lujo
7. algo que cubre y protege la cabeza
8. pasarlo bien

B. ¡Me divertí! Ud. acaba de regresar de un fin de semana maravilloso en Marbella, una de las playas famosas de la Costa del Sol en el sur de España. Se quedó en el complejo «Costa del Sol» y disfrutó de todas las actividades. Diga lo que hizo para divertirse.

MODELO   **Jugué al tenis.**

C. Vacaciones en Marbella. En grupos, hagan planes para pasar unas vacaciones en el Hotel Don Carlos en Marbella. ¿Cuánto tiempo pasan Uds. allí? ¿En qué actividades participan Uds.?

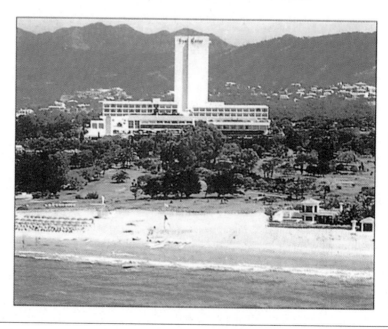

DON CARLOS
★ ★ ★ ★ ★
MARBELLA

Para más información y reservas
contacte su Agencia de Viajes, o:

Hotel Don Carlos
Jardines de las Golondrinas
Marbella
Telf: 952.831140
Telex: 77015/77481

Oferta Especial
Golf, tenis, sauna y jacuzzi gratuitos para los clientes, sólo sujetos a disponibilidad.

Los niños de hasta 12 años disfrutan de alojamiento gratuito en la habitación de sus padres.

Club Infantil.
Más de 450.000m² de pinares y jardines tropicales que descienden suavemente a través de la finca, hasta una playa de fina arena. Las sendas serpentean interminablemente entre macizos de flores y árboles exóticos. Este es el encanto del Hotel Don Carlos.

Elegantes Suites y Habitaciones
Superiores con el máximo confort. Recientemente equipadas con T.V. en color y además programación vía satélite.

Intensivas Actividades Deportivas y de Recreo
Centro de Tenis con 11 pistas. Sede de la Asociación Internacional de Tenis Femenino W.T.A.; 2 piscinas climatizadas, exteriores; gimnasio equipado con sauna y jacuzzi; club hípico; windsurf; vela; esquí acuático y demás deportes náuticos; mini golf y campo de prácticas de golf en los jardines del hotel así como 3 campos de golf cercanos a la disposición de nuestros clientes.

D. Creación. Cuente en una narración lo que pasa en el dibujo de la **Presentación,** contestando las siguientes preguntas. Imagínese que el dibujo de esta **Presentación** es una foto que Ud. sacó durante sus últimas vacaciones. ¿Cómo se llaman las chicas que están tomando el sol? ¿De qué hablan? ¿De dónde viene el yate que se ve cerca de la costa?

Presentación, Práctica D Answers. *Answers vary.*

Point out. Las **vacaciones** is generally plural in Spanish while *vacation* is singular in English.

Vocabulario

En la playa	At the beach		
la arena	sand	practicar el esquí acuático	to water-ski
el castillo	castle	quemarse	to burn
el colchón neumático	air mattress	tomar el sol	to sunbathe
la concha	shell	**En el complejo turístico**	**In the tourist resort**
el esquí acuático	waterskiing	el campo de golf	golf course
las gafas de sol	sunglasses	la cancha de tenis	tennis court
la lancha	motorboat	las vacaciones	vacation
la loción solar	sunscreen	correr	to run
el mar	sea	estar de vacaciones	to be on vacation
la ola	wave	montar a caballo	to ride horseback
las sandalias	sandals	montar en bicicleta	to ride a bicycle
el sombrero	hat	**En el hotel**	**In the hotel**
la sombrilla	beach umbrella	el gimnasio	gymnasium
la tabla de windsurf	windsurfing board	la piscina	swimming pool
el traje de baño	bathing suit	disfrutar de	to enjoy
el yate	yacht	divertirse (ie,i)	to have a good time
broncearse	to tan	gozar de	to enjoy
nadar	to swim	levantar pesas	to lift weights
navegar en un velero	to sail in a sailboat	pasarlo bien	to have a good time
pescar	to fish		

Point out. The colors of the logo are the same as the colors on the Spanish flag.

Presentación, Answers to Realia Questions. *Colores:* **el rojo, el amarillo, el negro.** *Lema:* It is always sunny in Spain; Spain has everything that exists on earth (under the sun). *Opinión: Answers vary.*

¿Cuáles son los colores de este logo del turismo español? ¿Cuáles son los dos sentidos *(meanings)* del lema *(slogan)* ESPAÑA: TODO BAJO EL SOL? En su opinión, ¿representa bien el país de España?

Así se habla

MAKING A PERSONAL PHONE CALL

Madrid: Un teléfono público

MAITE	¿Diga?
NORMA	Hola. Por favor, ¿está Silvana?
MAITE	¿De parte de quién?
NORMA	De Norma, por favor.
MAITE	Un momentito. Voy a ver si está.
NORMA	Muchas gracias.

Después de un momento.

MAITE	Lo siento, pero Silvana no está. Salió hace media hora.
NORMA	Por favor, dile que me llame.
MAITE	Muy bien. Se lo diré.
NORMA	Muchas gracias.

Phrases to answer the telephone

Diga / Dígame. *(Spain)*	*Hello.*
Bueno. *(Mexico)*	*Hello.*
¿Aló? *(Most other countries)*	*Hello.*

Phrases to initiate a conversation

Por favor, ¿está...?	*Is . . . home, please?*
¿Hablo con...?	*Is this . . . ?*
¿De parte de quién, por favor?	*May I ask who is calling, please?*
Lo siento, pero no está.	*I'm sorry but he / she is not home.*
Un momentito, por favor.	*One moment, please. I'll see if he / she*
Voy a ver si está.	*is in.*
Está equivocado.	*You have the wrong number.*

Phrases to leave a message

Quisiera dejar un recado / mensaje.	*I would like to leave a message.*
Por favor, dígale (dile) que me llame / que lo (la) volveré a llamar.	*Please, tell him / her to call me / that I'll call him / her back.*
Si fuera(-s) tan amable de decirle que me llame.	*If you would be kind enough to tell him / her to call me.*

Phrases to explain problems with the connection

La línea / el teléfono está ocupada(-o).	*The line / the phone is busy.*
No se oye bien.	*I can't hear very well.*
Hay mucha interferencia.	*There's a lot of interference.*
Tiene que colgar.	*You have to hang up.*

Phrases to close the conversation

Disculpe(-a), pero me tengo que ir / tengo que colgar.	*Excuse me, but I have to go / I have to hang up.*

Phrases to say good-bye

Chau.	*Bye.*
Nos hablamos.	*I'll talk to you later.*
Lo / la / te llamo.	*I'll call you.*

Práctica y conversación

A. ¿Qué dirían Uds.? Con un(-a) compañero(-a), dramatice la siguiente situación. Ud. llama a su amiga Josefina por teléfono. La mamá de Josefina contesta y dice que no sabe si Josefina está en casa o no. Josefina no está en casa. Ud. quiere dejar un recado: la fiesta del sábado es a las 9 de la noche. La mamá de Josefina toma apuntes. Ud. se despide.

Así se habla, Práctica A Answers. *Answers vary.*

B. ¿Como estás? En grupos, dos personas hablan por teléfono y la tercera toma apuntes de las expresiones utilizadas y el tema de la conversación.

Así se habla, Práctica B Answers. *Answers vary.*

Temas de conversación: actividades diarias / estudios / fiestas / nuevos amigos / padres / novios(-as) / planes para el fin de semana / ¿?

Estructuras

Talking About Past Activities

Preterite of Regular Verbs

Spanish, like English, has several past tenses that are used to talk about past activities. The Spanish preterite tense corresponds to the simple past tense in English: El verano pasado **lo pasé muy bien; tomé el sol, nadé** y **jugué al golf.** = Last summer *I had a good time; I sunbathed, swam,* and *played golf.*

Preterite of Regular Verbs					
Verbos en -AR		**Verbos en -ER**		**Verbos en -IR**	
tomé	*I took*	corrí	*I ran*	salí	*I left*
tomaste	*you took*	corriste	*you ran*	saliste	*you left*
tomó	*he took* / *she took* / *you took*	corrió	*he ran* / *she ran* / *you ran*	salió	*he left* / *she left* / *you left*
tomamos	*we took*	corrimos	*we ran*	salimos	*we left*
tomasteis	*you took*	corristeis	*you ran*	salisteis	*you left*
tomaron	*they took* / *you took*	corrieron	*they ran* / *you ran*	salieron	*they left* / *you left*

a. Some verbs like **salir** that are irregular in the present tense follow a regular pattern in the preterite.

b. Most **-ar** and **-er** verbs that stem-change in the present tense follow a regular pattern in the preterite.

> Siempre me acuesto a las once, pero anoche bailé mucho y **me acosté** a las tres de la manaña.
>
> *I always go to bed at 11:00, but last night I danced a lot and went to bed at 3:00 A.M.*

c. Certain **-ar** verbs have spelling changes in the first-person singular of the preterites. The other forms follow a regular pattern.

1. Verbs whose infinivitives end in **-car** change the **c** to **qu** in the first-person singular: **pescar → pesqué.** Some common verbs of this type include **buscar, explicar, pescar, practicar, sacar, tocar.**
2. Verbs whose infinitives end in **-gar** change the **g** to **gu** in the first-person singular: **jugar → jugué.** Some common verbs of this type are **llegar, jugar, navegar, pagar.**
3. Verbs whose infinitives end in **-zar** change the **z** to **c** in the first-person singular: **gozar → gocé.** Some common verbs of this type are **almorzar, comenzar, empezar, gozar.**

Point out. The preterite tense will often translate as the simple past in English: **hablé** = *I talked.* In English the simple past tense is generally identified by the *-ed* ending but there are many irregular forms as well.

Point out. Regular preterite forms in Spanish will often translate as irregular verbs in English: **tomé** = *I took* (not *I taked*); **corrí** = *I ran* (not *I runned*); **salí** = *I left* (not *I leaved*). Some students have the idea that the verbs will be regular in both languages or irregular in both languages.

Point out. In the preterite forms of reflexive verbs the reflexive pronouns precede the conjugated verb just as in the present tense. Provide an example of the complete paradigm for a reflexive verb in the preterite: **me levanté, te levantaste, se levantó, nos levantamos, se levantaron.**

Point out. The spelling changes in the first-person singular form of verbs whose infinitives end in **-car, -gar, -zar** do not affect pronunciation. These verbs are regular in their spoken forms. Provide an example of the complete paradigm of a **-car, -gar, -zar** verb in the preterite: **busqué, buscaste, buscó, buscamos, buscaron; pagué, pagaste, pagó, pagamos, pagaron; comencé, comenzaste, comenzó, comenzamos, comenzaron.**

d. The following words and expressions are often used with the preterite to indicate past time.

ayer	*yesterday*
anteayer	*day before yesterday*
anoche	*last night*
el mes / año pasado	*last month / year*
la semana / Navidad pasada	*last week / Christmas*
el jueves / verano pasado	*last Thursday / summer*
en 1990 / en el 90	*in 1990 / in '90*
en abril	*in April*
hace un minuto / mes / año	*a minute / month / year ago*
hace una hora / semana	*an hour / a week ago*
hace un rato	*a while ago*

Práctica y conversación

Antes de empezar los siguientes ejercicios, busque ejemplos de las formas gramaticales de esta sección en el diálogo de **Así se habla.**

A. El verano pasado. Explique si Ud. hizo o no hizo las siguientes actividades el verano pasado.

> **MODELO**   caminar en la playa
> **(No) Caminé en la playa.**

jugar al tenis / descubrir lugares interesantes / broncearse / tomar un curso / comer mucha fruta / pasarlo bien / pescar / gozar de las vacaciones

B. En el complejo turístico. ¿Qué hicieron estas personas ayer en el complejo turístico?

> **MODELO**   los García / nadar
> **Los García nadaron ayer.**

1. los Valero / jugar al golf
2. Elena y yo / navegar
3. yo / almorzar en el café
4. Mariana / aprender a pescar
5. tú / quemarse
6. Uds. / sacar fotos

C. ¿Qué hiciste ayer? Un(-a) estudiante llama a un(-a) amigo(-a) y ambos(-as) hablan de lo que hicieron la noche anterior. Con un(-a) compañero(-a), complete el siguiente diálogo.

Estudiante 1

2. ¿Aló? ¿_____?

4. Muy bien, ¿y tú? _____

6. Te llamé anoche pero no te encontré en tu casa.

Estudiante 2

1. ¿Aló?

3. Sí, habla _____. ¿_____? ¿Cómo estás?

5. Muy bien, también. ¿Qué cuentas?

7. ¡Ay, sí! Anoche salí con _____ y fuimos a _____.

Estructuras, Preterite of Regular Verbs, Práctica C Answers. *Answers vary.*

8. ¿_____?

10. Yo _____.

12. Mañana. ¿Quieres ir?

14. Muy bien. _____.

9. Sí, muchísimo. Regresé a medianoche cansado(-a) de bailar tanto. Y tú ¿_____?

11. ¡No me digas! ¡Qué suerte! Cuándo vas a _____ otra vez?

13. Por supuesto. _____.

15. Nos vemos.

Estructuras, Preterite of Regular Verbs, Práctica D Answers. *Answers vary.*

D. **¡Un fin de semana estupendo!** Ud. llama por teléfono a unos amigos a quienes no veía desde el jueves pasado. Pregúnteles qué hicieron el fin de semana y luego cuénteles lo que Ud. hizo.

Discussing Other Past Activities

Preterite of Irregular Verbs

Many common verbs used to discuss activities have irregular preterite forms; these irregular forms can be grouped into several categories to help you learn them.

Irregular Verbs in the Preterite Tense

VERBS WITH -U- STEM

andar	anduv-		
estar	estuv-	tuve	tuvimos
poder	pud-	tuviste	tuvisteis
poner	pus-	tuvo	tuvieron
saber	sup-		
tener	tuv-		

VERBS WITH -I- STEM

querer	quis-	vine	vinimos
venir	vin-	viniste	vinisteis
		vino	vinieron

VERBS WITH -J- STEM

decir	dij-	dije	dijimos
traer	traj-	dijiste	dijisteis
Verbs ending in **-cir** like **traducir**		dijo	dijeron

VERBS WITH STEMS ENDING IN A VOWEL (-Y-STEM)

oír		oí	oímos
Verbs ending in **-eer** like **leer**		oíste	oísteis
Verbs ending in **-uir** like **construir**		oyó	oyeron

Other Irregular Verbs

dar		ir/ser		hacer	
di	dimos	fui	fuimos	hice	hicimos
diste	disteis	fuiste	fuisteis	hiciste	hicisteis
dio	dieron	fue	fueron	hizo	hicieron

a. In the preterite, these verbs use a special set of endings.

1. **-u-** and **-i-** stem endings: **-e, -iste, -o, -imos, -isteis, -ieron**
2. **-j-** stem endings: **-e, -iste, -o, -imos, -isteis, -eron**
3. **-y-** stem endings: **-í, -íste, -yó, -ímos, -ísteis, -yeron**

b. There is no written accent on these irregular preterite forms except for **-y-** stem verbs.

> NOTE: Verbs ending in **-uir** like **construir** have an accent only in the first-person and third-person singular.

c. The irregular preterite of **hay (haber)** is **hubo.**

Ayer **hubo** un accidente muy grave en la playa.	*Yesterday there was a very serious accident at the beach.*

d. In the preterite, **saber** = *to find out.*

Esta mañana **supimos** que hay una piscina en este hotel.	*This morning we found out that there's a swimming pool in this hotel.*

e. Since the forms of **ir** and **ser** are the same in the preterite, context will determine the meaning.

IR:	Ayer **fue** a la playa.	*Yesterday he went to the beach.*
SER:	**Fue** muy interesante.	*It was very interesting.*

Práctica y conversación

A. En la playa. ¿Qué hizo Ud. la última vez que pasó un día en la playa?

> **MODELO**   leer una novela
>   **Leí una novela.**

andar por la playa / estar todo el día al sol / ponerse loción / hacer esquí acuático / oír música / construir un castillo de arena / ¿?

B. Y tú, ¿qué hiciste? Al regresar de sus vacaciones Ud. se encuentra con un(-a) amigo(-a). Salúdelo(-la) y pregúntele acerca de sus vacaciones. Cuéntele también acerca de las vacaciones suyas.

MODELO

USTED:	¡Hola! ¿Cómo estás?
AMIGO(-A):	**Muy bien, ¿y tú?**
USTED:	**¡Bien, también! Y dime por fin, ¿adónde fuiste de vacaciones?**
AMIGO(-A):	**A la playa. Fui a...**
USTED:	**¡Qué maravilla! ¿Y esquiaste mucho?**

Actividades
ir a la playa
andar por la playa
tomar el sol
nadar
esquiar
montar a caballo
jugar al golf
navegar en un velero
correr
¿?

Lugares
la playa
el campo
las montañas
un campamento
en casa
¿?

C. **Una anécdota.** Cuéntele a un(-a) compañero(-a) una anécdota de algo especial que le pasó durante sus vacaciones. Su compañero(-a) va a reaccionar según lo que Ud. diga y narrará algo que le pasó a él (ella).

MODELO   **El verano pasado fui de vacaciones a Cancún y ahí conocí a un(-a) muchacho(-a) muy guapo(-a). Un día...**

Temas de conversación: tener un accidente / perder el pasaporte / quedarse sin dinero / perderse en la ciudad / ¿?

Discussing When Things Happened

Expressing Dates

In order to explain when an action took place or will take place, you will need to be able to express dates in Spanish.

a. To inquire about the date, the following questions are used.

¿Cuál es la fecha? }
¿A cuántos estamos? }   *What is the date?*

b. The date is expressed using the following formula:

ARTICLE	+	DATE	+	**de**	+	MONTH	+	**de**	+	YEAR
el		doce		de		octubre		de		1492

The first day of the month is called **el primero;** the other days use cardinal numbers.

Hoy es **el treinta y uno** de enero;   *Today is January 31; tomorrow is*
mañana es **el primero** de febrero.   *February 1.*

c. When the day of the week is mentioned along with the date, the following formula is used:

ARTICLE	+	DAY OF WEEK	+	DATE	+	**de**	+	MONTH
el		jueves		catorce		de		abril

d. The article **el + date** = *on + date.*

—¿Cuándo llegó tu hermano de Caracas?

—Llegó **el viernes 4 de agosto.**

When did your brother arrive from Caracas?

He arrived on Friday, August 4.

e. When talking about the year of an event, the expression is **en + *year.***

Construyeron la catedral **en 1659.**

The cathedral was built in 1659.

Práctica y conversación

A. El árbol genealógico. ¿En qué fecha nacieron estas personas?

su padre / su madre / su mejor amigo(-a) / Ud. / su hermano(-a)

B. Un poco de historia. Dígale a un(-a) compañero(-a) cuándo ocurrieron los siguientes hechos de la historia contemporánea de España.

1. la Guerra Civil española / empezar / 1936
2. Francisco Franco / hacerse dictador de España / 1939
3. El general Franco / morir / 1975
4. Juan Carlos I / llegar a ser rey de España / 1975
5. el pueblo español / aprobar la nueva Constitución / 1978
6. España / entrar en la Unión Europea / 1986
7. José Aznar / llegar a ser presidente del gobierno español / 1996
8. los españoles / comenzar a usar el euro / 2002

C. Entrevista personal. Pregúntele a un(-a) compañero(-a) de clase algunas fechas de su vida personal.

Pregúntele ...

1. cuándo nació.
2. cuándo recibió su permiso de conducir.
3. cuándo se graduó de la escuela secundaria.
4. cuándo empezó sus estudios universitarios.
5. cuándo piensa graduarse de la universidad.
6. ¿?

Siga practicando el vocabulario y las estructuras gramaticales de **Capítulo 2, Primera situación** en *Interacciones CD-ROM.*

Para saber más:
www.heinle.com

Point out. The article **el** is the equivalent of *on* for expressing dates. Provide additional examples: *On Monday I have two exams.* = **El lunes tengo dos exámenes.** *We left for the beach on Friday, July 17.* = **Salimos para la playa el viernes 17 de julio.** This use of the article **el** meaning *on* is very difficult for most students and takes considerable practice before they have full control of the item.

Remind students. Antes de empezar los siguientes ejercicios, busque ejemplos de las formas gramaticales de esta sección en el diálogo de **Así se habla.**

Estructuras, Expressing Dates, Práctica A Answers. *Answers vary.*

Estructuras, Expressing Dates, Práctica B Answers. 1. La Guerra Civil española empezó en 1936. **2.** Francisco Franco se hizo dictador de España en 1939. **3.** El general Franco murió en 1975. **4.** Juan Carlos I llegó a ser rey de España en 1975. **5.** El pueblo español aprobó la nueva Constitución en 1978. **6.** España entró en la Unión Europea en 1986. **7.** José Aznar llegó a ser presidente del gobierno español en 1996. **8.** Los españoles comenzaron a usar el euro en 2002.

Estructuras, Expressing Dates, Práctica C Answers. *Answers vary.*

Segunda situación

Presentación

Diversiones nocturnas

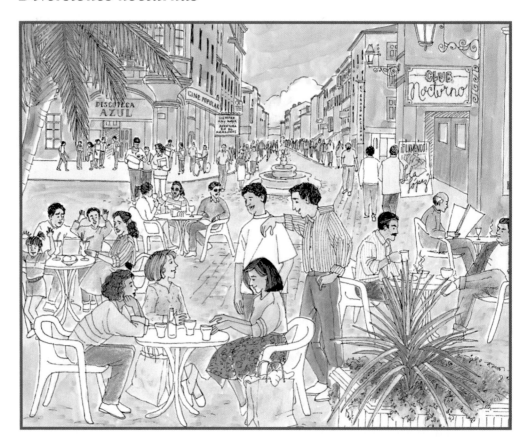

Práctica y conversación

A. Recomendaciones. Sus amigos quieren disfrutar de las diversiones nocturnas. ¿Adónde les recomienda Ud. que vayan para hacer lo siguiente?

escuchar música rock / ver una película policíaca / tomar una copa / bailar / ver un drama / escuchar música clásica / ver un espectáculo / pasarlo bien

B. Entrevista personal. Cada estudiante les hace preguntas a seis de sus compañeros de clase sobre lo que hicieron para divertirse el sábado por la noche. Comparen las respuestas para ver qué actividad es la más popular y cuál es la menos popular.

C. ¡Diviértanse! Usando la información de los anuncios *(advertisements)* a continuación conteste las siguientes preguntas en la página 60.

CABARETS

Ballroom—253 W. 28th St. (244-3005). Club nocturno que presenta todas las noches los mejores artistas de cabaret.

Don't Tell Mama—343 W. 46th St. (757-0788). Cabaret con revistas y música de piano. Micrófono a disposición.

Duplex—61 Christopher St. (255-5438). En el piano de abajo hay el piano bar con la participación del público, cada noche.

Eighty Eights—228 W. 10th St. (924-0088). Cada noche, piano bar y cabaret.

Rainbow and Stars—30 Rockefeller Plaza (632-5000). Un cabaret íntimo con un buen entretenimiento y magníficas vistas.

JAZZ/POP/BLUES

Blue Note—131 W. 3rd St. (475-8592). Todas las noches podrán ver y oír a los mejores y más brillantes músicos de jazz.

Bottom Line—15 W. 4th St. (228-7880). Ofrece un excitante programa de actuaciones de jazz y rock.

Bradley's—70 University Place (228-6440). Ofrece jazz clásico todas las noches.

Chicago Blues—73 8th Ave. (924-9755). Club de blues. Abierto todas las noches.

Iridium—44 W. 63rd St. (582-2121). Club de cenar y jazz en vivo. Abierto todas las noches.

Judy's—49 W. 44th St. (764-8930). Cabaret y restaurante acogedor. Abierto todas las noches.

Knickerbocker Bar & Grill—33 University Pl. (228-8490). Jazz en vivo.

Knitting Factory—74 Leonard St. (219-3055). Cada noche, un programa diferente de música en vivo.

Manny's Car Wash—1558 3rd Ave. (369-2583). Bar de blues con espectáculo en vivo todas las noches.

Michael's Pub—211 E. 55th St. (758-2272). Restaurante/club de jazz, donde podrá ver a Woody Allen los lunes por la noche.

Sweet Basil—88 7th Ave. So. (242-1785). Ofrecen las corrientes de jazz más diversas a través de famosos músicos.

Tramp's—45 W. 21st St. (727-7788). Amplio club que ofrece música folk, funk, reggae y blues.

Village Vanguard—178 7th Ave So. (255-4037). Todas las noches ofrecen músicos diferentes.

Visiones—125 McDougal St. (673-5576). Ofrece jazz acústico directo e inmediato con fusión de jazz cada noche.

Cena y Baile a Ritmo Latino

HAVANA ★ RIO N.Y.

Música en Vivo y D.J. ♦ Club para Cenar y Bailar

Cocina Brasileña y Cubana ♦ Ambiente Elegante

1711 Broadway
(entrada por la calle 54)
956-1000

En el distrito de los teatros

COPACABANA
Música Disco y Salsa

Cada uno en un salón diferente

Martes, Viernes y Sábado

2 Grandes Orquestas cada viernes y sábado

Martes de 6 pm hasta 3 am

Viernes y sábado 10 pm hasta las 4:30 am

617 W. 57th Street (entre avenidas 11 y 12) • Tel: 582-2672

1. ¿Adónde se va para escuchar los mejores artistas del Cabaret?
2. ¿Qué club tiene magníficas vistas de la ciudad?
3. ¿Qué club ofrece un programa de jazz y rock?
4. ¿Qué club ofrece comida cubana?
5. ¿Dónde se escucha jazz acústico con fusión de jazz?
6. ¿A qué hora cierra el Club Copacabana los martes?

D. Creación. Cuente en una narración lo que pasa en el dibujo de la **Presentación,** contestando las siguientes preguntas. Ud. está sentado(-a) en una de las mesas en el café. ¿Qué puede Ud. decir de las personas que están en el café? Describa la personalidad, la profesión y el modo de vivir de estas personas. ¿Adónde piensa Ud. que van a ir después?

Vocabulario

Ir al cine	**To go to the movies**	**Ir a una discoteca**	**To go to a discotheque**
ver una película cómica	*to see a funny film*	el bar	*bar*
trágica	*sad*	el conjunto	*band, musical group*
romántica	*romantic*	escuchar música	*to listen to*
policíaca	*mystery*	rock	*rock music*
de aventuras	*adventure*	popular	*popular music*
		folklórica	*folk music*
Ir a un club nocturno	**To go to a nightclub**	**En el hotel**	**In the hotel**
emborracharse	*to get drunk*	chismear	*to gossip*
estar borracho(-a)	*to be drunk*	jugar (ue) a las cartas (A) los naipes	*to play cards*
tomar una copa	*to have a drink*		
un refresco	*a soft drink*	**Otras actividades**	**Other activities**
un vino	*wine*	una comedia	*a comedy*
un whisky	*whiskey*	un drama	*a drama*
un ron	*rum*	la música clásica	*classical music*
una gaseosa	*a mineral (soda) water*	la orquesta	*the orchestra*
		ir a la ópera	*to go to the opera*
ver un espectáculo	*to see a show, floorshow*	al teatro	*to the theater*
		a un café al aire libre	*to an outdoor cafe*
		a un concierto	*to a concert*
		pasearse	*to take a walk*

ESPAÑA

Así se habla

CIRCUMLOCUTING

En un restaurante de mariscos en Madrid

JOAQUÍN	Hola, Mauricio, ¿qué hubo?
MAURICIO	Ahí, pasándola.
JOAQUÍN	¿Has visto a Manolo? Necesito hablar con él.
MAURICIO	Lo vi esta mañana en la cancha de tenis. Se veía muy mal. Según me dijo, anoche no durmió nada. Parece que fue a ese restaurante nuevo que abrieron cerca de su casa y comió este... ¿cómo se llama? es un tipo de marisco... este...
JOAQUÍN	¿Cangrejos? ¿Langosta? ¿Camarones?
MAURICIO	Eso, camarones, y parece que tuvo una reacción alérgica y lo tuvieron que llevar al hospital.

If you don't know how to express an idea or you don't know the name of an object, place, or activity, you can use the following phrases to make yourself understood.

Es un tipo de bedida / alimento / animal / vehículo.	*It's a kind of beverage / food / animal / vehicle.*
Se usa para jugar al tenis / cortar la carne / servir el café.	*It's used for playing tennis / cutting meat / serving coffee.*
Es un lugar donde se baila / se nada / se estudia.	*It's a place where one dances / one swims / one studies.*
Es como una silla / un lápiz / una mesa.	*It's like a chair / a pencil / a table.*
Se parece a un perro / una bicicleta.	*It's like a dog / a bicycle.*
Es parte de una casa / un carro.	*It's part of a house / a car.*
Es algo redondo / cuadrado / duro / blando / áspero.	*It's something round / square / hard / soft / rough.*
Es un artículo de ropa / de cocina / de oficina / de metal / de madera / de vidrio.	*It's a clothing / kitchen / office / metal / wooden /glass object.*

Es algo así como un(-a)...	*It's something like a . . .*
Es uno de esos sitios donde...	*It's one of those places where . . .*
Suena / Huele / Sabe como...	*It sounds / smells / tastes like . . .*

Práctica y conversación

Así se habla, Práctica A Answers. 1. el bronceador 2. la piscina 3. el traje de baño 4. el gimnasio 5. la pelota 6. el pavo

A. Circunlocuciones. Mientras su compañero(-a) tiene el libro cerrado, Ud. lee las siguientes descripciones. Su compañero(-a) le dirá la palabra que falta.

1. Necesito un líquido para protegerme del sol. No quiero quemarme cuando vaya a la playa la próxima vez. ¿Sabes lo que necesito?
2. Es un lugar de forma rectangular, generalmente lleno de agua. La gente va allí a nadar. No recuerdo bien la palabra. ¿Cuál es?
3. Es un artículo de ropa que nos ponemos cuando queremos nadar. Es de una pieza para los hombres y a veces de dos para las mujeres. ¿Cómo se dice?
4. Es un lugar adonde la gente va a hacer ejercicio o a levantar pesas. ¿Cómo se llama?
5. Es un objeto redondo y pequeño. Batimos este objeto con una raqueta cuando jugamos al tenis. ¿Sabes a qué me refiero?
6. Es un ave que se parece a un pollo pero es más grande y generalmente se come en las Navidades o en la fiesta de Acción de Gracias. ¿Cómo se llama?

Así se habla, Práctica B Answers. *Answers vary.*

B. De compras en España. Ud. está en España estudiando en la Universidad de Madrid y necesita algunas cosas, pero no sabe su nombre en español. Vaya a la tienda y descríbale estos objetos al (a la) vendedor(-a), y éste (ésta) tratará de ayudarlo(-la). (No es necesario que sepa la palabra exacta.)

MODELO   nail polish remover

USTED: **Señor(ita), por favor, ¿tiene eso que sirve para quitar la pintura de las uñas?**
VENDEDOR(-A):   **¡Ah sí! ¡Cómo no! Aquí tiene acetona.**

Temas de conversación: headband / running shoes / watch band / bedspread / posters / reading lamp / detergent / envelopes / paper clips / ¿?

Estructuras

Discussing Past Actions

Preterite of Stem-Changing Verbs

Repaso. Review stem-changing verbs in the present tense (**Capítulo 1, Primera situación**) so that students compare and contrast the changes in the two tenses.

Many verbs that are needed to talk about past actions and activities are stem-changing verbs. You have already learned that **-ar** and **-er** verbs that stem change in the present tense follow a normal pattern in the preterite. However, **-ir** verbs that stem-change in the present tense also stem-change in the preterite but in a different way.

Preterite of Stem-Changing Verbs

e → i pedir		o → u dormir	
pedí	pedimos	dormí	dormimos
pediste	pedisteis	dormiste	dormisteis
pidió	pidieron	durmió	durmieron

a. In the preterite there are two types of stem changes: **e → i** and **o → u.** These stem changes occur only in the third person singular and plural forms. These stem changes are often indicated in parenthesis next to the infinitive: **pedir (i, i); divertirse (ie, i); dormir (ue, u).** The first set of vowels refers to stem changes in the present tense; the second set of vowels refers to stem changes in the preterite.

b. Only **-ir** verbs that are stem-changing in the present tense are also stem-changing in the preterite. Here are some common verbs of this type:

1. **ie, i** verbs: **divertirse, preferir, sentirse**
2. **i, i** verbs: **despedirse, pedir, repetir, seguir, servir, vestirse**
3. **ue, u** verbs: **dormir, dormirse, morir**

Práctica y conversación

A. En la discoteca. Explique lo que pasó anoche en la discoteca.

1. el conjunto / seguir tocando música rock
2. Julio / pedir un whisky
3. tú / preferir tomar vino
4. el camarero / servir rápidamente
5. Paco y María / despedirse temprano
6. yo / divertirme
7. nosotros / dormirnos muy tarde

B. ¡Qué aburrido! Un(-a) estudiante le pregunta a su compañero(-a) qué hizo el fin de semana. Él (Ella) le responde.

aburrirse mucho / dormirse temprano / divertirse / sentirse enfermo(-a) / preferir ver televisión / ¿?

C. Y tú, ¿te divertiste? En grupos, dos estudiantes intercambian información acerca de sus actividades durante las últimas vacaciones. El (La) tercer(-a) estudiante toma apuntes y luego informa al resto de la clase sobre lo que dijeron sus dos compañeros(-as).

DISTINGUISHING BETWEEN PEOPLE AND THINGS

Personal a

In Spanish it is necessary to distinguish between direct objects referring to people and direct objects referring to things.

a. In Spanish the word **a** is placed before a direct object noun that refers to a person or persons. It is not translated into English. Compare the following.

Anoche vi **a Ramón** en el hotel.	*Last night I saw Ramón in the hotel.*
Anoche vi una película en el hotel.	*Last night I saw a movie in the hotel.*

b. The personal **a** is used whenever the direct object noun refers to specific human beings and is generally repeated when they appear in a series.

Vimos **a Luis, a Miguel y a Pepe** en la discoteca.	*We saw Luis, Miguel and Pepe in the discotheque.*

c. The personal **a** is not generally used after the verb **tener.**

Tengo una amiga que vive en Madrid.	*I have a friend who lives in Madrid.*

d. Often the personal **a** is also used before nouns referring to family in general or to pets.

Visito mucho **a mi familia.**	*I visit my family a lot.*
José busca **a su perro.**	*José is looking for his dog.*

Práctica y conversación

A. **¿Qué vieron en Madrid?** Explique lo que Raúl y Federico vieron en Madrid durante sus vacaciones.

> **MODELO**   mucha gente
>
> Raúl y Federico vieron a mucha gente.

el Museo del Prado / turistas italianos / un espectáculo / una bailarina de flamenco / una corrida de toros / un concierto rock / sus abuelos / el Palacio Nacional

B. **¿Adónde fuiste en el verano?** Pregúntele a su compañero(-a) adónde fue en el verano y a qué personas o qué cosas vio.

AVOIDING REPETITION OF NOUNS

Direct Object Pronouns

Direct object pronouns are frequently used to replace direct object nouns as in the following exchange:

NOUN:	¿Viste **a Silvia** en la discoteca?	*Did you see Silvia in the discotheque?*
PRONOUN:	Sí, **la** vi.	*Yes, I saw her.*

Direct Object Pronouns Referring to Things

Al llegar a la playa, la madre de Pepe quiere saber si tienen todas las cosas que necesitan.

¿El traje de baño?	Sí, **lo** traje.	*Yes, I brought it.*
¿La loción?	Sí, **la** traje.	*Yes, I brought it.*
¿Los sombreros?	Sí, **los** traje.	*Yes, I brought them.*
¿Las toallas?	Sí, **las** traje.	*Yes, I brought them.*

Direct Objects Referring to People

Jorge vio a muchas personas en el club nocturno anoche.

Jorge	**me**	vio.	*Jorge saw me.*
Jorge	**te**	vio.	*Jorge saw you* (fam. sing.).
Jorge	**lo**	vio.	*Jorge saw him / you* (form. masc. sing.).
Jorge	**la**	vio.	*Jorge saw her / you* (form. fem. sing.).
Jorge	**nos**	vio.	*Jorge saw us.*
Jorge	**os**	vio.	*Jorge saw you* (fam. pl.).
Jorge	**los**	vio.	*Jorge saw them / you* (form. masc. pl.).
Jorge	**las**	vio.	*Jorge saw them / you* (form. fem. pl.).

a. Direct object pronouns have the same gender, number and person as the nouns they replace.

—¿Oíste mis nuevas cintas? *Did you listen to my new tapes?*
—Sí, **las** oí anoche. *Yes, I heard them last night.*

b. The direct object pronoun is placed directly before a conjugated verb.

—¿Por fin viste la nueva película de Almodóvar? *Did you finally see the new Almodóvar film?*
—No, no **la** vi. *No, I didn't see it.*

c. When a conjugated verb is followed by an infinitive, the direct object pronoun can precede the conjugated verb or be attached to the end of an infinitive.

—¿Quieres ver el espectáculo esta noche? *Do you want to see the show tonight?*
—No, **lo** voy a ver mañana.
—No, voy a ver**lo** mañana. *No, I'm going to see it tomorrow.*

d. Direct object pronouns must be attached to the end of affirmative commands. If the affirmative command has more than one syllable, an accent mark is placed over

Point out. The third-person direct object pronouns refer to both people and things while the first- and second-person direct object pronouns refer only to people. Provide examples: **María lo vió.** = *Mary saw it / him.* **María la vió.** = *Mary saw it / her.*

Point out. In **Example a** the noun is feminine plural; therefore, the direct object pronoun must also be feminine plural.

Point out. In English the direct object pronoun generally follows a conjugated verb while in Spanish the direct object pronoun generally precedes a conjugated verb.

Point out. In negative sentences the direct object pronoun is placed immediately before the conjugated verb and the negative word (**no**) is placed before the direct object pronoun: **No la vi.**

Estructuras, Direct Object Pronouns, Práctica A Answers. ¿Y trajiste sombrero? Sí, lo traje. (No, lo olvidé.) ¿Y trajiste loción de broncear? Sí, la traje. (No, la olvidé.) ¿Y trajiste gafas de sol? Sí, las traje. (No, las olvidé.) ¿Y trajiste dinero? Sí, lo traje. (No, lo olvidé.) ¿Y trajiste sandalias? Sí, las traje. (No, las olvidé.) ¿Y trajiste desodorante? Sí, lo traje. (No, lo olvidé.) ¿Y trajiste pasta de dientes? Sí, la traje. (No, la olvidé.) ¿Y trajiste despertador? Sí, lo traje. (No, lo olvidé.) ¿Y trajiste sombrilla? Sí, la traje. (No, la olvidé.) ¿Y trajiste trajes de baño? Sí, los traje. (No, los olvidé.)

Estructuras, Direct Object Pronouns, Práctica B Answers. ¿Dónde está mi máquina de afeitar? No sé. No la tengo. La perdí. ¿Dónde está mi loción de afeitar? No sé. No la tengo. La perdí. ¿Dónde están mis cuadernos? No sé. No los tengo. Los perdí. ¿Dónde están mis lápices? No sé. No los tengo. Los perdí. ¿Dónde están mis cintas? No sé. No las tengo. Las perdí. ¿Dónde está mi secador? No sé. No lo tengo. Lo perdí. *Answers vary.*

Estructuras, Direct Object Pronouns, Práctica C Answers. *Answers vary.*

Estructuras, Direct Object Pronouns, Práctica D Answers. *Answers vary.*

the stressed vowel. Direct object pronouns must be placed directly before negative commands.

—¿Quieres probar la sangría?

—Sí, **tráela** a la fiesta. ¡Y **no la olvides!**

Do you want to taste the sangría?

Yes, bring it to the party. And don't forget it.

Práctica y conversación

A. ¿Y trajiste... ? Ud. y su compañero(-a) de cuarto están en un complejo turístico. Su compañero(-a) preparó todo pero Ud. no está seguro(-a) si él (ella) trajo algunas cosas que Ud. necesita. Pregúntele a ver qué le dice.

> **MODELO**   USTED: **¿Y trajiste jabón?**
> COMPAÑERO(-A):   **Sí, lo traje.**
> **No, lo olvidé.**

sombrero / loción de broncear / gafas de sol / dinero / sandalias / desodorante / pasta de dientes / despertador / sombrilla / trajes de baño / ¿?

B. ¿Dónde pusiste mi... ? Ud. le prestó algunas cosas a su compañero(-a) de cuarto y las necesita. Pregúntele dónde están.

> **MODELO**   USTED: **¿Dónde están mis libros?**
> COMPAÑERO(-A):   **No, sé. No los tengo.**
> **Los perdí.**

máquina de afeitar / loción de afeitar / cuadernos / lápices / cintas / secador / ¿?

C. ¿Qué película viste? Pregúntele a su compañero(-a) qué películas, programas de televisión u obras de teatro ha visto úlitmamente.

> **MODELO**   USTED: **¿Viste las noticias anoche?**
> COMPAÑERO(-A):   **Sí, las vi.**
> **No, no las vi.**

D. De regreso a casa. Su compañero(-a) acaba de regresar de su viaje por toda Europa. Ud. quiere saber qué hizo, con quién fue, a quién(-es) vio, qué lugares visitó, qué comida exótica comió, qué compró, etc. Él (Ella) le contesta con todos los detalles posibles.

Using Visual Aids

You can use visual aids to help you understand what is being said. These visual aids can be concrete objects you see around you or mental images formed from previous experiences. When you hear someone speak about a particular object, person, or activity, your mind conjures up an image of that object, person, or activity. If your friend, for example, tells you she went swimming, your mind immediately supplies the image of a swimming pool or the ocean and the activity of swimming itself.

Ahora, escuche el diálogo entre Luisa y Susana, dos amigas que intercambian información acerca de sus actividades en la playa. Antes de escuchar la conversación, mire las ilustraciones y lea los ejercicios a continuación y piense qué expresiones van a utilizar estas dos amigas. Después, conteste.

A. Información general. De las ilustraciones que se presentan arriba, decida qué ilustración presenta lo que hicieron las siguientes personas: Miguel, Susana, Luisa y Pepe.

Ilustración 1 _____   Ilustración 2 _____
Ilustración 3 _____   Ilustración 4 _____

B. Algunos detalles. Escoja la respuesta correcta entre las alternativas que se presentan.

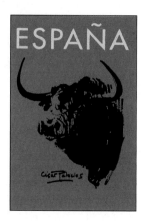

1. La persona que contestó primero el teléfono fue
   a. Luisa.
   b. la madre de Luisa.
   c. la hermana de Luisa.
2. Según la conversación, parece que Luisa estuvo
   a. divirtiéndose todo el día.
   b. sola y muy aburrida.
   c. muy enferma y triste.
3. Susana le dice a Luisa que ella y Miguel
   a. hablaron por teléfono en la mañana.
   b. tomaron el sol y levantaron pesas.
   c. hicieron windsurf todo el día.
4. Al día siguiente las amigas van a
   a. ir de compras.
   b. navegar en velero.
   c. nadar en el mar.

C. Análisis. ¿Qué diferencias hay entre las frases que Susana usa con la madre de Luisa y las que usa con su amiga Luisa? ¿Por qué hay diferencias?

Siga practicando el vocabulario y las estructuras gramaticales de **Capítulo 2, Segunda situación** en *Interacciones CD-ROM*.

Para saber más:
www.heinle.com

Tercera situación

Perspectivas

B E N I C A S I M
PROGRAMA FIESTAS DE VERANO
DEL 19 AL 26 DE AGOSTO

XIII CERTAMEN INTERNACIONAL DE GUITARRA
"FRANCISCO TARREGA"

benicasim
costa de azahar (españa)
DEL 21 AL 24 AGOSTO

Celebrando las fiestas de verano

A mediados de agosto muchos pueblos y ciudades españoles tienen sus fiestas de verano. Algunas de estas fiestas coinciden con el Día de la Asunción (15 de agosto), fecha en que los españoles celebran el ascenso al cielo de la Virgen María. Durante estas fiestas hay diversas actividades para gente de todas las edades. Estas actividades incluyen desfiles y pasacalles *(parades),* concursos y competiciones *(contests)* de toda categoría, carreras *(races),* bailes, exposiciones, fuegos artificiales *(fireworks)* y corridas de toros o de vaquillas *(amateur bullfights with young and small bulls).*

El siguiente programa es de las fiestas de verano de Benicasim, un pueblo en la Costa del Azahar cerca de Valencia, en el Mediterráneo.

¡¡Fiesta!!

Lunes, 20

A las 16 horas. Campeonato de fútbol en el campo del Pedrol, entre equipos Santa Agueda y Roda.

A las 16,30. Concursos y competiciones infantiles de Hulla-Hoop, castillos en la arena, etc., con premios a los vencedores .

A las 19,30. Maratón popular con salida de la Plaza del Ayuntamiento.

A las 22,30. Gran espectáculo en la Plaza de Toros con la actuación de Victoria Abril y su famoso ballet de programas de Televisión Española.

Martes, 21

A las 11 horas. Competición de natación en la Piscina Municipal.

A las 18. Exhibición de vaquillas en la Plaza de Toros.

A las 20,30. Certamen Internacional de Guitarra en el Hotel Orange.

A las 21. Bailes populares gratis en la Plaza de Toros.

A las 24. Gran castillo de fuegos artificiales por la famosa Pirotecnia Caballer.

Práctica y conversación

A. Diversiones apropiadas. Escoja del programa de la fiesta de Benicasim una actividad para las siguientes personas. Indique también cuándo tiene lugar la actividad.

1. una niña de cuatro años
2. un joven de catorce años a quien le encanta nadar
3. un muchacho de siete años a quien le gusta la playa
4. una guitarrista profesional
5. una mujer de treinta años a quien le gusta correr
6. unos novios a quienes les gusta bailar
7. un aficionado al fútbol
8. toda la familia

B. Sus preferencias. Usted y un(-a) amigo(-a) están en Benicasim durante las fiestas de verano. Con un(-a) compañero(-a) de clase, escoja sus actividades preferidas. Escoja por lo menos una actividad en la que pueden participar y una para observar.

Panorama cultural

El baile flamenco

A. Las castañuelas. Con un(-a) compañero(-a) de clase prepare una lista de las actividades que los turistas típicos quieren ver o hacer durante sus vacaciones en España. Después, miren la siguiente foto y contesten las preguntas. ¿Con qué actividad se asocian las castañuelas? ¿Para qué se usan?

B. María Rosa. Utilizando información del vídeo, describa a María Rosa y su compañía. Incluya información acerca de la ropa de los hombres y las mujeres, el escenario y la música.

Using the Subtitles of a Reading to Predict and Understand Content

Often subtitles are used to divide lengthy magazine and newspaper articles into smaller, more manageable sections. These subtitles generally provide a summary of the content of each section in a clear and succinct manner and help the reader predict, understand, and remember content. Together the subtitles form an outline of the article. Before reading such an article, look at the subtitles and try to make predictions about the possible content of the article. As you read, keep these subtitles in mind to help you clarify and simplify the material. You will find that you remember much more content if you use the subtitles to their full advantage.

Práctica

A. Benidorm. Para comprender el título del siguiente artículo: «24 Horas: De vacaciones en Benidorm» es necesario saber algo de Benidorm. Use un mapa de España y las fotos del artículo para contestar las siguientes preguntas. ¿Dónde está situada la ciudad de Benidorm? Con esta situación, ¿qué tipo de ciudad es? ¿Es un buen lugar para las vacaciones? ¿Cuál es la idea general del artículo?

B. El horario español. Para comprender el artículo, también es necesario saber algo del horario español. ¿A qué hora comen la comida principal los españoles? ¿A qué hora abren las tiendas y las oficinas? ¿Qué hacen los españoles por la noche? ¿A qué hora se acuestan?

C. Los subtítulos. ¿Cuáles son las dos partes de cada subtítulo? ¿A que se refieren los números en los subtítulos? ¿Cómo está organizado el artículo? ¿De qué tratan las secciones del artículo con los siguientes subtítulos?

7.30 Todo en orden / 10.00 Uniforme playero / 11.00 Arriba el telón *(The curtain rises)* / 12.00 Siempre fieles / 14.00 Ensalada, paella y sangría / 21.00 ¡A la calle!

Lectura cultural

24 Horas: De vacaciones en Benidorm

Benidorm, España: La playa

7.30   Todo en orden

Sale el sol y Benidorm se despierta de una noche que no ha tenido fin. Las playas están tranquilas, ordenadas y con sombrillas de personas que ya han bajado hasta la orilla° del mar para obtener sitio°, que al mediodía será imposible encontrar. Es uno de los centros turísticos más importantes. «Está a dos horas del resto de Europa, es cosmopolita y segura en todos los aspectos», señala° Andrés Guerrero, presidente de la asociación de agencias de viajes. La población de Benidorm, 50.176 personas, se multiplica por seis en estos meses de verano, hasta superar las 370.000 personas. Es una fábrica° de ocio° que recibe unos cinco millones de turistas anuales. Es la cuarta ciudad europea en plazas° hoteleras (34.000) tras Madrid, París y Londres.

10.00   Uniforme playero°

La mayoría de los veraneantes° se marchan a la playa con su uniforme playero: en bañador°, sin camiseta, con riñonera°, sandalias, colchón acuático, gorrita° y toalla.

11.00   Arriba el telón

Todo está prácticamente listo para comenzar una larga y agotadora° jornada° de playa. La temperatura ronda los 30 grados, luce el sol, la humedad relativa es del 65 por ciento, la temperatura del agua es de 24 grados y una suave y refrescante brisa eriza° las olas que rompen en la playa.

12.00   Siempre fieles

Los 5,3 kilómetros de playa están de bote en bote°. Según datos del ayuntamiento°, a esta hora punta° puede haber en la playa de Levante unas 35.000 personas. Lo del espacio no es problema para Gabriel, un madrileño de 55 años que lleva veraneando en la ciudad desde hace 20 años. «Me gusta, me gusta. Es una ciudad con alegría, juerga°, música... Me gustan las orquestinas de los bares, la arquitectura, los edificios».

---

Glosses (margin):

shore
place

points out

factory / leisure time
spaces, rooms

beach (adj.)
vacationists / traje de baño
money pouch / cap

exhausting / día

raises up

packed / municipal government
peak

festivity

14.00   Ensalada, la paella y sangría

Ensalada, paella y sangría, dieta mediterránea a la orilla del mar. Extranjeros y nacionales se desviven por° pedir la paella en sus más variadas formas. En Benidorm hay casi 350 restaurantes. Muchos se encuentran en primera línea de la playa; otros están en el barrio antiguo.

are very eager to

19.00   Como langostas°

Cuando el sol empieza a declinar, la actividad playera decae considerablemente. Es una hora en la que se está a gusto tumbado° en la arena. Eso es lo que hace un grupo de 13 jóvenes holandeses que toman su enésima° cerveza. Están rojos como langostas pero contentos de estar en España.

lobsters

lying down
umpteenth

21.00   ¡A la calle!

Las luces del paseo se encienden lentamente y la calle empieza a bullir°. Las más de 230 cafeterías y 920 bares comienzan a llenarse de una diversidad de gente. Las tiendas continúan abiertas. En la ciudad hay más de mil establecimientos que son visitados por los ávidos° de «comprar algún recuerdo° para la familia».

to bustle about

eager / souvenir

24.00   El karaoke

El reloj da la medianoche. El karaoke causa furor; niños y mayores se emboban con° los aspirantes a Julio Iglesias. También pequeños grupos musicales y shows *alegran la noche.*

are amazed by

3.00   ¡A trabajar!

Mientras muchos se divierten, Tomás Antón trajina por° la playa de Levante con su tractor. Su trabajo es importante: dejar la playa limpia. El Ayuntamiento de Benidorm considera sus playas «como la niña de sus ojos». Las cuidan al máximo.

moves around

5.00   Sin freno°

El que llega hasta esta hora va a dormir muy poco; mejor dicho, nada. Es la hora de cerrar para los pubs y disco-bares que hay en la zona de la playa. Algunos regresan al hotel mientras otros van a desayunar en un café en la playa. La actividad terminará sólo cuando el sol vuelva a salir sobre la playa.

restraint

Comprensión

A. Las actividades. Indique la hora cuando las siguientes actividades tienen lugar. Después pongan las actividades en orden cronológico.

_____ todos salen a la calle para divertirse
_____ limpian las playas
_____ la actividad playera decae
_____ los turistas van a la playa
_____ las playas están tranquilas
_____ los turistas comen la comida principal
_____ cierran los bares
_____ las playas están de bote en bote

B. Los veraneantes. Con un(-a) compañero(-a) describa a los veraneantes de Benidorm. Incluya información acerca de su ropa, su comida, y sus actividades.

C. En defensa de una opinión. ¿Qué evidencia puede Ud. encontrar en el artículo que confirma la siguiente idea? Benidorm es un lugar muy popular para las vacaciones del verano.

Lectura cultural, Práctica A Answers. *El orden cronológico de las actividades:* **3.00 limpian las playas / 5.00 cierran los bares / 7.30 las playas están tranquilas / 10.00 los turistas van a la playa / 12.00 las playas están de bote en bote / 14.00 los turistas comen la comida principal / 19.00 la actividad playera decae / 21.00 todos salen a la calle para divertirse**

Lectura cultural Práctica B Answers. *Answers vary.*

Lectura cultural Práctica C Answers. *Answers vary.*

SEQUENCING EVENTS

When writing about events that took place in the past, you often need to tell in what order or when the various activities took place. The following expressions can be used to indicate the proper sequence of activities.

primero	*first*
el primer día / mes / año	*the first day / month / year*
la primera semana	*the first week*
la segunda semana	*the second week*
el tercer día / mes / año	*the third day / month / year*
entonces	*then, at that time*
luego / después	*then, later, afterwards, next*
más tarde	*later*
a la(-s) ...	*at . . . o'clock*
era(-n) la(-s)... cuando	*it was . . . o'clock when*
por fin / finalmente	*finally*

Composiciones

A. Mis vacaciones. Escriba una composición breve sobre unas vacaciones reales o imaginarias que Ud. tomó.

B. Unas tarjetas postales. Ud. acaba de terminar el quinto día de una semana de vacaciones en Benidorm. Sacando información de la lectura **24 Horas: De vacaciones en Benidorm,** escríbales una tarjeta postal a sus padres explicándoles lo que Ud. hizo durante los primeros días allí. También escríbale una tarjeta a su mejor amigo(-a) explicándole lo que hizo de noche.

C. Las vacaciones norteamericanas. Escriba un artículo breve explicando lo que hicieron unas familias típicas durante sus vacaciones de verano en los EE.UU.

Actividades

A. Las fiestas de Benicasim. Part of your week-long vacation in Benicasim last August coincided with the summer festival. Using the program in **Perspectivas** as well as your imagination, explain what you did each day. Include activities you watched and those in which you participated.

B. El fin de semana pasado. You and a partner will each think of seven activities you participated in last weekend, but do not tell each other what you did. Then, ask each other questions to find out what the other person did. After learning about each other's activities, tell your instructor what your partner did last weekend.

C. Mis vacaciones favoritas. Tell your classmates about a real or imagined vacation trip you once took. Explain where and with whom you went, how you traveled, where you stayed, what you ate, saw, and did.

D. Una encuesta *(A survey).* In groups of five or six students, take a survey about the summer vacations of your families. Find out the following information: how many days the vacation lasted; where they went; how they traveled; who made the arrangements; where they stayed; what they did. Compare your group's results with those of the other groups.

Para saber más:
www.heinle.com

Herencia cultural

España

For information on the **Herencia cultural** section and how to use it, see "Using the *Interacciones* Program" located in the opening pages of the **Instructor's Edition**.

For each **Personalidades de ayer y de hoy** section an annotation similar to the one that follows will be provided explaining the cultural practices, products, perspectives and comparisons that are being taught. **Cultural products and practices:** Famous people of Spain and what they have accomplished.

Cultural comparisons: famous historical personnages, famous sports/ entertainment/ governmental figures of the two cultures.

Personalidades

For information on the **Personalidades de ayer y de hoy** section of the **Herencia Cultural** and how to use it, see "Using the *Interacciones* Program" located in the opening pages of the **Instructor's Edition**.

Additional information about these people is included in the IAE: Using the *Interacciones* Program: Herencia cultural.

De ayer

Rodrigo Díaz de Vivar (¿1043?–1099), conocido *(known)* como **El Cid Campeador,** es una personalidad histórica y legendaria. Es un gran héroe nacional y representa los valores españoles más importantes: amor a la familia, devoción a Dios y fidelidad al rey *(king).*

El matrimonio de **Fernando de Aragón** e **Isabel de Castilla** en 1469 produjo la unidad política de España. Fernando e Isabel, conocidos como los Reyes Católicos, hicieron de España la primera nación de la Europa moderna.

De hoy

Pedro Almodóvar es uno de los directores del cine más reconocidos de este siglo. Entre sus películas más importantes están *Mujeres al borde de un ataque de nervios* y *Todo sobre mi madre.*

Entre los jóvenes, **Enrique Iglesias** es uno de los cantantes más populares en España y los EE.UU. Es hijo de Julio Iglesias, otro famoso cantante de España. Aunque nació en España, actualmente vive en los EE.UU.

La familia real española incluye al rey, **Juan Carlos I,** la reina **Sofía,** y sus hijos **Felipe, Elena** y **Cristina.** Elena y Cristina están casadas y también son madres. Felipe todavía es soltero y es el heredero del trono.

El popular golfista **Sergio García** es conocido como «El niño» por ser uno de los jugadores más jóvenes del mundo en competir en torneos profesionales. Empezó a jugar al golf a los tres años de edad y ganó su primer torneo de profesionales a los 17 años. Durante su corta carrera ha obtenido una infinidad de premios y trofeos.

Ask Students. ¿Cuáles son algunos hechos históricos importantes que tuvieron lugar durante el reino de Fernando e Isabel? *Answers:* Los viajes de Cristóbal Colón a las Américas / la unidad política y religiosa de España / la unidad lingüística de España / la expulsión de los judíos y los árabes.

Comprensión cultural. Ask students: **¿Con qué personalidades españolas se puede comparar las siguientes personalidades de los EE.UU. Stephen Spielberg / Tiger Woods / George Washington / the current First Family / the founding Fathers / Ricky Martin?** *Answers vary.*

Para saber más: www.heinle.com

Arte y arquitectura

For information on the **Arte y arquitectura** section of the **Herencia cultural** and how to use it, see "Using the *Interacciones* Program" located in the opening pages of the **Instructor's Edition**.

For each **Arte y arquitectura** section an annotation similar to the one that follows will be provided explaining the cultural practices, products, perspectives and comparisons that are being taught. **Cultural products: El Prado / works of art by El Greco, Velázquez Goya. Cultural comparisons: Famous painters, works of art, and artistic styles.**

El Greco, *El entierro del Conde de Orgaz.* Toledo: Iglesia de Santo Tomé

Los grandes maestros del Prado: El Greco, Velázquez, Goya

El Prado, uno de los grandes museos de arte del mundo, se encuentra en el centro de Madrid. Allí se puede ver cuadros *(paintings),* dibujos *(drawings)* y esculturas *(sculptures)* desde la época clásica de los griegos y romanos hasta la época contemporánea. Pero sobre todo se puede ver las obras *(works)* de los grandes artistas españoles: El Greco, Velázquez y Goya.

Doménico Theotocópuli (1542–1614), llamado **El Greco,** nació en la isla de Creta (Grecia). En 1575 viajó a España y pasó la mayor parte de su vida en Toledo. Muchas de sus obras son religiosas o espirituales; pintó muchos retratos *(portraits)* de los santos.

Aunque hay muchos cuadros de El Greco en el Prado, su obra más famosa, *El entierro* (burial) *del Conde de Orgaz* (1586–1588) está en la Iglesia de Santo Tomé en Toledo. El Conde de Orgaz fue un hombre muy rico y generoso que durante su vida contribuyó mucho dinero a la Iglesia de Santo Tomé. Según una leyenda *(legend),* San Agustín y San Esteban presenciaron el entierro del Conde a causa de su generosidad.

Diego Rodríguez de Silva y Velázquez (1599–1660) fue el pintor de la corte de Felipe IV y muchas de sus obras son retratos de la familia real o de otras personas de la corte. Su obra maestra *(masterpiece)* es *Las Meninas* (Ladies-in-waiting), que según los críticos es uno de los mejores cuadros del mundo.

Diego Rodríguez de Silva y Velázquez, *Las Meninas.* Madrid: Museo del Prado

Las Meninas (1656) representa una escena en el taller *(workshop)* del palacio real. Velázquez está pintando al rey Felipe IV y a la reina Mariana, quienes se reflejan en el espejo *(mirror).* La hija de los reyes es la infanta Margarita y ella y sus meninas miran la escena.

Francisco de Goya y Lucientes (1746–1828) fue pintor de gran originalidad y de muchos estilos. Generalmente sus obras reflejan las costumbres típicas o los hechos *(happenings)* históricos de España. *El tres de mayo* representa una escena de la guerra *(war)* entre España y la Francia de Napoleón. El dos de mayo de 1808 hubo una batalla muy sangrienta *(bloody)* en Madrid. A pesar de que lucharon valientemente, los españoles perdieron la batalla. Al día siguiente, el tres de mayo, las tropas francesas ejecutaron *(executed)* a muchos soldados españoles.

Francisco de Goya y Lucientes, *El tres de mayo.* Madrid: Museo del Prado

Para saber más:
www.heinle.com

Comprensión

A. Unos detalles *(details)*. Complete el siguiente cuadro con información acerca de las obras de El Greco, Velázquez y Goya. **Arte y arquitectura, Práctica A Answers.** *Escena representada: El Greco:* **El entierro del Conde de Orgaz /** *Velázquez:* **El taller del artista (Velázquez) y éste pintando a la Infanta y sus meninas /** *Goya:* **Los soldados franceses fusilan a los soldados españoles.** *Personas representadas: El Greco:* **San Agustín, San Diego, muchos familiares y amigos del Conde de Orgaz, Jesucristo, la Virgen María /** *Velázquez:* **la Infanta Margarita, sus meninas, el rey Felipe IV, la reina Mariana, Velázquez /** *Goya:* **los soldados franceses y los soldados españoles, un padre.** *Descripción de las personas más importantes: El Greco:* **En la escena de abajo todos llevan ropa negra excepto los santos que llevan ropa lujosa; en la escena de arriba las figuras son sagradas /** *Velázquez:* **La infanta Margarita es rubia, joven y muy hermosa /** *Goya:* **los soldados españoles son pobres y no llevan uniforme; tienen miedo.** *Colores predominantes: El Greco:* **En la escena de abajo predominan el negro y el oro (el amarillo); en la escena de arriba predominan el blanco y el azul. /** *Velázquez:* **Predominan el blanco el negro y el azul oscuro. /** *Goya:* **Predominan el blanco, el amarillo, el rojo y el negro.** *Emociones predominantes: El Greco:* **la tristeza, la espiritualidad /** *Velázquez:* **la alegría /** *Goya:* **el miedo.** *Objetos y artículos: El Greco:* **una Biblia /** *Velázquez:* **cuadros en la pared, un perro, un espejo /** *Goya:* **una lámpara, los fusiles.**

	El Greco *El entierro del* *Conde de Orgaz*	**Velázquez** *Las Meninas*	**Goya** *El tres de mayo*
Escena representada			
Personas representadas			
Descripción de las **personas más importantes**			
Colores predominantes			
Emociones predominantes			
Objetos y artículos			

B. La historia. Con un(-a) compañero(-a) de clase, cuente lo que pasa en cada cuadro.

Para leer bien

READING LITERATURE

You have learned to predict the content of a reading by using the title and accompanying information and to guess meaning during your reading by using cognates. These same strategies can be applied to the reading of literature. In addition, there are other techniques that can also be used. Authors often do not express their ideas directly, but rather suggest them through the use of symbols or vocabulary that evoke many ideas and feelings. As a result, literature can generally be read on two levels: one level is the presentation of concrete ideas and the other is a higher, more abstract level that uses figurative language and symbols.

    A **symbol** is a word or object that can be used to signify or represent something else. For example, a star is a heavenly body appearing in the sky at night. However, a star can be used to represent a variety of things according to its use and location. On an assignment returned to a first-grader, a star means a job well done; on a door inside a theater, it signifies the dressing room of the leading actress; on a holiday card, it symbolizes the birth of Jesus Christ. Many symbols are universal; others are culturally specific. Authors use symbols to suggest multiple meanings or to present a point of view in a more subtle manner.

Expansión A. Ask additional questions about each of the three paintings: **¿Son realistas las obras? ¿Usan símbolos los artistas? ¿Cuáles?** *Answers.* **Las obras de Velázquez y Goya son realistas pero la obra de El Greco no lo es. Sí, los tres artistas usan símbolos.** *El Greco:* **Todos los santos son símbolos de alguna virtud o característica; la escena de arriba es símbolo del paraíso.** / *Velázquez:* **La infanta Margarita representa el futuro y la esperanza de España; los reyes en el espejo representan la monarquía como reflejos del poder.** / *Goya:* **Los colores son simbólicos: el blanco representa la pureza, el rojo representa la sangre, el negro representa la noche y la muerte.**

Variación B. Divide the class into three groups; each group should prepare a brief oral narration about what happens in one of three paintings.

Composición B. Have groups prepare a brief written narration about what happens in one of the three paintings.

Arte y arquitectura, Práctica B Answers. *Answers vary.*

Práctica

A. Algunos símbolos. Con un(-a) compañero(-a) de clase explique lo que las siguientes palabras pueden simbolizar o representar.

1. las estaciones: la primavera / el otoño / el invierno
2. los animales: un león / un águila *(eagle)* / una serpiente
3. los colores: el blanco / el negro / el rojo / el verde / el amarillo
4. el agua: el mar / un río / un lago

B. Las obras de Matute y Bécquer. Al leer las siguientes selecciones de Matute y Bécquer, utilice las estrategias para leer bien y trate de identificar los símbolos.

Lectura Literaria

Depending on class time, proficiency level, and/or student interest, you may choose to read the short story by Matute, the poetry by Bécquer or both literary selections.

Nacida en Barcelona, **Ana María Matute** (1926–   ) es una de las mejores escritoras españolas contemporáneas. Sus novelas, entre ellas *Fiesta al noroeste, Los hijos muertos* y *Primera memoria,* han ganado varios premios literarios. También es autora de colecciones de cuentos *(short stories).* Su tema principal es el mundo infantil que Matute describe con muchísima sensibilidad; otros temas suyos son la soledad *(loneliness)* y la muerte. El siguiente cuento, «El niño al que se le murió el amigo» *("The Child Whose Friend Passed Away")* es de su colección *Los niños tontos* (1956).

Antes de leer

A. Unos juguetes *(toys).* Con un(-a) compañero(-a) de clase, haga una lista de los juguetes típicos de los niños. ¿Cuáles fueron sus juguetes favoritos en su infancia?

B. El escenario *(scene).* Utilizando el siguiente dibujo del escenario del cuento, describa al niño y sus juguetes.

El niño al que se le murió el amigo

Una mañana se levantó y fue a buscar al amigo, al otro lado de la valla. Pero el amigo no estaba, y, cuando volvió, le dijo la madre: «El amigo se murió. Niño, no pienses más en él y busca otros para jugar.» El niño se sentó en el quicio de la puerta, con la cara entre las manos y los codos en las rodillas. «Él volverá», pensó. Porque no podía ser que allí estuviesen° las canicas, el camión y la pistola de hojalata, y el reloj aquel que ya no andaba°, y el amigo no viniese° a buscarlos.

Vino la noche, con una estrella muy grande, y el niño no quería entrar a cenar. «Entra niño, que llega el frío», dijo la madre. Pero, en lugar de entrar, el niño se levantó del quicio y se fue en busca del amigo, con las canicas, el camión,

were

no longer worked
wouldn't come

la valla
el codo
la rodilla
el camión
el quicio
el reloj
la pistola de hojalata
la canica

la pistola de hojalata y el reloj que no andaba. Al llegar a la cerca°, la voz del amigo no lo llamó, ni lo oyó en el árbol, ni en el pozo°. Pasó buscándolo toda la noche. Y fue una larga noche casi blanca, que le llenó de polvo° el traje y los zapatos. Cuando llegó el sol, el niño, que tenía sueño y sed, estiró° los brazos, y pensó: «Qué tontos y pequeños son estos juguetes. Y ese reloj que no anda, no sirve para nada°». Lo tiró° todo al pozo, y volvió a la casa, con mucha hambre. La madre le abrió la puerta, y dijo: «Cuánto ha crecido° este niño, Dios mío, cuánto ha crecido». Y le compró un traje de hombre°, porque el que llevaba le venía muy corto°.

fence
well

dust
stretched
isn't good for anything
threw
has grown
man's suit
was too short for him

Después de leer

A. La acción. Con un(-a) compañero(-a) de clase, diga lo que pasa en el cuento. Después, preséntele su resumen (*summary*) de la acción a la clase.

B. Los símbolos. ¿Que representan los siguientes símbolos del cuento?

los juguetes / el traje de hombre / el pozo / la noche

C. De la infancia a la madurez (*maturity*). Explíquele a un(-a) compañero(-a) cuándo y cómo pasó Ud. de la infancia a la madurez. ¿Hubo un suceso (*event*) en su vida que causó este cambio? Compare este suceso en su vida con lo que pasó en el cuento.

Bécquer nació en Sevilla y luego se trasladó a Madrid, donde murió pobre y solo a los treinta y cuatro años. A pesar de que escribió muy poco es reconocido como uno de los grandes poetas líricos de la literatura española. Sus *Rimas* (una colección de 76 poemas) reflejan su sensibilidad romántica y su angustia (*anguish*).

Antes de leer

A. Las etapas (*stages*) **del amor.** Ponga en orden cronológico las siguientes cinco etapas de una relación amorosa.

_____ el amor correspondido
_____ falta de comprensión mutua
_____ la ruptura
_____ el primer encuentro
_____ el (la) amado(-a) como fuente (*source*) de alegría

Gustavo Adolfo Bécquer (1836–1870)

B. El orden de las palabras. En la lengua hablada, el orden de las palabras de una oración es generalmente el sujeto + el verbo + los objetos. Pero dentro de la poesía, el orden tradicional cambia y el poeta puede empezar con cualquier parte de la oración. Por eso es difícil encontrar el sujeto de la oración poética. Para comprender mejor la poesía de Bécquer, identifique el sujeto de las siguientes frases y póngalo enfrente de las frases.

SUJETOS: yo / tú / él / ella / el sol / mi alma / el fondo / un diccionario / el amor
_____ la he visto
_____ me ha mirado
_____ dices mientras clavas en mí
_____ hoy llega al fondo de mi alma el sol
_____ (Es) Lástima que el amor un diccionario no tenga

Advance organizer. In order to help students understand the story, ask questions about the first sentences prior to reading the entire story. **¿Quién se levantó? ¿Adónde fue el niño después de levantarse? ¿Por qué? ¿Qué le explicó la madre a su hijo? ¿Qué le aconsejó la madre?** *Answers.* **El niño se levantó. Se fue a buscar a su amigo para jugar con él. La madre le dijo a su hijo que su amigo se murió. La madre le aconsejó a su hijo que no piense más en su amigo.**

Warm-up. Ask students: **¿Quiénes son los personajes del cuento? ¿Están presentes todos? Explique.** *Answers:* **Los personajes son el hijo, la madre y el amigo. Todos no están presentes. El amigo está muerto.**

Después de leer, Práctica A Answers. *Answers vary.*

Después de leer, Práctica B Answers. *los juguetes:* las diversiones con su amigo, la relación con su amigo / *el traje de hombre:* la juventud del niño / *el pozo:* la muerte / *la noche:* la muerte

Análisis literario. ¿Por qué no tienen nombre los personajes? ¿Cuál es el tema del cuento? ¿Tiene el cuento un tema universal? Justifique su respuesta. *Answers:* **Los personajes: no tienen nombre porque son universales y representan a muchas personas. La madre representa a todas las madres y el hijo representa a todos los hijos.** *El tema:* **el pasaje de la infancia a la madurez.** *Answers vary.*

Después de leer, Práctica C Answers. *Answers vary.*

Rima XVII

       Hoy la tierra y los cielos me sonríen°   *smile*
hoy llega al fondo° de mi alma° el sol;   *bottom / soul*
hoy la he visto°..., la he visto y me ha mirado   *saw*
       ¡Hoy creo en Dios!

Rima XXI

«¿Qué es poesía»? dices mientras clavas
   en° mí tu pupila azul.   *gaze at*
«¿Qué es poesía? ¿Y tú me lo preguntas?
   Poesía eres tú.»

Rima XXXIII

     Es cuestión de palabras y, no obstante,
       ni tú ni yo jamás°   *never*
después de lo pasado, convendremos°   *will agree*
       en quién la culpa° está.   *blame*
     ¡Lástima que el amor un diccionario
       no tenga dónde hallar°   *to find*
cuándo el orgullo° es simplemente orgullo   *pride*
       y cuándo es dignidad!

Después de leer

A. Los temas. Utilice la lista de las etapas de una relación amorosa en **Práctica A** de **Antes de leer.** Busque las etapas que correspondan a estas Rimas.

Rima XVII   _____

                _____

Rima XXI   _____

                _____

Rima XXXIII   _____

                _____

B. Las circunstancias. Conteste las siguientes preguntas acerca de las tres Rimas.

Rima XVII: ¿Cómo se siente Bécquer en este poema? ¿Por qué dice Bécquer que hoy cree en Dios?

Rima XXI: ¿Qué quiere decir Bécquer cuándo dice «poesía eres tú»? ¿Qué representa la mujer en este poema?

Rima XXXIII: ¿Cuál es el problema entre Bécquer y su amada? ¿Cómo se siente Bécquer en este poema? ¿Por qué necesita Bécquer un diccionario? ¿Cuál es la diferencia entre el orgullo y la dignidad?

Para saber más:
www.heinle.com

Bienvenidos a México

Have students use map of Mexico loc in the opening pag the textbook.

Ask questions about the content of the photos in this section ¿Cómo se llama el monumento? ¿Qué cosas se ven alrededor de la ¿Qué hay en la foto de Taxco? ¿Cómo se llama la iglesia? ¿Cómo es Taxco? *Answers:* monumento se llama Monumento a la Independencia o El Ángel. Alrededor de la plaz edificios, hoteles y tiendas. En la foto de Taxco hay muchas casas blancas, iglesias y edificios. La iglesia se llama la Parroquia de Santa Prisca. Taxco es una ciudad colon es muy linda y encantadora.

5Cs

Point out: La imagen de este Monumento a la Independencia es muy representativa del Distrito Federal. Es una gran columna (de 36 metros) con una estatua de la victoria encima; los mexicanos lo llaman *El Ángel*.

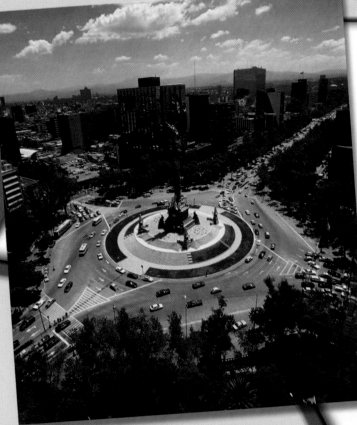

México, D.F.: Monumento a la Independencia

GEOGRAFÍA Y CLIMA

Tercer país más grande de la América Latina. Se divide en varias regiones; el altiplano (tierras altas entre las montañas) ocupa el 40 por ciento del territorio y tiene la mayor parte de la población. El clima varía según la altitud.

POBLACIÓN

97.500.000 de habitantes; 60% mestizos (personas con una mezcla de sangre europea e indígena), 30% indios y 10% europeos y otros.

LENGUAS

El español (92%) y varios idiomas indígenas (8%).

CIUDADES PRINCIPALES

La Ciudad de México = el Distrito Federal = México, D.F. = la capital con 20.000.000 de habitantes; Guadalajara 4.000.000; Monterrey 3.500.000; Puebla 2.000.000; Cancún 1.300.000; Ciudad Juárez 1.200.000; León 1.000.000.

MONEDA

El peso, cuyo símbolo es N$.

GOBIERNO

Los Estados Unidos Mexicanos es una república federal compuesta de 31 estados. Se elige un nuevo presidente cada seis años.

ECONOMÍA

El turismo; el petróleo; productos agrícolas; fabricación de vehículos, piezas de recambio y maquinaria; materias primas; la artesanía.

FECHAS IMPORTANTES

Además de las fiestas hispanas tradicionales, se celebran otras fiestas nacionales y religiosas; 5 de mayo = Día de la Victoria (Batalla de Puebla); 16 de setiembre = Día de la Independencia; 2 de noviembre = Día de los Muertos; 12 de diciembre = Día de Nuestra Señora de Guadalupe (la santa patrona de México).

Práctica geográfica

Conteste las siguientes preguntas usando la información dada y un mapa de México.

1. ¿Cómo se llama el río que separa México de los EE.UU.?
2. ¿Cuáles son las ciudades más importantes?
3. ¿Cómo se llama la zona montañosa principal?
4. ¿En qué mar está la isla de Cozumel? (Cozumel se encuentra cerca de Cancún.)
5. ¿Qué países lindan (*border*) con México?
6. ¿Qué estados de los EE.UU. lindan con México?
7. ¿Cuáles son algunas playas famosas de México? ¿En qué mar están?
8. ¿Qué ventajas y desventajas ofrece la geografía de México?

Point out. Taxco se encuentra al suroeste del Distrito Federal entre D.F. y Acapulco. Es una ciudad antigua que preserva mucho del encanto del pasado especialmente en su arquitectura barroca de la cual la Parroquia de Santa Prisca es un buen ejemplo. Alrededor de la ciudad hay muchas minas de plata y otros metales. Actualmente Taxco tiene fama internacional de ser el centro de artesanías de plata.

Taxco:
Parroquia de
Santa Prisca

Have students work in pairs to complete the **Práctica geográfica.** One student should ask the questions and the other should answer. After completing the exercise, students should report back to the class on the information in order to check answers.

Práctica geográfica, Answers.
1. el río Bravo 2. Acapulco / Cancún / Chihuahua / Ciudad Juárez / Cuernavaca / Guadalajara / Hermosillo / León / Mérida / México, D.F. / Monterrey / Puebla / Oaxaca / Veracruz 3. la Sierra Madre Occidental 4. en el mar Caribe 5. los EE.UU. / Guatemala / Belice 6. California / Arizona / Nuevo México / Texas 7. *en el océano Pacífico:* Acapulco / Ixtapa / Manzanillo / Mazatlán / Puerto Vallarta / Zihuatanejo; *en el mar Caribe:* Cancún, Cozumel 8. *Answers vary.*

CAPÍTULO 3

En familia

Toda la familia se reúne para celebrar un cumpleaños.

Cultural Themes

Mexico

Family life in the Hispanic world

Communicative Goals

Greetings and Leave-takings

Describing what life used to be like

Describing people

Expressing endearment

Extending, accepting, and declining invitations

Discussing conditions, characteristics, and existence

Indicating Ownership

Primera situación

Presentación

Los domingos en familia

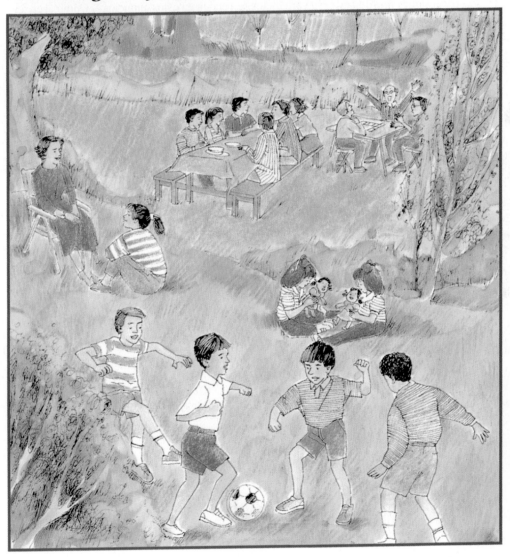

Práctica y conversación

A. El árbol genealógico. ¿Quiénes son estos parientes tuyos?

   1. El hermano de mi madre es mi _____.

2. Soy el (la) _____ de mis abuelos.
3. La esposa del padre de mi padre es mi _____.
4. La madre de mi padre es mi _____.
5. El hijo del hermano de mi madre es el _____ de mi padre.
6. La hija de la hermana de mi padre es mi _____.
7. El hijo de mi padre es mi _____.

B. Una reunión familiar. Cada estudiante les hace preguntas a tres de sus compañeros(-as) de clase sobre lo que hacen cuando se reúnen con sus parientes. Luego, le dirá a su profesor(-a) lo que Ud. escuchó.

C. Diversiones familiares. ¿Qué productos se venden en estos anuncios? ¿Cómo acercan a la familia los productos?

¡Productos que acercan a la familia!

¡Ahorre en equipos para actividades recreativas al aire libre!

A. ¡La piscina Playground tiene 4 juegos acuáticos en uno! *Playground Pool.* Esta "divertida" piscina tiene un tobogán acuático integrado, un chapoteadero, una palmera con rociador de agua y una canasta para baloncesto acuático, todo en un solo fantástico diseño. Incluye 4 pelotas plásticas para jugar al baloncesto acuático y un parche. Fácil de inflar. Resistente construcción de vinilo calibre 8 y 10. Hecha en USA.
1K60R $49.99* **7.00** por mes[▽]

7½' x 13" de profundidad

THE ROYAL ARMS

¡Más de 200 piezas!

I. Gabinete de juegos monogramado. Con más de 200 piezas para 7 juegos diferentes: backgammon, dominó, ajedrez, dardos, damas chinas y cartas. Incluye fichas y juego de barajas. Sírvase especificar la inicial del monograma para la puerta del gabinete. Tiene pizarra, tiza y ganchos para colgarlo en la pared. Importado.
R1037 $39.99° **4.79** por mes*

D. Creación. En una narración cuente lo que pasa en el dibujo de la **Presentación**. ¿Qué consejos le da la abuela a su nieta? ¿Por qué riñen los dos chicos? ¿De qué hablan las personas que están sentadas en la mesa? ¿?

Vocabulario

La familia	The family
el abuelo	grandfather
la abuela	grandmother
los abuelos	grandparents
el bisabuelo	great-grandfather
la bisabuela	great-grandmother
los bisabuelos	great-grandparents
los (las) gemelos(-as)	twins
el hermano	brother
la hermana	sister
el hijo	son
la hija	daughter
los hijos	children
la madre	mother
la madrina	godmother
el muchacho	boy
la muchacha	girl
el nieto	grandson
la nieta	granddaughter
el padre	father
los padres	parents
el padrino	godfather
los padrinos	godparents
los parientes	relatives
el(la) primo(-a)	cousin
el sobrino	nephew
la sobrina	niece
el tío	uncle
la tía	aunt
los tíos	uncle(-s) and aunt(-s)

Las costumbres del domingo	Sunday customs
aconsejar	to advise, give advice
almorzar (ue)	to eat lunch
cenar	to eat dinner
dar consejos	to give advice
hacer la sobremesa	to hold after-dinner conversation
ir a misa	to attend Mass

ir de excursión	to go on an outing
al campo	to the country
al museo	to the museum
a la playa	to the beach
jugar (ue) al ajedrez	to play chess
a las damas	checkers
al dominó	dominoes
jugar (ue) con juguetes	to play with toys
una muñeca	a doll
visitar a los parientes	to visit relatives

El trato familiar	Family relations
amar	to love
comportarse bien (mal)	to behave well (poorly)
confiar en	to trust, confide in
estar bien (mal) educado	to be well (poorly) brought up
llevar una vida feliz	to lead a happy life
llorar	to cry
querer	to love
regañar	to scold
reír (i)	to laugh
reñir (i)	to quarrel
respetar	to respect
sonreír (i)	to smile
tener cariño a	to be fond of

Las descripciones	Descriptions
alegre / feliz	happy, cheerful
cariñoso(-a)	affectionate
enojado(-a)	angry
infeliz	unhappy
íntimo(-a)	close
joven	young
mimado(-a)	spoiled
molesto(-a)	annoyed
mono(-a)	cute
travieso(-a)	naughty, mischievous
triste	sad
unido(-a)	close-knit, united
viejo(-a)	old

Vocabulario suplementario. el (la) adolescente (teenager), el (la) ahijado(-a) (godchild), el (la) bebé (infant), el (la) chico(-a), (boy, girl), el (la) joven (kid, youngster), dar a luz (to give birth), estar embarazada (to be pregnant), hacer de niñero(-a) (to babysit), el (la) niñero(-a) (babysitter), el (la) pequeñito(-a) (toddler), el (la) primo(-a) hermano(-a) (first cousin), el (la) primo(-a) segundo(-a) (second cousin), el (la) tataranieto(-a) (great-great-grandchild), los tatarabuelos (great-great-grandparents), la tía abuela (great aunt), el tío abuelo (great uncle).

Vocabulario regional. In Spain the word for kid, youngster = el (la) chaval(-a); in México kid, youngster = el (la) chamaco(-a).

Vocabulario suplementario. la casa de muñecas (dollhouse), el (la) compañero(-a) de juegos (playmate), los cubos de letras (blocks).

Vocabulario suplementario. Some popular children´s games are: jugar al escondite (to play hide and seek), jugar a ladrones y policías (to play cops and robbers), jugar a la casita / a la mamá (to play house), jugar a las visitas (to have a tea party).

Vocabulario. In Spanish the prepositional phrase de juguete is equivalent to using toy as an adjective in English: el camión de juguete (toy truck), la pistola de juguete (toy gun), el soldadito de juguete (toy soldier).

Have students describe the people in the picture. Then, ask students what they think the people are saying to each other.

Ask students to brainstorm the phrases they use to greet a friend they have not seen in a long time. Then ask the student to say these greetings / questions in Spanish.

Point out. Explain the following expressions that appear in the dialogue: **¿Qué onda?** (Mexican greeting) = *What's up? / What's going on?* **¡Tanto tiempo sin verte!** = *Long time no see!* **muy de vez en cuando** = *very rarely / seldom.*

Ask for volunteers to take the roles of Teresita and Sonia and read the dialogue aloud.

Comprehension check. After students have read the dialogue, have them answer the following questions: ¿Por qué no se han visto Teresita y Sonia en mucho tiempo? ¿Cómo es la vida de Teresita? ¿Qué hacían Teresita y Sonia antes? ¿Qué hacían Sonia y su esposo antes de que nacieran sus hijos? ¿Siguen haciendo eso? ¿Por qué? ¿Qué van a hacer Teresita y Sonia pronto? ¿Cree Ud. que la amistad entre Teresita y Sonia se va a restablecer? ¿Por qué? *Answers:* **Teresita y Sonia no se han visto en mucho tiempo porque Teresita no tiene tiempo. Teresita está muy ocupada con sus hijos. Antes Teresa y Sonia se visitaban y salían juntas. Salían con amigos, se reunían en la noche, jugaban a las cartas e iban a bailar. No siguen haciendo estas cosas porque están muy ocupadas con sus hijos. Teresita y Sonia van a salir un fin de semana. Sí, la amistad de Teresita y Sonia se va a restablecer porque han sido muy buenas amigas.**

Así se habla

Greetings and Leave-takings

México: Dos mujeres se saludan.

Sonia	Hola, Teresita, ¿qué onda? ¿Dónde has estado? ¡Tanto tiempo sin verte!
Teresita	Sí, tienes razón. Sabes que con los niños tan pequeños no tengo tiempo para nada.
Sonia	Comprendo, todo cambia. Antes, cuando tú y yo vivíamos cerca, nos veíamos siempre, pero ahora sólo nos vemos muy de vez en cuando.
Teresita	Así es. Me acuerdo que nos visitábamos y salíamos juntas, pero ahora mi vida se ha complicado un poquito más, tú sabes.
Sonia	Y la mía también. Antes de que nacieran mis hijos, mi esposo y yo salíamos con amigos, nos visitábamos, nos reuníamos en la noche, jugábamos a las cartas, íbamos a bailar. En fin, esos tiempos se han acabado.
Teresita	Bueno, pero tenemos que hacer algo y reunirnos otra vez. No podemos dejar de vernos tanto tiempo. ¿Qué te parece si salimos uno de estos fines de semana?
Sonia	¡Eso! Llámame para concretar los planes.

If you want to greet someone, the following expressions can be used after **«¡Hola!»** with persons you call by their first name, such as family members, friends, and classmates.

¿Qué hay / tal / hubo?	*How are things?*
¿Cómo andan las cosas?	
¿Qué hay de nuevo?	*What's new?*
¿Qué me cuentas?	
¿Cómo estás?	*How are you?*
¿Cómo te va?	*How's it going?*
¿Cómo están por tu casa?	*How are things at home?*
¡Encantado(-a)!	*How nice to see you!*
¡Cuánto gusto (en) verte!	

If you want to greet a person you would address with the pronoun **Ud.,** you can use the following expressions.

Buenos días.	*Good morning.*
Buenas tardes / noches.	*Good afternoon / evening.*
¿Cómo está Ud.?	*How are you?*
¡Qué / Cuánto gusto (en) verlo(-la)!	*How nice (What a pleasure) to see you!*
¡Tanto tiempo sin verlo(-la)!	*It's been so long since I saw you!*

If you want to say good-bye to someone, you can use the following expressions.

¡Chau!	*Bye!*
Hasta luego / pronto.	*See you later / soon.*
Nos vemos.	*See you.*
Nos hablamos / llamamos.	*We'll talk / call each other.*
Que le (te) vaya bien.	*(I) Hope all goes well.*
Saludos a todos por su (tu) casa.	*Say hello to your family.*

Práctica y conversación

A. ¿Cómo los saluda? Ud. encuentra a las siguientes personas en la calle. ¿Qué les dice?

1. una tía a quien no ha visto hace mucho tiempo
2. un(-a) compañero(-a) de clase a quien ve todos los días
3. su profesor de economía
4. la madre de uno(-a) de sus compañeros(-as)
5. su abuelo
6. la secretaria del departamento de español

B. ¡Nos vemos pronto! En grupos, tres estudiantes hacen el papel de diversos familiares y otro(-a) hace el papel de la persona que se despide.

Situación: Ud. pasó todo el día en la casa de sus abuelos pero ahora tiene que irse porque tiene que estudiar. Despídase de todos.

Estructuras

Describing What Life Used to Be Like

Imperfect Tense

The preterite and the imperfect are the two simple past tenses in Spanish. The imperfect is used to talk about repetitive past action and to describe how life used to be. The imperfect tense has two forms; there is one set of endings for regular **-ar** verbs and another set for regular **-er** and **-ir** verbs.

Ask students to repeat the expressions out loud. Correct pronunciation and intonation when necessary.

Warm-up. Ask students what type of relationship they have with their different relatives (aunts, uncles, cousins, grandparents), the university faculty and staff (secretaries, professors, cleaning crew), and what type of pronoun they would use when talking to them.

Así se habla, Práctica A Answers. *Answers may vary.* **1.** ¡Tanto tiempo sin verte! **2.** ¿Qué tal? / ¿Qué hubo? **3.** Buenos días. / Buenas tardes. / Buenas noches. **4.** ¿Cómo está Ud.? **5.** ¿Cómo estás? / ¡Qué gusto de verte! **6.** Buenos días. / Buenas tardes.

Divide students into groups of three and assign roles such as the following: a grumpy grandmother, a friendly aunt, a serious cousin, a funny uncle, a crazy in-law. Then have students role-play the situation where one of them is saying good-bye. The answers may vary according to the personalities of the relatives.

Así se habla, Práctica B Answers. *Answers vary.*

Point out. There is no real equivalent to the Spanish imperfect tense in English. The imperfect is expressed in a variety of ways in English: **asistía** = *I attended, I used to attend, I was attending, I would attend.* The context determines the verb form used in English.

Verbos en -AR	Verbos en -ER	Verbos en -IR
visitar	**comer**	**asistir**
visitaba	comía	asistía
visitabas	comías	asistías
visitaba	comía	asistía
visitábamos	comíamos	asistíamos
visitábais	comíais	asistíais
visitaban	comían	asistían

a. To form the imperfect tense of a regular **-ar** verb, obtain the stem by dropping the infinitive ending: **visitar → visit-.** To this stem add the endings that correspond to the subject: **-aba, -abas, -aba, -ábamos, -ábais, -aban.**

b. To form the imperfect tense of a regular **-er** or **-ir** verb, obtain the stem by dropping the infinitive ending: **asistir → asist-.** To this stem add the endings that correspond to the subject: **-ía, -ías, -ía, -íamos, -íais, -ían.** Note the use of a written accent mark on these endings.

c. The first- and third-person singular forms use the same endings: **-aba / -ía.** It will frequently be necessary to include a noun or pronoun to clarify the subject of the verb.

Los domingos mamá siempre **preparaba** la comida mientras yo **leía** el periódico.

On Sundays Mom always prepared dinner while I read the paper.

d. There are no stem-changing verbs in the imperfect. Verbs that stem-change in the present or preterite tenses are regular in the imperfect.

De niña **jugaba** en el parque. Allí **me divertía** mucho.

As a little girl, I used to play in the park. I always had a good time there.

e. There are only three verbs that are irregular in the imperfect tense: **ir, ser,** and **ver.**

IR: iba, ibas, iba, íbamos, ibais, iban
SER: era, eras, era, éramos, erais, eran
VER: veía, veías, veía, veíamos, veíais, veían

f. There are several possible English equivalents for the imperfect. Context will determine the best translation.

Luis trabajaba.

Luis was working.
Luis used to work.
Luis worked.

g. The preterite is used to express an action or state of being that took place in a definite, limited time period in the past. In contrast, the imperfect is used to express an on-going or repetitive past action or state of being that has no specific beginning and/or ending.

h. The imperfect tense is used:

1. as an equivalent of the English *used to, was / were* + present participle (*-ing* form), as well as simple English past (*-ed* form).
2. to describe how life used to be in the past.
3. to express interrupted action in the past.

> **Cenábamos** cuando llegó   *We were eating dinner when*
>   mi prima.   *my cousin arrived.*

4. to express habitual or repeated past action. The words and phrases of the following list are often associated with the imperfect because they indicate habitual or repeated past actions.

cada día / semana / mes /año	*every day / week / month / year*
todos los días / meses / años	*every day / month / year*
todas las horas / semanas	*every hour / week*
todos los (domingos)	*every* + day of week (*every Sunday*)
los (domingos)	*on* + day of week (*on Sundays*)
generalmente / por lo general	*generally*
frecuentemente	*frequently*
siempre	*always*
a veces / algunas veces	*sometimes*
a menudo / muchas veces	*often*

Práctica y conversación

A. Durante el verano pasado. Explique lo que hacían las siguientes personas cada día, cada semana y cada mes del verano pasado: yo / mi mejor amigo(-a) / mi hermano(-a) / mis padres.

> **MODELO**   yo
> **Cada día yo nadaba en nuestra piscina. / Cada semana iba al cine. Cada mes visitaba a mis primos.**

B. ¿Cómo era Ud.? Explique cómo era Ud. cuando estaba en su primer año de la escuela secundaria. ¿Qué estudiaba? ¿En qué actividades o deportes participaba? ¿Qué hacía después de las clases? ¿Qué hacía los fines de semana? ¿Cómo eran sus amigos(-as)? ¿?

C. Antes y hoy en día. Lea la siguiente información acerca del papel *(role)* de los abuelos y los padres en la crianza *(raising)* de los niños. Después conteste las preguntas. ¿Quiénes ayudaban a los padres a criar a los niños? ¿Dónde vivían los abuelos? ¿Cuál era el papel de los abuelos? Hoy en día, ¿cómo aprenden los padres a criar a los niños? ¿Qué requiere ser madre o padre?

Reproduced from "Sobre las habilidades de ser madre o padre," with permission. © 1986; Channing L. Bete Co., Inc., South Deerfield, MA 01373.

D. De niño(-a). Explíquele a un(-a) compañero(-a) de clase lo que Ud. y su familia hacían los fines de semana cuando Ud. era niño(-a). Después compare su lista con la lista de un(-a) compañero(-a) de clase. ¿Qué actividades tienen Uds. en común?

Describing People

Formation and Agreement of Adjectives

In order to describe family members and friends as well as their belongings, you need to use a wide variety of adjectives.

In Spanish, adjectives change form in order to agree in gender and number with the person or thing being described. There are four basic categories of descriptive adjectives.

a. Adjectives ending in **-o** have four forms: **viejo, vieja, viejos, viejas.**

b. Adjectives ending in a vowel other than **-o** have two forms and add **-s** to become plural: **alegre, alegres.**

c. Adjectives ending in a consonant have two forms and add **-es** to become plural: **azul, azules.**

d. Adjectives of nationality have four forms and have special endings:

1. Adjectives of nationality ending in a consonant such as **español: español, española, españoles, españolas.**
2. Adjectives of nationality ending in **-és** such as **francés: francés, francesa, franceses, francesas.** Note that the accent mark is used on the masculine singular form only.
3. Adjectives of nationality ending in **-án** such as **alemán: alemán, alemana, alemanes, alemanas.** Note that the accent mark is used on the masculine singular form only.

e. Descriptive adjectives may follow a form of **ser** or **estar**. In general, adjectives denoting a characteristic are used with **ser** while adjectives of condition are used with **estar**.

Generalmente mi prima Antonia
es muy alegre y divertida,
pero hoy **está** muy cansada
y deprimida.

*Generally my cousin Antonia
is cheerful and fun-loving,
but today she's very tired
and depressed.*

f. Descriptive adjectives may also follow the nouns they modify.

Mi familia vive en una
casa **grande y vieja.**

*My family lives in a big,
old house.*

Práctica y conversación

A. La familia Aguilar. Los Aguilar acaban de comer y ahora están en la sala haciendo diferentes actividades. Describa a los miembros de la familia con diversos adjetivos.

B. Actividades familiares. En el dibujo de **Práctica A,** Ud. ve algunas de las actividades de la familia Aguilar. Su compañero(-a) va a mirar otro dibujo de esta familia que muestra otras actividades. Hablen sobre las actividades de cada persona hasta que describan todas las actividades de la familia Aguilar. Su compañero(-a) va a utilizar el segundo dibujo de este ejercicio que está en el **Apéndice A.**

C. Lo ideal. Utilizando por lo menos tres adjetivos, exprese cuál es para Ud. la versión ideal de las siguientes cosas y personas. Después, compare sus respuestas con las de su compañero(-a) de clase. ¿Están Uds. de acuerdo? ¿Por qué sí or por qué no?

las vacaciones / el coche / el (la) novio(-a) / el empleo / el (la) profesor(-a)

D. ¿Quién es? Trabaje en grupos de tres. Piense en alguien que está en la clase pero no les diga a sus compañeros(-as) quién es. Para adivinar quién es, ellos(-as) deben hacerle a Ud. siete preguntas sobre su descripción física.

Expressing Endearment

Diminutives

To express endearment, smallness, or cuteness in English you frequently add the suffix *-y* or *-ie* to the ends of proper names and nouns: *Billy, Jackie, sonny, birdie*. Spanish uses a similar suffix to express endearment.

To make a nickname of endearment or to indicate smallness or cuteness the suffix **-ito(-a)** can be attached to many words, but especially to nouns and adjectives. The gender of the noun generally remains the same.

   a. Feminine nouns ending in **-a** drop the **-a** ending and add -**ita: Ana > Anita; casa > casita.** Masculine nouns ending in **-o** drop the **-o** ending and add **-ito: Pedro > Pedrito; libro > librito.**

   b. Most nouns ending in a consonant add the suffix onto the end of the noun: **Juan > Juanito; papel > papelito.**

   c. Some words will undergo minor spelling changes before the suffix **-ito(-a)** is added.

      1. Words ending in **-co / -ca** change the **c** to **qu: Paco > Paquito; chica > chiquita.**
      2. Words ending in -**go / -ga** change the **g** to **gu: amiga > amiguita; lago > laguito.**
      3. Words ending in **-z** change the **z** to **c: lápiz > lapicito; taza > tacita.**

   d. Alternate forms of this suffix are **-cito** and **-ecito: café > cafecito; mujer > mujercita; nuevo > nuevecito.**

   e. Certain regions of the Spanish-speaking world prefer their own diminutive suffixes such as the suffix **-ico(-a)** used in Costa Rica.

Práctica y conversación

A. Unos nombres populares. Dé el diminutivo de estos nombres.

Juan / Juana / Ana / Pepe / Paco / Luis / Marta / Manolo / Ramona

B. ¿Qué es esto? Dé una definición o una descripción de cada palabra.

un regalito / una casita / un librito / una jovencita / un perrito / un papelito / una abuelita / un chiquito / una cosita / un gatito

Siga practicando el vocabulario y las estructuras gramaticales de **Capítulo 3, Primera situación** en *Interacciones CD-ROM.*

Segunda situación

Presentación

La boda de Luisa María

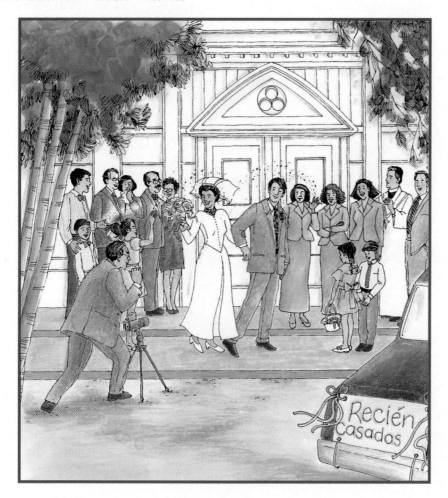

Práctica y conversación

A. Más parientes. ¿Quiénes son los siguientes parientes políticos?

1. Susana se casó con Marcos; por eso, ella es la _____ de Marcos.
2. El padre de Marcos es el _____ de Susana.
3. La hermana de Susana es la _____ de Marcos.
4. Susana es la _____ de los padres de Marcos.

Warm-up 2. Ask students to describe a typical wedding in the U.S. or their native country. They should explain who participates, what people wear, what the church / temple looks like, what receptions are like, what food and drink is served. Then ask them if they have ever been to a wedding in Spain or Latin America. If they have, the students should describe the differences; if they have not, the instructor should describe the differences. Weddings in Spain / Latin America: Generally there are no ushers, no best man, no maids of honor; there is a godmother and a godfather (usually the bride's father and the groom's mother); there is a ring bearer (a young boy or girl); there are lots of flowers and a red carpet. Guests are mostly family and friends and they wear very elegant clothes. Then use the drawing of **La boda de Luisa María** at the begining of this **Situación** and ask students if this is a typical U.S. wedding or a wedding in Spain / Latin America. They should justify their conclusions.

Warm-up 2. Ask students: **¿Qué ve Ud. en el dibujo?** Students should work in pairs and prepare a mental list (not written) of the people and objects that they see in the drawing. Then, have students report out their findings to the entire class. Finally, have students explain what activities the various people in the drawing are engaging in.

Presentación, Práctica A Answers. 1. esposa **2.** suegro **3.** cuñada **4.** nuera **5.** suegra **6.** hijastro **7.** yerno **8.** madrastra

5. La madre de Susana es la _____ de Marcos.
6. El hijo de un matrimonio anterior de Marcos es el _____ de Susana.
7. Marcos es el _____ de los padres de Susana.
8. Susana es la _____ del hijo del matrimonio anterior de Marcos.

B. El hombre (La mujer) de mis sueños. Haga una lista de siete cualidades que debe tener su hombre (mujer) ideal. Sin mirar esta lista, su compañero(-a) de clase le va a hacer preguntas hasta que adivine cinco de las cualidades que Ud. puso en su lista. Luego le toca a Ud. adivinar cinco cualidades que tiene el hombre (la mujer) ideal de su compañero(-a).

C. Un día especial. ¿Para qué día especial es este anuncio? ¿A quiénes está dirigido el anuncio? ¿Qué comidas y bebidas hay en el anuncio? ¿Qué servicios ofrece Publix para este día?

...Y PARA TODA LA VIDA.

Hoy te unes a tu ser más querido para toda la vida. Es el día de tu boda.

Y para que esta ocasión tan especial quede como la has soñado, Publix te complace con deliciosos platos preparados. Bellos arreglos florales. Finas champañas y vinos de cosecha. Hermosos cakes confeccionados a tu gusto. Y fotografías que captan para siempre la emoción de este gran momento. En un día como hoy, confía en el buen gusto y la esmerada atención de Publix. Tu boda será un sueño.

Publix

Donde comprar es un placer.

D. Creación. En una narración cuente lo que pasa en el dibujo de la **Presentación**.

Vocabulario

Los novios	**Engaged couple**	la luna de miel	*honeymoon*
el anillo de boda	*the wedding ring*	la madrina	*godmother / maid of honor*
de compromiso	*engagement ring*		
el cariño	*affection*	el marido	*husband*
los esponsales	*engagement*	el novio	*groom*
el (la) novio(-a)	*fiancé(e)*	la novia	*bride*
el noviazgo	*engagement period*	el padrino	*godfather / best man*
la pareja	*couple*	el regalo de bodas	*wedding gift*
la petición de mano	*marriage proposal*	los recién casados	*newlyweds*
comprometerse con	*to become engaged to*	la torta de bodas	*wedding cake*
		el traje de novia	*wedding gown*
enamorarse de	*to fall in love with*	casarse con	*to marry*
salir con	*to date*		
tener celos	*to be jealous*	**Los parientes políticos**	**In-laws**
		el cuñado	*brother-in-law*
La boda	**Wedding**	la cuñada	*sister-in-law*
la ceremonia de enlace	*wedding ceremony*	el hermanastro	*stepbrother*
la cena	*wedding reception*	la hermanastra	*stepsister*
el cura	*priest*	el hijastro	*stepson*
el padre		la hijastra	*stepdaughter*
la dama de honor	*bridesmaid*	la nuera	*daughter-in-law*
el día de la boda	*wedding day*	el padrastro	*stepfather*
el esposo	*husband*	la madrastra	*stepmother*
la esposa	*wife*	el suegro	*father-in-law*
la iglesia	*church*	la suegra	*mother-in-law*
el (la) invitado(-a)	*guest*	el yerno	*son-in-law*

Vocabulario regional. In México the word for *fiancé(e)*=**el (la) prometido(-a).**

Vocabulario suplementario. la boda, el casamiento, la ceremonia de enlace matrimonial = *wedding ceremony;* **echarles flores y arroz =** *to throw flowers and rice;* **lucir traje de novia y velo =** *to wear a wedding gown and veil.*

Así se habla

Extending, Accepting, and Declining an Invitation

Have students describe a situation similar to the one in the photo. Have them talk about the situation by explaining who went, what the occasion was, what everybody was wearing, where and when the event took place.

Point out. Explain the meaning of the following expressions: **Aprovecho que te veo...** = *Now that I see you;* **Hemos pasado unas semanas..., pero bueno... ahora ya está bien.** = *We've gone through a hard time, but everything is going well now.*

Have various students play the different roles and read the dialogue aloud. Correct pronunciation after the whole dialogue has been read.

Comprehension check. After students have read the dialogue ask them specific questions: **¿Qué va a pasar el próximo sábado y a qué hora? ¿Cuál es el motivo de la reunión? ¿Qué frase se usa para hacer la invitación? ¿Quiénes han sido invitados? ¿Fue aceptada esta invitación? ¿Qué frase se usó para hacerlo?** *Answers:* **Va a haber una reunión en la casa de Cristina a las siete u ocho. Es una reunión para pasar un rato agradable con los amigos. La frase para hacer la invitación es «Quiero que vayas con Ramiro.» Los invitados son los amigos. La invitación fue aceptada con las frases «Perfecto. Ahí estaremos.»**

La celebración de un aniversario

Cristina	Hola, Ana María, ¡qué gusto de verte!
Ana María	¡Hola! ¡Qué milagro es éste!
Cristina	Así es. Mira, aprovecho que te veo para decirte que la próxima semana, el sábado, vamos a tener una reunión en la casa y quiero que vayas con Ramiro. Tú sabes que Juancho estuvo muy enfermo.
Ana María	¡No me digas! ¡Cuánto lo siento! ¡Yo no sabía nada!
Cristina	Sí, fue muy feo. Tuvo un virus y no sabían qué era. Hemos pasado unas semanas..., pero bueno... ahora ya está bien. Por eso queremos reunirnos con los amigos. No es nada formal, ni mucho menos, sino sólo para estar juntos y pasar un rato agradable, nada más.
Ana María	Oye, con mucho gusto. ¿A qué hora quieres que vayamos?
Cristina	Como a las siete u ocho, ¿te parece?
Ana María	Perfecto. Ahí estaremos. Muchas gracias y me alegro mucho que Juancho esté bien ya. Dale un saludo de mi parte.
Cristina	Ay sí, francamente... Gracias. ¡Estoy feliz!

If you want to invite someone to do something, you might use the following expressions.

¿Cree(-s) que podría(-s) venir a... este...?	*Do you think you could come to... this...?*
Estoy preparando un(-a)..., y me gustaría que Ud. (tú) viniera(-s).	*I am preparing a (an) ..., and I'd like you to come.*
El próximo viernes / sábado vamos a tener una reunión en casa.	*Next Friday / Saturday we are going to have a party at home.*

If you want to accept an invitation, you might say:

Con mucho gusto. ¿A qué hora?	*I'd be glad to. At what time?*
Ahí estaré / estaremos.	*I / we will be there.*
Muchísimas gracias. Ud. es (Tú eres) muy amable.	*Thank you very much. You are very kind.*
Será un placer.	*It'll be a pleasure.*

If you want to decline an invitation, you can use the following phrases.

Me encantaría, pero...	*I'd love to, but...*
Qué lastima, pero...	*What a shame (pity), but...*
Cuánto lo lamento / lo siento, pero...	*I'm sorry but...*
En otra ocasión será.	*Some other time.*
Quizás la próxima vez.	*Maybe next time.*

If you are having a party and one of the persons you invited declines your invitation, you may want to reply with one of the following expressions.

¡Qué pena que no pueda(-s) venir!	*What a shame that you can't come!*
Lo (La) / Te voy a echar de menos.	*I am going to miss you.*

Práctica y conversación

A. ¿Quieres venir? Trabajando en parejas, dramaticen estas situaciones.

1. Este sábado hay un almuerzo familiar en casa de su abuela y Ud. quiere llevar a su novio(-a). Invítelo(-la). Él (Ella) no puede ir.
2. La próxima semana es el aniversario de sus padres y Ud. está preparando una fiesta para ellos. Llame a su tío(-a) e invítelo(-la) con toda su familia. Él (Ella) acepta.
3. Ud. está haciendo los preparativos para su fiesta de graduación. Llame a su abuelo(-a) e invítelo(-la). Él (Ella) acepta.
4. Ud. está preparando una fiesta en su casa e invita a su profesor(-a) de español. Él (Ella) no acepta.

B. Lo siento, pero... Con un compañero(-a) de clase, sostenga la siguiente conversación.

Estudiante 1	**Estudiante 2**
1. Invite your friend to your birthday party.	2. Say you would like to go, but have a family gathering that same day.
3. Say you are disappointed.	4. Make arrangements for a future date.
5. Agree.	6. Congratulate your friend on his / her birthday.
7. Thank your friend and say goodbye.	8. Respond.

Así se habla, Práctica A Answers. *Answers vary.*

Warm-up Práctica B. Divide the students in pairs and talk about how they plan their birthday party, who they invite, what they eat and drink. Then, ask them to role-play the situation described using the phrases they have learned. Students should be encouraged to give complete and interesting answers, interesting excuses, and exciting plans for the future.

Así se habla, Práctica B Answers. *Answers vary.*

Estructuras

Discussing Conditions, Characteristics, and Existence

Uses of ser, estar, *and* haber

In English the verb *to be* is used for a variety of functions and situations. In Spanish there are several words that are used as the equivalent of *to be*. You will need to learn to distinguish and use **ser, estar,** and **haber** in order to discuss and describe characteristics and conditions.

Compare the uses of **ser** and **estar** in the following chart.

<table>
<tr><td>

Uses of ESTAR

1. With adjectives to express conditions or health:
    ¿Cómo **está** ... ?
    Anita **está** enojada.
    Estoy muy bien pero mi esposo **está** enfermo.
2. To express location:
    ¿Dónde **está** ... ?
    Taxco **está** en México.
    Mis suegros **están** en una fiesta hoy.
3. With **de** in certain idiomatic expressions denoting a condition or state of being:
    estar de acuerdo
    estar de buen / mal humor
    estar de huelga
    estar de pie
    estar de vacaciones
    estar de + *profession*
    Manolo **está** de vacaciones.
    Está de camarero en un café en la playa.
4. With the present participle in progressive tenses:
    ¿Qué **estás** haciendo?
    Estoy hablando con mi nuera.

</td><td>

Uses of SER

1. With adjectives to express traits or characteristics:
    ¿Cómo **es** ... ?
    Anita **es** linda y muy coqueta.
    Soy baja pero mi esposo **es** alto.
2. To express time and location of an event:
    ¿Dónde y cuándo **será** la boda?
    Será en la Iglesia San Vicente a las dos.
3. With **de** to express origin:
    ¿De dónde **es** ... ?
    Felipe **es** de Guadalajara.
4. With **de** to show possession:
    ¿De quién **es** esa casa?
    Es de mi madrastra.
5. With nouns to express who or what someone is:
    ¿Quién **es** ... ?
    Es mi prima Carolina. **Es** abogada.
6. To express time and season:
    ¿Qué hora **es**?
    Son las cuatro en punto.
    Era verano.
7. To express nationality:
    Manuel **es** mexicano.

</td></tr>
</table>

Point out. The only use that both **ser** and **estar** share is when they are followed by adjectives. Emphasize **estar** + adjectives that express a state or condition and **ser** + adjectives that express an inherent characteristic.

Point out. Estar is used with **vivo / muerto** because "alive" and "dead" are viewed as states or conditions and not as an inherent characteristic of human beings.

Supplemental grammar. Sometimes there is a complete change in the meaning of a sentence depending on whether **ser** or **estar** is used with the adjective or adverb: **Carlos es aburrido.** = *Carlos is boring.* **Carlos está aburrido.** = *Carlos is bored.* **María es mala.** = *María is bad (evil).* **María está mala.** = *María is sick (in poor health).* **José es listo.** = *José is clever (smart).* **José está listo.** = *José is ready.* **La manzana es verde.** = *The apple is green (its natural color).* **La manzana está verde.** = *The apple is green (unripe).* **Ana es viva.** = *Ana is lively (alert).* **Ana está viva.** = *Ana is alive.*

a. Normal speech patterns favor the use of certain adjectives with **ser** or with **estar.**

estar casado(-a)	*to be married*	ser alegre	*to be happy*
estar contento(-a)	*to be happy*	ser feliz	*to be happy*
estar muerto(-a)	*to be dead*	ser soltero(-a)	*to be single, unmarried*

b. **Hay** and its equivalent in other tenses, such as **había, hubo,** or **habrá,** are used to indicate existence. **Hay** means both *there is* and *there are.*

Este año **hay** muchos novios en nuestra familia y por eso **habrá** dos bodas este verano.

This year there are many engaged people in our family and for that reason there will be two weddings this summer.

Hay stresses the existence of people and things; it will be followed by a singular or plural noun or an indefinite article, number, or adjective indicating quantity such as **muchos, varios, otros, +** *noun.*

¿**Hay** un restaurante mexicano por aquí?

Is there a Mexican restaurant around here?

¿**Hay** (muchos) restaurantes mexicanos por aquí?

Are there (many) Mexican restaurants around here?

Estar stresses location and will be followed by a *definite article + noun.*

¿Dónde **está** el restaurante mexicano?

Where is the Mexican restaurant?

Práctica y conversación

A. La boda de Luisa María. Haga oraciones con la forma adecuada de **ser** o **estar** para describir la boda de Luisa María.

MODELO   la boda / a las siete
La boda es a las siete.

1. los padres / contentos
2. las madres / un poco tristes
3. la ceremonia / en la iglesia nueva
4. el novio / abogado
5. Luisa María / linda y coqueta
6. la madrina / cubana
7. el padrino / de vacaciones
8. los novios / nerviosos

B. Un autorretrato. Descríbase a sí mismo(-a) usando las siguientes palabras.

MODELO   triste / de Nueva York
(No) Estoy triste.
(No) Soy de Nueva York.

joven / casado(-a) / estudiante / preocupado(-a) / en casa / inteligente / en Acapulco / cubano(-a) / ¿?

C. Así era. Complete las oraciones de una manera lógica para describir su juventud.

1. Mis amigos(-as) eran / estaban _____.
2. Mi novio(-a) era / estaba _____.
3. Mi familia era / estaba _____.
4. Mis profesores(-as) eran / estaban _____.
5. Yo era / estaba _____.
6. Mi casa / apartamento era / estaba _____.

D. Su boda. Es el día de su boda. Explique qué y cuántas cosas hay en la iglesia y en la recepción. Después explique dónde están y cómo son.

la torta de bodas / el cura / las sillas / los invitados / los regalos / las flores / los parientes políticos / la música

E. Entrevista. Pregúntele a un(-a) compañero(-a) de clase qué cosas tiene en los siguientes lugares, dónde están estas cosas y cómo son. Su compañero(-a) debe contestar en una manera lógica.

en su coche / en su dormitorio / en su mochila / en su casa o apartamento / en su clase de español

Indicating Ownership

Possessive Adjectives and Pronouns

Possessive adjectives and pronouns are used in order to avoid repeating the name of the person who owns the item in question.

Is that *Ricardo's* fiancée?
No, *his* fiancée couldn't come to the party.

Spanish has two sets of possessive adjectives: the simple, unstressed forms and the longer, stressed forms.

Possessive Adjectives

	Unstressed Forms	Stressed Forms
my	mi(-s)	mío(-a, -os, -as)
your	tu(-s)	tuyo(-a, -os, -as)
his, her, your	su(-s)	suyo(-a, -os, -as)
our	nuestro(-a, -os, -as)	nuestro(-a, -os, -as)
your	vuestro(-a, -os, -as)	vuestro(-a, -os, -as)
their, your	su(-s)	suyo(-a, -os, -as)

a. The possessive adjective refers to the owner / possessor while the ending agrees with the person or thing possessed: *his brothers* = **sus hermanos / los hermanos suyos;** *our wedding* = **nuestra boda / la boda nuestra.**

b. Unstressed possessive adjectives precede the noun they modify.

Mañana es **mi** cumpleaños. *Tomorrow is my birthday.*

c. Stressed possessive adjectives are used less frequently than the unstressed forms. They follow the noun they modify, and the noun is usually preceded by the definite article, indefinite article, or a demonstrative adjective.

$$\left.\begin{matrix}un\\el\\este\end{matrix}\right\} primo\ nuestro \qquad \left.\begin{matrix}a\\the\\this\end{matrix}\right\} cousin\ of\ ours$$

d. Since **su / sus** and **suyo / suyos** have a variety of meanings, the phrase *article + noun + de + pronoun* is often used to avoid ambiguity. While **su regalo** could have several meanings, **el regalo de Ud.** can only mean *your gift.* Likewise, **el regalo de ellos** can only mean *their gift.*

e. Possessive pronouns preceded by the definite article are used in place of the *stressed possessive adjective + noun:* **la hija mía > la mía** = *my daughter > mine.* Both the article and the possessive pronoun ending agree in number and gender with the item possessed.

¿Cuándo es la boda de Tomás?	*When is Tomas' wedding?*
No sé, pero **la mía** es el 27.	*I don't know, but mine is the 27th.*

f. The possessive pronoun is always preceded by the definite article. The stressed possessive without the article is used after forms of **ser.**

¿De quién es este coche?	*Whose car is this?*
No es **mío. El mío** es rojo.	*It isn't mine. Mine is red.*

Práctica y conversación

A. **¿Dónde está...?** Ud. no puede encontrar varias cosas suyas. Pregúntele a su compañero(-a) si él (ella) las tiene.

MODELO
Usted: **¿Tienes mi lápiz?**
Compañero(-a): **¿El tuyo? No, no lo tengo.**

libros / cartas / cuaderno / invitación / apuntes / revista / ¿?

B. **Después de la recepción.** Después de la recepción varias personas han olvidado algunas cosas. Pregúntele a un(-a) compañero(-a) de clase de quién son las cosas olvidadas.

MODELO
suéter / **Martín** / nuevo
Usted: **¿De quién es este suéter? ¿De Martín?**
Compañero(-a): **No, no es suyo. El suyo es nuevo.**

1. chaqueta / Federico / azul
2. sombrero / Héctor / gris
3. discos / Gloria / mexicanos
4. vídeo / Elena / de Francia
5. zapatos / Ernesto / más viejos
6. abrigo / Rita / negro

C. Una boda ideal. Ud. y su compañero(-a) de clase hablan de cómo quieren que sean sus bodas y comparan sus planes con las bodas de sus padres. Comparen los anillos de compromiso y de matrimonio, la ceremonia de enlace, la cena, la torta, los padrinos, los invitados, la luna de miel y otras cosas. Luego, informen a la clase sus planes.

Focusing on Specific Information

When you listen to a passage, conversation, or announcement, you do not always need to understand every single word that is being said. Sometimes you just focus on certain details or specific information. For example, if you are at the airport and you want to know what gate your flight leaves from, you do not listen attentively to everything the announcer has to say. Instead, you just focus on your flight number and gate number.

Ahora, escuche el diálogo entre Teresa y Leonor. Preste atención a la invitación que se hace y haga los siguientes ejercicios.

A. Información general. Después de escuchar el diálogo llene el siguiente cuadro.

Motivo de la reunión	
Tipo de reunión	
Día	
Hora	
Invitados	

B. Algunos detalles. Conteste las siguientes preguntas acerca de la conversación.

1. ¿Cuál fue la reacción de la amiga cuando recibió la invitación? ¿Por qué?
2. ¿Por qué quiere llevar Leonor a un invitado?
3. Además de los invitados mencionados, ¿quién más va a participar en esta reunión? Justifique su respuesta.

Siga practicando el vocabulario y las estructuras gramaticales de **Capítulo 3, Segunda situación** en *Interacciones CD-ROM*.

Tercera situación

Perspectivas

Los apellidos en el mundo hispano. Cultural practice: formation of Hispanic surnames; method of alphabetizing Hispanic surnames.
Cultural comparison: surnames in the two cultures, surnames of the woman after marriage, surnames of newborn children.

Warm-up. Prior to reading the cultural information, have students place the following names in alphabetical order: *Betsy Ellen Johnson / Kevin Robert O'Dell / Paul Robert Montgomery, Jr. / Howard Brian Kim / Kim Bryan-Howard / Elizabeth Ann Hunter. Answers: Kim Bryan-Howard / Elizabeth Ann Hunter / Betsy Ellen Johnson / Howard Brian Kim / Paul Robert Montgomery, Jr. / Kevin Robert O'Dell.* Have students explain the system we use to alphabetize. Explain that the same system cannot be used with Hispanic names. Then proceed to the cultural information to explain the system for Hispanic surnames.

Los apellidos en el mundo hispano

Los hispanos acostumbran llevar tanto el apellido paterno como el apellido materno, en ese orden. Por ejemplo, en el nombre Luis Felipe Loyola Chávez, Loyola es el apellido paterno y Chávez, el materno. Sin embargo, es necesario destacar que normalmente la persona será identificada por el apellido paterno.

Algunos apellidos (paternos o maternos) son compuestos y se utiliza un guión *(hyphen)* para unirlos; por ejemplo, Ruiz-Fernández. Las personas que llevan un apellido compuesto también llevan el otro apellido; por ejemplo, Mariano Ruiz-Fernández Salas. En este caso, Ruiz-Fernández es el apellido paterno y Salas el apellido materno. En el caso de María Cecilia Chocano Pérez-Sosa, Chocano es el apellido paterno y Pérez-Sosa, el apellido materno.

Al casarse, la mujer añade el apellido paterno de su esposo a su apellido de soltera, utilizando la partícula **de**. Por ejemplo, si Carmela Vásquez Mendoza se casa con Francisco Ortega Reyes, su nombre de casada será Carmela Vásquez de Ortega y sus hijos se apellidarán Ortega Vásquez.

Eduardo García Olmos · Javier Figueroa Meléndez
Ana Estrada de García · Irma Lado de Figueroa

tienen el agrado de participar a usted
al próximo matrimonio de sus hijos

Luisa María y José Alberto

e invitarlo a la ceremonia religiosa que se realizará
el miércoles 2 de marzo, a las siete horas de la noche
en la Iglesia San José de Miraflores
(Avenida Dos de Mayo, 259)

Después de la ceremonia sírvase pasar a
los salones de la iglesia

Práctica

Una invitación de boda. Busque en la invitación presentada aquí los siguientes datos.

1. el nombre de los padres de la novia
2. el nombre de los padres del novio
3. el nombre del novio
4. el nombre de la novia antes de casarse
5. el nombre de la novia después de casarse
6. los apellidos que tendrá su futuro hijo, Carlos

Panorama cultural

La vida de una familia

A. La familia Cruz Barahona. La familia Cruz Barahona maneja la Hostería San Jorge, un complejo turístico cerca de Quito, Ecuador. Con un(-a) compañero(a) de clase describa a Jorge Cruz Barahona, la persona de la siguiente foto. En su opinión, ¿quién es él? ¿Qué papel tiene dentro de la familia y qué hace en la Hostería? ¿Quiénes son los otros miembros de la familia y qué hacen ellos en el complejo turístico?

B. El trabajo familiar. Utilizando la información del vídeo, empareje el trabajo con el miembro de la familia que lo realiza.

1. maneja la cocina
2. se dedica a las labores de floricultura
3. realiza la animación musical
4. administra la propiedad
5. realiza las relaciones públicas
6. organiza la hostería
7. ayuda en los jardines

la abuela
el abuelo
la esposa / la madre
el esposo / el padre
la hija / la nieta

En su opinión, ¿es ésta una familia tradicional o contemporánea? Justifique su respuesta.

Recognizing Cognates

Cognates are words that have similar spellings and meanings in two different languages. Recognizing cognates will facilitate your reading and will allow you to guess and predict the meaning of words without resorting to a dictionary. Knowledge of word formation will greatly improve your ability to recognize cognates.

1. The easiest kind of cognates to recognize are those that are exactly alike in Spanish and English, such as the nouns **el animal / la crisis** or the adjectives **general / rural.**
2. Many cognates are based on an English word + **-a, -e,** or **-o: económica / importante / contento.**
3. The prefix **esp-** = *sp-*: **espléndido**; the prefix **est-** = *st-*: **el estilo.**
4. The suffix **-ción** = *-tion:* **la composición** = *composition.* Nouns ending in **-ción** are always feminine: **la investigación.**
5. The suffix **-dad** = *-ty:* **la sociedad** = *society.*
6. The suffix **-ia** = *-e* or *-y:* **la provincia** = *province;* **la familia** = *family.*

It is important to learn to recognize cognates even when endings are embedded within a word, such as **-ción** embedded within **generaciones** or **-dad** embedded in **sociedades.**

Práctica

A. Unos cognados. ¿Qué quieren decir las siguientes palabras en inglés? Todas las palabras aparecen en la lectura «El encanto *(charm)* de Guadalajara».

1. Cognates exactly like the English word: **popular / la capital / el plan / el picnic**
2. Cognates composed of an English word = **-a, -e,** or **-o: el tráfico / el público / el arte / la parte / los bares / los clubes / rápido / parte / excelentes / modernos**
3. Cognates with the prefix **esp-: el espacio**
   Cognates with the prefix **est-: el estado / el estudio / las estructuras**
4. Cognates with the suffix **-ción: una población / la transición / una sensación / la descentralización / las diversiones**
5. Cognates with the suffix **-dad: la ciudad / la actividad / la complejidad**
6. Cognates with the suffix **-ia: la historia / la presencia**

B. El título. Considere el título «El encanto *(charm)* de Guadalajara». ¿Qué quiere decir? En su opinión, ¿de qué trata el artículo?

Lectura cultural   **El encanto de Guadalajara**

Guadalajara: La plaza mayor y la catedral

Se podría° pensar que la segunda ciudad en tamaño° de un país de la extensión y complejidad de México sería° una versión en pequeño de la capital, que tendría° el mismo gentío° y el mismo frenesí° de tráfico y actividad comercial. Guadalajara, sin embargo, es diferente. Es una ciudad grande de encanto pueblerino°, una alternativa al torbellino° de la Ciudad de México.   ^{One could / size · would be / would have · crowd / frenzy · small-town / whirlwind}

El viaje en auto desde el aeropuerto da la tónica°. Es un viaje de 20 minutos a través de campos con cultivos y ganado°. No tiene suburbios que se extiendan. La transición del campo a los barrios residenciales de la ciudad es gradual. Los vehículos se mueven con calma, aunque el tráfico se está haciendo más rápido. Guadalajara está creciendo° muy rápido, particularmente como consecuencia del plan de descentralización gubernamental; están trasladando° oficinas del gobierno° del D.F. a otros lugares del país.   ^{keynote · livestock · growing · moving / government}

Guadalajara, que tiene una población de unos 4.000.000 de habitantes, es la capital de Jalisco. En la parte antigua de la ciudad se combinan armoniosamente edificios coloniales del gobierno con estructuras modernas de acero° y cristal°. El clima benigno de la ciudad hace que la gente disfrute de estar en la calle y gran parte de las diversiones son al aire libre. Para pasar un buen rato bajo el cielo azul de la ciudad, muchas personas acostumbran a dar un paseo en coche de caballos° por las calles del centro.   ^{steel / glass · horse-drawn carriage}

Si a uno le gusta caminar, encuentra que hay una serie de parques que son excelentes para ir de picnic los domingos. Desde 1898, la banda del estado de Jalisco deleita° al público todos los jueves y domingos a las 6:30 de la tarde en la Plaza de Armas. El visitante puede oírla descansando en la plaza. O quizás prefiera sentarse en uno de los cafés de la Plaza de los Mariachis° y escuchar los conjuntos que tocan allá. No hay mariachis más auténticos que éstos, porque Jalisco es la cuna° del mariachi.   ^{delights · typical Mexican musical group · birthplace}

En la ciudad hay más de 200 iglesias; entre ellas se destaca° la catedral empezada en 1561. Las cuatro plazas que están a los cuatro lados de la catedral crean° una sensación de espacio en el centro de la ciudad.   ^{stands out · create}

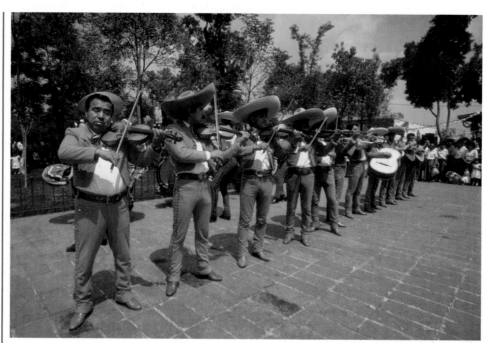

Unos mariachis

pintor de murales

it's worth the effort

shopping malls
footwear

shores

Si quiere ver museos, en Guadalajara hay muchos, desde museos de paleontología y arqueología hasta historia regional y arte popular. Sin embargo, lo que domina es la presencia de José Clemente Orozco, uno de los tres grandes muralistas° modernos de México. Orozco vivió en Guadalajara antes de su muerte en 1949 y su casa y su estudio están convertidos en museo.

En general vale la pena° ir de compras en Guadalajara, porque muchos artículos cuestan hasta un 30 por ciento menos que en la capital. En la ciudad hay seis grandes centros comerciales° modernos. Probablemente lo que se consigue a mejor precio son los zapatos porque Guadalajara es uno de los principales centros manufactureros de calzado° de México.

Para terminar bien la visita a Guadalajara se puede viajar al sur de la ciudad para ver el lago Chapala, el más grande de México. A orillas° de este lago hay muchos pueblecitos; entre ellos un lugar único que se llama Ajijic. Allá el viajero cansado puede sentarse en un bar cerca del lago para disfrutar de una margarita y mirar el lago. Se puede visitar todos los bares y clubes de la capital sin encontrar una margarita tan buena ni una vista tan hermosa.

Comprensión

A. Identificaciones. Combine los elementos de la primera columna con los de la segunda.

1. una iglesia grande
2. un conjunto que toca música típica de México
3. un estado al noroeste de México
4. una bebida con tequila, limón y sal
5. un famoso pintor mexicano
6. el lago más grande de México
7. un pueblo cerca de Guadalajara

a. una margarita
b. Jalisco
c. Ajijic
d. José Clemente Orozco
e. los mariachis
f. una catedral
g. Chapala

El lago Chapala

B. ¿Cierto o falso? Decida si las siguientes oraciones son ciertas o falsas; después corrija las oraciones falsas.

1. Guadalajara es semejante a la capital de México.
2. Alrededor de Guadalajara hay suburbios grandes.
3. El gobierno está trasladando oficinas de la capital a otros lugares del país.
4. Guadalajara tiene un clima desagradable; por eso no hay muchas diversiones al aire libre.
5. La banda de Jalisco toca los jueves y los domingos a las 6:30.
6. Vale la pena ir de compras a Guadalajara.
7. Guadalajara es un centro manufacturero de automóviles.
8. Ajijic es un museo de arte moderno.

C. Las diversiones. Haga una lista de diversiones turísticas en Guadalajara. ¿Cuál(-es) prefiere Ud.? Explique.

D. La defensa de una opinión. ¿Qué evidencia hay en el artículo que confirma la siguiente idea? «Guadalajara no es una versión en pequeño de la capital de México.»

Para escribir bien

Extending and Replying to a Written Invitation

You have already learned to extend, accept and decline an oral invitation. The major difference in performing these functions in written form is that the person(-s) involved is (are) not present to ask questions or to offer an immediate reply to your invitation. When extending a written invitation, you will need to include all the details such as date, time, location, and purpose of the invitation. When replying, you will need to thank the person for the invitation and then graciously accept or decline. While in conversation a simple **"Con mucho gusto"** might be an appropriate acceptance, it sounds abrupt in written form. It is usually better to add more information in written invitations and replies. You can use phrases similar to those below or adapt the phrases of the previous **Así se habla** section.

To Extend a Written Invitation

Mi familia / novio(-a) / amigo(-a) y yo vamos a tener una fiesta para el cumpleaños de ... Te (Lo / La) invitamos (a Ud.) a celebrar con nosotros el sábado 21 de julio a las ocho de la noche en nuestra casa.

To Accept a Written Invitation

Muchas gracias por su invitación a la fiesta / cena / comida. Me (Nos) encantaría ir y acepto (aceptamos) con mucho gusto.

To Decline a Written Invitation

Muchas gracias por su invitación para cenar con Uds. Desgraciadamente no me es posible ir el viernes 16 porque tengo que trabajar. Lo siento mucho. Posiblemente podamos reunirnos otro día.

Composiciones

Composiciones Answers. *Answers vary for* **Composiciones A-C.**

A. Un(-a) antiguo(-a) profesor(-a). Un(-a) antiguo(-a) profesor(-a) suyo(-a) le escribió a Ud. para invitarlo(-la) a comer con él (ella) el jueves a las siete. Desgraciadamente Ud. tiene una clase a las siete de la noche. Escríbale una carta explicándole que le gustaría ir pero no puede. También mencione algo sobre su vida y sus estudios actuales.

B. Su tío(-a) favorito(-a). Su tío(-a) favorito(-a) vive muy lejos del resto de la familia. Escríbale una carta diciéndole que su hermano mayor va a casarse en junio. Como su tío(-a) no conoce ni a la novia de su hermano ni a su familia, descríbaselas a su tío(-a). Cuéntele cómo está la familia y añada algunos detalles de la boda. Invítelo(-la) a alojarse con Uds. el fin de semana de la boda.

C. Una reunión escolar. Ud. era el (la) presidente de su clase de la escuela secundaria. Su clase va a celebrar el décimo aniversario de su graduación. Escríbales una carta a los miembros de su clase invítandolos a la fiesta; déles todos los detalles. Para que ellos recuerden su vida de entonces y para que tengan ganas de asistir a la fiesta, describa cómo era un día típico en su escuela. También describa cómo eran algunos estudiantes y lo que hacían los fines de semana.

A. Una fiesta. Call a classmate to invite him / her to a party you are giving this weekend. Chat for a few minutes and then extend your invitation. Your classmate should inquire about the details of the party—who will be there, when it will start, where your house is located, if he / she can bring something to eat or drink. After your friend accepts your invitation, repeat the time, date, place and address again.

B. Celebraciones familiares. As a grandparent you often remember your youth with great nostalgia. Tell your grandchildren (played by your classmates) what a typical family celebration was like in your family. Explain what family members were present and what you used to do. Describe what various family members used to be like as well.

C. La sobremesa. You and three other classmates will each play the role of a member of a Hispanic family. It is Sunday afternoon and you have just finished eating. You still stay at the table and talk for a long time about family interests, activities and news about other family members.

D. La boda del año. You are a reporter for a local radio station and have been assigned to cover the wedding of the only daughter of a wealthy and prominent local citizen. As the guests and wedding party approach the church, describe them for your radio audience. Tell what the bride, groom, parents and other relatives are like and how they look or are feeling today. Explain how many people are present, who they are, etc. As the bride and groom approach, ask them how they feel on this important day.

Para saber más:
www.heinle.com

Communicative modes incorporated.
A: interpersonal;
B: presentational;
C: interpersonal;
D: presentational

Vocabulary incorporated.
A: expressions for extending, accepting and declining invitations;
B: family members, family activities; **C:** family members, family activities;
D: wedding vocabulary, family members

Grammar incorporated.
A: Asking and answering questions, **ser** vs. **estar;**
B: imperfect tense; formation and agreement of adjectives; **C:** formation and agreement of adjectives; possessive adjectives and pronouns; **ser** vs. **estar; D:** formation and agreement of adjectives; possessive adjectives and pronouns; **ser** vs. **estar.**

Actividades Answers.
Answers vary for
Actividades A-D.

En el restaurante

Un lindo restaurante mexicano

Cultural Themes

México
Eating in Hispanic cafés and restaurants

Communicative Goals

Reading a menu and ordering in a restaurant

Indicating to whom and for whom actions are done
Expressing likes and dislikes
Refusing, finding out, and meeting
Making introductions
Narrating in the past
Talking about people and events in a series

Primera situación

Presentación

Me encantan las enchiladas

Casa Lupita
Menú turístico

Aperitivos	Appetizers
Botana	A plate of tortilla chips, tomatoes, avocados, chilies and salsa
Ceviche	Marinated fish and seafood
Cóctel de camarones	Shrimp cocktail
Cóctel de mariscos	Seafood cocktail
Chile con queso	Chili cheese dip
Ensalada de jícama	Jicama salad
Ensalada mixta	Tossed salad
Guacamole	Avocado dip
Nachos	Cheese and tortilla chips

Sopas	Soups
Caldo de pollo con fideos	Chicken noodle soup
Gazpacho	Chilled vegetable soup
Menudo	Tripe Soup
Sopa de aguacate	Avocado soup
Sopa de albóndigas	Meatball soup

Platos Principales	Entrées
Arroz con pollo	Chicken with rice
Chiles rellenos	Stuffed peppers
Enchiladas de pollo	Chicken enchiladas
Enchiladas suizas	Enchiladas with a sour cream sauce
Tacos de res o de pollo	Beef or chicken tacos
Huachinango	Red Snapper
Mole poblano	Chicken in sauce
Tamales	Tamales

Postres	Desserts
Almendrado	Almond pudding with custard sauce
Buñuelo	Deep-fried sugar tortillas
Empanadas de dulce	Turnovers with sweet fillings
Flan	Caramel custard
Fruta del tiempo	Seasonal fruit
Helados	Ice cream

Bebidas	Beverages
Agua mineral	Mineral water
Café	Coffee
Cerveza	Beer
Chocolate	Hot chocolate
Margarita	Tequila with lime juice
Té	Tea
Vino blanco	White wine
Vino tinto	Red wine

Servicio 15%   *Gratuity 15%*

Práctica y conversación

A. **¿Qué pide Ud.?** En el restaurante Casa Lupita, ¿qué va a pedir Ud... de aperitivo / de sopa / de plato principal / de postre / de bebida?

B. El restaurante Casa Lupita. Pregúntele a un(-a) compañero(-a) de clase lo que va a pedir en el restaurante Casa Lupita.

Pregúntele...

1. si va a pedir un aperitivo. ¿Cuál?
2. si quiere una ensalada. ¿Cuál?
3. qué sopa quiere.
4. qué quiere de plato principal.
5. qué quiere beber con el plato principal.
6. si va a pedir un postre. ¿Cuál?

C. ¡Tengo mucha hambre! Diga a qué categoría pertenecen los platos a continuación: bebida / carne / postre / plato principal / aperitivo / ¿? ¿Cuáles son los ingredientes principales de estos platos? ¿Qué plato(-s) preferiría pedir? ¿Por qué?

Ceviche

Enchiladas

Gazpacho

Flan

D. Creación. Trabajen en grupos de tres. Un(-a) compañero(-a) de clase va a hacer el papel de mesero(–a) *(waiter, waitress)* del restaurante Casa Lupita y los otros dos son los clientes. Antes de pedir, los clientes deben hacerle preguntas al (a la) mesero(-a) sobre los platos. Luego, pidan lo que quieren comer y beber.

Vocabulario

Los platos	Courses
el aperitivo	*appetizer*
la bebida	*beverage*
la carne	*meat*
el plato principal	*entrée, main course*
los mariscos	*seafood*
el pescado	*fish*
el postre	*dessert*
la sopa	*soup*

La comida	Food
el aguacate	*avocado*
la albóndiga	*meatball*
la almeja	*clam*
el arroz	*rice*
el atún	*tuna*
el caldo	*soup, broth*
el camarón	*shrimp*
la carne de cerdo	*pork*
el ceviche	*marinated fish and seafood*
el chile	*red or green pepper*
el cóctel	*cocktail*
la empanada	*turnover*

la enchilada	*cheese or meat filled tortilla*
la ensalada	*salad*
el fideo	*noodle*
el flan	*caramel custard*
la fruta	*fruit*
el gazpacho	*chilled vegetable soup*
el guacamole	*avocado dip*
el helado	*ice cream*
el huachinango	*red snapper*
la jícama	*jicama*
el lenguado	*sole*
el lomo de res	*beef tenderloin*
el mejillón	*mussel*
el menudo	*tripe soup*
el pollo	*chicken*
el taco	*crisp tortilla filled with meat, lettuce, tomatoes, cheese*

Las bebidas	Beverages
el café	*coffee*
la cerveza	*beer*
el chocolate	*hot chocolate*
el té	*tea*

Point out. Menu terms vary widely within the Spanish-speaking world. For example, in Spain **los entremeses / las tapas** = *appetizers* while **la entrada** = *entrée or main course*. However, in other countries **los aperitivos** = *appetizers* and **la entrada** = *first course*. In all countries **el plato principal** will be understood to mean *entrée* or *main course*. Tell students to use the menu of the restaurant in which they are eating as a guide for the vocabulary to use.

Point out. The word *food* has many equivalents in Spanish. **La comida** = *food (eaten during a meal, prepared food)*; **los comestibles** = *food (-stuffs, unprepared food as in* **una tienda de comestibles** = *grocery store)*; **los alimentos** = *food, nourishment.*

Vocabulario regional. In several countries of South America **la palta** = *avocado.* In Spain **la gamba** = *shrimp.*

Point out. La jícama is a root vegetable which is usually peeled and eaten raw. It is sometimes called the Mexican potato.

Warm-up 1. Así se habla. Have students describe the restaurant in the photo.

Warm-Up 2. Así se habla. Ask students to think about the English expressions they use to order in a restaurant. Have them explain what they think about before they order, how the waiter / waitress addresses them, how they address the waiter / waitress. Have them explain how they think this differs or is similar to the way it is done in the Hispanic world.

Así se habla

Ordering in a Restaurant

Un restaurante en el patio de un hotel

Mesero	Buenas tardes, ¿les puedo ofrecer algo para beber?
Manuel	¿Qué quisieras tomar, María Luisa?

María Luisa	Un agua mineral bien helada, por favor.
Manuel	*(Dirigiéndose al mesero)*: Y yo una cerveza bien fría, por supuesto.
Mesero	Muy bien, señor. Ahora mismo se las traigo.
	[*Al poco rato*]
Mesero	¿Están listos para pedir?
Manuel	¿Qué dices, María Luisa?
María Luisa	Sí. Yo quisiera un ceviche y un arroz con pollo, pero una porción pequeña, por favor.
Mesero	Muy bien, ¿y para el señor?
Manuel	Yo quiero un cóctel de mariscos y un lomo de res. Espero que la comida esté tan deliciosa hoy como la semana pasada.
Mesero	No se preocupe, señor. Le aseguro que le gustará mucho. Nuestros cocineros son de primera.

If you are in a restaurant your waiter or waitress may use the following expressions:

¿Cuántas personas son?	*How many are in your party?*
¿Qué desearía(-n) comer / tomar hoy?	*What would you like to eat / drink today?*
¿Le(-s) apetecería un(-a)...?	*Would you like a...?*
¿Desearía(-n) probar...?	*Would you like to try...*
Le(-s) recomiendo...	*I recommend...*
¿Qué le(-s) parecería...?	*How would you like...?*

If you are in a restaurant or cafeteria and you want to place your order you can use the following phrases:

Tráigame(-nos) el menú, por favor.	*Bring me (us) the menu, please.*
De aperitivo / plato principal / postre, quisiera / me gustaría...	*For an appetizer / entrée / dessert, I would like...*
No sé qué pedir / comer / tomar.	*I don't know what to order / eat / drink.*
¿Qué me / nos recomienda?	*What do you recommend (to me / us)?*
¿Podría regresar dentro de un momento, por favor?	*Could you come back in a minute, please?*
¿Cuál es la especialidad de la casa?	*What's the restaurant's speciality?*
¿Es picante / muy condimentado(-a) / pesado(-a)?	*Is it hot / very spicy / heavy?*

Práctica y conversación

A. ¡Hoy no estoy a dieta! Con un compañero(-a), dramaticen la siguiente situación. Una persona hará el papel de cliente y la otra el de mesero(-a).

Cliente	**Mesero(-a)**
	1. Se acerca y ofrece su ayuda.
2. Pide algo para beber.	3. Responde.
4. No sabe qué pedir y pide ayuda al (a la) mesero(-a).	5. Da información acerca de los platos del día, la especialidad de la casa, etc.
6. Quiere saber cómo es uno de los platos del día.	7. Explica.
8. Ordena lo que quiere.	9. Responde.

B. En Casa Lupita. Ud. y dos compañeros(-as) de clase se reúnen después de mucho tiempo y van a comer en el restaurante Casa Lupita. Dos estudiantes hacen el papel de clientes y uno(-a) el papel de mesero(-a). Dramaticen la situación y pidan su cena.

Estructuras

Indicating To Whom and For Whom Actions Are Done

Indirect Object Pronouns

Indirect object nouns and pronouns indicate to whom or for whom actions are done:
*Elena sent **us** a wedding invitation so we sent **her** a gift.*

—¿A quiénes **les** vas a dar esos regalos?
—**Le** doy este suéter **a mi papá** y **les** doy el juego **a mis hermanitos.**

Indirect Object Pronouns

Luis **me** dio un regalo.	*Luis gave a gift to me.*
Luis **te** dio un regalo.	*Luis gave a gift to you.* (fam. s.)
Luis **le** dio un regalo.	*Luis gave a gift to him, her, you.* (form. s.)
Luis **nos** dio un regalo.	*Luis gave a gift to us.*
Luis **os** dio un regalo.	*Luis gave a gift to you.* (fam. pl.)
Luis **les** dio un regalo.	*Luis gave a gift to them, you.* (form. pl.)

a. Indirect object pronouns are placed before a conjugated verb.

> **Les** traigo las ensaladas ahora mismo.   *I'll bring you the salads right away.*

b. When a conjugated verb and an infinitive or present participle are used together, the object pronoun may attach to the end of an infinitive or present participle or precede the conjugated verb. The indirect object pronoun must precede a conjugated verb. It may attach to the end of the infinitive or present participle or precede the conjugated verb.

> Luis va a explicar**me** el menú. }
> Luis **me** va a explicar el menú. }   *Luis is going to explain the menu to me.*

c. The indirect object pronoun must be attached to the end of an affirmative command and must precede a negative command.

> Cómpra**le** un lindo regalo a Laura   *Buy a nice gift for Laura but don't give the*
> pero no **le** des el regalo todavía.   *gift to her yet.*

d. Indirect object pronouns can be clarified or emphasized by using **a** + *prepositonal pronouns.*

> Le doy el café **a él** y **a ti** te doy   *I'm giving the coffee to him and I'm*
> el vino.   *giving the wine to you.*

e. In Spanish, sentences that contain an indirect object noun must also contain the corresponding indirect object pronoun.

> **Le** regalé un suéter **a mi papá.**   *I gave a sweater to my dad.*

Once the identity of the indirect object noun has been made clear, the indirect object pronoun can be used alone.

> **Le** preparé un sándwich **a Miguel**   *I prepared a sandwich for Miguel and*
> y después **le** di una cerveza.   *then I gave him a beer.*

Práctica y conversación

A. Comida para llevar. Ud. va a llevarles comida del restaurante Casa Lupita a sus amigos que no quieren salir a comer. Explique lo que Ud. escoge para cada persona. Use pronombres de complemento indirecto en sus respuestas.

> **MODELO**   una botana / a Susana
> Le llevo una botana a Susana.

a Juan / a los gemelos Sánchez / a ti / a Juana y a Lupe / a Isabel

B. Entrevista. Pídale favores a su compañero(-a) de clase. Su compañero(-a) va a contestar.

> **MODELO**   mandar una tarjeta postal
> Usted: **Mándame una tarjeta postal, por favor.**
> Compañero: **Sí, te mando una tarjeta postal esta tarde.**

prestar el coche / mostrar las fotos / dar los apuntes de la clase de historia / decir el número de teléfono / prestar cincuenta dólares / explicar los verbos / ¿?

C. ¡Qué trabajo! Ud. hace el papel de secretario(-a) en una oficina y un(-a) compañero(-a) hace el papel de jefe(-a). Explíquele a su jefe(-a) lo que Ud. hizo esta mañana para ayudarlo(-la) con el trabajo. Incluya actividades como las siguientes: comprarle flores a su esposo(-a); hacerle reservaciones en su restaurante favorito; escribirle una carta a un nuevo cliente; hablarles a las otras secretarias; sacar fotocopias.

Expressing Likes and Dislikes

Verbs like **gustar**

To express likes, dislikes and interests, Spanish uses a group of verbs that function very differently from their English equivalents. The verb **gustar** meaning *to like* or *to be pleasing*, is one of a number of common English verbs that use an indirect object where English uses a subject.

Me gustan estas empanadas.	*I like these empanadas.*
↓ ↓	↓ ↓
Indirect Object Subject	Subject Direct Object

a. With verbs like **gustar** the subject generally follows the verb; it is this subject that determines a singular or plural verb.

> Me **gusta** esta ensalada pero   *I like this salad, but I don't*
> no me **gustan** estos tacos.   *like these tacos.*

b. The use of **a** + *prepositional pronoun* is often necessary to clarify or emphasize the indirect object.

> **A mí** no me gusta este restaurante   *I don't like this restaurant but*
> pero **a ellos** les gusta muchísimo.   *they like it a lot.*

c. The phrase **a** + *noun* can also be used with the indirect object pronouns **le/les**.

> **A Rita le** gustan los postres.   *Rita likes desserts.*
> **A mis padres** no **les** gusta   *My parents don't like fish.*
> el pescado.

d. The following verbs function like **gustar.**

caer bien / mal	*to suit / to not suit*
disgustar	*to annoy, upset, displease*
encantar	*to adore, love, delight*
faltar	*to be missing, lacking; to need*
fascinar	*to fascinate*
importar	*to be important, to matter*
interesar	*to be interesting; to interest*
molestar	*to bother*
parecer	*to seem*
quedar	*to remain, have left*

Práctica y conversación

A. Los gustos. Ponga las siguientes cosas en la categoría apropiada de la tabla en la siguiente página para indicar sus preferencias. ¿Puede explicar por qué pone Ud. cada cosa en esa categoría?

la comida mexicana / el arte moderno / las fiestas / la política / la música rock / los exámenes / las vacaciones

Warm-up. Have students explain what the following people like: *MODELO: yo / gazpacho; A mí me gusta el gazpacho.* **Julio, tacos / María y Tomás, tamales / tú, sopa de aguacate / Ud., mole / Susana, flan / yo, chiles rellenos / nosotros, enchiladas suizas / Uds., cerveza.** *Answers:* **A Julio le gustan los tacos. A María y a Tomás les gustan los tamales. (A tí) Te gusta la sopa de aguacate. A Ud. le gusta el mole. A Susana le gusta el flan. (A mí) Me gustan los chiles rellenos. (A nosotros) Nos gustan las enchiladas suizas. A Uds. les gusta la cerveza.**

Estructuras, Verbs like *gustar,* **Práctica A Answers.** *Answers vary.*

Estructuras, Verbs like *gustar,* **Práctica B Answers.** *Answers vary.*

Instructions C. Ask students to look at the list of Hispanic foods given in the exercise (**los pasteles, el flan**) and list them in their order of their preference. Then, they have to ask a classmate if he/she likes the items in the list. This person, in turn, asks him/her the same thing. They both write down what they themselves like and what their classmate likes. If they share at least 50% of the same things, then they might consider themselves compatible.

Estructuras, Verbs like *gustar,* **Práctica C Answers.** *Answers vary.*

Instructions D. Have students look at the list of activities of **Práctica D** and select those activities they liked when they were younger. Then, they have to ask a classmate the questions following the model. They, in turn, have to respond to their classmate's questions.

Estructuras, Verbs like *gustar,* **Práctica D Answers.** *Answers vary.*

Me gusta(-n)	Me fascina(-n)	Me molesta(-n)

B. Entrevista. Pregúnteles a tres compañeros(-as) de la clase sobre sus gustos y preferencias con respecto a las cosas de la **Práctica A.** ¿Tienen Uds. los mismos gustos y preferencias?

MODELO

las fiestas
Usted: **¿Te gustan las fiestas?**
Compañero(-a): **Me gustan muchísimo.**

C. ¿Te gusta? Ud. quiere saber si su compañero(-a) tiene los mismos gustos que Ud. tiene con respecto a la comida y otras cosas. Pregúntele y vea cuál es su reacción a lo siguiente. Después dígale a la clase si Ud. y su compañero(-a) son compatibles o no y explique por qué.

MODELO

los frijoles / el arroz con pollo
Usted: **¿Te gustan los frijoles?**
Compañero(-a): **No, no me gustan. ¿Y a ti?**
Usted: **A mí me encantan. ¿Te gusta el arroz con pollo?**
Compañero(-a): **¡Me encanta el arroz con pollo!**

los pasteles / el flan / los chiles / las sopas / los postres / las ensaladas / la cerveza / el café / el chocolate / el vino blanco / la comida mexicana / ¿?

D. Me acuerdo que... Con un(-a) compañero(-a) de clase, discutan lo que a Uds. les gustaba o no les gustaba cuando eran niños(-as).

MODELO

Usted: **Cuando era niño(-a) a mí me gustaba ir al parque con mis amigos todos los fines de semana. ¿Y a ti?**
Compañero(-a): **A mí me gustaba montar en bicicleta por mi barrio. Yo salía todos los días...**

jugar con mis amigos / practicar deportes / tocar el piano / sacar a pasear a mi perro / conversar con los amigos de mis padres / comer muchos vegetales / comer helados

Refusing, Finding Out, and Meeting
Verbs That Change English Meaning in the Preterite

Several common Spanish verbs have an English meaning in the preterite that is different from the meaning of the infinitive or the imperfect. These changes in English meaning reflect the fact that the Spanish preterite focuses on the completion of the action while the imperfect stresses continuing or habitual action.

Remind students that the imperfect meaning of these verbs is the normal meaning of the infinitive: **conocía** = he knew / was acquainted *with;* **podía** = *he was able to;* **quería** = *he wanted;* **sabía** = *he knew;* **tenía** = *he had.*

a. **conocer** = *to know, be acquainted with*
Imperfect = *knew, was accquainted with*
Preterite = *met*

Conocemos bien al señor Ochoa.	*We know Sr. Ochoa well.*
Lo **conocimos** en un restaurante el año pasado.	*We met him in a restaurant last year.*

b. **poder** = *to be able*
Imperfect = *was able*
Preterite Affirmative = *managed*
Preterite Negative = *failed*

Aunque **no pudimos** obtener reservaciones en Casa Lupita para el sábado, **pudimos** conseguir reservaciones para el viernes. Así **podemos** comer allí este fin de semana.	*Although we failed to get reservations at Casa Lupita for Saturday, we managed to get reservations for Friday. So we are able to eat there this weekend.*

c. **querer** = *to want, wish*
Imperfect = *wanted, wished*
Preterite Affirmative = *tried*
Preterite Negative = *refused*

¡Pobre Ángela! **Quería** hacerse cocinera. **Quiso** trabajar en un restaurante famoso pero el gerente **no quiso** darle un puesto.	*Poor Angela! She wanted to become a chef. She tried to work in a famous restaurant but the manager refused to give her a job.*

d. **saber** = *to know information, know how to*
Imperfect = *knew*
Preterite = *found out*

Anoche **supimos** que Carlos es cocinero. Finalmente **sabemos** lo que hace.	*Last night we found out that Carlos is a chef. We finally know what he does.*

e. **tener** = *to have*
Imperfect = *had*
Preterite = *received, got*

Ayer Silvia me dijo que **tuvo** un buen puesto como gerente de un restaurante de lujo.	*Yesterday Silvia told me that she got a good job as a manager of a luxury restaurant.*

Práctica y conversación

A. ¿Qué pasó ayer? Explique lo que les pasó a las siguientes personas en el restaurante ayer. Use el imperfecto o el préterito de los verbos según el caso.

1. Paco / conocer a María
2. yo / saber que unos amigos iban a ir a Acapulco durante las vacaciones
3. nosotros / tener una buena noticia de nuestra compañera de cuarto
4. el mesero / no querer servirnos a causa de problemas con su jefe
5. tú / querer pedir las enchiladas suizas pero el restaurante no las tenía
6. Uds. / no poder comer todo el plato principal porque les sirvieron demasiado

B. ¿Qué sucede? Describa el siguiente dibujo utilizando los verbos **conocer, poder, querer, saber** y **tener** en el pretérito o el imperfecto, según el caso.

1. En la escuela secundaria Elena siempre _____ .
2. Ayer Marianela _____ .
3. La semana pasada Roberto _____ .
4. Antes de la clase Eduardo _____ .
5. Teresa _____ .

Siga practicando el vocabulario y las estructuras gramaticales de **Capítulo 4, Primera situación** en *Interacciones CD-ROM.*

Para saber más:
www.heinle.com

Segunda situación

Presentación

Fuimos a un buen restaurante

Práctica y conversación

A. Tengo hambre. ¿A qué restaurante va Ud. si quiere...?

el almuerzo / la cena / la comida completa / la comida ligera / el desayuno / la merienda / la comida mexicana

B. Consejos. ¿Qué debe comer o beber una persona que...?

quiere engordar / está a dieta / quiere una comida sabrosa / está muriéndose de hambre / tiene mucha sed / no tiene mucha hambre

C. Vamos a McDonald's. Hágale preguntas a un(-a) compañero(-a) de clase sobre lo que va a pedir en McDonald's.

Pregúntele...

1. qué va a tomar para el desayuno.
2. qué quiere para el almuerzo.
3. qué pide si no tiene mucha hambre.
4. qué va a beber.
5. qué quiere de postre.

¿Qué semejanzas *(similarities)* y diferencias hay entre el menú en español y el menú del McDonald's donde Ud. come?

D. Creación. En una narración cuente lo que pasa en el dibujo de la **Presentación**.

Vocabulario

Las preferencias	**Preferences**
estar loco por	*to be crazy about*
soportar	*to tolerate*
Las comidas	**Meals**
el almuerzo	*lunch*
la cena	*dinner*
la comida completa	*complete meal*
criolla	*native or regional food*
ligera	*light meal*
típica	*typical meal*
el desayuno	*breakfast*
la merienda	*snack*
El apetito	**Appetite**
rico	*delicious*
sabroso	
engordar	*to gain weight*
estar a dieta	*to be on a diet*
morirse (ue, u) de hambre	*to be starving*
tener hambre	*to be hungry*
En el restaurante	**In the restaurant**
el (la) camarero(-a) (E) el (la) mesero(-a) (A)	*waiter (waitress)*
una mesa afuera	*a table outside*
cerca de la ventana	*near the window*
en el patio	*on the patio*
en el rincón	*in the corner*

un restaurante caro	*an expensive restaurant*
económico	*an inexpensive restaurant*
de lujo	*a first-class restaurant*
tener una reservación a nombre de _____	*to have a reservation in the name of _____*
El menú	**Menu**
la lista de vinos	*wine list*
el menú del día	*special menu of the day*
turístico	*tourist menu*
el plato principal	*main course, entrée*
pedir (i, i)	*to order*
recomendar (ie)	*to recommend*
sugerir (ie, i)	*to suggest*
El cubierto	**Place setting**
la copa	*goblet, glass with a stem*
la cuchara	*soup spoon*
la cucharita	*teaspoon*
el cuchillo	*knife*
el platillo	*saucer*
el plato	*plate*
el pimentero	*pepper shaker*
el salero	*salt shaker*
la servilleta	*napkin*
la taza	*cup*
el tenedor	*fork*
el vaso	*glass*

Point out. The word **la comida** can mean *meal* or *food;* context will determine the meaning: **la comida mexicana** = *Mexican food;* **una comida ligera** = *a light meal.* In some contexts, **la comida** = *main meal.*

Vocabulario regional: In Spain the word for *waiter, waitress* = **el (la) camarero(-a);** in México and many Latin American countries *waiter, waitress* = **el (la) mesero(-a), el (la) mozo(-a).**

Point out. In Spain, **la reserva** = *reservation.*

Así se habla

Making Introductions

Sr. Robles	¿Cómo está Ud., doctora Cabrera? ¡Qué gusto verla después de tanto tiempo!
Dra. Cabrera	Sí, hacía tiempo que no lo veía. No me diga que también le gusta la comida criolla.
Sr. Robles	¡Por supuesto! ¡Siempre!
Dra. Cabrera	*(Dirigiéndose a su esposo.)* Esteban, mi amor, te presento al señor Robles. Él trabajó en la Oficina de Personal el año pasado pero ahora trabaja en el gobierno local, ¿verdad?
Sr. Robles	Sí, así es.
Dr. Cabrera	¡Ah, qué bien! Es un placer conocerlo.
Sr. Robles	El gusto es mío.
Dr. Cabrera	¿Viene Ud. aquí seguido?
Sr. Robles	La verdad es que es la segunda vez que vengo. Vine hace un año más o menos cuando trabajaba con su esposa.
Dr. Cabrera	Nosotros veníamos antes muy seguido, pero la última vez que vinimos fue hace como cuatro meses. La verdad es que la comida es deliciosa aunque algo cara.
Sr. Robles	Sí, lo es. Bueno, los dejo. ¡Que disfruten!
Dr. y Dra. Cabrera	De igual manera.

If you want to introduce someone, you can use the following phrases.

Sr. Llosa, le presento al Sr. Paniagua.	*Mr. Llosa, this is Mr. Paniagua.*
Valentín, te presento / quiero que conozcas a Alberto.	*Valentín, this is / I want you to meet Alberto.*
Ramón, ésta es Mariela, de quien tanto te he hablado.	*Ramón, this is Mariela, whom I've told you so much about.*

If you want to introduce yourself, you can use the following phrases.

Permítame / Permíteme que me presente. Yo soy Mónica Belaúnde.	*Let me introduce myself. I'm Mónica Belaúnde.*

If you are responding to an introduction, you can use the following phrases.

Mucho / Cuánto gusto.	*Nice to meet you.*
Es un placer.	*It's a pleasure.*
Encantado(-a) de conocerlo(-a).	*Delighted to meet you.*
El gusto es mío.	*My pleasure.*

Práctica y conversación

A. Quiero presentarte a... En grupos de tres, un(-a) estudiante presenta a los(-as) otros(-as) dos. Éstos(-as) se saludan e intercambian información personal (ciudad / país de origen, ocupación / lugar de estudios, pasatiempo favorito, etc.).

B. En una fiesta familiar. En grupos, dramaticen la siguiente situación. Ud. ha invitado a su novio(-a) a una fiesta familiar. Preséntelo(-a) a sus padres, a su hermano(-a) mayor, a su abuelo(-a), a sus padrinos.

BCC

Alberto Robles Podestá
Director de Personal
Banco del Centro Consolidado

Av. Independencia 167   *Tel. (3) 658-1648*
Guadalajara, Jalisco   *Fax (3) 825-1368*
México

¿De quién es esta tarjeta? ¿En qué lugar trabaja él? ¿Qué puesto *(position)* ocupa?

After introducing the phrases, have students repeat them aloud. Correct pronunciation as needed.

Instructions A. Have students form groups of four. Three of them are talking as if they were at a party and one of them approaches the group. One person in the group then introduces this new person to the rest. They all then ask each other questions about their place of origin, occupation, etc.

Así se habla, Práctica A Answers. *Answers vary.*

Instructions B. Divide the class in groups of eight and assign a role (such as the mother, father, grandmother) to each student. Ask students to dramatize the situation using the phrases they have learned.

Variación B. Vary the personalities of the roles assigned: friendly parents; nosy grandparents; shy or talkative boyfriend/girlfriend; rude in-laws, etc.

Así se habla, Práctica B Answers. *Answers vary.*

Answers to questions related to the business card. Es de Alberto Robles Podestá. Trabaja en el Banco del Centro Consolidado. Es Director de Personal.

Business card activity. Ask students to look at the business card presented in the book and use it as a model. Tell them to work in groups and design a business card, providing the necessary information. Then, have 2-3 students present their card to the class by drawing it on the board or on an overhead transparency.

Estructuras

Narrating in the Past

Imperfect versus Preterite

You have studied the formation and general uses of the imperfect and preterite, but you need to learn to distinguish between the two tenses so you can discuss, relate and narrate past events.

In past narration the preterite is generally used to relate what happened; it tells the story or provides the plot. The imperfect gives background information and describes conditions or continuing events.

The following sentences form a brief narration. Note the use of the imperfect for describing conditions or continuing events and the preterite for relating what happened.

IMPERFECT	**Estaba** nerviosa porque **tenía** que organizar una fiesta para unos clientes y mi jefe. **Era** una comida para celebrar un contrato importante.
PRETERITE	La semana pasada **llamé** al restaurante Brisamar para hacer las reservaciones. También le **hablé** al cocinero para decirle el menú. Anoche todos **fueron** al restaurante para comer. **Me alegré** mucho porque todos **comieron** muy bien y **se divirtieron** mucho.

The following is a list of the uses of the preterite and imperfect.

The Preterite...

Remind students.
Preterite forms and uses were taught in **Capítulo 2, Primera situación** and **Segunda situación.**

1. expresses an action or state of being that took place in a definite limited time period.

   La semana pasada **fuimos** a un famoso restaurante mexicano.
   Last week we went to a famous Mexican restaurant.

Remind students.
Phrases that indicate a limited time period in the past are normally associated with the preterite; these phrases are listed on p. 53.

2. is used when the beginning and/or end of the action is stated or implied.

   Llegamos a las ocho y **pedimos** unos aperitivos inmediatamente.
   We arrived at 8:00 and ordered some appetizers immediately.

3. expresses a series of successive actions or events in the past.

   Nos **sirvieron** un arroz con pollo excelente. **Comimos** bien y **nos divertimos** mucho.
   They served us an excellent chicken with rice. We ate well and had a very good time.

4. expresses a past fact.

   Tenochtitlán **fue** la capital del imperio azteca.
   Tenochtitlán was the capital of the Aztec empire.

5. is generally translated as the simple past in English: **llamó** = *he called, he did call.*

The Imperfect...

Remind students.
Imperfect forms and uses were taught in **Capítulo 3, Primera situación.**

1. expressses an ongoing past action or state of being with an indefinite beginning and/or ending.

   Rosa **era** la segunda hija en una familia grande.
   Rosa was the second daughter in a large family.

2. describes how life used to be.

> Cuando Rosa **era** pequeña, **vivía** en Guadalajara.
>
> *When Rosa was little, she lived in Guadalajara.*

3. expresses habitual or repetitive past actions.

> Su madre **preparaba** tacos y enchiladas a menudo.
>
> *Her mother frequently prepared tacos and enchiladas.*

4. describes emotional or mental activity.

> **Creía** que su madre era la mejor cocinera del mundo.
>
> *She thought that her mother was the best cook in the whole world.*

Remind Students. Phrases that indicate habitual or repetitive actions are often associated with the imperfect; these phrases are listed on p. 93.

5. expresses conditions or states of being.

> Cuando supo que la familia iba a vivir en los EE.UU., **estaba** nerviosa y **se sentía** triste.
>
> *When she found out that the family was going to move to the U.S., she was nervous and felt sad.*

6. expresses time in the past

> **Eran** las cinco de la mañana cuando Rosa salió de Guadalajara.
>
> *It was 5:00 AM when Rosa left Guadalajara.*

7. has several English equivalents: **llamaba** = *he was calling, he used to call, he called.*

A. Sometimes the preterite and the imperfect will occur together within the same sentence.

> Cuando Enrique y yo **entramos** en el restaurante, nuestros amigos **comían**.
>
> *When Enrique and I entered the the restaurant, our friends were eating.*

Here the imperfect is used to express the ongoing action: **comían**. The preterite is used to express the action that interrupts the other one: **entramos**.

B. The imperfect is also used to express two simultaneous past actions.

> Mientras la cocinera **preparaba** el postre, los meseros **servían** la entrada.
>
> *While the chef was preparing dessert, the waiters were serving the main course.*

C. You may have learned that certain words and phrases are generally associated with a particular tense; however, these phrases do not automatically determine which tense is used. The use of the imperfect or preterite is determined by the entire sentence, not by one word or phrase. Study the following examples.

> Ayer **almorcé** en mi restaurante favorito.
>
> *Yesterday I had lunch in my favorite restaurant.*
>
> Ayer **almorzaba** en mi restaurante favorito, cuando me llamó mi mamá.
>
> *Yesterday I was having lunch in my favorite restaurant when my mother called.*

In these sentences the use of the imperfect with **ayer** stresses an action in progress while the use of the preterite with **ayer** emphasizes a completed event.

Point out. There is no precise English equivalent for the examples in **Explanation D.** What is expressed in Spanish by a simple change of tense must be expressed in English with many additional words.

D. It is the speaker's intended meaning that determines the tense. When the speaker wants to emphasize a time-limited action or call attention to the beginning or end of an action, the preterite is used. When the speaker wants to emphasize an ongoing or habitual condition or an action in progress, the imperfect is used.

Anoche Marcos **estuvo** enfermo.   *Marcos was sick last night.*
                                                                  (But he is no longer sick.)
Anoche Marcos **estaba** enfermo.   *Marcos was sick last night.*
                                                                  (He may or may not still be sick.)

The preterite emphasizes a change in thoughts, emotions or conditions; the imperfect describes thoughts, emotions, or conditions without emphasizing their beginning or ending.

Práctica y conversación

Estructuras, Imperfect versus Preterite, Práctica A Answers. (No) Me levanté temprano. / (No) Quería / quise dormir más. / (No) Hacía mal tiempo. / (No) Estaba muy cansado(-a). / (No) Desayuné en un restaurante. / (No) Llegué tarde a clase. / (No) Tuve buenas noticias. / (No) Salí muy bien en el examen de ayer. / (No) Me sentía muy contento(-a). *Answers vary.*

Warm-up B. Have students brainstorm the different things they used to eat when they were younger and what they eat now.

Estructuras, Imperfect versus Preterite, Práctica B Answers. estaba a dieta / comía / engordaba / fui / tenía / quería / pedí / estaba loca por / pidió / iba / me moría de hambre / comí / comiste / estuvo

A. Esta mañana. Cuente lo que le pasó a Ud. esta mañana y cómo se sentía. Use las siguientes frases en una forma afirmativa o negativa.

levantarme temprano / querer dormir más / hacer mal tiempo / estar muy cansado(-a) / desayunar en un restaurante / llegar tarde a clase / tener buenas noticias / salir muy bien en el examen de ayer / sentirme muy contento(-a) / ¿?

B. Siempre a dieta. Complete las siguientes oraciones de una manera lógica usando el pretérito o el imperfecto.

—Cuando yo era más joven nunca (estar a dieta) _____. Yo (comer) _____ muchísmo más de lo que como ahora y no (engordar) _____. Sin embargo, ahora todo es diferente. Ayer, por ejemplo, (ir) _____ a cenar con una amiga en un restaurante muy lindo pero caro. Como yo (tener hambre) _____ pero no (querer) _____ engordar, (pedir) _____ una ensalada pequeña y agua mineral aunque (estar loca por) _____ pedir un gazpacho, arroz con pollo y una copa de vino. Mi amiga, que es más joven que yo, (pedir) _____ una enchilada de queso, menudo, arroz con pollo, y de postre, un flan.

—Sí, te comprendo. Sé exactamente lo que dices, yo tampoco como mucho y hago ejercicio todo el tiempo. Antes no (ir) _____ al gimnasio, pero ahora sí. Ayer en la noche, por ejemplo, (morirse de hambre) _____ y (comer) _____ muy poco, solamente una empanada de queso, un huachinango a la parrilla con arroz, una cerveza y una ensalada de fruta con helado.

—¡Qué! ¿Tú (comer) _____ todo eso en la noche?

—¡Sí! La comida (estar) _____ muy sabrosa. ¿Quieres ir a cenar conmigo esta noche?

C. Un restaurante excelente. Ud. y un(-a) compañero(-a) comieron en El Miztón el fin de semana pasado. Lea el anuncio *(ad)* a continuación y describa su experiencia en este típico restaurante mexicano. Explique lo que Uds. comieron y bebieron, qué les gustó y cómo era el restaurante.

Restaurante-Bar

Café Literario Musical

EL MIZTÓN

Diferente, original y auténtico.
Lo mejor de la comida zacatecana y mexicana.

Pida las tradicionales Enjococadas, el asado de Boda Estilo Jerez o las Enchiladas Miztón.

Disfrútelas con su bebida predilecta en medio de un agradable ambiente musical.

Un lugar para ti, para dos y para toda la familia.

Música en Vivo
Viernes y Sábado por la noche
GRUPO OLLINKA

Te esperamos en Av. Hidalgo número 632-A y 634.
En el Centro Histórico de la ciudad.

Point out. El Miztón es un restaurante en Zacatecas, la capital del estado de Zacatecas, México. Zacatecas es una ciudad colonial con una población de 120.000 habitantes.

Point out. Las tradicionales enjococadas son frijoles cocinados en una salsa de jocoque *(sour cream),* tomates, cebollas y chiles y servidos con tortillas. Es un típico plato de Zacatecas.

Warm-up C. Have students brainstorm with their partner what foods and drinks they serve in El Miztón, a typical Mexican restaurant.

Estructuras, Imperfect versus Preterite, Práctica C Answers. Answers vary.

D. ¡Qué comida tan deliciosa! Ud. fue a cenar anoche con sus padres y hermanos a un restaurante de lujo y comió mucho. Ahora Ud. se siente muy mal. Su compañero(-a) de cuarto no sabe qué le pasa y está preocupado(-a). Dígale dónde y con quién fue, cómo era el lugar (descríbalo en detalle), qué comieron y bebieron, cómo estaba la comida, si le gustó o no. Su compañero(-a) le escucha con interés y le cuenta una experiencia similar. Luego, le da algo para que Ud. se sienta mejor.

E. Recuerdo que... Cuente una anécdota de algo desagradable que le haya pasado al cenar en un restaurante o en casa de un amigo o familiar.

Sugerencias: la comida estaba mala / Ud. pidió algo y no le gustó / Ud. no tenía dinero para pagar / Ud. estaba enfermo y no tenía hambre

Talking About People and Events in a Series

Ordinal Numbers

Ordinal numbers such as *first, second, third* are used to discuss people, things, or events in a series.

Ordinal Numbers			
primer(-o)	*first*	**sexto**	*sixth*
segundo	*second*	**séptimo**	*seventh*
tercer(-o)	*third*	**octavo**	*eighth*
cuarto	*fourth*	**noveno**	*ninth*
quinto	*fifth*	**décimo**	*tenth*

A. Ordinal numbers generally precede the noun they modify or replace and agree with that noun in number and gender. They may also be used as nouns.

Carolina es **la quinta** mesera que contrataron; Rita es **la sexta**.

Carolina is the fifth waitress they hired; Rita is the sixth.

El primer plato fue excelente; también **el segundo**. Pero **el tercero** fue absolutamente estupendo.

The first dish was excellent; so was the second. But the third dish was absolutely stupendous.

Note that **primero** and **tercero** drop the **-o** before a masculine, singular noun.

B. When ordinal numbers refer to sovereigns, the ordinal number follows the noun.

Carlos V (Quinto)   *Charles the Fifth*
Isabel II (Segunda)   *Isabel the Second*

C. Cardinal numbers are generally used to express numbers higher than ten: **el siglo XVIII (dieciocho)** = *the eighteenth century*; **Luis XIV (Catorce)** = *Louis the Fourteenth.*

Práctica y conversación

A. ¿Qué hay? Describa lo que hay en cada piso del edificio.

B. Una comida estupenda. Trabaje con un(-a) compañero(-a) de clase y describa una comida estupenda que Uds. comieron en un restaurante lujoso recientemente. Diga lo que les sirvieron de primer plato, de segundo plato, etc.

¿Qué oyó Ud.?

Remembering Key Details and Paraphrasing

When you listen to a conversation, lecture, announcement, or any other type of speech, sometimes you don't need to remember the exact words that were spoken. Instead you can paraphrase, that is, use different words or phrases to report what you heard. Other times, however, you do need to remember factual information, so you filter out what you don't need, and select only the important points the speaker is making. If you take notes, written or mental, you will be able to recall the valuable information you need.

Ahora, escuche la conversación que se lleva a cabo en un restaurante entre Javier, Mariela, Fernando y el camarero. Antes de escuchar la conversación, lea los siguientes ejercicios. Después conteste.

A. Algunos detalles. Ahora, marque **SÍ** si las oraciones presentadas a continuación parafrasean apropiadamente lo que Ud. oyó, o **NO** si no lo hacen.

SÍ NO 1. Javier y Fernando estaban muertos de hambre.
SÍ NO 2. Mariela estaba a dieta y por eso no quería comer mucho.
SÍ NO 3. Fernando comió demasiado el día anterior y por eso se enfermó.
SÍ NO 4. Mariela no sabía qué pedir y por eso pidió ayuda al camarero.
SÍ NO 5. El camarero fue muy amable y les sugirió a todos lo que debían pedir.

Ahora, conteste las siguientes preguntas:

1. ¿Qué relación existe entre Javier y Mariela? ¿Qué frase(s) de las que dijeron justifican su opinión?
2. Según Fernando, ¿cuál fue su problema el día anterior? ¿Está Ud. de acuerdo con lo que él dice? Justifique su opinión.

B. Análisis. Escuche el diálogo nuevamente y cuénteles a sus compañeros(-as) de clase sobre la última vez que fue al restaurante con sus amigos: adónde fueron, cómo era el restaurante, qué comieron, qué problema tuvieron, etc.

Siga practicando el vocabulario y las estructuras gramaticales de **Capítulo 4, Segunda situación** en *Interacciones CD-ROM.*

Para saber más:
www.heinle.com

Tercera situación

Perspectivas

Los menús en el mundo hispano

Existen muchas diferencias en las comidas típicas de los países hispanos y no es raro que un peruano o un chileno no entienda el menú de un restaurante mexicano, por ejemplo, y viceversa. En el menú de un restaurante peruano, Ud. puede encontrar los siguientes platos.

Los menús en el mundo hispano. Cultural products: food and drink in the Hispanic world; restaurant menus. **Cultural practice:** eating habits in the Hispanic world. **Cultural comparisons:** comparisons of food and drink among the various Hispanic countries; comparison of food and drink between Hispanic countries and the U.S.

RESTAURANTE EL RAYMONDI

Menú Turístico

Ceviche
(Marinated fish or seafood)

Escabeche
(Fried fish with onions)

Papas a la huancaína
(Potatoes with cheese and hot pepper sauce)

Ají de gallina
(Shredded chicken with hot sauce)

Arroz con pato
(Duck with rice)

Lomo a la chorrillana
(Tenderloin with onions and hot peppers)

Miraflores, Perú

En el menú de un restaurante venezolano no encontrará ninguno de los platos peruanos. En su lugar, Ud. podrá encontrar los siguientes platos.

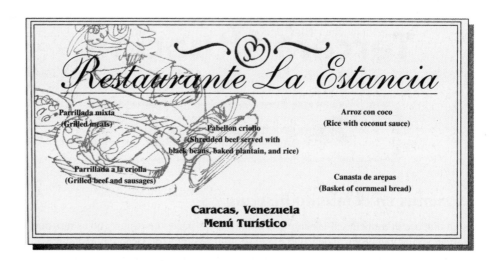

A continuación se presenta el menú de un restaurante español donde no verá ninguno de los platos anteriores.

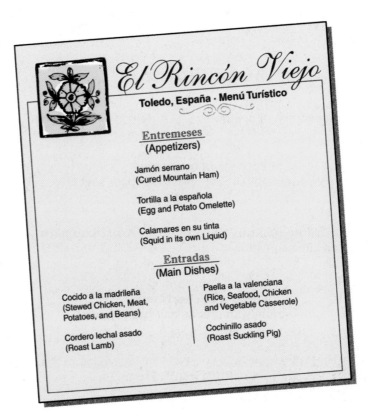

Warm-up. Have students list the main ingredients (in Spanish) for the items listed on each menu.

Expansión A. Have all students complete the same exercise for a Venezuelan and a Peruvian restaurant.

Variación A. Divide students into groups of three and assign each group to either Peru, Spain, or Venezuela. Then have them complete **Práctica A** using the menu for their country.

Reminder. The menu for a Mexican restaurant appears in the **Presentación** of the **Primera situación** for this chapter.

Los postres varían mucho también de país a país, pero generalmente Ud. podrá pedir helados o flan en cualquier restaurante del mundo hispano. Con respecto a las bebidas, también hay mayor uniformidad y Ud. podrá pedir aguas gaseosas, minerales, jugos de fruta, vinos, cervezas, café o té.

Práctica

A. ¿Qué voy a comer? Ud. y un(-a) compañero(-a) de clase están en un restaurante español. Otro(-a) compañero(-a) hace el papel de camarero(-a). Pidan una comida completa incluyendo un entremés, un plato principal, un postre y una bebida.

B. Comparaciones. Con un(-a) compañero(-a) compare los platos principales en un menú típico de España, México, Perú y Venezuela. ¿Qué ingredientes son más comunes en cada país? ¿Cuáles son las similaridades y las diferencias?

El chocolate en la cocina mexicana

A. El chocolate. Con un(-a) compañero(-a) de clase, haga una lista de las maneras en que usamos el chocolate; incluya apertivos, platos principales, dulces, postres y bebidas. ¿Cuál es su favorito? Después, miren la siguiente foto y descríbanla. En su opinión, ¿qué está preparando Patricia Quintana?

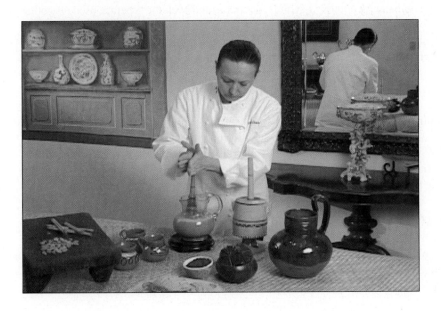

Perspectivas, Práctica A Answers. *Answers vary.*

Perspectivas, Práctica B Answers. *Answers vary.*

Warm-up. Provide the following information about the narrator of this video segment. La mujer entrevistada en "El chocolate en la cocina mexicana" es **Patricia Quintana,** una cocinera mexicana bien conocida no solamente en México sino en los EE.UU., Europa y China. Sus estudios de la cocina mexicana han resultado en una serie de libros publicados en varios idiomas incluyendo el español, el inglés y el alemán. Sus artículos sobre la cocina mexicana aparecen en varios periódicos y revistas en todo el mundo.

Vocabulario suplementario. Provide students with the following vocabulary prior to viewing the video: **el molinillo** = *el utensilio de madera usado para mezclar el chocolate con el líquido en la preparación de la bebida* / **la jícara** = *la pequeña taza usada para servir el chocolate* / **el mole (México)** = *una salsa molida con varios ingredientes y especias* / **el mole poblano** = *un mole de Puebla, una ciudad al sur de México, D.F.; generalmente se refiere a un plato de pollo o pavo con una salsa (un mole) preparada con chocolate y muchos otros ingredientes.*

Panorama cultural, Práctica A, Answers. *Answers vary.*

B. El mole poblano. Utilizando la información del vídeo, identifique los ingredientes que se usaron en la preparación del mole poblano.

la almendra	los chiles	los mariscos	el pescado
el cacahuate	las especias	la naranja	la piña
el café	el helado	la pasa	el pollo
el chocolate	la lechuga	el pavo	la tortilla

Según Patricia Quintana, ¿cuántos ingredientes hay en el mole poblano clásico?

Para leer bien

Scanning and Skimming

Scanning and skimming are techniques that good readers use automatically and frequently in their native language. These techniques can be even more valuable in a foreign language.

Scanning is the process used to discover the general content of a reading selection. People frequently scan books, magazines, and newspapers to choose the selections they wish to read. When scanning you run your eyes quickly over the written material. You look at its layout, that is, the design of the material on the page, the title and subtitles, any accompanying photos, drawings, or charts, and even the typeface used. Together these elements combine to provide general clues as to the content and purpose of the written material.

Skimming is the technique used to locate specific or detailed information within a reading passage. Skimming is similar to scanning in that your eyes move quickly over the material. However, skimming differs from scanning in that the purpose is to notice a particular word, phrase, or piece of information. You often apply this technique to the reading of schedules or menus. Skimming can also follow a close reading when you wish to recall particular details or review the information quickly.

When approaching a reading selection for the first time, you frequently scan the material to determine what type of information it contains. You then skim the reading to locate items or details of particular interest.

Práctica

A. Los elementos generales. Dé un vistazo a *(scan)* los siguientes elementos de la lectura que sigue: la composición *(layout)* general, el título y las fotos. ¿De qué trata la lectura? ¿Cuál es el tema general?

B. Un examen superficial. Examine superficialmente *(skim)* la siguiente información sobre el metro de México, D.F. y conteste las siguientes preguntas.

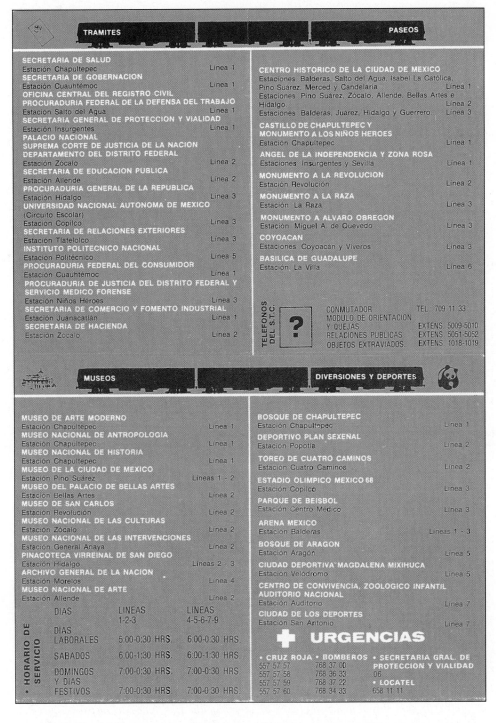

1. ¿Cuáles son las horas de servicio los días laborales? ¿los sábados? ¿los domingos y días festivos?
2. ¿Cuántas líneas hay en el metro de México, D.F.?

3. ¿Qué línea y estación se usan para llegar a los siguientes lugares en el D.F.?

Castillo de Chapultepec / Estadio Olímpico México 68 / Basílica de Guadalupe / Museo Nacional de Antropología / Parque de Béisbol / Museo del Palacio de Bellas Artes / Ángel de la Independencia

Lectura cultural — El estupendo metro de México

Los grandes sistemas de trenes metropolitanos son tan particulares como las ciudades donde se encuentran. El metro de la Ciudad de México también tiene sus características singulares. Es uno de los más modernos y avanzados del mundo desde el **punto de vista°** tecnológico. El fuerte **terremoto°** de 1985 **apenas°** lo afectó. Por la tarde del día del desastre, la mayoría de las líneas funcionaban normalmente. Lo que parecía un **milagro°** era, según los ingenieros, el resultado de un **diseño°** que **tuvo muy en cuenta°** la posibilidad de terremotos. Los trenes que estaban transitando durante el **sismo°** continuaron funcionando con energía **suministrada°** por baterías de emergencia hasta llegar a estaciones donde pudieron descargar a los pasajeros.

La **finalidad°** de este metro, como la de todos los demás del mundo, es **brindar°** transporte rápido y económico a los residentes. Y es **indiscutible°** que lo **logra°** admirablemente. El metro hacía mucha **falta°** en una ciudad que, según se calcula, tiene unos 20.000.000 de habitantes. Entre semana **montan°** en él unos

point of view
earthquake
scarcely

miracle
design
took into account

terremoto
furnished

purpose
to offer
unquestionable / succeeds
was sorely lacking

ride

México, D.F.: Una estación del metro

average / stops

4.000.000 de personas al día, casi el 20% de la población. Los trenes del metro se mueven a una velocidad **promedio°** de 35 kilómetros por hora, contando las **paradas°** en las estaciones, y pueden llegar a 88 kilómetros por hora. El sistema siempre ha mantenido un barato precio de pasaje, y aunque es posible que la inflación lo haga subir, seguirá siendo el más barato del mundo.

El metro es un medio de transporte fácil para los empleados, visitantes y los enfermos que van a las consultas del Centro Médico y el Hospital General. También se ven hombres de negocios, bien vestidos y con su portafolio en la mano, entre los estudiantes y los trabajadores. Hasta los campesinos analfabetos° lo usan sin dificultad, guiados° por los símbolos de las estaciones que se hallan° en los terminales y en los vagones°. Por ejemplo, el símbolo de la estación del Zócalo, la plaza principal de la ciudad, es el águila° en un cacto con una serpiente en la boca. Este mismo emblema, que se encuentra también en la bandera° mexicana, es el símbolo del México antiguo y moderno.

El orgullo° que los residentes de la capital sienten por el metro se refleja en su limpieza y orden. Un estudio reciente sobre delitos° cometidos en los sistemas de trenes metropolitanos del mundo reveló que el metro de México es uno de los más seguros.

El metro es un mundo subterráneo, una ciudad debajo de otra. Los planificadores° han construido un metro con más de 100 estaciones brillantes, alegres y, en muchos casos, impresionantes. En ningún momento hay sensación de oscuridad ni de estar bajo tierra. Todo es vida y color. En las estaciones más concurridas° a veces hay zonas comerciales. Entre la estación del Zócalo y la de Pino Suárez hay un túnel largo, muy iluminado, donde uno puede comprar comida, ropa, libros y chucherías°. Por allí también se ven individuos que entretienen° a los pasajeros con suertes de prestidigitación° y malabarismos°.

Todas las estaciones están decoradas con mucho gusto°. La estación de Bellas Artes está adornada con reproducciones de murales mayas y tiene el piso de mármol°, mientras la estación del Zócalo tiene vitrinas° donde se reproduce la gran plaza en tiempos aztecas y coloniales.

Hasta la persona más agotada° debe sentirse contenta al viajar por este mundo subterráneo tan ameno°. Para el que visita la ciudad, el metro no es sólo un medio rápido y conveniente de trasladarse° a cualquier parte de la capital, sino que también le brinda la oportunidad de conocer a los que viven en ella. Y como la tercera parte de las líneas no son subterráneas, el metro es una buena manera de ver la ciudad.

**Glosario marginal:**
- illiterate / guided
- *se encuentran* / coaches
- eagle
- flag
- pride
- crimes
- planners
- crowded
- trinkets
- entertain / magic tricks / juggling
- taste
- marble
- display windows
- *cansada*
- pleasant
- to move

Comprensión

A. Información básica. Examine superficialmente el artículo para obtener la siguiente información.

1. el número de personas que el metro del D.F. transporta diariamente y el porcentaje de la población que transporta diariamente
2. la velocidad promedio del tren y la velocidad máxima
3. el número de estaciones
4. el tipo de gente que usa el metro
5. lo que hay en el túnel entre la estación del Zócalo y la de Pino Suárez
6. la decoración de algunas estaciones

B. Unas explicaciones. Conteste las siguientes preguntas para explicar cómo funciona el sistema.

1. ¿Cómo usan los campesinos analfabetos el metro?
2. ¿Por qué se dice que el metro es un mundo subterráneo?
3. ¿Cómo continuó funcionando el metro durante el terremoto de 1985?
4. ¿Por qué debe sentirse contenta una persona que está agotada al viajar en el metro mexicano?

C. La defensa de una opinión. ¿Qué evidencia hay en el artículo que confirma la siguiente idea? «Los planificadores del metro de la Ciudad de México tuvieron en cuenta lo estético y lo funcional al crear su sistema de trenes metropolitanos.»

Lectura, Práctica A Answers. 1. 4.000.000 de personas al día; casi el 20% de la población 2. 35 kilómetros por hora; 88 kilómetros por hora 3. más de 100 estaciones 4. todo tipo de gente usa el metro 5. tiendas de comida, ropa, libros y chucherías 6. Bellas Artes: reproducciones de murales mayas y el piso de mármol; el Zócalo: vitrinas donde se reproduce la gran plaza azteca.

Lectura, Práctica B Answers. 1. Los campesinos analfabetos están guiados por los símbolos de las estaciones. 2. Las estaciones son brillantes, alegres e impresionantes. No hay sensación de oscuridad. Hay zonas comerciales en las estaciones. 3. El diseño del metro tuvo en cuenta la posibilidad de terremotos. Los trenes continuaron funcionando con energía suministrada por baterías de emergencia. 4. El metro es un mundo agradable y ameno.

Lectura, Práctica C Answers. *Answers vary.*

Improving Accuracy

Writing is different from the speaking skill in that the writer has more time to think about word choice, sentence and paragraph construction, and the general message than does a speaker. As a result, the writer is expected to produce material that is more error-free than normal speech. In addition, as an intermediate language student you will need to improve your accuracy so that your language becomes more and more comprehensible and acceptable to native speakers. The following techniques should help you.

A. Plan your written compositions.

1. Choose a topic consistent with your ability level. A topic that is too difficult will produce frustrations and errors. A topic that is too easy will not allow you to be judged in the most favorable manner since you will use overly simplified constructions and vocabulary.
2. Prior to writing make a mental or written outline of what you plan to say.

B. As you write the first draft, try to avoid errors.

1. Check spelling and meaning of vocabulary items you are unsure of.
2. Check the agreement of each subject and verb.
3. Check the tense and form of each verb.
4. Check for agreement of all nouns and their articles or adjectives.
5. Be extra cautious with items such as **ser / estar, por / para, saber / conocer.**

C. Re-read your composition for accuracy.

1. Upon completing your first draft, put it aside for some time.
2. Later, re-read your first draft for content. Ask yourself if it says what you want it to.
3. Re-read it again for accuracy using the "checks" of item B.

D. Revise your composition.

1. Pay attention to capitalization, punctuation, and over-all layout.
2. Proofread your composition, correcting any errors.

Composiciones

Composiciones Answers. *Answers vary for **Composiciones A-C.***

Tema adicional. Have students write out their answer to **Práctica C,** p. 145 in place of one of these three topics.

A. La semana pasada. Escríbale un mensaje por correo eléctronico o una carta a un(-a) amigo(-a) de otra universidad describiendo la semana pasada. Incluya información sobre el tiempo, sus sentimientos y emociones, sus actividades y sus clases.

B. El (La) crítico(-a) culinario(-a). Ud. es el (la) crítico(-a) culinario(-a) de un periódico local. Escriba un artículo sobre una cena que tuvo recientemente en un restaurante. Describa el restaurante, la comida y el servicio. Explique lo que le gustó y no le gustó.

C. La comida universitaria. Escríbale una carta a Julio(-a) Montoya, un(-a) estudiante de intercambio que va a venir a estudiar en su universidad. Dígale dónde, cuándo y qué se come en la universidad; también dígale cómo es la comida. Compare la comida norteamericana con la comida de un país hispano para prepararlo(-la) para su visita aquí.

Actividades

A. Un restaurante estupendo. Tell your classmates about the best restaurant meal you ever ate. Provide the name of the restaurant, its location, and a description of it. Explain who you went with and what you ate and drank. Explain why this restaurant meal was so special.

B. Preferencias. You must work in a group of three or four people to plan the menu for a party for the International Club. Introduce the members of the group to one another. Then interview each member of your group to find out what food or drink they adore, like, or dislike in each category. Then, with the aid of your survey, prepare a menu with two or three items in each category.

	Me encanta(-n)	Me gusta(-n)	Me disgusta(-n)
Entremeses / Ensaladas			
Platos principales			
Postres			
Bebidas			

C. El Restaurante Pacífico. You are the waiter (waitress) in el Restaurante Pacífico. Two American tourists (played by your classmates) come to your restaurant for dinner. They are not familiar with the food and they ask you many questions about the food items. You answer their questions and make recommendations. Finally, you take their order for a complete meal with beverages.

D. Un experimento. The psychology department is conducting a series of experiments on dormitory living conditions. You and a classmate have been assigned to spend a week together in quarters resembling a college dormitory room. You will be constantly observed by the experiment team. You will be allowed to bring with you food, books, music, videos, games and clothing for the week-long experiment. Prior to packing, get together with your classmate. Ask and answer questions about what kinds of games, movies, music, and books interest you; what foods you love and hate, and what items are important to you. Establish a list of at least two items per category to bring with you for the week.

Para saber más:
www.heinle.com

Communicative modes incorporated.
A: presentational;
B: interpersonal;
C: interpersonal;
D: interpersonal.

Vocabulary incorporated.
A: foods and drinks; **B:** foods and drinks; **C:** foods and drinks, expressions for ordering in a restaurant; **D:** verbs like **gustar,** foods and drinks.

Grammar incorporated.
A: preterite tense; **B:** indirect object pronouns, verbs like **gustar; C:** indirect object pronouns, asking and answering questions; **D:** indirect object pronouns, verbs like **gustar.**

Actividades Answers.
Answers vary for Actividades A-D.

Herencia cultural

México

Cultural products and practices. Famous people of Mexico and what they have accomplished.
Cultural comparisons: famous historical personnages and famous entertainment / literary / governmental figures of Mexico and the US.

Additional information about these figures is included in the IAE, Using the *Interacciones* Program: Herencia cultural.

Personalidades

De ayer

Point Out: Los aztecas eran los indígenas que vivían en el centro de México. Su capital fue Tenochtitlán, que llegó a ser la actual capital de México: México, D.F.

Cuauhtémoc fue el último emperador de los aztecas. Aunque luchó valientemente contra los españoles para defender Tenochtitlán, la capital azteca, los españoles lo capturaron en abril de 1521 y más tarde lo ahorcaron *(hanged)*, en 1525. Cuauhtémoc es el símbolo de la resistencia de los indígenas contra los españoles.

De hoy

Salma Hayek (1968-) empezó su carrera en la televisión mexicana y ganó su fama con el papel *(role)* principal en la telenovela *Teresa*. Después se trasladó a Los Angeles, aprendió inglés y con mucho esfuerzo ha triunfado en Hollywood. Actualmente es tan popular en los EE.UU. como en México.

Vicente Fox Quesada (1942-), Presidente de México y miembro del Partido de Acción Nacional (PAN), representa un gran cambio en la historia de su país porque es el primer presidente de México en 71 años que no es miembro del Partido Revolucionario Institucional (PRI). Es de una familia humilde pero tuvo la oportunidad de asistir a la universidad. Antes de ser presidente de la República fue gobernador del estado de Guanajuato; también fue presidente de Coca-Cola para México y la América Latina.

Sor Juana Inés de la Cruz (1648-1695) es una de las personalidades literarias más famosas de México. A la edad de 16 años, esta joven hermosa e inteligente decidió entrar en un convento para dedicarse a estudiar y escribir. Entre sus obras hay dramas, ensayos y poesía.

El popular cantante **Luis Miguel** (1970-) cantó por primera vez en la televisión mexicana a la edad de once años. Desde entonces ha aparecido en la televisión y en conciertos por todo el mundo. Ha ganado cuatro Grammys y ha recibido varios otros premios como el de «Mejor Cantante Latino». Su estrella de oro está en el Paseo de la Fama en Hollywood.

Carlos Fuentes (1928-), novelista, ensayista, y guionista de cine *(scriptwriter)*, es uno de los más conocidos autores contemporáneos de México. La historia de México es un tema central en sus obras, que han sido traducidas a casi todos los idiomas. Fuentes ha ganado muchos premios literarios y ha sido profesor en las universidades de Pennsylvania, Columbia, Cambridge, Princeton y Harvard.

Comprensión cultural 1. Have students work in pairs or groups of three. Assign one of the *personalidades* to each group and have them prepare a description of each person as well as a brief biography. Have each group report back to the class.
Comprensión cultural 2. Ask students: ¿Quién fue el líder de los aztecas en la batalla por Tenochtitlán? ¿Quién fue el líder de los españoles en la misma batalla? ¿Quién fue Sor Juana Inés de la Cruz y por qué es importante? ¿Quién es el presidente de México? ¿Cómo representa él un cambio en la historia de México? ¿Quién es Salma Hayek? ¿Quién es Luis Miguel? ¿Cuáles son algunos de sus premios? ¿Quién es Carlos Fuentes? ¿Por qué es importante?

Arte y arquitectura

Unos artistas mexicanos del siglo XX:
Rivera, Orozco, Siqueiros y Kahlo

Entre los artistas mexicanos más famosos del siglo XX están los muralistas Diego Rivera, José Clemente Orozco y David Alfaro Siqueiros. Los tres crearon pinturas y murales enormes que representan temas universales como la dignidad de las razas minoritarias o la justicia social y temas nacionales como la historia de México. Se puede encontrar este arte del pueblo (como lo llaman muchos) en los edificios públicos de muchas ciudades mexicanas. De esa manera aun la gente más humilde y pobre puede verlo y apreciarlo.

Diego Rivera (1886-1957) Fue activista político y en muchas de sus obras trata de mostrar la importancia de los indígenas *(native peoples)* en el desarrollo *(development)* de México. En el Palacio Nacional de la capital pintó una serie de murales representando la historia de México, entre ellos una representación de Tenochtitlán, la antigua capital de los aztecas. También hay obras suyas en los EE.UU., en San Francisco y Detroit.

Diego Rivera, detalle de *Tenochtitlán.* México, D.F.: Palacio Nacional

Cultural products. Works of art by Diego Rivera, José Clemente Orozco, David Alfaro Siqueiros and Frida Kahlo; the importance of the Mexican muralists. **Cultural comparisons:** Famous painters, works of art, and artistic styles.

Point out. A menudo los muralistas usaban *la pintura al fresco,* una técnica que consiste en pintar sobre el yeso mojado *(wet plaster)* para que la pintura forme parte de la construcción del edificio.

José Clemente Orozco (1883-1949) Aunque no fue muy activo políticamente, sus obras reflejan las mismas ideas y actitudes de los otros muralistas. Sus obras están en edificios públicos en Guadalajara y en otras ciudades de México. También viajó por los EE.UU. y pintó murales en varias universidades, entre ellas Dartmouth. El mural *Hidalgo* está en el Palacio del Gobernador en Guadalajara. El padre Hidalgo fue el líder de la Guerra de la Independencia de 1810.

José Clemente Orozco, detalle de *Hidalgo.* Guadalajara: Palacio del Gobernador

David Alfaro Siqueiros (1898-1974) Del grupo de muralistas famosos, fue el más activo políticamente. Siempre trató de crear un arte del pueblo y para el pueblo. Sus murales más importantes son los del Instituto Nacional de Bellas Artes y los del Polyforum Cultural Siqueiros, en México, D.F. También tiene frescos en la Universidad Nacional Autónoma de México, como éste que representa a los estudiantes devolviendo su sabiduría *(knowledge)* a la patria.

David Alfaro Siqueiros, mural. México, D.F.: Universidad Autónoma de México

Frida Kahlo (1907-1954) Esta artista de fama internacional tuvo una vida llena de enfermedades y dolores. En 1925 sufrió un accidente de autobús que la dejó semi-inválida; pasó mucho tiempo en el hospital, y allí empezó su interés en la pintura. En 1929 se casó con Diego Rivera y juntos participaron en la vida política de su país. Es conocida por sus autorretratos *(self-portraits)* que muestran su sufrimiento físico y su gran amor a su esposo.

Frida Kahlo, Autorretrato «Pensando en Diego».

152

Comprensión

A. Las obras. Complete la siguiente tabla con información acerca de las obras de Rivera, Orozco, Siqueiros y Kahlo.

	Rivera	Orozco	Siqueiros	Kahlo
Escena representada				
Colores predominantes				
¿Abstracta o realista?				
El tema o la idea central				

B. Los artistas. Llene el espacio en blanco con la letra que representa el nombre del artista.

A = Diego Rivera   **C = David Alfaro Siqueiros**
B = José Clemente Orozco   **D = Frida Kahlo**

B   Viajó por los EE.UU. y pintó murales en varias universidades.
C   Fue el más activo políticamente.
D   Sus obras reflejan su sufrimiento físico.
A   Pintó una serie de murales en el Palacio Nacional de México.
B   Pintó un mural del padre Hidalgo.
A   Pintó un mural de la capital de los aztecas.
D   Pintó muchos autorretratos.
A   Siempre trató de mostrar la importancia de los indígenas en el desarrollo de México.
B   Muchas de sus obras están en edificios públicos de Guadalajara.
C   Muchas de sus obras están en el Instituto Nacional de Bellas Artes.

Para saber más:
www.heinle.com

Para leer bien

Elements of a Short Story

Prior to reading a literary selection, it is necessary to determine its genre, that is, the literary category to which it belongs. The major genres include **la novela, el drama, la poesía** *(poetry),* **el cuento** *(short story),* and **el ensayo** *(essay).* A quick glance at the following selection will show that it is a prose narration of relatively short length. It could be an essay or a short story. However, by skimming the first paragraph it can be quickly determined that the author is not attempting to analyze or interpret a particular topic as in an essay. Rather, the author takes care to introduce characters and describe a setting, elements typically found in short stories.

As you read the following short story, you should attempt to analyze the following elements of the story.

Los personajes = *characters*. The characters can include human beings, animals and even things and objects. Sometimes the characters play an important role throughout the entire story; sometimes the characters are not even present but are simply talked about or alluded to.

El escenario = *setting*. The setting includes the geography, weather, environment and living conditions, as well as the year and time in which the story takes place.

La estructura = *structure*. A traditional short story or novel is generally structured chronologically, that is, the author begins with the earliest incident in the plot and proceeds to tell the story as the events happened. However, in more modern fiction the structure often breaks with tradition. Chronological order may not be important and at times there is no tale or plot. Many short stories simply paint a moment in time, describe an emotion or feeling, or portray a scene.

El punto de vista = *point of view*. Each literary selection has a particular point of view. We, the readers, see the characters and the action of the story through the eyes of someone else, generally a character in the story or possibly the author. Thus, we read and react to the story based on the mentality and personality of that other person. Sometimes the point of view is very biased and we must try to find the truth in the situation.

El tema = *theme*. The theme of a literary work is its main idea. The theme frequently represents an author's philosophy or view of life.

El tono = *tone*. The tone is the emotional state of the literary work. The tone is generally expressed using adjectives such as *happy, sad, melancholy, angry, mysterious* or *satirical*.

Antes de leer

A. El título. Dé un vistazo al título de la siguiente lectura: **El recado** = *el mensaje*. ¿En qué situaciones escribe Ud. recados? ¿A quién(-es) le(-s) escribe Ud. recados a menudo? ¿Escribe Ud. recados por correo electrónico?

B. El escenario. Utilizando el dibujo del escenario del cuento, describa a la joven y el ambiente. En su opinión, ¿qué está escribiendo la joven? ¿Por qué?

C. La estructura. Este cuento no tiene una estructura tradicional. Es una narración acerca de una joven enamorada que espera a su novio afuera de la casa de él, en México, D.F. Mientras espera le escribe un recado a su novio y también revela sus pensamientos *(thoughts)* y sentimientos acerca de él. Así, el recado de la joven es el cuento que leemos. En su opinión, ¿qué le va a escribir a su novio?

D. Los personajes. Lea las dos primeras oraciones del cuento.

Vine Martín, y no estás. Me he sentado en el peldaño *(step of a stairway)* de tu casa, recargada en *(leaning against)* tu puerta y pienso que en algún lugar de la ciudad, por una onda *(wave)* que cruza el aire, debes intuir *(guess)* que aquí estoy.

Según estas dos oraciones, ¿quiénes son los dos personajes principales del cuento? ¿Están presentes los dos? ¿Dónde están los dos? ¿Quién narra el cuento?

Using a short story (or novel) that all / most of the students are familiar with, have students analyze it according to the features presented in the **Para leer bien** section. Have students list the characters, describe the setting, and explain the structure, point of view, tone, and themes.

Since many students have not read a great deal of literature in any language, it is particulary important to complete the exercises of the **Antes de leer** section. These exercises form advance organizers that will help the students better understand the story as they read it.

Expansión A. Ask students: **¿Qué persona(-s) del verbo suele(-n) predominar en un mensaje?** *(la primera persona / yo)* **¿Qué punto de vista suele predominar?** *(el punto de vista del escritor)*

Antes de leer, Práctica A Answers. *Answers vary.*

Antes de leer, Práctica B Answers. *Answers vary.*

Antes de leer, Práctica C Answers. *Answers vary.*

Expansión D. Ask students: **¿Sabe Martín dónde está la chica?** *(No)* **¿Sabe la chica dónde está Martín?** *(Ella sabe que está en la ciudad, pero no sabe en qué parte de la ciudad está.)* **¿Puede intuir Martín que ella está en la puerta de su casa?** *(No, pero la chica cree que sí.)*

Antes de leer, Práctica D Answers. Son Martín y la persona que escribe (la joven). No, los dos no están presentes. La joven está recargada en la puerta de la casa de Martín y Martín está en la ciudad. La joven narra el cuento.

Lectura literaria

Elena Poniatowska (1933-) está considerada entre los mejores escritores mexicanos. Se inició como periodista y fue la primera mujer en recibir el Premio Nacional de Periodismo (1978). Sus obras incluyen ensayos, crónicas, cuentos y novelas. Sus temas principales son los problemas de México y la nueva mujer mexicana que examina y a veces desconfía de los valores del pasado, como el machismo y el papel tradicional de la mujer.

El recado

Vine Martín, y no estás. Me he sentado en el peldaño de tu casa, recargada en tu puerta y pienso que en algún lugar de la ciudad, por una onda que cruza el aire, debes intuir que aquí estoy. Es éste tu pedacito° de jardín; tu mimosa° se inclina hacia afuera y los niños al pasar le arrancan° las ramas más accesibles... En la tierra, sembradas° alrededor del muro°, muy muy rectilíneas y serias veo unas flores que tienen hojas° como espadas°. Son azul marino, parecen soldados. Son muy graves, muy honestas. Tú también eres un soldado. Marchas por la vida, uno, dos, uno, dos... Todo tu jardín es sólido, es como tú, tiene una reciedumbre° que inspira confianza.

small piece / un tipo de árbol
quitan
sown
wall

leaves / *swords*

strength

Aquí estoy contra el muro de tu casa, así como estoy a veces contra el muro de tu espalda. El sol da también contra el vidrio° de tus ventanas y poco a poco se debilita porque ya es tarde. El cielo enrojecido ha calentado tu madreselva° y su olor se vuelve aún más penetrante. Es el atardecer. El día va a decaer. Tu vecina pasa. No sé si me habrá visto. Va a regar° su pedazo de jardín. Recuerdo que ella te trae una sopa de pasta cuando estás enfermo y que su hija te pone inyecciones... Pienso en ti muy despacito, como si te dibujara° dentro de mí y quedaras allí grabado. Quisiera tener la certeza de que te voy a ver mañana y pasado mañana y siempre en una cadena ininterrumpida de días; que podré mirarte lentamente aunque ya me sé cada rinconcito° de tu rostro°; que nada entre nosotros ha sido provisional o un accidente.

glass
honeysuckle
to water

were drawing

little corner / cara

Estoy inclinada ante una hoja° de papel y te escribo todo esto y pienso que ahora, en alguna cuadra° donde camines apresurado, decidido como sueles hacerlo, en alguna de esas calles por donde te imagino siempre: Donceles y Cinco de Febrero o Venustiano Carranza°, en alguna de esas banquetas° grises y monocordes rotas sólo por el remolino de gente° que va a tomar el camión°, has de saber dentro de ti que te espero. Vine nada más a decirte que te quiero y como no estás te lo escribo. Ya casi no puedo escribir porque ya se fue el sol y no sé bien a bien lo que te pongo. Afuera pasan más niños, corriendo. Y una señora con una olla° advierte irritada: «No me sacudas° la mano porque voy a tirar la leche...» Y dejo este lápiz, Martín, y dejo la hoja rayada° y dejo que mis brazos cuelguen inútilmente a lo largo de mi cuerpo y te espero. Pienso que te hubiera querido abrazar. A veces quisiera ser más vieja porque la juventud lleva en sí, la imperiosa, la implacable necesidad de relacionarlo todo al amor.

sheet
city block
names of streets in D.F.
sidewalks / *crowd* / autobús

kettle / *shake*
lined

Ladra° un perro; ladra agresivamente. Creo que es hora de irme. Dentro de poco vendrá la vecina a prender la luz° de tu casa; ella tiene llave y encenderá el foco° de la recámara° que da afuera porque en esta colonia° asaltan mucho, roban mucho. A los pobres les roban mucho; los pobres se roban entre sí... Sabes, desde mi infancia me he sentado así a esperar, siempre fui dócil, porque te esperaba. Te esperaba a ti. Sé que todas las mujeres aguardan. Aguardan la vida futura, todas esas imágenes forjadas en la soledad, todo ese bosque° que camina hacia ellas; toda esa inmensa promesa que es el hombre; una granada° que de pronto se abre y muestra sus granos rojos, lustrosos; una granada como una boca pulposa de mil gajos°. Más tarde esas horas vividas en la imaginación, hechas horas reales, tendrán que cobrar peso y tamaño y crudeza. Todos estamos—oh mi amor—tan llenos de retratos interiores, tan llenos de paisajes no vividos.

barks
poner la luz /
  la lámpara /
  dormitorio / barrio

forest (of men)
pomegranate
sections of fruit

Ha caído la noche y ya casi no veo lo que estoy borroneando° en la hoja rayada. Ya no percibo las letras. Allí donde no le entiendas en los espacios blancos, en los huecos, pon: "Te quiero" ... No sé si voy a echar esta hoja debajo de la puerta, no sé. Me has dado un tal respeto de ti mismo... Quizás ahora que me vaya, sólo pase a pedirle a la vecina que te dé el recado; que te diga que vine.

escribiendo

Después de leer

A. Martín. Haga una lista de las palabras y frases que la joven usa para describir a Martín. ¿Con qué compara la joven a Martín? ¿Cómo es él?

B. Un tema. Uno de los temas del cuento es el papel de la mujer. Lea las siguientes oraciones del cuento que hablan del papel de la mujer.

Sé que todas las mujeres aguardan *(wait)*. Aguardan la vida futura, todas esas imágenes forjadas *(forged)* en la soledad...

¿Qué esperan las mujeres tradicionales? ¿Y las mujeres más feministas? En su opinión, ¿cuáles son algunas de «esas imágenes forjadas en la soledad»? ¿Qué espera la joven del cuento? ¿Es tradicional o feminista ella?

C. El final. El final del cuento es un poco ambiguo; no sabemos lo que va a hacer la joven. ¿Cuáles son las posibilidades mencionadas por la joven? En su opinión, ¿qué va a hacer ella al final?

D. Otro punto de vista. El cuento «El recado» está escrito desde el punto de vista de la joven.

Con un(-a) compañero(-a) de clase escriba un párrafo acerca de la relación entre la joven y Martín. Pero, escriba su párrafo desde el punto de vista del novio Martín.

Después de leer, Práctica C Answers. Ella puede echar el recado debajo de la puerta. Ella puede irse con el recado sin dejárselo a Martín. Ella puede pasar a la casa de la vecina para pedirle que le dé el recado a Martín y que le diga que vino. *Answers vary.*

Más análisis del cuento. Ask students: **1.** Además de la joven y Martín, ¿qué otros personajes hay en el cuento? *(la vecina, una señora con una olla / unos niños)* ¿Por qué los menciona la joven? *(Porque puede ver lo que pasa en la calle y está un poco aburrida. Le cuenta a Martín todo lo que está pasando cerca de su casa.)* **2.** ¿Qué hora es al principio del cuento? *(Es el atardecer.)* ¿Y al final? *(Es de noche.)* ¿Qué representa esta hora del día y el paso del tiempo? *(Representan el fin de algo.)* **3.** ¿Qué hace la narradora al principio del cuento? *(Está sentada y escribe su recado.)* ¿Y al final? *(Termina el recado y se va de la casa de Martín.)* ¿Hay un cambio en la actitud de la narradora al final? Explique. *(Sí, hay un cambio. Ella muy indecisa y no sabe qué hacer con el recado ni con el amor que tiene.)* **4.** ¿Hay acción en el cuento? *(Hay muy poca acción.)* Explique por qué. *(No hay mucha acción porque lo que importa es la actitud y los pensamientos de la chica.)* **5.** ¿Qué representa el jardín de la casa? *(Representa a Martín.)* **6.** ¿Cómo es el tono del cuento? *(Es meláncolico.)* ¿Qué palabra (adjetivo o sustantivo) mejor expresa la emoción central del cuento? *(Answers vary.)*

Después de leer, Práctica D Answers. *Answers vary.*

Bienvenidos a

Centroamérica, a Colombia

Have students us[e]
maps of Centroamé[rica,]
Colombia and Vene[zuela,]
located in the ope[ning]
pages of the st[udent]
text[book.]

5 C's

The **culture standard** is emphasized in this section. Students will learn about the geography, climate, population, languages, cities, government, and economy of Central America, Colombia and Venezuela.

Ask questions about the content of the photos of this **Bienvenidos** section. **¿Cómo se llama el lago en la foto?** *(Atitlán)* **¿En qué país está?** *(Guatemala)* **¿Qué hay alrededor del lago?** *(Hay montañas / árboles / un paisaje hermoso.)* **¿Qué tiempo hace en la foto?** *(Hace sol / buen tiempo / calor.)* **¿Cómo se llama la ciudad en la segunda foto?** *(Bogotá)* **¿En qué país está?** *(Colombia)* **¿Qué se ve en la foto?** *(Se ve[-n] edificios altos / rascacielos / el centro de la ciudad / montañas / calles / coches / mucha gente.)*

Guatemala: Lago Atitlán

GEOGRAFÍA Y CLIMA

Centroamérica es el puente entre la América del Norte y la América del Sur. *Colombia y Venezuela* son dos países de la América del Sur. Tienen una geografía muy similar: la costa tropical y la región templada de las montañas. *Venezuela* también tiene llanos *(plains)* cerca del Río Orinoco.

La temperatura varía según la altitud.

POBLACIÓN

Centroamérica: 32.500.000 de habitantes; *Venezuela*: 21.800.000 de habitantes; *Colombia*: 35.100.000 de habitantes.

LENGUAS

El español y varios idiomas indígenas

GOBIERNO

Centroamérica es como una América Latina en miniatura; hay gran diversidad en los gobiernos y la política. *Colombia y Venezuela*: Democracia

ECONOMÍA

Centroamérica: Productos agrícolas: frutas tropicales, verduras, café; turismo; *Venezuela*: petróleo; *Colombia*: café, flores, turismo

Point out. Guatemala, como muchos de los países de Centroamérica, tiene una naturaleza abundante y hermosa. A causa de su clima templado, Guatemala es conocido como «El país de la eterna primavera». Además de su naturaleza, Guatemala es conocida por su antigua civilización maya.

Point out. Bogotá está situada a 8.600 pies sobre el nivel del mar. Es una ciudad grande e interesante con una población de 6.500.000 de habitantes. La Plaza Bolívar ocupa el centro de la ciudad y alrededor de la plaza está el centro histórico llamado La Candelaria. Un lugar de gran interés turístico es el cerro Monserrate, al oriente de la ciudad.

Have students work in pairs to complete the **Práctica geográfica**. One student should ask the questions and the other should answer. After completing the exercise, students should report back to the class on the information in order to check the answers.

y a Venezuela

Bogotá,
Colombia

Práctica geográfica

Conteste las siguientes
preguntas usando la
información presentada y los
mapas de Centroamérica,
Colombia y Venezuela de las primeras páginas de este libro.

A. Centroamérica
1. De los siete países de Centroamérica sólo Belice no es un país de habla española. ¿Cuáles son los seis países hispanos de la región? ¿Cuál es el único país que no tiene costa en el mar Caribe?
2. ¿Cuáles son las capitales de los países hispanos?
3. ¿Qué divide a Panamá en dos regiones? ¿Por qué lo construyeron?

B. Colombia
1. ¿Cuál es la capital? ¿Cuáles son otras ciudades importantes?
2. ¿Cómo se llaman las montañas de Colombia? ¿Dónde están las ciudades en relación con las montañas?
3. Colombia tiene costa en dos mares. ¿Cuáles son?

C. Venezuela
1. ¿Cuál es la capital de Venezuela? ¿Cuáles son otras ciudades importantes?
2. ¿Cómo se llama el río más grande de Venezuela? ¿Cómo se llama el lago grande en el noroeste del país?
3. ¿Dónde están los llanos?

D. La influencia geográfica.
¿Qué ventajas y desventajas ofrecen las geografías de Centroamérica, Colombia, y Venezuela?

Have students describe the photo. If
necessary, ask specific questions such
as the following: ¿Qué hay en la foto?
¿Cuántas personas hay y quiénes
son? ¿Qué hacen? ¿Dónde están?

En la universidad

Algunos estudiantes en la Ciudad de Guatemala

Cultural Themes

Central America

Universities in the Hispanic world

Have students provide examples in English of the topics,
situations, and phrases that would be covered in each of
the communicative goals. For example: Claseroom
expressions: Students might answer "Open your books;
take out paper and pen."

Communicative Goals

Functioning in the classroom

Indicating location, purpose, and time

Indicating the recipient of something

Talking about the weather

Expressing hopes, desires, and requests

Making comparisons

Primera situación

Presentación

¿Dónde está la Facultad de Ingeniería?

Práctica y conversación

A. Situaciones. ¿Adónde va Ud. en las siguientes ocasiones?

1. Necesita comprar libros para su clase de historia.
2. Quiere pagar la matrícula.
3. Tiene un examen oral de español y necesita practicar.
4. Va a encontrarse con su compañero(-a) de cuarto para jugar al tenis.

5. Acaba de tomar un examen de matemáticas y tiene sueño.

6. La librería no tiene la novela que Ud. tiene que leer para su clase de literatura.

7. Tiene hambre.

B. La Universidad Tecnológica. Hágale a un(-a) compañero(-a) de clase preguntas sobre la Universidad Tecnológica.

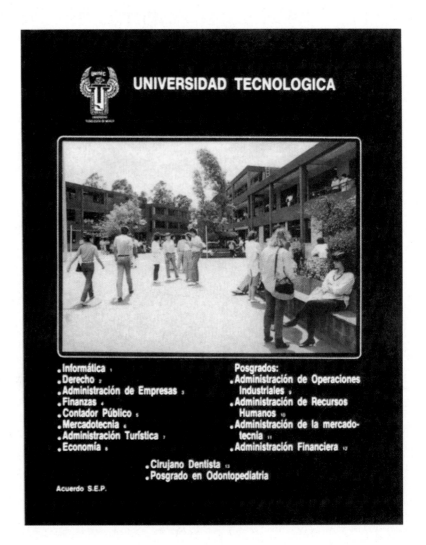

Pregúntele...

1. si uno puede especializarse en administración de empresas.
2. si se puede estudiar periodismo.
3. si se puede tomar cursos de filosofía y letras.
4. si hay cursos posgrados. ¿En qué campos?
5. si hay universidades tecnológicas en los Estados Unidos. ¿Cómo son?

C. Creación. Cuente en una narración lo que pasa en el dibujo de la **Presentación.**

Vocabulario

El ingreso	**Admission**
la beca	*scholarship*
el examen de ingreso	*entrance exam*
la matrícula	*tuition*
el requisito	*requirement*
estar en el primer año	*to be a freshman*
estar en la universidad	*to be at the university*
inscribirse	*to enroll in a class*
matricularse	*to register*
La ciudad universitaria	**Campus**
la biblioteca	*library*
el campo deportivo	*sports field*
el centro estudiantil	*student center*
el estadio	*stadium*
el gimnasio	*gymnasium*
el laboratorio de lenguas	*language lab*
la librería	*bookstore*
las oficinas administrativas	*administrative offices*
la residencia estudiantil	*dormitory*
el teatro	*theater*
Los cursos	**Courses**
la apertura de clases	*beginning of the term*
el campo de estudio	*field of study*
el (la) catedrático(-a)	*university professor*
el curso electivo	*elective class*
obligatorio	*required class*

la Facultad de	*School of*
Administración de empresas	*Business and Management*
Arquitectura	*Architecture*
Bellas artes	*Fine Arts*
Ciencias de la educación	*Education*
Ciencias económicas	*Economics*
Ciencias políticas	*Political Science*
Derecho	*Law*
Farmacia	*Pharmacy*
Filosofía y letras	*Liberal Arts (Philosophy and Literature)*
Ingeniería	*Engineering*
Medicina	*Medicine*
Periodismo	*Journalism*
la materia	*subject matter*
el profesorado	*faculty*
especializarse en	*to major in*
seguir (i, i) un curso tomar un curso	*to take a course*
ser oyente	*to audit a course*
Los títulos	**Degrees**
el bachillerato	*high school diploma*
el doctorado	*doctorate*
la licenciatura	*bachelor's degree*
la maestría	*master's degree*
graduarse	*to graduate*
licenciarse en	*to receive a bachelor's degree*

Así se habla

Classroom Expressions

Profesora Muy bien, Miguel. Tu presentación acerca de las universidades en el mundo hispano estuvo muy interesante. Por favor, toma asiento. Ahora, por favor, todos Uds. saquen lápiz y papel y escriban un resumen de la presentación oral de su compañero.

Mario Profesora, ¿de cuántas páginas tiene que ser el resumen?

Profesora Una página como mínimo.

Mario ¿Y para cuándo es?

Profesora Para mañana por la mañana.

Mario *(Murmurando)*: ¡Y yo que no presté atención! ¡Ahora sí que estoy metido en un lío! ¡Eso me pasa por distraído! Oye, José, ¿puedo trabajar contigo?

José ¿Qué? ¡Ni hablar!

If you are in a classroom, these are some of the expressions that your instructor will use. (Remember it is more polite to use "por favor" when giving a command.)

Escuchen.	*Listen.*
Abran / Cierren sus libros.	*Open / Close your books.*
Saquen un lápiz y una hoja de papel.	*Take out a pencil and a sheet of paper.*
Guarden todas sus cosas.	*Put all your things away.*
Contesten, por favor.	*Please answer.*
Escriban una composición de (500) palabras / (tres) páginas.	*Write a composition of (500) words / (three) pages.*
Trabajen con su compañero(-a).	*Work with your partner.*
Lean en voz alta / en silencio.	*Read out loud / silently.*
Hablen más alto.	*Speak louder.*

As the student, these are some of the expressions you can use.

No comprendo.	*I don't understand.*
No sé.	*I don't know.*
¿Puede repetir, por favor?	*Could you repeat (it), please?*
Tengo una pregunta.	*I have a question.*
¿Cómo se dice...?	*How do you say . . . ?*
¿Podría hablar más despacio?	*Could you speak more slowly?*
¿Podría explicar... otra vez?	*Could you explain . . . again?*
¿Para cuándo es?	*When is it due?*
¿De cuántas páginas?	*How many pages long?*

Práctica y conversación

A. Situaciones. ¿Qué dice un profesor cuando...

1. le hace una pregunta a un estudiante?
2. un estudiante responde y nadie lo oye?
3. los estudiantes van a tomar un examen?
4. los estudiantes tienen que leer en clase?

¿Qué dicen los estudiantes cuando...

5. no entienden lo que el profesor dice?
6. no saben una palabra?
7. no saben una respuesta?
8. el profesor habla muy rápido?

B. ¡Presten atención! En grupos de tres, una persona hará el papel del (de la) profesor(-a) de español y las otras dos harán el papel de los estudiantes. El (La) profesor(-a) les dirá a los estudiantes lo siguiente:

Put everything away. / Take out paper and pencil, please. / Ask your classmate what he (she) did last weekend. / Speak louder, please. / Now, write a composition describing what your classmate just told you.

Los estudiantes le preguntarán al (a la) profesor(-a) la siguiente información: How many pages long? When is it due?

Estructuras

Indicating Location, Purpose, and Time

Some Prepositions; por *versus* para

In order to indicate purpose, destination, location, direction, and time, you will need to learn to use prepositions and to distinguish the prepositions **por** and **para**.

Warm-up A. Ask students to think about the type of activities the instructor usually asks them to do. Then, ask them what information they need from the instructor in order to complete the assignment.

Así se habla, Práctica A Answers. 1. Conteste, por favor. **2.** Hable más alto. **3.** Saquen un lápiz y una hoja de papel. **4.** Lean en silencio. **5.** No comprendo. **6.** ¿Cómo se dice...? **7.** No sé. **8.** ¿Podría hablar más despacio?

Divide the students in groups of three and ask them to role play the situation. Ask students to prepare first and to be ready to present their situation in front of the class without looking at their notes. Reward creativity!

Así se habla, Práctica B Answers. Profesor: Guarden sus cosas. / Saquen lápiz y papel, por favor. / Pregúntele a su compañero(-a) qué hizo el fin de semana pasado. Hable más alto, por favor. / Ahora, escriba una composición acerca de lo que su compañero(-a) le acaba de decir. **Estudiantes:** ¿De cuántas páginas? ¿Para cuándo es?

Some Common Prepositions

a	*to, at*	**hasta**	*until, as far as*
con	*with*	**menos**	*except*
de	*of, from, about*	**para**	*for, in order to*
desde	*from, since*	**por**	*for, by, in, through*
durante	*during*	**según**	*according to*
en	*in, on, at*	**sin**	*without*

Some Prepositions of Location

al lado de	*beside, next to*	**detrás de**	*behind, in back of*
alrededor de	*around*	**encima de**	*on top of, over*
cerca de	*near*	**enfrente de**	*in front of*
contra	*against*	**entre**	*between, among*
debajo de	*under, underneath*	**lejos de**	*far (from)*
delante de	*in front of*	**sobre**	*on top of, over*
dentro de	*in, inside of*		

a. When the masculine singular article **el** follows the preposition **a** the contraction **al** is used.

> Joaquín va **al** laboratorio de química; no va a la oficina.
> *Joaquín is going to the chemistry lab; he's not going to the office.*

b. When the masculine singular article **el** follows the preposition **de** or a compound preposition containing **de,** the contraction **del** is used.

> La Facultad de Farmacia está al lado **del** edificio de química.
> *The School of Pharmacy is next to the chemistry building.*

c. The prepositions containing **de** can be used as adverbs when **de** is eliminated. Note that prepositions are followed by an object but adverbs are not. Compare the following examples.

> La Facultad de Derecho está **lejos de** la biblioteca, ¿verdad?
> *The Law School is far from the library, isn't it?*
> Sí, está muy **lejos.**
> *Yes, it's very far.*

d. Even though both **por** and **para** can mean *for,* these two prepositions have separate uses. Study the following explanation.

PARA is used to indicate:

1. destination
   Salgo **para mis clases** a las ocho.   *I leave for my classes at 8:00.*
   Esta carta es **para mi compañero**   *This letter is for my roommate.*
   de cuarto.

2. purpose
   Ricardo estudia **para ser abogado.**   *Ricardo is studying to be a lawyer.*
   Tomo seis cursos este semestre   *I am taking six courses this semester*
   para graduarme pronto.   *in order to graduate soon.*

3. deadline
   Tengo que escribir un informe   *I have to write a paper by Thursday.*
   para el jueves.

4. comparison
   Para un estudiante nuevo, Raúl   *For a new student Raúl knows a lot*
   sabe mucho de medicina.   *about medicine.*

POR is used to express:

1. length of time
   Ayer practiqué en el laboratorio   *Yesterday I practiced in the*
   por dos horas.   *laboratory for two hours.*

2. *for, in exchange for* to express sales or gratitude
   Pagué $100.00 **por este libro**   *I paid $100.00 for this physics*
   de física.   *book.*
   Muchas gracias **por toda tu**   *Thank you very much for all*
   ayuda.   *your help.*

3. means of transportation or communication
   Francisca me llamó **por**   *Francisca called me on the phone*
   teléfono anoche para   *last night to tell me that we're*
   decirme que vamos a   *going to Managua by plane.*
   Managua **por avión.**

4. cause or reason
   No podemos ir al partido de   *We can't go to the soccer game*
   fútbol **por el mal tiempo.**   *because of the bad weather.*

5. *through, along, by*
   Anoche caminamos **por el**   *Last night we walked through*
   parque.   *the park.*

6. **Por** is also used in many common expressions such as the following:

por aquí / allí	*around here / there*	**por favor**	*please*
por desgracia	*unfortunately*	**por fin**	*finally*
por ejemplo	*for example*	**¿por qué?**	*why?*
por eso	*therefore, for that reason*	**por supuesto**	*of course*

Práctica y conversación

A. ¡Por favor, ayúdame! Ud. es un(-a) nuevo(-a) estudiante en su universidad y está totalmente perdido(-a). Complete las oraciones con **por** o **para** para pedirle ayuda a un(-a) compañero(-a).

Reminder. ¿**Por qué** = *why* is used in questions; **porque** = *because* is used in answers.

Warm-up. To practice the meaning of the prepositions use a classroom object such as a book or a pen. Place the object over / under / beside / on top of / in front of / inside of / between another object. Have students explain where the object is in relation to the other object: **Example: El libro está sobre / debajo de / al lado de la mesa.**

Warm-up A. Students brainstorm some of the things they had to find out when they first came to the university. Ask them: **¿A quién(-es) le(-s) pidieron ayuda? ¿Qué respuestas les dieron? ¿Fue la gente amable o no?** *Answers vary.*

Students prepare
Práctica A in pairs. Then,
they create their own
dialogue based on their
own needs, and their own
campus.

Estructuras, *Por* **and**
***Para*, Práctica A**
Answers. 1. por, para
2. por, para 3. por 4. por,
por 5. por 6. por, por 7. por
8. para, para 9. por

Expansión A. Have
students use a map of their
university and working in
pairs, have them tell their
classmate how to go from
the student union to the
library, from the lab to the
athletic center, etc.

Warm-up B. Students
work in groups of three
and ask each other about
their plans for the next
school year. Go around the
class and check students'
dialogues providing the
help they might need.

Instructions B. Working
in pairs, students prepare
Práctica B. After they
finish preparing, they
dramatize the situation
without using their book.
It is not necessary to
follow the order of
questions in the book.

Estructuras, *Por* **and**
***Para*, Práctica B**
Answers. *Answers vary.*

Instructions C. Students
should work in groups of
three; two play the role of
the parents and the third
one plays the role of the
student. After preparing
the exercise, each group
should dramatize the
situation in front of the
class. The class then
decides which dialogue
is the most realistic.

Estructuras, *Por* **and**
***Para*, Práctica C**
Answers. *Answers vary.*

Usted

1. Disculpa, pero me podrías decir, _____ favor, ¿adónde tengo que ir _____ matricularme en un curso de ruso?
3. ¿Y cómo llego? ¿Están _____ aquí?
5. No, en realidad, no. ¿Queda _____ el Centro Estudiantil?
7. Mi especialidad es ruso. ¿_____ qué me preguntas?
9. Tienes razón. Muchas gracias _____ todo y disculpa la molestia.

Compañero(-a)

2. _____ desgracia, también soy nuevo(-a), pero creo que tienes que ir _____ las oficinas administrativas.
4. No, están _____ el otro lado de la universidad. Tienes que pasar _____ el edificio de Educación. ¿Sabes dónde queda?
6. No, no está _____ ahí. Pero, ¿_____ qué tienes que matricularte en ese curso?
8. Es una lengua muy difícil. _____ ser un(-a) estudiante nuevo(-a) sabes lo que estás haciendo, ¿no? Pienso que debes hablar con tu consejero _____ que te ayude.
10. No, ¡qué ocurrencia!

B. **¿Qué clases vas a tomar?** Hable con un(-a) compañero(-a) de las clases que piensan tomar y los deportes que piensan practicar el próximo semestre o trimestre.

1. ¿En qué edificios van a tener clases? ¿Dónde van a practicar deportes?
2. ¿Dónde quedan esos sitios? ¿Quedan cerca o lejos de su residencia estudiantil? Expliquen.
3. ¿Cuándo van a tener clases? ¿Cuándo van a practicar deportes?
4. ¿A qué hora van a salir de su residencia para llegar a clase?
5. ¿Por qué prefieren esas clases? ¿Esos deportes?
6. ¿?

C. **¿Dónde está...?** Sus padres lo (la) llaman por teléfono y le hacen preguntas acerca de su universidad. Dígales dónde queda su residencia estudiantil, el centro estudiantil, la librería, el laboratorio de lenguas, la biblioteca, el hospital universitario, ¿?

Indicating the Recipient of Something

Prepositional Pronouns

To indicate the recipient of an action, the donor of a gift, or to express with whom you are doing certain activities, you use a preposition followed by a noun or a prepositional pronoun. These prepositional pronouns replace nouns and agree with the nouns in gender and number.

Alicia	¡Qué bonitas flores! ¿Para quién son?
Juana	Son para ti.
Alicia	¡Qué bien! ¿Son de Eduardo?
Juana	Por supuesto que son de él.

Prepositional Pronouns

¿Para quién son las flores?

Son para **mí**.	They're for me.	Son para **nosotros(-as)**.	They're for us.
Son para **ti**.	They're for you.	Son para **vosotros(-as)**.	They're for you.
Son para **él**.	They're for him.	Son para **ellos**.	They're for them.
Son para **ella**.	They're for her.	Son para **ellas**.	They're for them.
Son para **Ud**.	They're for you.	Son para **Uds**.	They're for you.

a. Prepositional pronouns have the same form as subject pronouns except for the first- and second-person singular forms: **mí / ti.**

b. The first- and second- person singular pronouns combine with the preposition **con** to form **conmigo** *(with me)* and **contigo** *(with you).* The forms **conmigo** and **contigo** are both masculine and feminine.

Práctica y conversación

A. **¿Qué es esto?** Ud. tuvo una pequeña fiesta en su cuarto de la residencia estudiantil y ahora hay mucho desorden. Su compañero(-a) de cuarto entra y le hace algunas preguntas.

MODELO

cuaderno / José

COMPAÑERO(-A):   **¿De quién es este cuaderno? ¿De José?**

USTED: **Sí, es de él.**

1. chocolates / tus amigos
2. regalo / Ángela y Elena
3. discos compactos / los hermanos Gómez
4. fotos / Jacinto
5. libros / tu novio(-a)
6. radio / Eduardo

Warm-up B. Students work in groups and discuss the type of mail they receive:
¿Quién les escribe?
¿Con qué frecuencia?
¿Sobre qué les escribe?
¿Cómo se sienten al recibir estas cartas?

Instructions B. Students work in groups of four.

Estructuras, Prepositional Pronouns, Práctica B: *Answers vary.*

B. **¡Llegó el correo!** En grupos, un(-a) estudiante está encargado(-a) de repartirles el correo a los otros estudiantes de su residencia. Posteriormente, uno(-a) de los estudiantes informará a la clase quién recibió cartas de quién(-es).

 MODELO

Cartero(-a):	**¡Dos cartas para Elena!**
Estudiante 1	**¡Ay! Una carta para mí de José y otra de mis padres.**
Estudiante 2	**¿De José?**
Estudiante 1	**¡Sí, de él!**

C. **Adivina a quién vi hoy.** Usando el dibujo, explíquele a un(-a) compañero(-a) a quiénes vio en la biblioteca hoy y qué estaban haciendo. Él (ella) querrá saber todos los detalles.

Warm-up C. Students work in small groups and talk about the following:
qué hacen cuando van a la biblioteca, con quién hablan / estudian, qué reglas hay, qué pasa si rompen las reglas.

Instructions C. Ask the class to describe the picture in detail: clothes, behavior, what type of personality the people in the picture have, what the consequences of what they are doing are. Students complete the exercise working individually. Then, they check their answers with a partner.

Estructuras, Prepositional Pronouns, Práctica C Answers. *Answers vary.*

Siga practicando el vocabulario y las estructuras gramaticales de **Capítulo 5, Primera situación** en *Interacciones CD-ROM*.

Para saber más:
www.heinle.com

Segunda situación

Presentación

Mis clases del semestre pasado

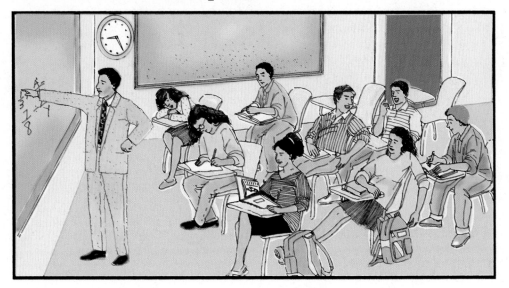

A. Las asignaturas. ¿Qué cursos debe escoger un(-a) estudiante si se prepara para ser...?

periodista / arquitecto(-a) / científico(-a) / farmacéutico(-a) / sicólogo(-a) / maestro(-a) / hombre (mujer) de negocios

B. Entrevista personal. Hágale preguntas a un(-a) compañero(-a) de clase sobre sus estudios y su compañero (-a) debe contestar.

Pregúntele...

1. lo que hace cuando falta a clase.
2. cómo se puede sacar prestado un libro.
3. lo que debe hacer si sale mal en un examen.
4. cómo se puede dejar una clase.
5. lo que tiene que hacer para sacar buenas notas.
6. cuándo es necesario aprender de memoria.
7. lo que hace para aprobar un examen.

C. **¡Sobresaliente!** Mire la hoja de evaluación que recibió Richard Lotero y conteste las siguientes preguntas.

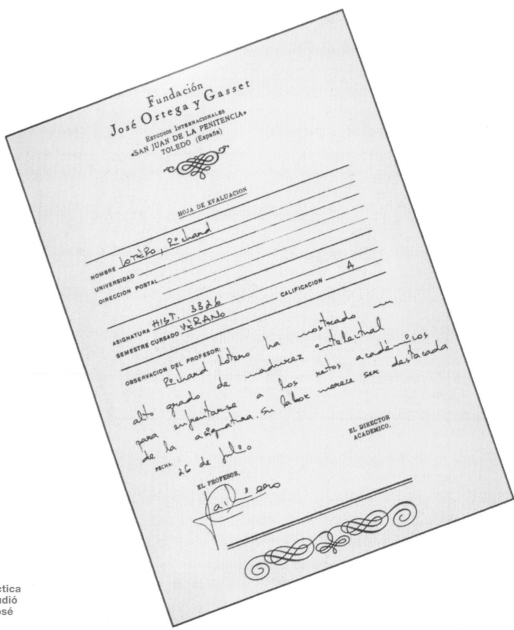

1. ¿Dónde estudió Richard?
2. ¿Qué estudió? ¿Cuándo?
3. ¿Cómo salió en el curso?
4. ¿Qué opinión tiene el profesor del trabajo de Richard?
5. ¿Dónde está la Fundación José Ortega y Gasset?
6. ¿Qué tipo de estudios ofrece la Fundación José Ortega y Gasset?

D. Los cursos obligatorios. En parejas, preparen una lista de las asignaturas que deben ser obligatorias para todos los estudiantes y expliquen por qué.

**Presentación, Práctica
D Answers.** *Answers vary.*

E. Creación. En una narración cuente lo que pasa en el dibujo de la **Presentación**.

**Presentación, Práctica
E Answers.** *Answers vary.*

Vocabulario

Las asignaturas	**Subjects**
el arte	*art*
la biología	*biology*
las ciencias exactas	*natural science*
sociales	*social sciences*
la contabilidad	*accounting*
la física	*physics*
la historia	*history*
el idioma extranjero	*foreign language*
las matemáticas	*mathematics*
la música	*music*
la programación de computadoras	*computer science*
la química	*chemistry*
la sicología	*psychology*
la sociología	*sociology*

En la clase	**In class**
la enseñanza	*teaching*
el horario	*schedule*
la investigación	*research*
el libro de texto	*textbook*
el semestre	*semester*
aplicado(-a)	*studious*
flojo(-a)	*lax, weak*
perezoso(-a)	*lazy*
sobresaliente	*outstanding*
trabajador(-a)	*hard-working*

asistir a clase	*to attend class*
una conferencia	*a lecture*
cumplir con los requisitos	*to fulfill requirements*
dar una conferencia	*to give a lecture*
dejar una clase	*to drop a class*
elegir (i, i)	*to elect*
entregar la tarea	*to hand in the homework*
esforzarse (ue)	*to make an effort*
estar flojo(-a) en	*to be weak in*
fuerte en	*good at*
faltar a clase	*to miss class*
pasar lista	*to take attendance*
prestar atención	*to pay attention*
requerir (ie, i)	*to require*
sacar prestado un libro	*to check out a book*

La temporada de exámenes	**Examination period**
aprender de memoria	*to memorize*
aprobar (ue) un examen	*to pass an exam*
repasar	*to review*
sacar buenas (malas) notas	*to get good (bad) grades*
salir mal en un examen	*to fail an exam*
sobresalir	*to excel*
tomar un examen	*to take an exam*

Así se habla

Talking About the Weather

Renata	¿Cómo estás, Hilda?
Hilda	¡Ay! hija, aquí un poco resfriada. Tú sabes que ayer tuve que salir muy temprano de la casa porque tenía que hacer una serie de diligencias y como estaba apurada, me olvidé de llevar el paraguas.
Renata	¡Ay, dios mío! ¡Y con el aguacero que cayó ayer!
Hilda	Sí, ¡imagínate! Y además hizo más frío que nunca. Ahora me siento un poco mal.
Renata	Cuídate mucho, Hilda, espero que no te enfermes más y te pongas peor.
Hilda	Ni me digas que ya me están doliendo todos los huesos.
Renata	Es necesario que te quedes en casa y no te enfríes. La temporada de lluvias recién está empezando y parece que este año va a llover más que de costumbre.
Hilda	Eso oí. Pero bueno, ¡qué se va a hacer!

If you want to talk about the weather, you can use the following expressions.

¿Qué tiempo hace? ⎱	
¿Cómo está el día? ⎰	*What's the weather like?*
¿Hace sol / viento / frío / calor?	*Is it sunny / windy / cold / hot?*
¿Está lloviendo / nevando?	*Is it raining / snowing?*
Está nublado / húmedo.	*It's cloudy / humid.*
Hay neblina.	*It's foggy.*
¡Qué día tan bonito / feo! ⎱	
¡Qué bonito / feo está el día! ⎰	*What a pretty / an ugly day!*
Parece que va a llover / nevar.	*It seems it's going to rain / snow.*
¡Va a caer un aguacero!	*It's going to rain cats and dogs!*
Espera a que despeje.	*Wait till it clears up.*
¡Me muero de frío / calor!	*I'm freezing / burning up!*

Práctica y conversación

A. ¿Qué te parece este clima? Mire el termómetro. ¿Qué dice Ud. cuando...

1. hace una temperatura de 10 grados (centígrados) y hay un 100% de humedad?
2. la temperatura está a 20 grados (centígrados) y hay un 70% de humedad?
3. llueve mucho?
4. hace una temperatura de 41 grados (centígrados)?
5. el sol brilla mucho y la temperatura está a 34 grados (centígrados)?
6. hay mucha neblina?

B. Nos vamos de viaje. Trabajen en parejas. Ud. y un(-a) compañero(-a) de clase están planificando un viaje para las próximas vacaciones. El lugar adonde irán dependerá del clima. A Ud. le gusta el clima cálido pero él (ella) prefiere el clima frío. Escojan un sitio que les guste a los (las) dos.

Estructuras

Expressing Hopes, Desires, and Requests
Present Subjunctive After Verbs of Wishing, Hoping, Commanding, and Requesting

Verbs in the indicative mood express statements or questions that are objective or factual.

> Carolina **estudia** para su examen de química.

> *Carolina is studying for the exam in her chemistry class.*

Verbs in the subjunctive mood are used for subjective or doubtful statements or questions.

> Espero que Carolina **estudie** para su examen de química.

> *I hope that Carolina is studying for the exam in her chemistry class.*

My hope that Carolina is studying for the exam does not mean that she will do it; this action is not an observable fact and therefore the subjunctive is used.

Formation of the Present Subjunctive

a. To form the present subjunctive:

1. Obtain the stem by dropping the **-o** from the first-person singular of the present tense.
2. To the stem add **-er** endings to **-ar** verbs and **-ar** endings to **-er** and **-ir** verbs.

Verbos en -AR repasar	Verbos en -ER aprender	Verbos en -IR escribir
repase	aprenda	escriba
repases	aprendas	escribas
repase	aprenda	escriba
repasemos	aprendamos	escribamos
repaséis	aprendáis	escribáis
repasen	aprendan	escriban

b. Verbs that are irregular in the first-person singular of the present indicative will show the same irregularity in all forms of the present subjunctive.

HACER   haga, hagas, haga, hagamos, hagáis, hagan
CONOCER   conozca, conozcas, conozca, conozcamos, conozcáis, conozcan

c. Certain verbs will show spelling changes in the present subjunctive:

Verbs ending in ...

1. **-car** change the **c → qu**:   buscar   **busque**
2. **-gar** change the **g → gu**:   pagar   **pague**
3. **-zar** change the **z → c**:   organizar   **organice**
4. **-ger** change the **g → j**:   escoger   **escoja**

d. Stem-changing **-ar** and **-er** verbs follow the pattern of change of the present indicative: all forms stem-change except **nosotros** and **vosotros**.

e → ie recomendar	o → ue mostrar	e → ie perder	o → ue devolver
recomiende	muestre	pierda	devuelva
recomiendes	muestres	pierdas	devuelvas
recomiende	muestre	pierda	devuelva
recomendemos	mostremos	perdamos	devolvamos
recomendéis	mostréis	perdáis	devolváis
recomienden	muestren	pierdan	devuelvan

e. Stem-changing **-ir** verbs follow the pattern of change of the present indicative and show an additional stem change in the **nosotros** and **vosotros** forms.

Point out. Common verbs ending in **-car** include **buscar, dedicar, explicar, practicar, sacar, tocar**; common verbs ending in **-gar** include **jugar (ue), llegar, pagar**; common verbs ending in **-zar** include **comenzar (ie), cruzar, empezar (ie)**; common verbs ending in **-ger** include **coger, escoger**.

Point out. Some common -ar and -er verbs that stem-change e → ie include **cerrar, empezar, pensar, querer, recomendar**; o → ue include **almorzar, aprobar, contar, esforzarse, poder, probar, volver**.

e → ie, i **divertirse**	e → i, i **pedir**	o → ue, u **dormir**
me divierta	pida	duerma
te diviertas	pidas	duermas
se divierta	pida	duerma
nos divirtamos	pidamos	durmamos
os divirtáis	pidáis	durmáis
se diviertan	pidan	duerman

Point out. Some common -ir verbs that stem-change e → ie include **divertirse, sentirse, preferir, requerir; o → ue** include **dormir(se), morir(se); e → i** include **conseguir, despedirse, elegir, pedir, repetir, servir, vestirse.**

f. Verbs whose present indicative **yo** form does not end in **-o** have irregular subjunctive stems. The endings of such verbs are regular.

DAR	dé, des, dé, demos, deis, den
ESTAR	esté, estés, esté, estemos, estéis, estén
IR	vaya, vayas, vaya, vayamos, vayáis, vayan
SABER	sepa, sepas, sepa, sepamos, sepáis, sepan
SER	sea, seas, sea, seamos, seáis, sean

Have students indicate how the verbs in this list are irregular.

The present subjunctive of **hay** = **haya**.

Uses of the Subjunctive

a. The subjunctive in Spanish is used to express subjectivity or that which is unknown. Expressions of desire, hope, command, or request are among many Spanish verbs and phrases that create a doubtful or unknown situation and require the use of the subjunctive.

DESIRE	desear, querer
HOPE	esperar, ojalá (que)
COMMAND	decir, dejar, es necesario, es preciso, exigir, insistir en, mandar, ordenar, permitir, prohibir
ADVICE/REQUEST	aconsejar, pedir, proponer, recomendar, rogar, sugerir

Point out. Desear / querer + subjunctive are generally translated as an infinitive in English. **Esperar** + subjunctive is translated as a present or future tense in English.

Point out. Ojalá (que) is a set expression; it is not a verb and does not change form.

b. Decir is followed by the subjunctive when someone is told or ordered to do something. **Decir** is followed by the indicative when information is given.

La profesora les **dice** a los estudiantes que **entreguen** la tarea.	*The professor tells her students to hand in the homework.*
La profesora **dice** que los estudiantes **entregan** la tarea.	*The professor says that the students are handing in the homework.*

c. Many of the expressions of command or advice/request will use indirect objects. In such cases the indirect object pronoun and the subjunctive verb ending refer to the same person.

Te aconsejo que **asistas** a todas las clases.	*I advise you to attend every class.*

d. Generally the subjunctive occurs in sentences with two clauses. The main or independent clause contains an expression that will require the use of the subjunctive in the second or subordinate clause when the subject is different from that of the main clause. If there is no change of subject, the infinitive is used.

Change of Subject: Subjunctive

Bárbara quiere que **salgamos** para la universidad a las ocho.

Bárbara wants us to leave for the university at 8:00.

Same Subject: Infinitive

Bárbara quiere salir para la universidad a las ocho.

Bárbara wants to leave for the university at 8:00.

e. There is little direct correspondence between the use of the subjunctive in Spanish and English. As a result, the Spanish subjunctive may translate into English with a subjunctive but will more likely translate with the present or future indicative or an infinitive. Compare the following translations of similar Spanish sentences.

Espero que estudien para el examen. — *I hope (that) they study for the exam.*
Ojalá que estudien para el examen. — *Hopefully they will study for the exam.*
Quiero que estudien para el examen. — *I want them to study for the exam.*
Insisto en que estudien para el examen. — *I insist that they study for the exam.*

Práctica y conversación

A. Para sobresalir. Explique lo que es preciso hacer para sobresalir en sus estudios. Ponga sus actividades en la categoría apropiada.

Es preciso que...
No recomiendo que...

B. La temporada de los exámenes. Es la temporada de los exámenes. Exprese su opinión sobre lo que Ud. necesita hacer para sobresalir. Empiece cada frase con una de las siguientes expresiones.

No quiero que... / Espero que... / Ojalá... / Insisto en que... / Es necesario que... / Recomiendo que...

C. Un examen muy difícil. Ud. tiene un examen de español la próxima semana y está muy preocupado(-a). Hable con su compañero(-a) y dígale qué es lo que Ud. quiere y espera. Luego, complete las siguientes oraciones y compare sus respuestas con las de su compañero(-a).

1. Ojalá que _____.
2. Es necesario que _____.
3. Mis padres insisten en que yo _____.
4. Mi amigo(-a) recomienda que _____.
5. Quiero que _____.
6. Yo les aconsejo a mis amigos(-as) que _____.

D. ¿Adónde vamos a estudiar? Ud. y un(-a) compañero(-a) tratan de decidir adónde van a ir a estudiar esta noche porque hay mucho ruido en la residencia estudiantil. Discutan varias opciones, sus ventajas/desventajas y qué esperan encontrar en cada lugar.

Warm-up D. Ask students the following question: **¿A dónde van cuando quieren estudiar?** *Answers vary.*

Instructions D. Students should work in pairs.

Estructuras, Present Subjunctive, Práctica D Answers. *Answers vary.*

Making Comparisons

Comparisons of Inequality

In conversation, we frequently compare persons or things that are not equal in certain qualities or characteristics such as age, size, or appearance.

a. When comparing the qualities of two or more unequal persons or things the following structure is used:

$$\left.\begin{array}{c}\textbf{más}\\\textbf{menos}\end{array}\right\} + \begin{array}{c}\text{ADJECTIVE}\\\text{ADVERB}\\\text{NOUN}\end{array} + \textbf{que}$$

Adjective:

Las clases de sicología son **más grandes que** las clases de matemáticas.

Psychology classes are larger than math classes.

Adverb:

Antonio hace la tarea **más rápidamente que** Juan.

Antonio does his homework more rapidly than Juan.

Noun:

La residencia nueva tiene **más cuartos que** la residencia vieja.

The new dorm has more rooms than the old dorm.

b. When comparing the unequal manner in which persons or things act or function, the following structure is used:

$$\text{VERB} + \textbf{más / menos que} + \text{PERSON or THING}$$

Manolo siempre **estudia más que** tú.

Manolo always studies more than you.

c. A few adjectives do not follow the regular pattern of **más** + *adjective* + **que** but use a special comparative form + **que**.

Point out. In English the comparative is formed by adding **-er** to the end of the adjective or by placing *more / less* in front of the adjective, adverb, or noun. **Examples:** Antonio is smarter than José. / Antonio is more intelligent than José.

Adjectives		Comparative Forms	
bueno	*good*	mejor(-es)	*better*
malo	*bad*	peor(-es)	*worse*
joven	*young*	menor(-es)	*younger*
viejo	*old*	mayor(-es)	*older*
mucho	*many, much*	más	*more*
poco	*few, little*	menos	*less*

Point out. Mayores / mejores / menores and **peores** are used with plural nouns.

Esta composición es buena pero la tuya es **mejor.**

This composition is good but yours is better.

¡Pobre Julio! Sus notas este semestre son **peores que** las del semestre pasado.

Poor Julio! His grades this semester are worse than last semester.

d. The age of persons is compared with **mayor / menor**.

Todos mis primos son **menores que** yo.

All of my cousins are younger than I.

The age of things is compared with **más/menos nuevo** and **más/menos viejo.**

La biblioteca es **más vieja que** el centro estudiantil.

The library is older than the student center.

e. Some adverbs also have irregular comparative forms.

Adverbs		Comparative Forms	
bien	*well*	mejor	*better*
mal	*bad, sick*	peor	*worse*
mucho	*a lot*	más	*more*
poco	*a little*	menos	*less*

Antonio estuvo mal ayer pero hoy está mucho **mejor.**

Antonio was sick yesterday but today he's much better.

g. When comparisons are followed by numbers, the form is **más de** + *number*.

Hay **más de cien** estudiantes en la clase.

There are more than one hundred students in the class.

Práctica y conversación

A. **¿Qué es mejor?** Trabaje con un(-a) compañero(-a) de clase. Cada persona debe indicar sus preferencias según el modelo.

MODELO salir mal en un examen / aprobar un examen
¿Qué es mejor, salir mal en un examen o aprobar un examen?
En mi opinión, es mejor aprobar un examen.

1. asistir a clase / faltar a clase
2. comprar un libro / sacar prestado un libro
3. ser aplicado / ser perezoso
4. aprender de memoria / repasar sin aprender de memoria
5. dejar una clase / esforzarse

B. **¿Qué piensas de...?** Con un(-a) compañero(-a), decidan cuál de las siguientes personas parece estar en mejor situación económica. Comparen también sus características físicas.

Datos personales

	Edad	Estatura	Peso	Sueldo mensual	Propiedades
Víctor	37	1,78 m	78 kg	$2850	1 apartamento
Jesús	34	1,90 m	93 kg	$4200	2 apartamentos
Violeta	36	1,67 m	54 kg	$5800	1 casa y 2 apartamentos
Gustavo	28	1,82 m	82 kg	$6800	2 casas y 1 apartamento
Federico	43	1,76 m	87 kg	$3600	1 casa
Ángela	55	1,56 m	50 kg	$1815	_____

C. ¡Tengo menos dinero que nunca! Ud. y su compañero(-a) tienen sólo 100 pesos cada uno(-a) y van a la librería de la universidad a comprar algunas cosas que necesitan para sus clases. Miren y comparen los precios de los distintos artículos y luego elijan lo que van a comprar.

Librería Cervantes

Lápices Faber	0.50 centavos c/u
Lápices Mongol	5.00 pesos la docena
Bolígrafos Castell	6.00 pesos c/u
Bolígrafos Faber	7.50 pesos c/u
Cuadernos sencillos	4.50 pesos c/u
Cuadernos con espiral	5.25 pesos c/u
Agenda de plástico	8.80 pesos c/u
Agenda de cuero	20.00 pesos c/u
Papel económico para impresora	10.00 pesos el ciento
Papel para impresora láser	18.00 pesos el ciento
Lámpara de mesa	25.00 pesos
Lámpara de pie	38.00 pesos
Maletín	32.00 pesos
Maletín de cuero	65.00 pesos
Diccionario inglés-español	28.00 pesos

¿Qué oyó Ud.?

The Setting of a Conversation

Warm-up. Prior to listening to the conversation, discuss the drawing. Ask students: **¿Cuántas personas hay en el dibujo?** *(dos)* **¿Dónde están?** *(en la universidad)* **¿Qué tiempo hace?** *(hace frío)*

Point out. In the conversation, one of the students uses the saying «**Al mal tiempo, buena cara.**» Ask students: What does the saying mean? *(Keep up your spirits even when the weather or situation is bad.)* Is there a similar saying in English? *(Let a smile be your umbrella.)*

Warm-up. Ask students to give a short summary of the conversation they have listened to. *Answer:* **Dos amigos se encuentran en la calle, camino a la universidad, y se quejan del clima.**

¿Qué oyó Ud.? Práctica A Answers. 1. b 2. c 3. b

The setting of a conversation includes not only the physical place, but also the time of the day. Knowing where and when a given conversation or announcement takes place will help you understand the speaker. For example, in a history class you would expect to hear a professor lecturing on famous historical personalities or events. In the registrar's office of a university, you would expect to hear people talking about schedules and the classes they want to take. In other words, the setting helps you to anticipate what the speaker will say.

Ahora, escuche la conversación entre dos estudiantes, Guillermo y Gerardo, y complete los siguientes ejercicios.

A. Algunos detalles. Complete las siguientes oraciones con la mejor respuesta.

1. Guillermo y Gerardo conversan
   a. por teléfono desde sus casas.
   b. en la calle camino a la universidad.
   c. en el autobús cuando van al hospital.
2. Según la conversación se sabe que
   a. hace sol y calor.
   b. llueve y hace frío.
   c. está nublado y triste.
3. Sabemos que Guillermo
   a. conoce el clima de esta ciudad.
   b. está acostumbrado a otra clase de clima.
   c. prefiere el frío y la lluvia.

B. Análisis. Conteste las siguientes preguntas acerca de la converscíon.

1. ¿Qué frase dice Guillermo para saludar a Gerardo? ¿Y para despedirse?
2. ¿Por qué menciona Gerardo el dicho «Al mal tiempo, buena cara» al final de la conversación?

Siga practicando el vocabulario y las estructuras gramaticales de **Capítulo 5, Segunda situación** en *Interacciones CD-ROM*.

Para saber más:
www.heinle.com

Tercera situación

Perspectivas

La vida estudiantil

Es difícil describir el sistema de enseñanza en el mundo hispano porque hay mucha diversidad de uno a otro país. Pero dentro de esta diversidad hay características básicas que todos los países tienen en común. Al igual que en los EE.UU., hay tres niveles de enseñanza: el primario, el secundario y el universitario. La primera etapa obligatoria es el nivel primario, donde los estudiantes de seis a doce años aprenden materias básicas como aritmética, lenguaje, estudios sociales y ciencias naturales. Al salir de la escuela primaria reciben un certificado de sexto grado.

Los estudiantes que pueden continuar pasan al nivel secundario y asisten al colegio, al instituto o al liceo, según el país. Por lo general, esta etapa consiste en cinco o seis años de estudios divididos en dos partes. El primer ciclo termina en el bachillerato elemental y el segundo en el bachillerato clásico. Solamente los estudiantes que quieren asistir a la universidad completan los dos ciclos. En el colegio o liceo los estudiantes no pueden escoger ni sus clases ni su horario. El Ministerio de Educación de cada país determina qué materias deben estudiar en cada año. Así, todos los estudiantes de primer año de secundaria estudian exactamente las mismas materias.

Las universidades están divididas en facultades, como la Facultad de Administración de Empresas, la Facultad de Filosofía y Letras o la Facultad de Farmacia. Los estudiantes empiezan a especializarse en cuanto entran en la universidad. Por ejemplo, una estudiante que quiere hacerse médica entra directamente en la Facultad de Medicina en su primer año de universidad. Generalmente, la licenciatura lleva cinco o seis años de estudio. Al graduarse los estudiantes reciben la licenciatura y los llaman licenciados. Los que se gradúan de las facultades profesionales reciben un título profesional cuyo nombre varía según la facultad; por ejemplo, los que se gradúan de la Facultad de Medicina son médicos, mientras que los de la Facultad de Farmacia son farmacéuticos.

Las relaciones entre los estudiantes y los profesores son mucho más formales en la cultura hispana que en los EE.UU. Los profesores son corteses y amables con los estudiantes pero mantienen cierta distancia emocional. Los estudiantes tratan a los profesores con respeto; generalmente emplean Ud. y un título seguido por el apellido. En clase los profesores son una autoridad que no se cuestiona mucho. Los profesores dictan una conferencia y los estudiantes toman apuntes; no hay mucha interacción o discusión de la materia. Tampoco hay mucha oportunidad o tiempo para la atención individual porque las clases son grandes. Después de clase no es normal pasar tiempo con un(-a) profesor(-a) en su oficina o en una situación social.

Algunos estudiantes universitarios en un salón de clase

Práctica

A. Los títulos. Ponga al lado de cada título la letra correspondiente al nivel de enseñanza o la facutad.

__f__ una licenciatura	a. la Facultad de Ingeniería
__a__ un ingeniero	b. la escuela primaria
__b__ un certificado	c. la Facultad de Farmacia
__e__ un médico	d. el liceo
__g__ un abogado	e. la Facultad de Medicina
__d__ un bachillerato	f. la universidad
__c__ un farmacéutico	g. la Facultad de Derecho

Perspectivas, Práctica B Answers. *Answers vary.*

B. Comparaciones. Con un(-a) compañero(-a) de clase, preparen una lista de las semejanzas y diferencias entre el sistema de enseñanza en los EE.UU. y el mundo hispano. También preparen una lista de las ventajas y desventajas de cada sistema.

Panorama cultural

El sistema educativo español

A. El sistema educativo. Con un(-a) compañero(-a) de clase, describan el sistema educativo de los EE.UU. para los cuatro niveles básicos. Para cada nivel incluyan información sobre la edad de los estudiantes, el lugar donde estudian y el currículo. Después miren el edificio de la siguiente foto y descríbanlo. En su opinión, ¿qué es este edificio? ¿A qué nivel educativo pertenece?

Warm-up, Práctica A. Provide students with the vocabulary for the four basic levels of education in the U.S. **la educación infantil o pre-escolar / la educación primaria / la educación secundaria / la educación pos-secundaria o universitaria.**

Panorama cultural, Práctica A, Answers. *Answers vary but should include the following places for study at each level:* **la educación infantil: el jardín de la infancia / la educación primaria: la escuela primaria / la educación secundaria: la escuela secundaria (EE.UU.); el liceo o el colegio (el mundo hispano); la educación pos-secundaria: la universidad.**

B. La Universidad de Alcalá de Henares. Utilizando la información del vídeo sobre la Universidad, complete las siguientes oraciones.

1. Antes de entrar en la _____, cada alumno tiene que estudiar el bachillerato. El bachillerato son _____ años de cursos. El _____ año se llama COU.
2. La Universidad de Alcalá de Henares es una de las universidades más _____ de _____. _____ nació en la ciudad de Alcalá de Henares. Muchos _____ importantes estudiaron en la Universidad.
3. En la Universidad no se suelen _____ muchos libros porque los estudiantes utilizan los libros de _____. Entre clases los estudiantes suelen estar en _____ .

Para leer bien

Locating Main Ideas and Supporting Elements

Every reading selection is composed of a main idea and the details or supporting elements that help develop this main idea. In order to understand a reading passage, it is important to locate the main idea quickly and to separate it from the supporting details. In articles such as those found in newspapers and magazines, the main idea is generally located in the first paragraph. The paragraphs that follow develop the main idea by providing details and examples. A similar structure exists within each paragraph. The topic sentence or main idea of the paragraph is frequently the first sentence of the paragraph and the succeeding sentences further develop and support the topic sentence.

Práctica

A. Antes de leer. Como siempre, dé un vistazo *(scan)* al título y a las fotos de la lectura siguiente. En su opinión, ¿cuál es la idea central? Busque Costa Rica en un mapa de Centroamérica. ¿Dónde está y qué países están cerca?

B. El tema principal. Lea el segundo párrafo de la lectura para descubrir el tema principal del artículo. ¿Qué oración contiene el tema del artículo?

C. Detalles secundarios. Ahora lea la selección. Trate de encontrar la idea principal de cada párrafo. Las ideas principales de los párrafos forman los detalles secundarios que apoyan el tema principal del artículo.

Point out. The former President of Costa Rica, Óscar Arias Sánchez is mentioned in this article. Information about him as well as his picture are contained in the **Personalidades de hoy** section of the **Herencia cultural** following **Capítulo 6.**

Para leer bien, Práctica B Answers. «Esta experiencia nos devuelve a una realidad distinta y sirve para recordarnos que Costa Rica es diferente.»

Para leer bien, Práctica C Answers. *Answers vary.*

Lectura cultural — Costa Rica, un país único°

unique

Costa Rica: Parque nacional Braulio Carrillo

La carretera° excelentemente pavimentada que conduce desde la capital San José al pueblo de Guapiles atraviesa° el parque nacional Braulio Carrillo. Por la carretera del parque circulan pocos vehículos. De repente, el coche es detenido° por un control. Dos hombres de paisano° se acercan al coche mientras, a lo lejos, dos agentes de la Guardia Civil observan la escena. «Disculpe, es una inspección. Somos de la organización Vida Silvestre y vigilamos para evitar el robo de plantas del parque.»

Esta experiencia nos devuelve a una realidad distinta y sirve para recordarnos que Costa Rica es diferente. Aquí, nada de militares de uniforme armados hasta los dientes ni convoyes de camiones de color oliva.

Costa Rica, este pequeño país de 3.400.000 de habitantes, parece encontrarse fuera del contexto conflictivo habitual. Sacudido° y varias veces amenazado° por sus vecinos, la pequeña Suiza° mantiene su identidad.

Los costarricenses viven en un relativo aislamiento° pero han llevado al exterior la voz popular de ser el «país de la paz». Puesto que Costa Rica no tiene ejército° es lógico que su símbolo es el maestro° y no el soldado.

En 1948 el pueblo costarricense se alzó° en contra del entonces presidente Rafael Calderón Guardia y su fraude electoral. El líder del pueblo fue José Figueres Ferrer, llamado don Pepe. Al triunfar el pueblo, don Pepe disolvió los cuerpos armados el primero de diciembre de 1948. La abolición del ejército fue acompañada de una serie de medidas° progresistas que encaminaron a Costa Rica hacia cuatro décadas de paz y bienestar económico y social. Don Pepe, considerado «el prócer° de la Patria», nacionalizó la Banca°, los seguros°, la sanidad° y el transporte. Convirtió a Costa Rica en un país fuerte bajo la teoría del Estado benefactor.

highway
crosses
stopped
plainclothed
Shaken
threatened
Switzerland
isolation
army
teacher
rose up
measures
líder, padre / banking system
insurance / public health system

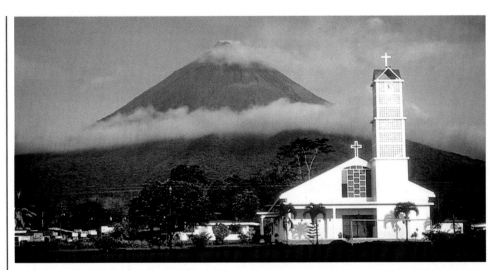

La Fortuna de San Carlos, Costa Rica

Pero esta vieja paz fue sacudida por las eternas crisis centroamericanas y, en particular, por la revolución sandinista de Nicaragua en 1979. Aquel año el gobierno y el pueblo costarricense apoyaron° en su inmensa mayoría la lucha del sandinismo, un factor importante para su triunfo.

Sin embargo, dos años después, la situación cambió sustancialmente; el gobierno sandinista de Nicaragua se radicalizó bastante. «El pueblo (costarricense) resintió mucho el fraude sandinista y en nuestra gente, de tradición antimilitarista, renació el miedo ante el recuerdo histórico de numerosas agresiones anteriores», comenta Rolando Araya, ex secretario general del Partido de Liberación. Una gran mayoría de la población observaba con recelo° al gobierno sandinista. Temían los éxodos masivos de exiliados y refugiados nicaragüenses porque este pequeño país de más de tres millones de habitantes y con serios problemas económicos no podía aguantar° otros miles de refugiados.

El entonces presidente de Costa Rica, Óscar Arias Sánchez, propuso un plan de pacificación para el área. Más tarde, en 1987, Arias recibió el Premio Nóbel de la Paz por su exitoso° plan. Rolando Araya afirma, « El Premio Nóbel de la Paz tiene gran importancia para la seguridad del país; hemos ganado más con este galardón° que con la compra de mil tanques».

A pesar de tener serios problemas económicos, Costa Rica ha logrado un relativo bienestar si se compara con sus vecinos. El noventa por ciento de las viviendas° posee un televisor, el sueldo medio semanal es bueno y los precios de los productos básicos no se han disparado°. La Seguridad Social cubre a todos los ciudadanos y hay buena remuneración para los jubilados°.

En este país, donde el presidente vive en una casa y no en palacio, conduce su propio automóvil sin guardaespaldas° y en el que no existe protocolo oficial, cualquier ciudadano puede acercarse al presidente.

En Costa Rica los jóvenes se divierten, salen de noche a bailar o a pasear, sin el temor de ser aprehendidos por la fuerza e ingresar en el servicio militar.

Costa Rica es diferente y así lo afirmó el presidente Árias cuando se celebró el 39 aniversario de la abolición del ejército: «En estas cuatro décadas todos los países de nuestra América Latina conocieron la dictadura militar. Costa Rica, no. En estos 39 años todos los países de nuestra América han visto morir al joven estudiante, al campesino, al obrero, en crueles e inútiles matanzas° perpetradas por bestias° en botas... En Costa Rica, no».

Glosses (left margin):
supported
suspicion
to bear
successful
prize
dwellings
shot up
retired persons
body guards
killings / beasts

Práctica

A. Identificaciones. Describa en una o dos oraciones breves los siguientes lugares o personas mencionados en el artículo.

San José   Don Pepe   José Figueres Ferrer
Braulio Carrillo   Óscar Arias Sánchez   Rafael Calderón Guardia

B. Símbolos y metáforas. A veces el autor usa símbolos y metáforas para referirse a personas y lugares. Conteste estas preguntas que tienen que ver con los símbolos o metáforas utilizados en el artículo.

1. ¿A qué se refiere «la pequeña Suiza»? ¿Por qué es una buena designación?
2. Según el artículo, es lógico que el símbolo de Costa Rica es el maestro. ¿Por qué?
3. Al final del artículo mencionan «...crueles e inútiles matanzas perpetradas por bestias en botas...» ¿Quiénes son estas «bestias en botas»? ¿Existen en Costa Rica?

C. Un presidente y un país excepcional. Describa al ex presidente de Costa Rica. ¿Cómo es excepcional? Describa el gobierno, la economía y el estado social de Costa Rica. ¿En qué son excepcionales?

D. Defensa de una opinión. ¿Qué evidencia hay en el artículo que confirma la siguiente idea? Costa Rica es un país único.

Para escribir bien

Summarizing

In the academic as well as the business world summarizing is an important skill. People frequently need to summarize what they have read or listened to in order to use the information in the future.

A summary is a brief version of a reading selection or oral presentation. A good summary is basically a re-statement of the main idea of the reading or oral passage followed and supported by the topic sentences of major paragraphs.

The first step in preparing a summary is to identify the main idea and supporting elements. (You may need to re-read the **Para leer bien** section of this chapter to review this step.) The second step is to arrange the main idea and supporting elements into a cohesive unit. During this step you may need to re-arrange supporting elements so they follow each other more logically. The final step is to write the summary. During the actual writing you will probably need to add words and phrases that will join the ideas together in a cohesive manner.

Composiciones

A. Un resumen. Escriba un resumen del artículo *«Costa Rica, un país único».*

B. Mi universidad. Describa su universidad para un folleto dirigido a futuros estudiantes. Describa las facultades y los programas, los edificios, las actividades y el clima que hay normalmente. Compare su universidad con otras que Ud. conoce. Su descripción debe ser agradable para atraer a un gran número de estudiantes.

C. Unos consejos. El director de una escuela secundaria en Costa Rica le pide a Ud. que escriba un artículo en español para los estudiantes que irán a su universidad el año próximo. Como ellos no conocen bien el sistema educativo de los EE.UU., Ud. tiene que describir la vida universitaria. Déles consejos y recomendaciones a los estudiantes para que tengan éxito en la universidad.

Actividades

A. El Programa de Orientación. You are a student guide for Orientation Week at your university. Prepare a brief introductory speech about your school including its history, number and type of students, outstanding features and programs, a description of the campus, where important buildings are located, and other information you think would interest new Hispanic students.

B. El (La) meteorólogo(-a). You are the weather announcer for the morning news show on a Hispanic network. Each fall one of your most popular features is to provide the weather forecast for football weekends at universities around the U.S. In addition to the weather forecast, provide your audience with comparisons of the football teams and other features of the universities.

C. «Temas de actualidad». You are the moderator of **«Temas de actualidad»,** a popular Los Angeles radio show that examines contemporary and often controversial issues. The topic for this week's show is **«Las universidades: ¿buenas o malas?»** The guests (played by classmates) are three typical university students. As moderator you must ask each university student about his/her university experience including information on classes, assignments, exams, instructors, and social life. The student guests should explain what they hope and want the university to be like and offer advice and recommendations for improving the campus.

D. El primer año de universidad. You are the parent of an eighteen-year old son/daughter who is leaving home for his/her first year in the university. Explain what you want and hope that your son/daughter will do during the freshman year. Offer advice and recommendations so that he/she will be successful. Specify any activities that you insist that they should or should not engage in.

Para saber más:
www.heinle.com

CAPÍTULO
6

En casa

Have students describe the photo. If necessary, ask specific questions such as the following: ¿Qué hay en la foto? ¿Cuántas personas hay y quiénes son? ¿Qué hacen? ¿Dónde están?

Esta familia comparte los quehaceres domésticos.

Have students provide examples in English of the topics, situations, and phrases that would be covered in each of the communicative goals. For example: Expressions for Enlisting Help: Students might answer "Could you do me a favor?; Would you please...?"

Cultural Themes

Colombia and Venezuela
Hispanic home life

Communicative Goals

Enlisting help
Telling others what to do

Comparing people and things with equal qualities
Pointing out people and things
Expressing polite dismissal
Expressing judgments, doubt, and uncertainty
Talking about things and people

Primera situación

Presentación

Lava los platos y saca la basura

Práctica y conversación

A. ¡Manos a la obra! ¿Con qué frecuencia necesita Ud. hacer estos quehaceres domésticos?

1. sacudir los muebles
2. lavar los platos
3. barrer el piso

4. planchar la ropa
5. cortar el césped
6. lavar la ropa

B. Le toca a Ud. Explíquele a su compañero(-a) de clase lo que él (ella) debe hacer para ayudar a arreglar la casa. Dígale por lo menos tres quehaceres para cada lugar.

en la sala / en la cocina / en la lavandería / en el comedor / en el dormitorio / en el jardín

C. Tareas que los hombres no realizan. Según un sondeo *(survey)* hecho en España hay ciertos quehaceres domésticos que los hombres españoles no hacen nunca. Utilizando el gráfico, conteste las preguntas a continuación. **Vocabulario:** fregar = lavar / limpiar; hacer chapuzas = *to do odd jobs around the house;* tender la ropa = *to hang clothes out to dry.*

POR AHI NO PASO
Tareas que los hombres no realizan

	%
Hacer las camas	40
Limpiar el polvo	56
Cocinar	40
Lavar la ropa	77
Tender la ropa	47
Fregar el suelo	57
Recoger la casa	45
Hacer chapuzas	14
Fregar los platos	45
Planchar	87
Ir de compras	34
Cuidar a los niños	40
Fregar el cuarto de baño	66
Regar las plantas	44
Sacar la basura	16
Limpiar ventanas	72

Teoría y práctica del macho. Arriba, la opinión «progre» de los hombres españoles, según una encuesta del CIS. A la izquierda, las actividades domésticas que los varones no realizan «nunca», según un sondeo del Instituto de la Mujer.

ARTURO JUEZ

1. ¿Cuáles son los dos quehaceres domésticos que los hombres españoles hacen con más frecuencia?
2. ¿Cuáles son los cuatro quehaceres domésticos que los hombres españoles hacen con menos frecuencia?

3. ¿Qué tareas hacen los hombres españoles en la cocina?

4. ¿Qué porcentaje de los hombres españoles hace las siguientes tareas?

hacer las camas / recoger la casa / lavar los platos / cuidar a los niños / regar las plantas

Presentación, Práctica D Answers. *Answers vary.*

D. Un sondeo. Haga un sondeo en su clase de español para determinar qué porcentaje de sus compañeros(-as) de clase nunca hace las tareas en la lista del gráfico de la **Práctica C**.

Presentación, Práctica E Answers. *Answers vary.*

E. Creación. En una narración cuente lo que pasa en el dibujo de la **Presentación**.

Vocabulario

Vocabulario suplementario. el cubo *(bucket, pail)*, el desinfectante *(disinfectant)*, el detergente *(detergent)*, la escoba *(broom)*, la esponja *(sponge)*, el producto de limpieza *(cleanser, cleaning product)*, el trapeador, la fregona *(mop)*, trapear el suelo, pasarle la fregona al suelo *(to mop)*, el trapo *(rag)*

Vocabulario suplementario. el carro cortacésped *(riding lawn mower)*, el cortacésped de motor *(power lawn motor)*, el rastrillo *(lawn rake)*, la regadera *(watering can)*, el regador giratorio *(sprinkler)*

Los quehaceres domésticos	**Housework**
En la cocina	**In the kitchen**
fregar (ie)	to clean, scrub, wash
limpiar la cocina	to clean the stove
el fregadero	sink
el horno	oven
el microondas	microwave
el refrigerador	refrigerator
poner los platos en el lavaplatos	to put dishes in the dishwasher
sacar la basura	to take out the trash
En el comedor	**In the dining room**
pasar la aspiradora por la alfombra	to vacuum the carpet
poner la mesa	to set the table
recoger la mesa	to clear the table
En el cuarto de baño	**In the bathroom**
limpiar la bañera	to clean the bathtub
el lavabo	sink
el inodoro	toilet

En el dormitorio	**In the bedroom**
arreglar	to straighten up
barrer el piso	to sweep the floor
colgar (ue) la ropa	to hang up clothes
hacer la cama	to make the bed
En el jardín	**In the yard**
el cortacésped	lawn mower
la manguera	hose
cortar el césped	to cut the grass
sacar la mala hierba	to weed
plantar los árboles	to plant trees
regar (ie) las flores	to water flowers
En la lavandería	**In the laundry room**
la lavadora	washing machine
la plancha	iron
la secadora	clothes dryer
la tabla de planchar	ironing board
planchar la ropa	to iron clothes
En la sala	**In the living room**
pasar la aspiradora	to vacuum
sacudir los muebles	to dust the furniture
recoger	to pick up, put away
vaciar la papelera	to empty the wastebasket

Así se habla

Enlisting Help

Have students describe
the picture: Ask questions
such as: **¿Qué personas
se ven en el dibujo?
¿Dónde están? ¿Qué
ropa llevan? ¿Qué está
ocurriendo en el dibujo?
Según Ud., ¿qué dicen
los adultos?**

Have 2-3 pairs of students
read the dialogue aloud
for pronunciation practice.

After reading the dialogue
aloud, have students
locate the expressions in
the dialogue that illustrate
Enlisting Help.

Comprehension check.
After students have read
the dialogue aloud, have
them answer the following
questions about content.
**¿Por qué está
preocupada Rocío?
¿Qué quiere que
Joaquín haga? ¿Cuál es
la actitud de Joaquín?
¿Va a hacer Joaquín
lo que Rocío le pide?
¿Qué quiere Joaquín
que haga Rocío? ¿Ha
estado Ud. alguna vez
en una situación similar
a la descrita en el
diálogo? ¿Quién lo(-a)
ha ayudado?** *Answers:*
**Tiene invitados y no ha
terminado de preparar
la cena. Quiere que
guarde la escoba, ponga
las botellas de vino en
el refrigerador, que les
diga a los niños que se
acuesten, que les
cuente un cuento,
y que los niños se
vayan a dormir. Joaquín
no está preocupado.
Seguramente sí. Joaquín
quiere que Rocío suba y
se despida de los niños.**
Answers vary.

Rocío   Joaquín, por favor, no seas malito, saca la basura. Los Núñez están por venir y yo todavía no he terminado de preparar la cena.

Joaquín   Mira, no te preocupes tanto. Ellos son tan sencillos como nosotros. Estoy seguro que su casa está siempre tan sucia o tan limpia como la nuestra, ni más ni menos.

Rocío   Lo sé, pero tú sabes cómo soy yo. Guarda esa escoba y pon esas botellas de vino en el refrigerador, por favor. ¡Ah! Y si pudieras, diles a los niños que se acuesten, cuéntales un cuento y que se vayan a dormir.

Joaquín   Muy bien, pero sube tú también para que te despidas de ellos.

Rocío   Sí, sí, por supuesto.

When you want to request a favor or enlist someone's help, you can use the following expressions:

Si fuera(-s) tan amable...	*Could you be so kind as to . . .*
Si me pudiera(-s) hacer el favor...	*If you could do me the favor of . . .*
Disculpe(-a), ¿pero sería(-s) tan amable de...?	*Excuse me, but would you be so kind as to . . . ?*

Ask students to repeat
the expressions out loud.
Correct pronunciation and
intonation when necessary.

Disculpe(-a) la molestia, pero ¿podría(-s)...?	*Excuse me for disturbing you, but could you . . . ?*
Quiero pedirle(-te) un favor.	*I want to ask you a favor.*
¿Cree(-s) que sería posible...?	*Do you think it would be possible to . . . ?*

Accepting a request

¡Cómo no!	
¡Por supuesto!	*Of course!*
¡No faltaba más!	
¡Con mucho gusto!	*My pleasure!*
¡Qué ocurrencia!	*No problem!*
Está bien.	*Fine.*

Refusing a request

¡Ay, qué pena! Pero...	*Oh, what a shame! But . . .*
Creo que me va a ser difícil porque...	*I think it's going to be difficult because . . .*
Cuánto lo lamento, pero creo que no voy a poder... porque...	*I'm very sorry, but I think I won't be able to . . . because . . .*
A ver si puedo.	*I'll see if I can.*

Práctica y conversación

A. En la residencia estudiantil. ¿Qué dice Ud. en las siguientes situaciones?

Estudiante 1	**Estudiante 2**
1. Ud. quiere que su compañero(-a) de cuarto limpie la habitación.	2. Ud. no quiere limpiar la habitación.
3. Ud. quiere que su compañero(-a) de cuarto baje el volumen de la música.	4. Ud. acepta, pero le pide a su compañero(-a) de cuarto que no fume.
5. Ud. no acepta.	6. Ud. se queja.

B. ¡Vamos a tener una fiesta! Con algunos compañeros, dramaticen la siguiente situación. Ud. está organizando una fiesta sorpresa para el aniversario de sus padres y necesita la cooperación de muchas personas: de su hermano(-a) mayor para que mueva los muebles y pase la aspiradora, de sus dos hermanos(-as) menores para que limpien los baños y la cocina, de sus primos(-as) para que compren los adornos para la fiesta, de su tío(-a) para que compre la comida y cocine. Algunas personas no quieren cooperar.

Exterior e interior de una casa hispana

Estructuras

Telling Others What to Do

Familiar Commands

When telling others what to do, the familiar commands are used with relatives, friends, small children, pets or persons with whom you use a first name or the **tú** form.

Regular Familiar Commands

	Verbos en -AR	Verbos en -ER	Verbos en -IR
Affirmative	limpia	barre	sacude
Negative	no limpies	no barras	no sacudas

Point out. Familiar or **tú** commands are second-person singular commands.

a. The affirmative familiar command of regular and stem-changing verbs has the same form as the third-person singular of the present indicative tense.

b. The negative familiar command has the same form as the second-person singular (**tú**) form of the present subjunctive.

> **Arregla** tu cuarto pero **no arregles** el de Ramón; él debe hacerlo.
>
> *Straighten up your room but don't straighten up Ramón's; he ought to do it.*

c. The affirmative familiar command of several common Spanish verbs is irregular. However, the corresponding negative **tú** command is regular. Compare the following:

Irregular Familiar Commands

Infinitive	Affirmative Command	Negative Command
decir	**di**	**no digas**
hacer	**haz**	**no hagas**
ir	**ve**	**no vayas**
poner	**pon**	**no pongas**
salir	**sal**	**no salgas**
ser	**sé**	**no seas**
tener	**ten**	**no tengas**
venir	**ven**	**no vengas**

Point out. Accent marks are placed on familiar commands only when the addition of pronouns makes the command a 3+syllable word: **da → dame → dámelo; pon → ponlo → póntelo.**

Dictate the following commands to students so that they practice writing the commands and the placement of accent marks: **Escúchame, por favor. Bárrelo ahora mismo. Límpialos mañana. Tráela más tarde. Arréglala hoy. Sacúdelos bien.**

Warm-up. Have students brainstorm to create a list of chores that they would do to prepare their home or apartment for a party.

Estructuras, Familiar Commands, Práctica A Answers. 1. Sí, recógela. 2. Sí, friégalos. 3. Sí, hazla. 4. Sí, límpialo. 5. Sí, cuélgala. 6. Sí, sacúdelos. 7. Sí, sácala.

Estructuras, Familiar Commands, Práctica B Answers. 1. Di la verdad. No digas mentiras. 2. Sé amable. No seas antipático(-a). 3. Ven a casa temprano. No vengas a casa tarde. 4. Sal con amigos. No salgas con personas desconocidas. 5. Ten cuidado. No seas distraído(-a). 6. Ve al parque. No vayas al centro solo(-a). 7. Haz la tarea. No hagas otras cosas. 8. Ponte los zapatos. No te pongas las pantuflas.

Estructuras, Familiar Commands, Práctica C Answers. *Answers vary.*

d. As is the case with all commands, reflexive and object pronouns are attached to the end of affirmative familiar commands and precede the negative forms.

—Mamá, ¿tengo que lavar
el vestido de Teresa?
—Claro. Láva**lo** y séca**lo** ahora
mismo pero **no lo planches.**
Yo lo plancharé mañana.

Mom, do I have to wash Teresa's
dress?
Of course. Wash it and dry it
right now but don't iron it.
I'll iron it tomorrow.

Práctica y conversación

A. Los quehaceres. Su compañero(-a) le pregunta qué puede hacer para ayudarlo(-la) a Ud. a arreglar el apartamento. Dígale lo que debe hacer.

> **MODELO**   **¿Debo pasar la aspiradora?**
> **Sí, pásala.**

1. ¿Debo recoger la mesa?
2. ¿Debo fregar los platos?
3. ¿Debo hacer la cama?
4. ¿Debo limpiar el cuarto de baño?
5. ¿Debo colgar la ropa?
6. ¿Debo sacudir los muebles?
7. ¿Debo sacar la basura?

B. Consejos. Déle consejos a su hermano(-a) menor.

> **MODELO**   llegar a clase a tiempo / llegar tarde
> **Llega a clase a tiempo. No llegues tarde.**

1. decir la verdad / decir mentiras
2. ser amable / ser antipático(-a)
3. venir a casa temprano / venir a casa tarde
4. salir con amigos / salir con personas desconocidas
5. tener cuidado / ser distraído(-a)
6. ir al parque / ir al centro solo(-a)
7. hacer la tarea / hacer otras cosas
8. ponerse los zapatos / ponerse las pantuflas

C. Ayúdame, por favor. Esta noche Ud. y su compañero(-a) de cuarto van a dar una fiesta y los (las) dos están muy nerviosos(-as) y preocupados(-as). Ud. le dice a su compañero(-a) por lo menos tres cosas que él/ella debe hacer y dos cosas que no necesita hacer. Él/Ella hace lo mismo con Ud.

D. ¿Quién va a hacer esto? Ud., su compañero(-a) de clase y Paco van a hacer los siguientes quehaceres.

limpiar el horno / sacar los platos del lavaplatos / pasar la aspiradora por la alfombra de la sala / limpiar la bañera y el lavabo / hacer las camas / colgar la ropa / cortar el césped / sacudir los muebles de la sala / planchar la ropa / regar las flores / sacar la basura

Es la hora de empezar pero a Paco se le perdió la lista. A continuación está su lista, y la de su compañero(-a) de clase está en el **Apéndice A**. Hablen de los quehaceres que Uds. dos tienen, para hacer de nuevo la lista peridida de Paco.

> fregar el horno
> sacudir los muebles
> hacer las camas
> colgar la ropa

Estructuras, Familiar Commands, Práctica D Answers. Paco debe sacar los platos del lavaplatos, cortar el césped, regar las flores y sacar la basura.

Comparing People and Things with Equal Qualities

Comparisons of Equality

Spanish uses a slightly different construction than English to compare people or things with equal qualities.

a. For making comparisons of equality with adjectives or adverbs, the following formula is used.

$$\textbf{tan} + \begin{matrix} \text{ADJECTIVE} \\ \text{ADVERB} \end{matrix} + \textbf{como} = as + \begin{matrix} \text{ADJECTIVE} \\ \text{ADVERB} \end{matrix} + as$$

—Este cuarto no está **tan limpio como** el tuyo.
This room isn't as clean as yours.

—Sí, porque Eduardo no lo barre **tan regularmente como** yo.
Yes, because Eduardo doesn't sweep it as regularly as I.

Note that the subject pronouns are used after **como**.

b. For making comparisons of equality with nouns, the following formula is used. Note that **tanto** agrees with the noun in number and gender.

$$\textbf{(no)} + \textbf{tanto(-a, -os, -as)} + \text{NOUN} + \textbf{como} = (not) + as \ much / many \ldots as$$

Mamá, no es justo. Roberto no tiene que lavar **tantos platos como** yo.
Mom, it's not fair. Roberto doesn't have to wash as many dishes as I.

c. For making comparisons with verbs, the phrase **tanto como** is used.

En mi opinión, nadie limpia **tanto como** tu mamá.
In my opinion, no one cleans as much as your mother.

Point out: tanto + singular noun = *so much;* **tanto** + plural noun = *so many.* Provide other examples of **tanto** + singular noun: Roberto tiene **tanto dinero como** yo / **tanta ropa como** yo. Provide other examples of **tanto** + plural noun: Roberto tiene **tantos zapatos como** yo / **tantas camisas como** yo.

d. In addition to their use in expressions of equality, forms of **tan(-to)** can also be used to express quantity: **tan** = *so;* **tanto** = *so much / so many.*

No limpies **tan** despacio.   *Don't clean so slowly.*
Elena tiene **tanta** ropa.   *Elena has so many clothes.*
¡No bebas **tanto**!   *Don't drink so much.*

Práctica y conversación

A. Una casa nueva. Su amigo(-a) acaba de comprar su primera casa. Describa la casa nueva comparando las habitaciones.

MODELO   los dormitorios / la sala / bonito
Los dormitorios son tan bonitos como la sala.

1. la lavandería / la cocina / moderno
2. el comedor / la sala / elegante
3. los cuartos de baño / la cocina / pequeño
4. la sala / los dormitorios / cómodo
5. el jardín / la casa / grande

B. Más quehaceres. Haga oraciones indicando que Ud. trabaja tanto como su compañero(-a) de cuarto.

MODELO   lavar platos
Yo lavo tantos platos como él (ella).

plantar flores / lavar ropa / secar platos / planchar camisas / recoger periódicos / sacar basura / cortar el césped

C. Comparaciones. Complete de una manera lógica.

1. Espero tener tanto(-a) _____ como mi mejor amigo(-a).
2. En esta clase yo _____ tanto como mis compañeros(-as).
3. No debo _____ tanto.
4. Quiero ser tan _____ como mis compañeros(-as).
5. Yo _____ tanto como los otros.

D. ¡Tú no trabajas tanto como yo! En grupos, un(-a) estudiante hace el papel de padre/madre y dos hacen el papel de hijos(-as).

Situación: Sus hijos(-as) no hacen nada en la casa; sólo ven televisión, escuchan música, comen y duermen. Ud. los (las) llama y les dice que tienen que hacer algunas labores en la casa. Cada uno(-a) de ellos(-as) cree que trabaja mucho o por lo menos tanto como los (las) otros(-as).

Pointing Out People and Things
Demonstrative Adjectives and Pronouns

Demonstrative adjectives and pronouns are used to point out or indicate people, places, and objects that you are discussing: *this house; that apartment.*

Point out. Emphasize that masculine singular forms do not follow regular adjective formation: **este, ese, aquel.**

In some classes it may be necessary to explain the difference between **que** = *that,* a relative pronoun, and **ese** = *that,* a demonstrative adjective.

Demonstrative Adjectives

este cuarto	**ese** cuarto	**aquel** cuarto
esta casa	**esa** casa	**aquella** casa
estos cuartos	**esos** cuartos	**aquellos** cuartos
estas casas	**esas** casas	**aquellas** casas

a. Demonstrative adjectives are placed before the noun they modify and agree with that noun in person and number.

With forms of **este** emphasize the relationship between the speaker and the items pointed to or indicated.

1. **este, esta / estos, estas** = *this / these*

   The forms of **este** are used to point out persons or objects near the speaker and are often associated with the adverb **aquí** = *here.*

   Tu libro está **aquí** en **esta** mesa.   *Your book is here on this table.*

2. **ese, esa / esos, esas** = *that / those*

   The forms of **ese** are used to point out persons or objects near the person spoken to and are often associated with the adverb **ahí** = *there.*

   Tu sandwich está **ahí** en **ese** plato.   *Your sandwich is there on that plate.*

With forms of **ese** emphasize the relationship between the person spoken to and the items pointed to or indicated.

3. **aquel, aquella / aquellos, aquellas** = *that / those (over there, in the distance)*

   The forms of **aquel** are used to point out persons or objects away from both the speaker and person spoken to and are often associated with the adverb **allí** = *there, over there.*

   Prefiero **aquella** casa **allí** en la esquina.   *I prefer that house over there on the corner.*

With forms of **aquel** emphasize the relationship betwen the speakers and the items pointed to or indicated.

Demonstrative Pronouns

éste **ésta**	*this (one)*	**ése** **ésa**	*that (one)*	**aquél** **aquélla**	*that (one)*
éstos **éstas**	*those*	**ésos** **ésa**	*those*	**aquéllos** **aquéllas**	*those*
esto	*this*	**eso**	*that*	**aquello**	*that*

Point out. There is a recent tendency to discontinue the use of written accent marks on demonstrative pronouns. As a result, you may see examples of these pronouns without the accent marks. However, the *Interacciones* program will continue to use them.

Point out. The neuter pronouns have no written accent marks.

b. Demonstrative pronouns are used to replace the indicated person(-s) or object(-s). They occur alone and agree in gender and number with the nouns they replace. Note the use of written accent marks on all but the neuter forms of demonstrative pronouns.

Ana prefiere **esta** mesa pero yo   *Ana prefers this table but I prefer*
    prefiero **aquélla.**   *that one.*

c. The neuter demonstrative pronouns are **esto** = *this,* **eso** = *that,* and **aquello** = *that.* They exist only in the singular. The neuter forms point out an item whose identity is unknown or they replace an entire idea, situation, or previous statement.

¿Qué es **esto / eso?**   *What is this / that?*
Eso no es verdad.   *That isn't true.*

d. The forms of **éste** can be used to express *the latter.* The forms of **aquél** can be used to express *the former.*

Colombia y Venezuela son dos   *Colombia and Venezuela are two*
    países de Sudamérica; éste   *South American countries;*
    (Venezuela) produce mucho   *the former (Colombia)*
    petróleo y aquél (Colombia)   *produces a lot of coffee*
    produce mucho café.   *and the latter (Venezuela)*
                                    produces a lot of oil.

Note that in Spanish "the latter" (**éste**) is expressed first followed by "the former" (**aquél**).

Práctica y conversación

Estructuras, Demonstrative Adjectives and Pronouns, Práctica A Answers. 1. Necesito ésta. 2. Necesito ésos. 3. Necesito aquéllas. 4. Necesito ése. 5. Necesito ésta. 6. Necesito aquélla.

A. Los quehaceres. Un(-a) amigo(-a) está ayudándolo(-la) a Ud. a hacer los quehaceres domésticos. Indique lo que Ud. necesita.

> **MODELO**   la aspiradora que está aquí
>   **Necesito ésta.**

1. la escoba que está aquí
2. los trapos que están ahí
3. las esponjas que están allí
4. el detergente que está ahí
5. la plancha que está aquí
6. la manguera que está allí

Estructuras, Demonstrative Adjectives and Pronouns, Práctica B Answers. 1. ¿Quieres comprar estas almejas? Sí, quiero comprar ésas. 2. ¿Quieres comprar estos mariscos? Sí, quiero comprar ésos. 3. ¿Quieres comprar este queso francés? Sí, quiero comprar ése. 4. ¿Quieres comprar esta torta? Sí, quiero comprar ésa. 5. ¿Quieres comprar esta cerveza? Sí, quiero comprar ésa. 6. ¿Quieres comprar este vino alemán? Sí, quiero comprar ése. 7. ¿Quieres comprar estos vegetales? Sí, quiero comprar ésos. 8. ¿Quieres comprar estas cebollas? Sí, quiero comprar ésas.

B. En el supermercado. Un(-a) compañero(-a) está ayudándolo(-la) a Ud. a comprar comida para la cena. Conteste sus preguntas sobre lo que Ud. quiere comprar.

> **MODELO**   los tomates
>   Usted: **¿Quieres comprar estos tomates?**
>   Compañero(-a):   **Sí, quiero comprar ésos.**

1. las almejas
2. los mariscos
3. el queso francés
4. la torta
5. la cerveza
6. el vino alemán
7. los vegetales
8. las cebollas

C. **¿Qué dicen?** Mire los siguientes dibujos y diga qué dicen las personas. Luego diga cómo son las personas y qué cree Ud. que va a pasar.

MODELO

Niño: **Mami, quiero ir a esta tienda.**
Madre: **¿A ésa? ¡No!**

D. **¿Qué es esto?** Ud. es el (la) vendedor(-a) en una tienda de electrodomésticos *(appliances)* muy modernos y sofisticados. Un(-a) cliente entra, ve los objetos y le hace una serie de preguntas. Conteste sus preguntas explicándole qué son.

MODELO

Cliente: **¿Qué es esto?**
Empleado(-a): **Ésta es una aspiradora muy moderna. Sirve para aspirar el polvo y también para lavar las alfombras.**

 Siga practicando el vocabulario y las estructuras gramaticales de **Capítulo 6, Primera situación** en *Interacciones CD-ROM*.

 Para saber más:
www.heinle.com

Segunda situación

Presentación

Los programas de la tele

Práctica y conversación

A. Definiciones. Dé las palabras que corresponden a las siguientes definiciones.

1. la persona que mata a alguien
2. una máquina que sirve para poner videocintas
3. la persona que da las noticias
4. lo que uno lee para informarse de los programas que dan en la televisión
5. la persona que lee los anuncios en la televisión
6. la persona que ve un crimen

B. Más definiciones. Explique las siguientes palabras a su compañero(-a) de clase.

la víctima / el (la) diputado(-a) / la guerra / el juez / la cárcel / la ley / el terremoto

C. ¿Qué van a ver? Usando la guía de televisión a continuación, escoja programas para las siguientes personas.

1. una pareja con poco dinero que necesita una casa
2. una estudiante que se especializa en el cine
3. un profesor a quien le encantan las noticias
4. un joven loco por los programas de concursos
5. una mujer a quien le gustan las telenovelas
6. Ud. y sus amigos

TVE 1

VIERNES 11

07.30 Telediario matinal
09.00 Los desayunos de TVE (debate)
09.50 Luz María (serie)
11.20 Saber vivir (magazine)
12.45 Así son las cosas (magazine)
13.35 Noticias
13.45 Informativo territorial
14.30 Corazón de invierno
15.00 Telediario 1
16.05 Calle nueva (serie)
16.45 La mentira (serie)
18.35 El precio justo
19.55 Gente
21.00 Telediario 2
22.00 Estamos en directo (humor)
22.40 La casa de tus sueños (concurso)
01.00 Telediario 3
01.45 Cine de madrugada:
      Cuando llega la noche (1985). Dir:
      John Landis. Int: Jeff Goldblum,
      Michelle Pfeiffer.
03.45 Corazón de invierno (reposición)
04.15 Telediario 4
04.45 Peligrosa (serie)
05.30 Gente (reposición)

LA 2

VIERNES 11

07.30 TPH Club
09.30 Empléate a fondo
10.00 TV Educativa: La aventura del saber
11.00 La película de la mañana: El
      último explorador (1994) Dir:
      Donald Shebib. Int: Kevin Dillon.
13.00 TPH, Club
15.15 Saber y ganar (concurso)
15.45 Lo que el siglo nos dejó (serie)
16.45 Jara y sedal
17.45 Hyakutake
19.00 Locos de atar (serie)
19.30 Bullpen (serie)
20.30 Ellen (serie)
22.00 La 2. Noticias
22.30 Desafío Copa América
22.55 La noche temática: Memorias
      de África (1985). Dir:Sydney
      Pollack. Int: Robert Redford.
03.10 Cine club: Salto a la gloria (1959).
      Dir: Leon Klimovsky. Int: Adolfo
      Marsillach, Asunción Sancho.

TELE 5

VIERNES 11

05.45 Avance programación
06.30 Informativos Telecinco
10.00 Padre Dowling (serie)
11.00 Día a día (magazine)
14.00 El juego del euromillón (concurso)
14.30 Informativos Telecinco
15.25 Al salir de clase (serie)
16.15 Tarde de cine: Secuestro en el aire
      (1996). Dir: Charles Correl.
      Int: James Brolin, Michael Gross.
18.15 Médico de familia (serie)
19.45 ¿Quieres ser millonario? (concurso)
20.30 Informativos Telecinco
21.30 El informal (humor)
22.00 Cine 5 estrellas: Aprendiendo a
      vivir(1994). Dir: James L. Brooks. Int:
      Nick Nolte, Julie Kavner.
00.30 Cine: Jugando con el diablo
      (1996). Dir: Rafael Eisenman. Int:
      Joanna Pacula, Jeroen Krabbe.
02.30 Luchadores WCW
03.30 Como se hizo...
04.00 Infocomerciales

LA CASA DE TUS SUEÑOS
✓ **VIERNES 22,40 H**

Tras el éxito de «Waku, Waku», la guapa valenciana Nuria Roca vuelve a ponerse al frente de un concurso. En «La casa de tus sueños» se pone en juego una vivienda todas las semanas. Dos parejas lucharán en ocho pruebas diferentes para conseguir el hogar de sus sueños. Los concursantes necesitan una completa preparación física y mental para lograr alzarse con el fabuloso premio.

Presentación, Práctica D Answers. *Answers vary.*

D. Creación. Con un(-a) compañero(-a) de clase, prepare un noticiero breve usando los siguientes titulares. Luego, presente su noticiero a la clase.

1. Terremoto en Bogotá
2. Huelga de maestras en las escuelas primarias de Barranquilla
3. Robo en el Banco Nacional de Medellín
4. Manifestación estudiantil en Caracas
5. Tres días de inundaciones en Cali

Vocabulario

Vocabulario suplementario. La cadena *(network),* **el control remoto** *(remote control),* **emitir** *(to broadcast),* **el mando a distancia** *(remote control in Spain),* **el (la) presentador(-a)** *(show host),* **la telepromoción** *(infomercial),* **el (la) televidente** *(television viewer)*

La tele	TV
el anuncio comercial	commercial
el canal	channel
la guía de televisión	TV guide
el (la) locutor(-a)	announcer
el programa de concursos	game show
el televisor	television set
la videocasetera	VCR
la videocinta	videotape

El noticiero	News program
las noticias locales	local news
nacionales	national news
internacionales	international news
el (la) reportero(-a)	reporter
los titulares	headlines
anunciar	to announce
entrevistar	to interview
informar	to inform

El crimen	Crime
el (la) acusado(-a)	accused person
el asesinato	murder
el (la) asesino(-a)	murderer
la cárcel	jail
el delito	crime, offense
el (la) juez(-a)	judge
el (la) ladrón(-ona)	thief

la ley	law
el robo	robbery
el (la) sospechoso(-a)	suspect
el (la) testigo	witness
arrestar	to arrest
rendirse (i, i)	to give oneself up
rescatar	to rescue
robar	to rob
culpable	guilty

El desastre	Disaster
el incendio	fire
la inundación	flood
el terremoto	earthquake
ahogarse	to drown
quemar	to burn

La política	Politics
la campaña electoral	electoral campaign
el (la) diputado(-a)	representative
el discurso	speech
las elecciones	elections
la huelga	strike
la manifestación	demonstration
el (la) político(-a)	politician
elegir (i,i)	to elect
evitar la guerra	to avoid war
mantener la paz	to maintain peace
protestar contra	to protest against

Así se habla

Expressing Polite Dismissal

Rosaura	¡Chica! Cuánto me alegro que estés aquí de regreso. Te hemos extrañado mucho todos estos meses.
Aurelia	Sí, yo también los he extrañado muchísimo. Mira, aquí les traje algunas cosas. Estos cosméticos te los traje a ti. Espero que te gusten.
Rosaura	Ay, Aurelia. No te hubieras molestado.
Aurelia	No, si no fue ninguna molestia. Mira, y les traje estos juguetes a los hijos de Ani.
Rosaura	Muchas gracias. No has debido comprar tantos regalos.
Aurelia	¡Qué ocurrencia! Mira, a Rafael le traje esta caña de pescar.
Rosaura	¡Con lo que le gusta pescar a ese hombre! No me sorprendería que se fuera este mismo sábado a la playa a usar su nueva caña. Y tú sabes, ¡yo no puedo protestar contra eso!
Aurelia	¡Claro que no, chica! ¡No faltaba más!

When you want to dismiss something in order to be polite or to reassure someone you can use the following expressions:

No se hubiera (te hubieras) molestado.	*You shouldn't have (bothered).*
Gracias. No se (te) moleste(-s).	*Thank you. Don't trouble yourself (Don't bother).*
No es necesario, gracias.	*It's not necessary, thank you.*
No se (te) preocupe(-s) (por eso).	*Don't worry (about that).*
No ha(-s) debido hacer eso.	*You shouldn't have done that.*

Práctica y conversación

Instructions A. Students prepare **Práctica A** individually and then check their answers with a partner.

Así se habla, Práctica A Answers. *Answers may vary.* **1. No te hubieras molestado. 2. No es necesario, gracias. 3. No se preocupen. 4. No se hubieran molestado. 5. No es necesario, gracias. 6. Gracias, no has debido hacer eso.**

A. Eres muy amable. ¿Qué dice Ud. en las siguientes situaciones?

1. Un amigo le trae un ramo de rosas el día de su cumpleaños.
2. Una amiga quiere llevarlo(-a) a su trabajo porque su carro no funciona, pero Ud. no quiere causarle una molestia *(impose on him/her)*.
3. Unos amigos insisten en ayudarlo(-la) con su tarea de español, pero Ud. no quiere que lo hagan.
4. Sus padres le traen los libros y discos compactos que Ud. olvidó en casa.
5. Su madre insiste en comprarle una nueva computadora, pero Ud. no cree que sea necesario.
6. Su novio(-a) le compró sus revistas favoritas.

Instructions B. Students should work in pairs. They will be asked to dramatize the dialogue in front of the class without their books. While they are preparing, the instructor should monitor the students by correcting their errors, answering questions and making suggestions for improvement. **NOTE:** This is the last time that these instructions will occur in the marginal annotations. However, in the future, you should continue to monitor students and have students present their conversation to the entire class.

B. ¡Qué buen(-a) amigo(-a) eres! Con un(-a) compañero(-a) complete el siguiente diálogo.

Usted	Hola, _____, sabía que estabas enfermo(-a) y por eso vine a visitarte.
Compañero(-a)	Ay, _____, qué bueno. Pero _____.
Usted	No, si no es ninguna molestia. Al contrario. ¿Te puedo ayudar en algo?
Compañero(-a)	_____.
Usted	Quizás necesitas _____.
Compañero(-a)	_____.
Usted	¿Quieres _____?
Compañero(-a)	_____.
Usted	Bueno, ya me voy. Chau. Llámame si necesitas algo.
Compañero(-a)	_____.

Así se habla, Práctica B Answers. *Answers vary.* **No te hubieras molestado. No es necesario, gracias.** *Answers vary.* **Gracias, no te molestes.** *Answers vary.*

Estructuras

Expressing Judgment, Doubt, and Uncertainty
Subjunctive After Expressions of Emotion, Judgment, and Doubt

Prior to introducing this section, you may want to review the formation of the present subjunctive taught in **Capítulo 5, Segunda situación.**

Reminder. Two conditions must be present in order for a subjunctive to be used in a noun clause: (1) the presence of a phrase that may require the use of the subjunctive; (2) a change of subject.

a. Spanish verbs and phrases that express an emotion or judgment about another action require the use of the subjunctive when the subject of the first verb is different from the second.

Roberto prefiere que **compremos** una casa nueva pero es mejor que **nos quedemos** en un apartamento por el momento.

Robert prefers that we buy a new house but it's better that we stay in an apartment for the time being.

1. Expressions of emotion or judgment include many impersonal expressions.

es bueno	es (in)útil	es preferible
es conveniente	es (una) lástima	es ridículo
es importante	es malo	es sorprendente
es (im)posible	es mejor	es terrible

Impersonal expressions that state a fact require the indicative. Such expressions include **es cierto / es evidente / es obvio / es verdad** and **no es dudoso**.

Como no salimos esta noche, **es posible que alquilemos** un vídeo.	*Since we're not going out tonight, it's possible that we will rent a video.*
Mi marido ha alquilado un vídeo; **es obvio que no salimos** esta noche.	*My husband rented a video; it's obvious (that) we're not going out tonight.*

2. Other expressions of judgment include the following:

alegrarse de	lamentar	sorprender
enfadarse con	preferir	temer
enojarse de	sentir	tener miedo de
estar contento(-a) de		

Siento mucho que **Uds. no puedan** cenar con nosotros.	*I'm very sorry that you can't have dinner with us.*

b. The subjunctive is used after the following expressions of doubt or denial when the speaker expresses uncertainty or negation about the situation he/she is discussing.

dudar	acaso	es dudoso
negar	quizá(-s)	
no creer	tal vez	
no pensar		
¿creer?		
¿pensar?		

1. The subjunctive is used after **dudar, negar, no creer, no pensar,** and **es dudoso** when there is a change of subject.

No creo que esta casa **sea** muy cara.	*I don't think that this house is very expensive.*

2. Interrogative forms of **creer** and **pensar** require the subjunctive when the speaker is uncertain about the outcome of the action. The indicative is preferred in questions when the speaker does not express an opinion.

Subjunctive: Speaker Expresses Doubt

¿Crees que **haya** algo bueno en la tele?	*Do you really think that there is something good on TV?*

Indicative: Speaker Expresses No Opinion

¿Crees que **hay** algo bueno en la tele?	*Do you think that there is something good on TV?*

3. Verbs following the expressions **acaso / quizá(-s) / tal vez**, meaning *maybe* or *perhaps,* will be in the subjunctive when the speaker doubts that the situation will take place.

Quizás nuestro candidato **gane**   *Perhaps our candidate will win the*
las elecciones, pero es dudoso.   *election, but it's doubtful.*

When the speaker wishes to indicate more certainty, the indicative is used with **acaso / quizá(-s) / tal vez**.

Tal vez vamos a mirar las noticias.   *Perhaps we will watch the news.*

Práctica y conversación

Estructuras, Subjunctive after Expressions of Emotion, Judgment, and Doubt, Práctica A Answers. *Answers vary but the present subjunctive must be used in the dependent clause after all expressions except **Es verdad...***

A. La televisión. Exprese su opinión sobre la televisión utilizando las siguientes expresiones: **(no) es conveniente / ridículo / terrible / mejor / sorprendente / verdad / posible / malo.**

1. Hay demasiada violencia en la televisión.
2. Algunos niños miran más de cuatro horas de televisión diariamente.
3. Los anuncios siempre son interesantes y divertidos.
4. Pagamos para mirar algunos deportes en la tele.
5. Muchas personas no leen el periódico; sólo ven las noticias en la tele.
6. Generalmente puedo encontrar algún programa bueno en la tele.

Estructuras, Subjunctive after Expressions of Emotion, Judgment, and Doubt, Práctica B Answers. *Answers vary but the present subjunctive must be used in the dependent clause.*

B. ¿Qué le parece? Exprese su opinión sobre los siguientes temas. Use las siguientes expresiones: **me sorprende, estoy contento(-a) de, prefiero, siento, tengo miedo de**.

los terremotos / la cafetería estudiantil / la universidad / los exámenes / las vacaciones / la política / ¿?

Estructuras, Subjunctive after Expressions of Emotion, Judgment, and Doubt, Práctica C Answers. *Answers vary.*

C. Mis opiniones. Complete las siguientes oraciones de una manera lógica.

1. Me sorprende que _____.
2. Tal vez el (la) profesor(-a) _____.
3. Es necesario que _____.
4. Dudo que _____.
5. Me alegro que _____.
6. Es importante que _____.

Estructuras, Subjunctive after Expressions of Emotion, Judgment, and Doubt, Práctica D Answers. *Answers vary.*

D. ¿Qué vamos a ver? Ud. y un(-a) compañero(-a) están leyendo la guía de televisión en la página 203. Desgraciadamente no pueden ponerse de acuerdo sobre lo que quieren ver en la televisión. Cada uno(-a) critica lo que el (la) otro(-a) dice y trata de imponer su opinión.

MODELO   Compañero(-a):   **Quiero ver *La noche temática* esta noche.**
              Usted: **Dudo que sea muy bueno. Prefiero que miremos *Telediario*.**

Talking About Things and People
More About Gender and Number of Nouns

In order to talk about people, places, objects, and ideas you will need to know how to use nouns in Spanish. It is particularly important to be able to predict and learn the gender of nouns since that gender determines the endings of other words such as definite and indefinite articles and adjectives.

Gender of Nouns

  a. Masculine nouns include

      1. nouns that refer to males, regardless of ending.

el policía	*policeman*
el hombre	*man*
el abuelo	*grandfather*

      2. most nouns that end in **-o**.

el piso	*floor*
el robo	*robbery*

      Exceptions: la mano, la radio, la moto(cicleta), la foto(grafía)

      3. some nouns that end in **-ma, -pa,** and **-ta**.

el problema	*problem*
el mapa	*map*
el cometa	*comet*

      4. most nouns that end with the letters **-l, -n, -r,** and **-s**.

el canal	*channel*
el rincón	*corner*
el comedor	*dining room*
el interés	*interest*

      5. days, months, and seasons.

el viernes	*Friday*
el febrero pasado	*last February*
el invierno	*winter*

      Exception: la primavera

  b. Feminine nouns include

      1. nouns that refer to females, regardless of the ending.

la madre	*mother*
la mujer	*woman*
la enfermera	*nurse*

      2. most nouns that end in **-a**.

la comida	*meal*
la cucharita	*teaspoon*

      Exception: el día

      3. most nouns that end in **-ión, -d, -umbre, -ie**, and **-sis**.

la reservación	*reservation*
la especialidad	*specialty*
la costumbre	*custom*
la serie	*series*
la crisis	*crisis*

      Exceptions: el paréntesis, el análisis

The list should serve more as a reference for students rather than a list to be memorized. It takes much practice for students to correctly use nouns whose gender is not evident; most intermediate-level students will not have complete mastery of this grammar point at this point in time.

c. Nouns ending in **-e** can be either masculine or feminine.

la clase	*class*
la gente	*people*
el diente	*tooth*
el restaurante	*restaurant*

d. Masculine nouns that refer to people and end with **-or, -n,** or **-és,** become feminine by adding **-a.**

el profesor	la profesora	*professor*
el bailarín	la bailarina	*dancer*
el francés	la francesa	*French man / woman*

Note that the accents are deleted in the feminine forms.

e. The gender of some nouns that refer to people is determined by the article, not the ending.

el artista	la artista	*artist*
el estudiante	la estudiante	*student*

f. Some nouns have only one form and gender to refer to both males and females: **el ángel, el individuo, la persona, la víctima.**

Plural of Nouns

a. Nouns that end in a vowel add **-s** to become plural.

el hombre	los hombres	*men*
el plato	los platos	*plates*
la ensalada	las ensaladas	*salads*

b. Nouns that end in a consonant add **-es** to become plural. Sometimes written accent marks must be added or deleted in the plural form to maintain the original stress.

la mujer	las mujeres	*women*
la reservación	las reservaciones	*reservations*
el joven	los jóvenes	*young people*
el francés	los franceses	*French persons*

c. Nouns ending in **-z** change the **z** to **c** before adding **-es: el lápiz → los lápices; una vez → unas veces.**

d. Nouns of more than one syllable ending in an unstressed vowel + **-s** have identical singular and plural forms: **el martes → los martes; la crisis → las crisis.**

Práctica y conversación

A. Los quehaceres. Explíquele a un(-a) compañero(-a) lo que Ud. quiere que él / ella limpie en su casa.

> **MODELO**   sala
> **Limpia la sala, por favor.**

dormitorios / cocina / muebles / comedor / jardín / mesas / ¿?

B. En casa. Trabaje con un(-a) compañero(-a) para completar la siguiente conversación telefónica utilizando los artículos definidos en singular o en plural, según corresponda.

Mariela   Hola, Chela. ¿Cómo están por tu casa?

Chela   Toda _____ familia está bien, gracias.

Mariela   Te llamo para ver si salimos más tarde. ¿Qué vas a hacer hoy?

Chela   Me encantaría salir contigo, pero hoy tengo que hacer muchas cosas en _____ casa. Empecé con _____ comedor y eso fue un desastre. Después limpié _____ cocina y lavé _____ platos. Ahora estoy por salir a comprar _____ comida para _____ semana pero estoy muy preocupada. _____ precios son cada día más altos. Parece que cada día _____ inflación se pone peor.

Mariela   Sí, así es. _____ televisor de _____ sala de mi casa no funciona. Necesitamos comprar otro y no quiero ni pensar en eso.

Chela   Ayer salí a comprar _____ pollo. ¿Sabes cuánto cuesta? Tres mil bolívares _____ kilo. ¡Imagínate!

Mariela   Sí, es igual con _____ ropa y _____ zapatos. No sé lo que va a pasar. Pero tal vez en _____ elecciones de diciembre podamos cambiar de gobierno.

Chela   Lo dudo, tú sabes cómo son _____ cosas aquí.

The Main Idea and Supporting Details

You have already learned that you don't need to understand every single word of what is being said and that you can listen for the general idea of a conversation. It is also important to learn how to listen for the main idea of what is being said and the supporting details. For example, if somebody asks you what your occupation is, you might respond, "I'm a student." That would be the main idea you want to communicate. You might also add, "I study Political Science at George Washington University." Those would be the supporting details that expand the scope of your preliminary statement and add to the listener's knowledge about you.

Have students describe the drawing and explain what is happening. Ask them the following questions: **¿Qué creen que van a decir estas personas? ¿Por qué?** *Answers vary.*

Escuche la conversación entre dos señoras en la casa de una de ellas y tome los apuntes que considere necesarios. Antes de escuchar la situación, lea los siguientes ejercicios. Después conteste.

A. Algunos detalles. Complete las siguientes oraciones basándose en lo Ud. escuchó.

   Sabemos que...

   1. Mariana está _____ porque tiene _____.
   2. Cuando Rosaluz llega a ver a Mariana, Mariana estaba _____.
   3. Rosaluz es generosa porque le lleva _____ y _____ a Mariana.
   4. Mariana dice que su hijo, _____, le va a llevar _____ y que él está _____.
   5. Cuando Mariana se mejore, Rosaluz quiere ir con ella al _____ o al _____ porque esos son los únicos lugares donde _____.
   6. Mariana y Rosaluz son tan amigas que son como _____.

B. Un resumen. Con un(-a) compañero(-a) de clase, resuma brevemente la conversación de las dos señoras.

Siga practicando el vocabulario y las estructuras gramaticales de **Capítulo 6, Segunda situación** en *Interacciones CD-ROM.*

Para saber más:
www.heinle.com

Tercera situación

Perspectivas

La vivienda° en el mundo hispano

housing

Los hispanos que viven en una ciudad generalmente prefieren tener su vivienda cerca del centro, puesto que el trabajo, las tiendas, las escuelas y las diversiones se concentran allí. Como no hay mucho espacio en el centro, la vivienda urbana más típica es el apartamento.

Hay mucha variedad en el estilo, el tamaño y el precio de los apartamentos, pero casi todos tienen los servicios y facilidades modernos, incluso los apartamentos en edificios antiguos. En la planta baja de los edificios de apartamentos muchas veces hay boutiques, farmacias o tiendas donde venden pan, leche, café y otros alimentos básicos. Mientras muchos hispanos tienen apartamento propio, otros lo alquilan.

En algunos barrios de la ciudad hay casas privadas con jardín. A causa del problema de espacio, los terrenos (lots) no suelen ser tan grandes como en los EE.UU. Algunas familias tienen más de una vivienda; compran un apartamento en la playa, o una casa en el campo o en las montañas, adonde van para pasar los fines de semana y las vacaciones.

Al contrario de los EE.UU., la mayoría de la gente pobre del mundo hispano vive en las afueras de las ciudades. Allí viven algunos en nuevos edificios de apartamentos construidos por el gobierno; desgraciadamente otros viven en viviendas pequeñas con pocas comodidades.

Práctica y conversación

A. Comparaciones. Con un(-a) compañero(-a) de clase, compare las características de la vivienda en el mundo hispano con las de los EE.UU. Incluya información sobre la situación (location), el tamaño, las comodidades y los servicios.

B. Busco apartamento. Con un(-a) compañero(-a) de clase dramatice la siguiente situación. Ud. vive en Caracas pero tiene que viajar mucho a la Florida para su trabajo. Por eso Ud. piensa comprar un apartamento cerca de Miami para su familia: Ud., su esposo(-a) y sus dos hijos. Utilizando el anuncio para *The Ocean Club* en la siguiente página, discuta con su esposo(-a) las ventajas y desventajas de comprar un apartamento en esta urbanización. Después, explíquenle a la clase su decisión.

Consideraciones: ¿Son bastante grandes los apartamentos? ¿Son demasiado costosos? ¿Hay diversiones para los niños y para los mayores?

Warm-up 1. Provide students with the basic vocabulary that will be needed to understand the video segment. **indígena** = *native, indigenous /* **quichua** = *el grupo indígena más grande del Ecuador, también el nombre del idioma del grupo /* **el ayllú** = *la unidad básica de la cultura quichua, es semejante a una familia /* **Chimborazo** = *una de las provincias del Ecuador donde vive la mayoría de los indígenas del país /* **Riobamba** = *la capital de la provincia de Chimborazo.*

Warm-up 2. After presenting the new vocabulary, use a map to point out the location of Ecuador, Chimborazo, Quito, and Riobamba.

Panorama cultural, Práctica A, Answers. *Answers vary.*

Panorama cultural

Nina Pacari, una mujer indígena

A. Los papeles tradicionales. Con un(-a) compañero(-a) de clase, describan el papel tradicional de la mujer y del hombre. Después miren la foto de Nina Pacari y descríbanla. En su opinión, ¿qué tipo de mujer es ella? ¿Es tradicional o no? Justifiquen su opinión.

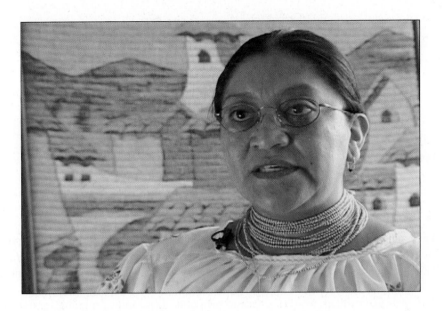

B. Utilizando la información del vídeo sobre Nina Pacari, complete las siguientes oraciones.

1. Nina Pacari es diputada _____ en el Parlamento del _____. Es la _____ legisladora _____ en la historia del país.
2. Nina trabaja en el _____ Legislativo. Aunque pertenece al gobierno ecuatoriano, muchas veces se opone por sus intereses de los grupos o sectores _____.
3. A fines de _____ anunciaron las medidas económicas elevando el precio del _____, del combustible, el precio del _____. Eso afecta más a los sectores populares y a los _____ que están en una situación de pobreza muy profunda.
4. En la movilización de Nina están _____, _____, _____ y ancianos. En el mundo indígena de Nina hay _____ que dirigen a nivel _____, a nivel provincial, a nivel _____. Las mujeres no son solamente para _____.

Para leer bien

Background Knowledge: Geographical References

As you know from your experience with your native language, it is generally easier to read a selection containing a topic with which you are familiar than one with a topic you know little about. This familiarity with a topic is called background knowledge. Activating and expanding your background knowledge can greatly facilitate your reading in a foreign language.

A glance at the title and photo of the following reading indicates that the general topic is the geography of Venezuela. The following suggestions will help you activate and expand your background knowledge of geographical terms and the geography of Venezuela.

1. Scan the opening paragraphs of the selection for the specific topic of the article.
2. Familiarize yourself with the names of towns, cities, and places in Venezuela by skimming the entire selection.
3. Be prepared to guess the meaning of cognates related to geography.
4. Review the geographical information contained in **Bienvenidos a Centroamérica, a Colombia y a Venezuela**.
5. Think about the relationship between geography and lifestyle.

Práctica

A. Los elementos generales. Dé un vistazo al título y al primer párrafo para determinar el tema principal del artículo.

B. Un examen superficial. Examine superficialmente la lectura y haga mentalmente una lista de las ciudades, los pueblos y otros lugares geográficos mencionados en la lectura. Búsquelos en un mapa de Venezuela. ¿Por qué hay tantos lugares con el nombre Bolívar?

C. Palabras geográficas. Mire esta lista de categorías de palabras geográficas y trate de adivinar *(guess)* lo que significan.

1. los Andes	andino	los valles
2. la tierra	el terreno	
3. el trópico	tropical	subtropical
4. alto	la altura / altitud	la elevación
5. el clima	árido	

Lectura cultural   El techo de Venezuela

Venezuela: Mérida con el Pico Bolívar al fondo

long ago · *un ejemplo* · discovery

Si uno les pregunta a los residentes de Caracas dónde se puede ver la Venezuela de antaño°, muchos contestan que en las montañas del estado de Mérida. Mérida es una muestra° de cómo era Venezuela antes del descubrimiento° del petróleo y antes de que el 75% de la población se concentrara en los grandes centros urbanos.

En Mérida, moderna ciudad rodeada de aldeas° andinas, se disfruta de la tranquilidad y del encanto del ayer. Éste es el techo de Venezuela, tierra de contrastes sorprendentes°, donde la caña de azúcar se cultiva en la sombra°del Pico Bolívar, de 5.002 metros de altura.

La mayoría de los visitantes va de Caracas a Mérida en avión. Es sólo una hora de vuelo. Sin embargo, es mucho más interesante hacer el viaje por carretera°, en particular el tramo° de 173 kilómetros que forma parte de la Carretera Panamericana. Este tramo está bien pavimentado pero el viaje en auto lleva mucho tiempo. Hay que hacerlo despacio a causa de la cantidad de curvas cerradas.

El camino sube abruptamente desde las llanuras° tropicales hasta el paso en la cima° del Pico del Águila°. A esta altura la temperatura es agradable en julio, aunque a los pocos kilómetros es bien diferente. En los Andes la elevación determina no sólo la temperatura, sino también la manera de vivir de la gente. Según la altitud, se cultiva café o papas, se lleva ropa de algodón o ponchos de lana gruesa°. Se dice que hasta el carácter de las personas varía con la altitud.

A medida que° el camino asciende hacia el Pico del Águila, con cada curva surgen° nuevos panoramas de las montañas y los valles. Dan ganas de parar° a cada paso y contemplar el paisaje°, pero hay muy pocos lugares donde el camino es lo bastante ancho° para estacionar° el coche. Pronto empieza el páramo°, región alta y fría a más de 3.000 metros de altitud. El paisaje es desolado. Los colores vivos han desaparecido y la tierra es oscura. Hay pocas casas, pues sólo los venezolanos más recios° pueden ganarse la vida en este ambiente. Cerca de la cima una niebla° densa y fría se cierne° como una cortina blanca frente al coche. Al atravesarla°, los viajeros se encuentran en lo alto del Pico del Águila a 4.115 metros de altitud. En este paso de la montaña hay una inmensa estatua de un águila con las alas° extendidas, símbolo del valor de Bolívar al cruzar los Andes buscando la libertad de América. El descenso del Pico del Águila se hace rápidamente.

Apartaderos, situado a 3.470 metros de altitud, es una aldea turística al estilo de las de los Alpes. Es un lugar excelente donde uno puede parar y disfrutar del paisaje andino.

Pasado Apartaderos, el camino desciende hacia Mérida y el terreno es más suave y la vegetación más exuberante. Se pasa por Mucuchíes, Mucuruba y Tobay, pueblecitos coloniales preciosos que están en el camino a Mérida. Cada uno de ellos tiene una plaza Bolívar, una iglesia antigua y bien cuidada y edificios muy juntos.

Mérida está en una mesa° baja rodeada de° altísimas montañas, entre ellos el Pico Bolívar, el más alto del país. Durante muchos años las montañas constituían un gran obstáculo al cambio, pero hoy día Mérida es una capital estatal moderna, de 125.000 habitantes. En la ciudad quedan pocos edificios históricos pero por todas partes se encuentran parques y plazas llenos de flores. La Plaza Bolívar, la más interesante de la ciudad, está rodeada de edificios gubernamentales y de la catedral. Cerca de la plaza hay varios restaurantes pequeños que sirven típica comida venezolana. También se ven artistas jóvenes pintando escenas de la vida de las aldeas andinas, uno de los temas populares de los pintores venezolanos.

La visita a Mérida no está completa si uno no se monta en el teleférico°. Éste, que es el más largo y más alto del mundo, asciende hasta la cima del Pico Espejo, a 4.765 metros de altitud. Aparte de ser un viaje emocionante para el visitante, el teleférico es un medio de transporte muy útil para los habitantes de los Andes que viven en remotas aldeas de las montañas. Para algunos el teleférico es el único medio de comunicación con Mérida.

El teleférico no funciona los lunes ni martes, y éstos son días buenos para visitar las aldeas andinas históricas de los alrededores de Mérida. Una de las más visitadas es Jají, a unos 45 kilómetros al suroeste. Los habitantes de Jají se sienten muy orgullosos° de su pueblo que fue reconstruido a fines de la década de los 60 y tiene arquitectura colonial típica.

Si uno quiere visitar una localidad menos turística, puede ir a Pueblo Nuevo del Sur, declarado monumento nacional en 1960. A las cuatro de la tarde, Pueblo Nuevo del Sur

---

**Glosses (right margin):**

villages
surprising
shadow

highway
section

plains / summit
Eagle

thick

As / emerge
to stop
landscape / wide
to park / high plateau

robust
fog / hangs over
to cross

wings

plateau / surrounded by

cable railway

proud

los habitantes

carries

descansa. Los vecinos° están sentados indolentemente en la plaza o en el frente de sus casas conversando en voz baja. Un hombre carga° un pesado saco en un burro como lo han hecho innumerables generaciones antes que él. De las puertas abiertas de la vieja iglesia de Santa Rita salen las delicadas notas de un violín.

a few indications / gentle

El que llega a Pueblo Nuevo del Sur ha viajado en el espacio y en el tiempo. Aquí no hay hoteles ni restaurantes. El paso de los siglos no ha dejado más que alguno que otro retoque°. Es lógico que Pueblo Nuevo sea un monumento histórico. Desde este apacible° lugar se puede regresar a Mérida en una hora, pero el viaje supone el transcurso de varios siglos. Al salir de Pueblo Nuevo uno se da cuenta de que ha visto lo que vino a ver en Mérida: una visión de la Venezuela de ayer.

Práctica

A. Lugares venezolanos. Ponga enfrente de cada elemento de la primera columna la letra que le corresponde en la segunda columna para identificar los lugares venezolanos.

1. ___d___ La capital de Venezuela
2. ___g___ El estado que es el techo de Venezuela
3. ___l___ El camino largo entre México y la Argentina
4. ___k___ Una región fría y alta
5. ___a___ Un paso con una inmensa estatua que representa a Bolívar
6. ___h___ Una aldea turística al estilo de las de los Alpes
7. ___b___ El pico más alto de Venezuela
8. ___e___ Uno de los pueblecitos coloniales preciosos en el camino a Mérida
9. ___j___ Un medio de transporte para ascender una montaña
10. ___i___ Un popular pueblo turístico reconstruido
11. ___f___ Un pueblo poco turístico declarado monumento nacional en 1960

a. el Pico del Águila
b. el Pico Bolívar
c. el Pico Espejo
d. Caracas
e. Mucuruba
f. Pueblo Nuevo del Sur
g. Mérida
h. Apartaderos
i. Jají
j. un teleférico
k. un páramo
l. la Carretera Panamericana

Lectura cultural, Práctica B Answers. *Answers vary.*

B. Rasgos geográficos. Haga una lista de las diversas características geográficas que se pueden ver en el estado de Mérida.

Lectura, cultural Práctica C Answers. *Answers vary.*

C. Descripciones. Describa las siguientes cosas que se encuentran en el estado de Mérida.

las montañas / los valles / la ciudad de Mérida / Jají / Pueblo Nuevo del Sur

Lectura cultural, Práctica D Answers. *Answers vary.*

D. La defensa de una opinión. ¿Qué evidencia hay en el artículo que confirma la idea siguiente? «El estado de Mérida es una visión de la Venezuela de ayer.»

Preparing to Write

Careful preparation is the most important phase of the writing process. The following suggestions should help you plan and organize beforehand so the actual writing is done more quickly and produces a more readable, interesting composition.

1. Choose a topic that interests you and one for which you have some background knowledge.
2. Brainstorm ideas that might possibly fit into the composition topic. Write down these ideas in Spanish.
3. Make a list of the best ideas obtained from your brainstorming.
4. Make a list of key vocabulary items for the composition. Look up words in the dictionary at this point.
5. Organize your key ideas into a logical sequence. These key ideas will form a basic outline for your composition.
6. Fill in your outline with the details and supporting elements for your key ideas. You are now ready to write your composition.

Composiciones

A. Criados contentos. Ud. es el (la) dueño(-a) de una compañía de limpieza doméstica que se llama «Criados contentos». Escriba un anuncio para un periódico local explicando sus servicios. Incluya información sobre los quehaceres domésticos que hacen, su horario y sus precios.

B. Una casa vieja. Ud. y su esposo(-a) acaban de comprar una casa vieja que tiene muchos problemas: todas las ventanas están muy sucias, una ventana está rota, las paredes están sucias y necesitan pintura, el lavabo en un cuarto de baño no funciona, el lavaplatos no funciona, no hay luz en dos de los dormitorios, no se puede cerrar fácilmente la puerta principal, la alfombra de la sala huele mal. Escríbale una nota a la persona que viene para reparar la casa. Explíquele los problemas y lo que debe hacer para resolverlos.

C. Los quehaceres domésticos. Hay cuatro personas en su familia y en su casa hay unos veinte quehaceres domésticos que alguien tiene que hacer todas las semanas. Prepare una lista de instrucciones para estos quehaceres. Cada persona tiene que hacer cinco.

Composiciones Answers. *Answers vary for **Composiciones A-C.***

Actividades

Communicative modes incorporated.
A: interpersonal;
B: interpersonal;
C: presentational;
D: interpersonal, presentational.

Vocabulary incorporated.
A: rooms of the house, furniture, household chores; **B:** rooms of the house, furniture, household chores, expressions for enlisting help; **C:** crime, disaster, news program, weather, sports vocabulary; **D:** political vocabulary.

Grammar incorporated.
A: familiar commands, demonstrative adjectives and pronouns; **B:** comparisons of equality, comparisons of inequality; **C:** gender and number of nouns, preterite tense; **D:** present subjunctive for expressing emotion, judgment and doubt; comparisons.

Actividades Answers.
Answers vary for
Actividades A-D.

A. Sus compañeros de cuarto. You live in an apartment with two roommates. It's Parents' Weekend at school, and you must clean up the place before your parents arrive. Enlist your roommates' help and tell each of them what to do to prepare the apartment and some refreshments for your parents.

B. Un nuevo criado. As a wealthy and busy professional, you are trying to find a replacement for your live-in domestic helper, who is about to retire. Interview a candidate (played by a classmate). Find out if he/she has qualities equal to or better than your present employee. Explain what you want him/her to do on the job. You are quite demanding and the prospective employee is not certain if he/she wants the job.

C. *Telediario.* You and a classmate are the newscasters on *Telediario,* a brief news broadcast that occurs each evening from 8:58-9:00. Provide the highlights of the day's news for your audience. Include local, national, and international news as well as sports and a brief weather forecast.

D. Los candidatos. You are Víctor / Victoria Romero, the host/hostess of a Hispanic television talk show geared to 18-25 year olds. This week's guests are three candidates for President of the U.S. You hold a brief debate with the candidates, asking them questions about items of concern to the viewers of your show. Each candidate should compare himself/herself to the others and explain what he/she wants the voters and Congress to do. Each candidate should express judgment or doubt about what the other candidates say.

Para saber más:
www.heinle.com

Herencia cultural

Centroamérica, Colombia y Venezuela

Cultural products and practices.
Famous people of Central America, Colombia and Venezuela and what they have accomplished. **cultural comparisons:** famous historical personages and famous entertainment / literary / governmental figures of these regions and the U.S.

Personalidades

Additional information about these figures is included in the **IAE**, Using the *Interacciones* Program: Herencia cultural.

De ayer

Conocido como el Libertador de América, **Simón Bolívar** (1783–1830) nació en Caracas, Venezuela. Fue el líder del movimiento de la independencia en las colonias españolas de Sudamérica. Bolívar libertó los actuales países de Bolivia, Colombia, Ecuador, Perú y Venezuela. Muchos lugares en Sudamérica llevan su nombre.

Nacido en Nicaragua, «la tierra de los poetas», **Rubén Darío** (1867–1916) fue responsable de la renovación de la poesía en la lengua española. Creó nuevas formas poéticas que los otros poetas de Latinoamérica y de España imitaron. También escribió cuentos, ensayos y crítica literaria.

De hoy

La cantante colombiana **Shakira** (1977–) lanzó su primer álbum a los 17 años de edad y poco después se convirtió en una artista importante y popular. Ha aparecido en conciertos y en la televisión por todo el mundo. Entre sus premios más importantes están el de la Mejor Artista Latina y la Artista Colombiana del Siglo; también ha recibido 21 discos de oro.

Rigoberta Menchú Tum (1959–) es una guatemalteca de origen maya-quiché. Es conocida por su libro *Me llamo Rigoberta Menchú y así me nació la conciencia,* en el cual describe la opresión de las poblaciones indígenas en Guatemala. En 1992 ganó el Premio Nóbel de la Paz por su trabajo contra la opresión social.

Óscar Arias Sánchez (1949–) fue el presidente de Costa Rica desde 1986 hasta 1990. En 1987 recibió el premio Nóbel de la Paz por su plan de pacificación para la región de Centroamérica. Su plan ayudó a terminar la guerra en los países vecinos de Costa Rica y resolvió muchos problemas económicos en la región.

El panameño **Rubén Blades** (1948–) es un hombre de muchos talentos. Además de ser un célebre músico, compositor de salsa y actor del cine y de la televisión en los EE.UU., también es abogado. En Panamá fundó un partido político y en 1994 fue candidato a la presidencia de su país.

Comprensión cultural 1. Have students work in pairs or groups of three. Assign one of the *personalidades* to each group and have them prepare a description of each person as well as a brief biography. Have each group report back to the class.

Comprensión cultural 2. Ask students: ¿Con qué frase es conocido Simón Bolívar? ¿De qué fue el líder? ¿Qué países libertó? ¿Qué país es «la tierra de los poetas»? ¿Qué hizo Rubén Darío por la poesía en la lengua española? ¿Qué puesto importante ocupó Óscar Arias Sánchez? ¿Por qué recibió el premio Nóbel de la Paz? ¿De qué país es Shakira? ¿Qué premios importantes ha recibido? ¿Qué describe Rigoberta Menchú en su libro? ¿Por qué ganó ella el premio Nóbel de la Paz? ¿Cuáles son algunos de los talentos de Rubén Blades? ¿Qué fundó Rubén Blades en Panamá? ¿Qué hizo en 1994?

Arte y arquitectura

Cultural products. Works of art by Fernando Botero and Jesús Rafael Soto. **Cultural comparisons.** Famous artists, works of art, and artistic styles.

Fernando Botero, *La familia presidencial,* 1967. Oil on canvas, 6'8 ⅛" x 6'5 ¼". Collection, The Museum of Modern Art, New York. Gift of Warren D. Benedek.

Unos artistas modernos: Botero y Soto

La mayoría de los artistas modernos de Latinoamérica forman parte de una tendencia internacional. Aunque usan temas latinos también tratan de representar temas universales del hombre contemporáneo y sus problemas como miembro de una sociedad urbana. Los artistas viajan mucho por el mundo, se conocen e intercambian ideas y técnicas. Tienen exposiciones de sus obras en sus propios países y en las grandes capitales de Europa y las Américas.

Fernando Botero (1932–) Nació en Medellín, Colombia, pero se trasladó a Bogotá donde presentó sus primeras obras. Viajó a Madrid y allá estudió los cuadros de Goya y Velázquez. De éste aprendió la técnica realista y de aquél su punto de vista crítico.

Muchas de las obras de Botero son sátiras de otras obras famosas o de la vida colombiana; sus personajes representan las instituciones del país, como la Iglesia, el gobierno, el ejército. Una de sus obras famosas es *La familia presidencial* (1967), una sátira de la familia presidencial colombiana.

Jesús Rafael Soto (1923–) Nació en Ciudad Bolívar, Venezuela. Es un escultor conocido y miembro del movimiento de arte geométrico y kinético. Sus obras están en una universidad de Caracas, en Alemania y los EE.UU., entre otros lugares. Su obra *Vibraciones* (1965) es una escultura de alambres *(wires)* y cuadradros *(squares)* suspendidos sobre una superficie rayada; el efecto es una ilusión óptica. Cree en la participación del espectador en la creación artística. Por eso creó *Penetrable* (1971), que consiste en una serie de tubos de aluminio que cambian cuando el público camina entre ellos.

Jesús Rafael Soto dentro de su obra *Penetrable*, Museum of Modern Art of Latin America, Washington, D.C. Courtesy of OAS.

224

Comprensión

Warm-up A. Students should work in pairs and describe the painting *La familia presidencial.* Each pair should report back to the class and describe the work of art.

A. Fernando Botero: *La familia presidencial*

1. **Los personajes.** Conecte a cada personaje del cuadro con la institución que representa.

<u> d </u> el sacerdote *(priest)*   a. el ejército

<u> a </u> el general   b. la familia

<u> c </u> el hombre con las gafas   c. el gobierno

<u> b </u> las tres mujeres   d. la Iglesia

2. **El contenido.** Conteste las siguientes preguntas acerca de la obra. ¿Qué animales se ven en la obra? ¿Qué otras cosas y objetos se ven? ¿Quién es el hombre de bigote y barba a la izquierda y qué hace?

3. **La interpretación.** ¿De qué manera están relacionados todos los personajes de la obra? ¿Qué está diciendo el artista sobre el gobierno y las otras instituciones de su país?

B. Jesús Rafael Soto: *Penetrable*

1. **La creación artística.** Según Soto, el público debe participar en la creación artística. ¿De qué manera participa el público en la creación de la escultura *Penetrable?*

Para saber más:
www.heinle.com

Para leer bien

Applying Journalistic Reading Techniques to Literature

In the **Para leer bien** sections of this text you have learned to apply reading strategies such as predicting and guessing content, scanning, skimming, locating the main and supporting ideas, and using background knowledge to the reading of journalistic articles and essays. These same strategies can also be effectively applied to the reading of literature. However, certain adaptations need to be made.

Prior to reading you will need to scan the overall layout of the selection to determine its genre (**el cuento, el drama, el ensayo, la novela, la poesía**). Scanning a literary title may not prove to be as helpful in establishing the main idea as scanning the title of a journalistic article. Literary titles are frequently imprecise in order to establish a tone or suggest feelings rather than provide a detailed summary of what is to follow.

Skimming the opening paragraph of a short story will often provide further clues as to content and main theme. In the opening paragraph look for the main ideas and supporting details. The tone of the first paragraph will often carry over throughout the entire story.

Using and expanding background knowledge will help in predicting and guessing content as well as decoding for deeper and more specific meaning. Identifying the verb core is particularly useful when decoding poetry, for poetic language often does not follow

Expansión A. Los estudiantes deben comparar *La familia presidencial* con *Las Meninas* de Diego Velázquez. ¿Qué tienen en común las dos obras? *Answer.* En las dos obras una familia importante ocupa el centro. El artista está dentro de la obra pintando a la familia real / presidencial.

Arte y arquitectura, Práctica A Answers. 2. Hay un perro, una serpiente y un visón *(mink).* Se ven montañas, un volcán, un avión (en la mano de la niña), ropa, una pluma (en la mano del presidente), un bolso (en la mano de la mujer del presidente), un báculo (en la mano izquierda del sacerdote), una llave (en la mano derecha del sacerdote). Es Botero, el artista que pintó la obra. Está pintando. 3. Todas las personas son de la misma familia: el presidente, sus dos hermanos, su madre, su esposa y su hija. Botero ha pintado una sátira de los gobiernos tradicionales de Latinoamérica; todas las personas importantes del país son de la misma familia. Así, una familia tiene todo el poder y controla todas las instituciones principales del país.

Warm-up B. Students should work in pairs and describe the painting *Penetrable.* Each pair should report back to the class and describe the work of art.

Arte y arquitectura, Práctica B Answers. *Answers may vary.* La escultura cambia cuando las personas caminan entre los tubos de aluminio; así, el público crea la escultura.

normal word order. You can also use your background knowledge of literary terminology taught in previous **Herencia cultural** sections.

In order to fully comprehend a literary selection, it is often necessary to read it more than one time. A second reading will often clarify the central theme and the various elements of the genre.

When approaching the following literary selection, remember to take advantage of the prereading and decoding techniques you have learned.

Antes de leer

A. Un día de éstos. ¿Qué significa el título *Un día de éstos?* ¿En cuál(-es) de las siguientes situaciones se puede usar la frase *un día de éstos?*

1. Hace mucho tiempo que Ud. necesita un coche nuevo. Finalmente Ud. encuentra el coche de sus sueños a un precio muy barato.
2. Un(-a) compañero(-a) de clase lo (la) insulta a Ud. a menudo y Ud. nunca le dice nada porque tiene miedo. Ud. piensa que en el futuro va a encontrar el insulto perfecto para su compañero(-a).
3. Su profesor(-a) de matemáticas siempre les da mucha tarea a los estudiantes pero también les da muy buenas notas a todos.

B. El consultorio del dentista. ¿Quiénes trabajan en un consultorio de dentista? ¿Quiénes van a ver al dentista? ¿Cuáles son algunas de las razones para ir a ver al dentista?

C. El escenario. El cuento *Un día de éstos* tiene lugar *(takes place)* en el consultorio de un dentista en un lugar rural y pobre. Mire el dibujo que acompaña el cuento *Un día de éstos*. Utilizando el vocabulario de los dos primeros párrafos del cuento, describa el escenario. ¿Cuáles son algunas diferencias entre el consultorio del cuento y un consultorio moderno?

D. Los personajes. Hay tres personajes en el cuento: el dentista, el hijo del dentista y el paciente, que además es el alcalde *(mayor)* del pueblo y teniente *(lieutenant)* del ejército. El dentista y el alcalde / teniente representan los dos puntos de vista de la violencia en Colombia. Describa al dentista utilizando el vocabulario del primer párrafo del cuento.

Lectura literaria

Gabriel García Márquez (1928–) *es un célebre escritor de cuentos y novelas y ganador del Premio Nóbel de Literatura en 1982. Nació en Aracataca, Colombia, una pequeña aldea en la costa del Caribe. Más tarde García Márquez transformó esta aldea en Macondo, el escenario mítico de su ficción. Su novela más famosa,* Cien años de soledad, *se publicó en 1967; probablemente es la novela más leída y más traducida del siglo XX.*

Sus cuentos y novelas tratan los mismos temas: la soledad, la violencia, la corrupción, la pobreza y la injusticia. «Un día de estos» tiene lugar en un país sin nombre en la América del Sur. Los antecedentes históricos del cuento son «la violencia», el conflicto que empezó en Colombia en 1948 y duró más de diez años. Unas 200.000 personas murieron en ese conflicto entre liberales y conservadores. «Un día de éstos» presenta la violencia en un microcosmo.

Un día de éstos

^{warm} El lunes amaneció tibio° y sin lluvia. Don Aurelio Escovar, dentista sin título y buen
^{early riser / office} madrugador°, abrió su gabinete° a las seis. Sacó de la vidriera una dentadura
^{set of false teeth / plaster /} postiza° montada aún en el molde de yeso° y puso sobre la mesa un puñado° de
^{handful} instrumentos que ordenó de mayor a menor, como en una exposición. Llevaba una
camisa a rayas sin cuello, cerrada arriba con un botón dorado, y los pantalones
^{suspenders / lean} sostenidos con cargadores° elásticos. Era rígido, enjuto°, con una mirada que raras
veces correspondía a la situación, como la mirada de los sordos.

^{he rolled the drill / dentist's} Cuando tuvo las cosas dispuestas sobre la mesa rodó la fresa° hacia el sillón de resortes°
^{chair} y se sentó a pulir la dentadura postiza. Parecía no pensar en lo que hacía, pero trabajaba
con obstinación, pedaleando en la fresa incluso cuando no se servía de ella.

^{buzzards} Después de las ocho hizo una pausa para mirar el cielo por la ventana y vio dos gallinazos°
^{ridge of roof} pensativos que se secaban al sol en el caballete° de la casa vecina. Siguió trabajando con
^{loud} la idea de que antes del almuerzo volvería a llover. La voz destemplada° de su hijo de once
años lo sacó de su abstracción.

—Papá.

—Qué.

^{you'll pull his tooth} —Dice el alcalde que si le sacas una muela°.

—Dile que no estoy aquí.

Estaba puliendo un diente de oro. Lo retiró a la distancia del brazo y lo examinó con los ojos
^{half-closed} a medio cerrar°. En la salita de espera volvió a gritar su hijo.

—Dice que sí estás porque te está oyendo.

El dentista siguió examinando el diente. Sólo cuando lo puso en la mesa con los trabajos
terminados, dijo:

—Mejor.

Volvió a operar la fresa. De una cajita de cartón° donde guardaba las cosas por hacer, sacó un puente° de varias piezas y empezó a pulir el oro.

<small>small cardboard box</small>
<small>dental bridge</small>

—Papá.

—Qué.

Aún no había cambiado de expresión.

—Dice que si no le sacas la muela te pega un tiro°.

<small>he will shoot you</small>

Sin apresurarse, con un movimiento extremadamente tranquilo, dejó de pedalear en la fresa, la retiró del sillón y abrió por completo la gaveta inferior° de la mesa. Allí estaba el revólver.

<small>lower drawer</small>

—Bueno —dijo—. Dile que venga a pegármelo.

Hizo girar° el sillón hasta quedar de frente de la puerta, la mano apoyada en el borde° de la gaveta. El alcalde apareció en el umbral°. Se había afeitado la mejilla° izquierda, pero la otra, hinchada° y dolorida, tenía una barba de cinco días. El dentista vio en sus ojos marchitos° muchas noches de desesperación. Cerró la gaveta con la punta de los dedos y dijo suavemente:

<small>he turned / edge</small>
<small>doorway / cheek</small>
<small>swollen</small>
<small>tired</small>

—Siéntese.

—Buenos días, dijo el alcalde.

—Buenos, dijo el dentista.

Mientras hervía° los instrumentos, el alcalde apoyó el cráneo en el cabezal° de la silla y se sintió mejor. Respiraba un olor glacial. Era un gabinete pobre: una vieja silla de madera, la fresa de pedal, y una vidriera con pomos de loza°. Frente a la silla, una ventana con un cancel de tela° hasta la altura de un hombre. Cuando sintió que el dentista se acercaba, el alcalde afirmó los talones° y abrió la boca.

<small>he boiled / leaned the back of his head on the headrest</small>
<small>porcelain bottles</small>
<small>cloth curtains</small>
<small>dug in his heels</small>

Don Aurelio Escovar le movió la cara hacia la luz. Después de observar la muela dañada°, ajustó la mandíbula° con una cautelosa presión de los dedos.

<small>rotten</small>
<small>jaw</small>

—Tiene que ser sin anestesia —, dijo.

—¿Por qué?

—Porque tiene un absceso.

El alcalde lo miró en los ojos.

—Está bien —, dijo, y trató de sonreír. El dentista no le correspondió. Llevó a la mesa de trabajo la cacerola° con los instrumentos hervidos y los sacó del agua con unas pinzas frías, todavía sin apresurarse. Después rodó la escupidera° con la punta del zapato y fue a lavarse las manos en el aguamanil°. Hizo todo sin mirar al alcalde. Pero el alcalde no lo perdió de vista.

<small>pot</small>
<small>moved the spittoon</small>
<small>washstand</small>

Era un cordal inferior°. El dentista abrió las piernas y apretó° la muela con el gatillo° caliente. El alcalde se aferró a las barras° de la silla, descargó toda su fuerza en los pies y sintió un vacío helado en los riñones°, pero no soltó un suspiro°. El dentista sólo movió la muñeca°. Sin rencor, más bien con una amarga ternura°, dijo:

<small>lower wisdom tooth / gripped / forceps / grabbed the arms / kidneys / let out a sigh / wrist / bitter tenderness</small>

—Aquí nos paga veinte muertos, teniente°.

<small>Here you're paying us for 20 deaths (you caused), lieutenant. / crunch</small>

El alcalde sintió un crujido° de huesos en la mandíbula y sus ojos se llenaron de lágrimas. Pero no suspiró hasta que no sintió salir la muela. Entonces la vio a través de las lágrimas. Le pareció tan extraña a su dolor, que no pudo entender la tortura de sus cinco noches anteriores. Inclinado sobre la escupidera, sudoroso°, jadeante°, se desabotonó la

<small>sweaty / panting</small>

military jacket / blindly / handkerchief / rag

guerrera° y buscó a tientas° el pañuelo° en el bolsillo del pantalón. El dentista le dio un trapo° limpio.

—Séquese las lágrimas, dijo.

cracked ceiling / dusty spiderweb

El alcalde lo hizo. Estaba temblando. Mientras el dentista se lavaba las manos, vio el cielo raso desfondado° y una telaraña polvorienta° con huevos de araña e insectos muertos. El dentista regresó secándose las manos.

gargle
disdainful / stretching

—Acuéstese —dijo—, y haga buches° de agua de sal. El alcalde se puso de pie, se despidió con un displicente° saludo militar, y se dirigió a la puerta estirando° las piernas, sin abotonarse la guerrera.

—Me pasa la cuenta —, dijo.

—¿A usted o al municipio?

screen

El alcalde no lo miró. Cerró la puerta, y dijo, a través de la red metálica°:

It's one and the same.

—Es la misma vaina°.

Después de leer

A. El contenido. Complete el gráfico con información del cuento.

la hora	
el clima	
los objetos importantes	
las acciones importantes	

B. El diálogo. Hay poco diálogo en el cuento; por eso todas las palabras son muy importantes. Conteste las siguientes preguntas acerca del diálogo del cuento.

1. ¿Es verdad lo que dice el dentista en la conversación que sigue? Justifique su respuesta.
   —Tiene que ser sin anestesia —, dijo.
   —¿Por qué?
   —Porque tiene un absceso.
   ¿Por que hace sufrir al alcalde?
2. ¿Qué implica el dentista con la frase «Aquí nos paga veinte muertos, teniente.»?
3. Explique la oración final: —Es la misma vaina.

C. La interpretación. Conteste las siguientes preguntas que tienen que ver con su interpretación del cuento.

1. **La acción.** ¿Qué predomina en el cuento: la acción, el diálogo o la descripción? ¿Por qué? ¿Qué implican las acciones frías y casi mecánicas del dentista? La acción culminante es cuando el dentista le da un trapo limpio al alcalde para secarse las lágrimas. ¿Qué simboliza esta acción?

2. **El tono.** ¿Cómo es el tono del cuento? ¿Qué adjetivo(-s) mejor expresa(-n) la emoción principal del cuento?

3. **Las actitudes.** Compare las siguientes oraciones (a) del principio y (b) del final del cuento.

a. El hijo le repite las palabras del alcalde a su papá: —Dice que si no le sacas la muela te pega un tiro.

b. El dentista le dice al alcalde: —Séquese las lágrimas.

¿Quién tiene el control al principio y al final del cuento? ¿Hay un cambio en la actitud del alcalde? Explique.

Para saber más:
www.heinle.com

cuenta / las acciones importantes: **El alcalde entra en el consultorio del dentista. / El dentista busca su revólver. / El alcalde se sienta en el sillón de resortes y se prepara. / El dentista le saca la muela al alcalde. / El dentista le da un trapo al alcalde para que se seque las lágrimas.**

Después de leer, Práctica B Answers. 1. No es verdad. El dentista lo ha dicho para hacer sufrir al alcalde porque el alcalde ha hecho sufrir a muchos amigos del dentista. 2. El dentista implica que el alcalde ha matado a veinte de los amigos del dentista. 3. Significa que el alcalde es el gobierno del pueblo y que tiene todo el poder y el control.

Después de leer, Práctica C Answers. 1. La descripción predomina en el cuento, para establecer el escenario y el tono. El dentista hace todo sin emoción, como si le gustara el dolor y la pena del alcalde. Cuando el dentista le da un trapo limpio al alcalde indica que el dentista tiene el control y que ha ganado. 2. El cuento nos da miedo. El tono es aprensivo y tenso. *Answers vary.* **3. El alcalde tiene el control al principio y el dentista lo tiene al final.** *Answers vary.*

Bienvenidos a
Los países andinos: Bolivia

Have students use map of South Ame[rica] (Bolivia, el Ecuador[,] Perú) located in the opening pages of t[he] student textbook.

5 C's

The **Culture Standard** is emphasized in this section. Students will learn about the geography, climate, population, languages, cities, government, and economy of Andean countries: Bolivia, Ecuador and Peru.

Una vista panorámica de Quito, Ecuador

Ask questions about the content of the photos of this **Bienvenidos** section. *¿Cómo se llama la ciudad? (Quito) ¿En qué país está? (el Ecuador) ¿Qué se ve en la foto? (Se ve[-n] edificios / el centro de la ciudad / montañas / calles / coches.) ¿Cómo se llama el lago en la segunda foto? (Titicaca) ¿En qué país está? (Está entre Bolivia y el Perú) ¿Qué hay alrededor del lago? (Hay montañas / un paisaje hermoso.) ¿Qué tiempo hace en la foto? (Hace sol / buen tiempo.)*

GEOGRAFÍA Y CLIMA

Bolivia, El Ecuador y *El Perú* son países andinos; la cordillera de los Andes ocupa gran parte de su territorio.

Bolivia: Uno de los dos países de la América del Sur sin costa marítima. La zona de los Andes se llama el Altiplano, una región alta y árida. El lago Titicaca (compartido con el Perú) es el lago navegable más alto del mundo.

El Ecuador: Hay dos regiones distintas: el oeste, la costa; el este, las montañas. La línea del ecuador pasa al norte de la ciudad de Quito.

El Perú: Tercer país más grande de Sudamérica. Hay tres regiones distintas: el oeste, la costa; el centro, las montañas; el este, la selva que ocupa más de la mitad del territorio y por donde cruza el río Amazonas.

POBLACIÓN

Bolivia: 7.400.000 de habitantes: 55% indígenas (quechuas y aymarás); 28% mestizos; 10% europeos

El Ecuador: 11.500.000 de habitantes: 55% mestizos, 25% indígenas, 10% europeos y 10% otros

El Perú: 23.800.000 de habitantes: indígenas, mestizos y una minoría de origen europeo; los indígenas = 46% de la población

MONEDA

Bolivia: el boliviano
El Ecuador: el sucre
El Perú: el (nuevo) sol

ECONOMÍA

Bolivia: Productos agrícolas; industria minera (estaño *[tin]*, plata, plomo y otros metales)

El Ecuador: Petróleo; productos agrícolas (banana, café, cacao); pesca

El Perú: Industria minera (cobre, plata, plomo y otros metales); pesca; petróleo

Point out. Muchas personas dicen que Quito es la ciudad más pintoresca de Sudamérica. Alrededor de la ciudad hay montañas y dentro de la ciudad hay iglesias, conventos y monasterios de estilo colonial-barroco. Al este de las montañas está la selva con árboles grandes e interesantes y plantas tropicales; también hay animales y pájaros exóticos.

Para saber más:
www.heinle.com

el Ecuador y el Perú

Práctica geográfica

Conteste las siguientes preguntas usando la información presentada y un mapa de los países andinos.

A. Bolivia

1. ¿Cuál es la capital de Bolivia? ¿Cuáles son otras ciudades importantes?
2. ¿Qué países están cerca de Bolivia?
3. ¿Cómo se llama un lago muy grande que está en su territorio? ¿Por qué es famoso?
4. ¿Cómo se llama la región alta dentro de los Andes?
5. ¿Qué ventajas y desventajas ofrece la geografía de Bolivia?

B. El Ecuador

1. ¿Cuál es la capital del Ecuador? ¿Cuáles son otras ciudades importantes?
2. ¿Qué países están cerca del Ecuador?
3. ¿Cómo se llama la línea geográfica al norte de Quito?
4. Hay dos regiones geográficas en el Ecuador. ¿Cuáles y cómo son?
5. ¿Qué ventajas y desventajas ofrece la geografía del Ecuador?

C. El Perú

1. ¿Cuál es la capital del Perú? ¿Cuáles son otras ciudades importantes?
2. ¿Qué países están cerca del Perú?
3. ¿Cómo se llama el río que corre por el este del Perú? ¿Cómo es el territorio cerca del río?
4. Hay tres regiones geográficas en el Perú. ¿Cuáles y cómo son?
5. ¿Qué ventajas y desventajas ofrece la geografía del Perú?

Point out. Bolivia y el Paraguay son los dos países sudamericanos sin salida directa al mar. Aunque Bolivia está situada en la zona tropical, tiene clima frío a causa de la altitud. Además de ser el lago navegable más alto del mundo (está a una altura de 12.500 pies sobre el nivel del mar), el lago Titicaca es también el lago más grande de Sudamérica.

Have students work in pairs to complete the **Práctica geográfica.**

Práctica geográfica, Answers.
A. Bolivia: 1. La Paz es la capital de Bolivia. Otras ciudades importantes son Cochabamba, Potosí, Santa Cruz de la Sierra y Sucre. 2. La Argentina, el Brasil, Chile, el Paraguay y el Perú están cerca. 3. Titicaca. Es el lago navegable más alto del mundo y el lago más grande de Sudamérica. 4. El Altiplano. 5. *Answers vary.*
B. El Ecuador: 1. Quito es la capital del Ecuador. Otras ciudades importantes son Cuenca, Guayaquil y Riobamba. 2. Colombia y el Perú están cerca. 3. Se llama el ecuador. 4. El oeste: la costa, con un clima tropical; el este: las montañas, con volcanes y paisajes hermosos. 5. *Answers vary.* C. El Perú: 1. Lima es la capital del Perú. Otras ciudades importantes son Arequipa, Cuzco, Huancayo, Iquitos y Trujillo. 2. Bolivia, el Brasil, Chile, Colombia y el Ecuador están cerca. 3. Río Amazonas. El territorio es una selva. 4. El oeste: la costa, con un clima tropical; el centro, con las montañas y el altiplano; el este donde están la selva y el río Amazonas. 5. *Answers vary.*

El Altiplano de Bolivia
y el lago Titicaca

De compras

Quito, Ecuador: El centro comercial Quicentro

Cultural Themes

Bolivia and Ecuador

Shopping in the Hispanic world

Communicative Goals

Making routine purchases

Expressing actions in progress

Making comparisons

Talking to and about people and things

Complaining

Denying and contradicting

Avoiding repetition of previously mentioned people and things

Linking ideas

Primera situación

Presentación

En un centro comercial

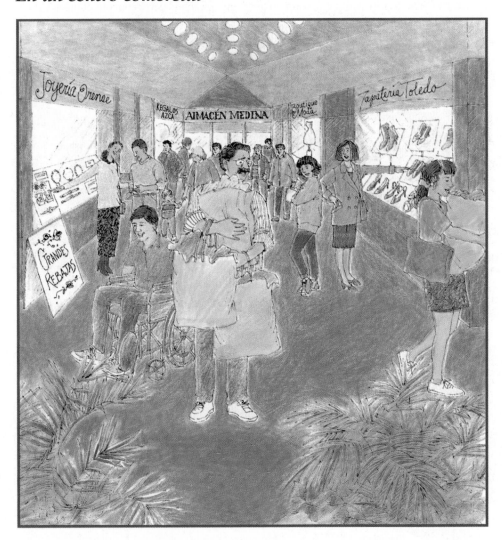

Práctica y conversación

A. De compras. Ud. y su compañero(-a) de clase necesitan ir de compras, pero cada persona tiene solamente una lista parcial de los artículos que deben comprar y de las tiendas. Uds. tienen que averiguar lo que hay en las dos listas para saber qué necesitan comprar y adónde deben ir para hacer cada compra. A continuación está su lista; la de su compañero(-a) de clase está en el **Apéndice A.**

La Boutique de Moda   los jeans
La Joyería Orense   un vestido elegante
                            unos discos compactos
                            unas gafas de sol

B. En El Corte Inglés. Utilice el anuncio que sigue. ¿En qué departamento compra Ud. las siguientes cosas?

jeans / un reloj de pulsera / un sofá / un vestido elegante / un paraguas / una novela / una cadena de oro / pantuflas / toallas / un estéreo

Un Lugar Para Comprar.
Un Lugar Para Soñar.

P

Servicios:
Aparcamiento.

3-2

P-1

Servicios:
Aparcamiento. Carta de compra. Taller de Montaje de accesorios de automóvil. Oficina postal.

Departamentos:
Librería. Papelería. Juegos. Fumador. Mercería. Supermercado de Alimentación. Limpieza.

 1.er SÓTANO

Servicios:
Estanco. Patrones de moda.

Departamentos:
Complementos de Moda. Bolsos. Marroquinería. Medias. Pañuelos. Sombreros. Bisutería. Relojería. Joyería. Perfumería y Cosmética. Turismo.

PLANTA BAJA

Servicios:
Reparación de relojes y joyas. Quiosco de prensa. Óptica 2.000. Información. Servicio de intérpretes. Objetos perdidos. Empaquetado de regalos.

Departamentos:
Hogar Menaje. Artesanía. Cerámica. Cristalería. Cubertería. Accesorios automóvil. Bricolaje. Loza. Orfebrería. Porcelanas, (Lladró, Capodimonte). Platería. Regalos. Vajillas. Saneamiento. Electrodomésticos.

 1.a PLANTA

Servicios:
Listas de boda. Reparación de calzado. Plastificación de carnés. Duplicado de llaves. Grabación de objetos.

Departamentos:
Niños/as. (4 a 10 años). Confección. Boutiques. Complementos. Juguetería. **Chicos/as.** (11 a 14 años) Confección. Boutiques. **Bebés.** Confección. Carrocería. Canastillas. Regalos bebé. Zapatería de bebé. **Zapatería.** Señoras, caballeros y niños. **Futura Mamá.**

   2.a PLANTA

Servicios:
Estudio fotográfico y realización de retratos.

Departamentos:
Confección de Caballeros. Confección ante y piel. Boutiques. Ropa interior. Sastrería a medida. Artículos de viajes. Complementos de Moda. Zapatería. Tallas especiales.

 3.a PLANTA

Servicios:
Servicio al Cliente. Venta a plazos. Solicitudes de tarjetas. Devolución de I.V.A. Peluquería de caballeros. Agencia de viajes y Centro de Seguros.

Departamentos:
Señoras. Confección. Punto. Peletería. Boutiques Internacionales. Lencería y Corsetería. Tallas Especiales. Complementos de Moda. Zapatería. Pronovias.

  4.a PLANTA

Servicios:
Peluquería de señoras. Conservación de pieles. Cambio de moneda extranjera.

Departamentos:
Juventud. Confección. Territorio Vaquero. Punto. Boutiques. Complementos de moda. Marcas Internacionales. **Deportes.** Prendas deportivas. Zapatería deportiva. Armería. Complementos.

5.a PLANTA

Departamentos:
Muebles y Decoración. Dormitorios. Salones. Lámparas. Cuadros. **Hogar textil.** Mantelerías. Toallas. Visillos. Tejidos. Muebles de cocina.

 6.a PLANTA

Servicios:
Creamos Hogar. Post-Venta. Enmarque de cuadros. Realización de retratos.

Departamentos:
Oportunidades y Promociones.

 7.a PLANTA

Servicios:
Cafetería. Autoservicio "La Rotonda". **Restaurante** "Las Trébedes".

ANEXOS

Preciados, 1. Tienda de la Electrónica: Imagen y Sonido. Hi-Fi. Radio. Televisión. Ordenadores. Fotografía.   **Servicios:** Revelado rápido.

Preciados, 2 y 4. Discotienda: Compact Disc. Casetes. Discos. Películas de vídeo.   **Servicios:** Venta de localidades.

C. ¡Gangas para todos! Ud. y un(-a) compañero(-a) de clase van a abrir una tienda en el centro estudiantil de la universidad. ¿Cómo será la tienda? ¿la mercancía? ¿los precios? ¿los empleados? ¿?

D. Creación. En una narración cuente lo que pasa en el dibujo de la **Presentación.**

Vocabulario

El centro comercial	Shopping mall
la boutique	*boutique*
el (la) cajero(-a)	*cashier*
el (la) dependiente(-a)	*salesclerk*
el escaparate	*display case*
la etiqueta	*label*
la ganga	*bargain*
los (grandes) almacenes	*department store*
la liquidación	*clearance sale*
la marca	*brand*
la mercancía	*merchandise*
el precio	*price*
la rebaja	*reduction, sale*
la tienda	*store*
de liquidaciones	*discount store*
de lujo	*expensive store*
de música	*music store*
de regalos	*gift store*
la vitrina	*store window*
estar en liquidación	*to be on sale*

La joyería	Jewelry shop
los aretes	*earrings*
la cadena de oro	*gold chain*
el collar de brillantes	*diamond necklace*
la esmeralda	*emerald*
las joyas	*jewels*
la perla	*pearl*
la piedra preciosa	*precious stone*
la pulsera	*bracelet*
el reloj (de pulsera)	*(wrist)watch*
asegurar	*to insure*
regalar	*to give (a present)*
valorar	*to appraise*

La zapatería	Shoe store
las botas	*boots*
el número	*size*
las pantuflas	*slippers*
el par	*pair*
las sandalias	*sandals*
el tacón	*heel*
los zapatos bajos	*low–heeled shoes*
deportivos	*athletic shoes*
de tacón	*high heels*
de tenis	*tennis shoes*
apretarle (ie)	*to pinch, be too tight*
calzar	*to wear shoes*
quedar	*to fit*

Vocabulario regional. In Spain the word for *store window* = **el escaparate** and the word for *display case* = **la vitrina**.

Así se habla

Making Routine Purchases

Vendedora	Buenas tardes, señorita. ¿En qué puedo servirle?
Manuela	Estoy buscando un regalo para mi novio y francamente no sé qué comprarle.
Vendedora	¿Qué le parece una corbata de seda? Tenemos de toda clase. Unas son más finas que otras, por supuesto, pero en general todas son de muy buena calidad.
Manuela	¿Me las podría enseñar, por favor?
Vendedora	Sí, cómo no. Venga por acá. Aquí están.
Manuela	Sí, se ven muy finas. Tiene razón. Y, ¿cuánto cuestan? Ésta me gusta mucho.
Vendedora	Bueno, ésa es una de las más finas y cuesta 150 bolivianos.
Manuela	¡Ay, no! ¡Eso es mucho para mí! ¡No, no, no, no!
Vendedora	Bueno, mire, aquí tengo las más baratas. ¿Qué le parece ésta? Sólo cuesta 100 bolivianos. Y esta otra cuesta 75.
Manuela	Bueno, ésta no está tan mal. Me la llevo. Espero que le guste.

When you want to purchase something, you need to know the following expressions:

Vendedor(-a):

¿Qué desearía ver?	*What would you like to see?*
¿En qué puedo servirle?	*May I help you?*
¿Qué le parece...?	*What do you think of . . .?*
¿Qué número / talla necesita?	*What size do you need?*
¿Quisiera probarse / llevar / ver...?	*Would you like to try on / take / see . . .?*
No nos queda(-n) más.	*We don't have any left.*
¿Desearía algo más?	*Would you like anything else?*
Aquí lo (la, los, las) tiene.	*Here you are.*
Pase por la caja, por favor.	*Please step over to the cashier's.*
... está en oferta.	*. . . is on sale.*

Cliente:

Hágame el favor de mostrarme...	*Please show me . . .*
Me encanta(-n)...	*I love . . .*
No me gusta.	*I don't like it.*
No me parece mal / feo / apropiado.	*I don't think it's bad / ugly / appropriate.*
(No) Me queda bien.	*It (does not) fit(s) me.*
Lo encuentro barato / muy caro /	*I find it inexpensive / very expensive /*
ordinario / fino / delicado.	*ordinary / of good quality / delicate.*
Quisiera probarme	*I would like to try . . . on.*
¿Cuánto cuesta, por favor?	*How much is it, please?*
Me lo podría dejar en...	*Could you lower the price to . . .?*
¡Ay, no! Eso es mucho.	*Oh, no! That's too much.*
Quisiera algo más barato.	*I'd like something cheaper.*
Está bien.	*That's fine.*
Me lo (la, los las) llevo.	*I'll take it (them).*
¿Me lo (la, los, las) podría envolver?	*Could you wrap it (them) for me?*

Práctica y conversación

A. En la tienda. ¿Qué dice Ud. cuando va a la tienda y...?
1. quiere saber si venden ropa deportiva
2. no le gusta lo que el (la) vendedor(-a) le enseña
3. quiere probarse unos pantalones
4. los pantalones le quedan muy bien
5. quiere saber el precio
6. quiere comprárselos

Quito, Ecuador: Una boutique

B. ¡Necesito ropa! Ud. y su amigo(-a) hablan sobre la ropa que necesitan comprar para la fiesta de este fin de semana. Primero, hagan la lista de las cosas que necesitan. Luego, vayan a la tienda y compren lo que quieren. Otro(-a) estudiante que hace el papel de vendedor(-a) los (las) ayudará.

Estructuras

Expressing Actions in Progress

Progressive Tenses

The progressive tenses emphasize actions that are taking place at a particular moment in time. In English the present progressive tense is composed of *to be + present participle: I am buying a jacket; John is returning a sweater.*

a. In Spanish the present progressive tense is composed of **estar** + *the present participle.*

estar + Present Participle		
estoy	comprando	*I am buying*
estás	escogiendo	*you are choosing*
está	decidiendo	*he / she is, you are deciding*
estamos	leyendo	*we are reading*
estáis	pidiendo	*you are ordering*
están	durmiendo	*they, you are sleeping*

b. To form the present participle
1. add **-ando** to the stem of **-ar** verbs: **esperar → esper- → esperando.**
2. add **-iendo** to the stem of **-er** and **-ir** verbs: **comer → com- → comiendo; asistir → asist- → asistiendo.** When the stem ends in a vowel, add the ending **-yendo: oír → o- → oyendo; traer → tra- → trayendo.**
3. **-ir** verbs whose stem changes **e → i** or **o → u** in the third-person of the preterite, have this stem change in the present participle also: **pedir → pid- → pidiendo; dormir → durm- → durmiendo.**

c. With verbs in the progressive tenses, direct, indirect, and reflexive pronouns may precede the conjugated verb or be attached to the end of the present participle.

Están probándo**se** ropa nueva. }
Se están probando ropa nueva. }   *They are trying on new clothes.*

d. The Spanish present progressive is used only to emphasize an action that is currently in progress. Contrary to English, the Spanish present progressive is not used to refer to present actions that take place over an extended period of time or to an action that will take place in the future. Compare the following.

Este año Iliana **trabaja** en el centro comercial.	*This year Iliana is working in the mall.*
Ahora mismo **está trabajando** de cajera.	*Right now she is working as a cashier.*

Carlos **está llegando** en este momento.	*Carlos is arriving at this very moment.*
Sofía **llega** más tarde.	*Sofía is arriving later.*

e. To describe or express an action that was in progress at a particular moment in the past, the imperfect of **estar** + *the present participle* is used.

Anoche a esta hora **estábamos buscando** muebles en el gran almacén.	*Last night at this time we were looking for furniture in the department store.*

f. The verbs **andar, continuar, ir, seguir**, and **venir** can also be used with the present participle to form progressive tenses.

En el centro comercial Roberto **anda probándose** ropa nueva y **mirando** a la gente.	*At the mall Roberto goes around trying on new clothes and watching people.*

Práctica y conversación

A. En el centro comercial. Explique lo que estas personas están haciendo ahora en el centro comercial.

> **MODELO**   Carlos / comer en un café
> **Carlos está comiendo en un café.**

1. Eduardo / probarse los zapatos
2. tú y yo / hacer compras
3. mi hija / tomar un refresco
4. Uds. / divertirse
5. Carolina / buscar rebajas
6. tú / leer las etiquetas
7. los jóvenes / oír música
8. yo / almorzar en el café

B. Ahora mismo. ¿Qué piensa Ud. que estas personas están haciendo ahora mismo?

mi mejor amigo(-a) / mi vecino(-a) / mi compañero(-a) de cuarto / mi profesor(-a) de español / mi abuelo(-a) / mi novio(-a)

Ahora, diga lo que ellos estaban haciendo anoche a las ocho.

C. ¡Estoy comprando de todo! Ud. va de compras a su centro comercial favorito con su mejor amigo(-a) y cuando está en la tienda suena su teléfono celular. Es su padre (madre) / esposo(-a) que quiere saber dónde está y qué está haciendo. Cuéntele dónde está, con quién está, qué están haciendo, qué quieren comprar, etc. Él (Ella) está muy preocupado(-a) ya que no quiere que Ud. gaste mucho dinero.

Making Comparisons

Superlative Forms of Adjectives

In certain situations such as shopping or discussion of family or friends we often want to compare objects or persons and set them apart from all others: *This is the largest mall in the state.* To make these statements that compare one item to many others in its category, the superlative form of the adjective is used. The English superlative is composed of *the most* or *the least* + adjective or the adjective + the ending *-est.*

a. In Spanish the superlative of adjectives is formed using the following construction.

$$\text{DEFINITE ARTICLE (+ NOUN)} + \genfrac{}{}{0pt}{}{\textbf{más}}{\textbf{menos}} + \text{ADJECTIVE} + \textbf{de}$$

Antonio compró la cadena de oro **más cara de** la joyería.

Antonio bought the most expensive gold chain in the jewelry store.

Note that **de** = *in* in these superlative constructions.

b. In superlative constructions the irregular forms **mejor** and **peor** usually precede the noun.

Tienen los **mejores** precios del pueblo.

They have the best prices in town.

The irregular forms **mayor** and **menor** follow the noun.

Carolina es la hija **mayor** de la familia.

Carolina is the oldest daughter in the family.

c. After forms of **ser** the noun is frequently omitted from superlative constructions.

Esta zapatería es **la más grande** de Quito, pero aquélla es **la mejor**.

This shoe store is the largest in Quito, but that one is the best.

Práctica y conversación

A. Yo sólo quiero lo mejor. Ud. va de compras a una tienda muy elegante. Explíquele al (a la) vendedor(-a) lo que quisiera comprar.

MODELO   vestido / elegante
Quisiera el vestido más elegante de la tienda.

1. zapatos / cómodo
2. cadena de oro / hermoso
3. aretes / fino
4. perlas / caro
5. regalos / lindo
6. botas / grande
7. sandalias / bueno
8. pantuflas / barato

B. Lo mejor de su categoría. Describa a estas personas y cosas comparándolas con otras de la misma categoría.

MODELO   mi hermano
Mi hermano es el más alto de la familia.

Bill Gates / Bloomingdale's / Ferrari / Julia Roberts / el presidente de los EE.UU. / mis padres / las cataratas del Niagara / Monte Everest / mi novio(-a)

C. ¿Adónde vamos de compras? Ud. y sus compañeros(-as) tienen que ir de compras, pero antes comparan los precios de los artículos que necesitan en los anuncios de los almacenes. Luego deciden qué van a comprar, dónde y por qué.

Warm-up C. Ask students if they look at newspaper ads for sales, and/or store flyers / discount coupons, etc., before they go shopping. Then, ask them to look at the ads presented in the book and see what store presents the best prices / products.

Saga

Zapatería

Zapatos de ante   Bs. 130
Sandalias de cuero   Bs. 95
Botas de cuero   Bs. 230

Artículos de ropa

Blusas   Bs. 80
Faldas   Bs. 120
Pantalones
para damas   Bs. 320

Joyería

Joyas de fantasía
                    Bs. 50
Relojes finos desde
                    Bs. 400
Aretes de oro
                    Bs. 300

Casa Bolívar

Zapatería
Zapatos de ante Bs. 180
Sandalias de cuero Bs. 145
Botas de cuero Bs. 330

Artículos de ropa
Blusas Bs. 90
Faldas Bs. 160
Pantalones para damas Bs. 370

Joyería
Joyas de fantasía desde Bs. 80
Relojes finos desde Bs. 460
Aretes de oro Bs. 400

Asarti

Zapatería
Zapatos de ante Bs. 85
Sandalias de cuero Bs. 45
Botas de cuero Bs. 100

Artículos de ropa
Blusas Bs. 40
Faldas Bs. 70
Pantalones para damas Bs. 80

Joyería
Joyas de fantasía desde Bs. 20
Relojes finos desde Bs. 150
Aretes de oro Bs. 160

Estructuras, Superlative Forms of Adjectives, Práctica C Answers. *Answers vary.*

Talking About People and Things

Uses of the Definite Article

The definite article in English and Spanish is used to indicate a specific noun: **La zapatería está cerca de la joyería.** *The shoe store is near the jewelry store.*

a. The forms of the definite article precede the nouns they modify and agree with them in gender and number: **el precio; la perla; los zapatos; las botas.**

b. The masculine singular article **el** is used with feminine nouns that begin with a stressed **a-** or **ha-**. However, the plural forms of these nouns use **las: el agua / las aguas**.

c. In Spanish the definite article is used . . .

1. before abstract nouns and before nouns used in a general sense.

En mi opinión, **la paz** mundial es muy importante.	*In my opinion, world peace is very important.*
No me gustan **los zapatos de tacón.**	*I don't like high-heeled shoes.*

2. with the names of languages except when they follow **de, en,** or forms of **hablar**. The article is often omitted after **aprender, enseñar, escribir, estudiar, leer,** and **saber**.

Se dice que **el chino** es una lengua muy difícil.	*They say that Chinese is a very difficult language.*
Susana es bilingüe. Habla inglés y español y estudia japonés.	*Susana is bilingual. She speaks English and Spanish and is studying Japanese.*

3. before a title (except **don / doña, san(-to) / santa**) when speaking about a person, but omitted when speaking directly to the person.

—Miguel, éste es nuestro vecino, **el doctor** Casona.	*Miguel, this is our neighbor, Dr. Casona.*
—Mucho gusto, doctor Casona.	*Pleased to meet you, Dr. Casona.*

4. instead of a possessive pronoun with articles of clothing and parts of the body when preceded by a reflexive verb.

Al entrar en casa, se quitó **la chaqueta.**	*When he got home, he took off his jacket.*

5. with days of the week to mean *on.*

La liquidación empieza **el viernes** 25 de mayo.	*The clearance sale begins on Friday, May 25.*
El centro comercial no está abierto **los domingos.**	*The (shopping) mall is not open on Sundays.*

6. in telling time generally meaning *o'clock.*

Se abre la Joyería Orense **a las diez** de la mañana.	*The Orense Jewelry Store opens at 10:00 (ten o'clock) AM.*

7. with the names of certain countries and geographical areas.

la América del Sur	la Habana
la Argentina	la India
el Brasil	el Japón
el Canadá	el Paraguay
el Ecuador	el Perú
los Estados Unidos	la República Dominicana
la Florida	el Uruguay

8. to refer to a quantity or weight.

Estas bananas cuestan tres sucres **el kilo / la libra.**	*These bananas cost three sucres a kilo / a pound.*

d. The neuter article **lo** + the masculine singular form of an adjective can be used to describe general qualities and characteristics: **lo bueno** = *the good thing, the good part.*

> **Lo bueno** de este centro comercial es la variedad de tiendas.
>
> *The good thing about this shopping center is the variety of stores.*

1. The words **más** or **menos** can precede the adjective.

> **Lo más importante** es comprar zapatos nuevos.
>
> *The most important thing is to buy new shoes.*

2. The following are some common expressions with **lo**.

lo bueno	*the good thing*	**lo peor**	*the worst thing*
lo malo	*the bad thing*	**lo mismo**	*the same thing*
lo mejor	*the best thing*		

Práctica y conversación

A. ¿Qué me pongo? ¿Qué se pone Ud. para ir a los siguientes lugares?

un centro comercial / un restaurante elegante / el cine / un partido de fútbol norteamericano / la clase de español / una fiesta

> **MODELO**   **Para ir a clase me pongo los jeans y una camiseta.**

B. La liquidación. Complete el siguiente diálogo con un(-a) compañero(-a) de clase usando la forma apropiada del artículo definido cuando sea necesario.

1. Hola, [*nombre de su compañero(-a)*]. ¿Por qué no fuiste a _____ liquidación de los Almacenes Guayaquil? Te estuvimos esperando.
2. ¿Cuándo fue? ¿ _____ viernes?
3. No, _____ sábado por _____ noche; empezó a _____ siete.
4. Me olvidé por completo. Fui a _____ casa de mi hermana y ni me acordé. Pero dime, ¿fue Guillermo?
5. Desgraciadamente sí. Él me dijo que no tenía ni un centavo para comprar, pero se gastó todo _____ dinero que le mandaron sus padres _____ mes pasado para _____ matrícula.
6. ¿Y qué va a hacer para pagar _____ universidad, _____ libros y _____ alquiler?
7. No sé, pero de todas maneras quiere ir a _____ Chile y a _____ Argentina en _____ próximas vacaciones.
8. ¡Está loco! Bueno, qué se va a hacer. ¿Quién más fue de compras con Uds.?
9. _____ misma gente de siempre. Todos me preguntaron por ti y por eso les dije que te habías ido a _____ casa de tu hermana por _____ fin de semana.
10. Gracias. En realidad se me olvidó por completo.

C. Entrevista personal. Hágale preguntas a un(-a) compañero(-a) de clase sobre su vida. Su compañero(-a) debe contestar.

Pregúntele...

1. qué es lo bueno de sus amigos / de su familia.
2. qué es lo malo de sus estudios / de su trabajo.
3. qué es lo más interesante de su vida universitaria.

Estructuras, Uses of the Definite Article, Práctica A Answers. *Answers vary but should include the indefinite article before the articles of clothing.*

Instructions B. Divide the class in pairs and ask them to complete the exercise.

Estructuras, Uses of the Definite Article, Práctica B Answers. 1. la 2. el 3. el, la, las 4. la 5. el, el, la 6. la, los, el 7. ∅, la, las 9. La, la, el

Instructions C. Students work in pairs and do the exercise. Teacher goes around offering help and/or correcting their mistakes. After this, students are quickly called to give their answers.

Estructuras, Uses of the Definite Article, Práctica C Answers. *Answers vary.*

4. qué es lo mejor de ir de compras.
5. qué es lo más importante en su vida.

D. El centro comercial. Ud. y un(-a) compañero(-a) están hablando de un viaje reciente al centro comercial. Comenten los aspectos positivos y negativos de su experiencia. Digan qué fue lo más interesante / divertido / agradable / desagradable / ¿?

MODELO   **A mí me parece que lo más agradable fue el almuerzo en el restaurante que tienen ahí.**

Siga practicando el vocabulario y las estructuras gramaticales de **Capítulo 7, Primera situación** en *Interacciones CD-ROM.*

Para saber más:
www.heinle.com

Segunda situación

Esta blusa no me queda bien

Práctica y conversación

A. ¡De buen gusto! ¿Qué cambios deben hacer las siguientes personas para vestirse bien?

1. María lleva una falda a cuadros, una blusa estampada y unas pantuflas rosadas.
2. José lleva un traje azul marino, una camiseta anaranjada y unos zapatos deportivos grises.
3. Susana lleva un vestido de seda negro, unos zapatos de tacón negros y unos calcetines de lana rojos.
4. Tomás lleva un pijama azul, un sombrero de paja y unas botas rojas.
5. Isabel lleva un traje de baño de lunares, un abrigo de piel y unas botas de cuero.
6. Paco lleva unos pantalones azules, una camisa de seda morada y una chaqueta a rayas.

B. Entrevista. Pregúntele a un(-a) compañero(-a) de clase qué debe ponerse para las siguientes situaciones.

Pregúntele qué se pone para . . .

1. una entrevista importante.
2. esquiar.
3. una fiesta elegante.
4. un día en la playa.
5. lavar el coche.
6. un fin de semana en el campo.

C. ¡La edad no se revela! ¿Por qué usa este producto el lema *(slogan)* «La Edad No Se Revela»? ¿Qué tipo de ropa se puede lavar con este producto?

Shorts

Suéteres

Gorras

Playeras

Toallas de Cocina

Calcetines

"¡LA EDAD NO SE REVELA!"

100% algodón con salsa de espagueti　　lavada una vez con detergente regular　　lavada una vez con Tide

Dicen que el secreto de la vida es siempre lucir joven. Y Tide® with Bleach en polvo está totalmente de acuerdo. Su Sistema Activado de Blanqueadores es invencible asegurando que la ropa blanca se quede blanca, e ingredientes especiales le ayuda a mantener los colores vivos en la ropa de algodón, lavada tras lavada (¡aún la ropa negra!). Así que, cuando se habla de la edad, no se preocupe... su ropa la disimulará.

SI TIENE QUE ESTAR LIMPIO, TIENE QUE SER TIDE.

 Aún los expertos de algodón confían en Tide with Bleach
®-El sello de Algodón es una marca de servicio registrada de Cotton Incorporated.

D. Creación. En una narración cuente lo que pasa en los dibujos de la ***Presentación***.

Vocabulario

La tienda de ropa de caballeros*	**Men's clothing store**	la lana	*wool*
		el lino	*linen*
la bufanda	*scarf*	la piel	*fur*
los calcetines	*socks*	la seda	*silk*
el chaleco	*vest*		
el impermeable	*raincoat*	**Algunos problemas**	**Some problems**
el paraguas	*umbrella*	acortar	*to shorten*
el pijama	*pajamas*	devolver (ue)	*to return something*
el sobretodo	*overcoat*	envolver (ue)	*to wrap up*
La tienda de ropa femenina	**Women's clothing store**	estar de moda	*to be in style*
		estar pasado de moda	*to be out of style*
el abrigo	*coat*	hacer juego con	*to match*
la bata	*(bath)robe*	combinar con	
la bolsa (E)	*purse*	mostrar (ue)	*to show*
el calentador (A)	*jogging suit*	probarse (ue)	*to try on*
el chandal (E)		quedarle bien	*to fit*
la camisa de noche	*nightgown*	quedarle	*to be*
la camiseta	*tee-shirt*	un poco ancho	*a little wide*
los guantes	*gloves*	apretado	*tight*
las medias	*stockings*	corto	*short*
el traje de baño	*bathing suit*	chico	*small*
El diseño	**Design**	estrecho	*narrow*
a cuadros	*plaid, checkered*	flojo	*loose*
a rayas	*striped*	grande	*big*
de flores	*flowered*	largo	*long*
de lunares	*polka dot*	ser de buen gusto	*to be in good taste*
de un solo color	*solid color*	elegante	*elegant, dressy*
estampado(-a)	*printed*	feo	*ugly*
La tela	**Fabric, material**	lindo	*pretty*
el algodón	*cotton*	vistoso	*flashy*
el cuero	*leather*	usar talla ____	*to wear size ____*
el encaje	*lace*		

*Common articles of clothing are listed in the chart in Appendix B.

Así se habla

Complaining

Dependienta	¿En qué puedo servirle?
Noemí	Señorita, ayer compré este vestido aquí y hoy cuando me lo iba a poner me di cuenta que tenía esta enorme mancha. Quisiera que me lo cambiaran, por favor.
Dependienta	Bueno, pero ¿no cree que Ud. debió examinarlo cuidadosamente antes de llevárselo?
Noemí	Bueno, sí, pero lo que pasó fue que me probé otro de otro color y después escogí este rojo sin probármelo.
Dependienta	Desafortunadamente no podemos hacer nada, señora. No aceptamos cambios. Lo siento.
Noemí	¿Cómo dice? Y ahora, ¿qué voy a hacer? ¡Este vestido no sirve para nada!
Dependienta	Lo siento mucho señora, pero ésa es la orden que nosotros tenemos.
Noemí	¡Esto no puede ser! Uds. tienen que cambiármelo. Llame a su jefe, por favor.

Have students describe the drawing. Ask questions such as: **¿Dónde están estas personas? ¿Cómo son estas personas? ¿Qué problema piensa Ud. que hay? ¿Qué cree Ud. están diciendo las personas?** *Answers vary.*

Warm-up. Ask students what are some of the reasons that they return items to the store. Ask them what phrases they would use to do this transaction, what phrases the person taking care of them would say. Then, ask them what they think the outcome of that conversation would be.

Ask different students to volunteer to read the roles of Noemí and Dependienta.

After reading the dialogue aloud, have students locate the expressions in the dialogue that illustrate *Complaining*.

When you want to complain, you can use the following expressions.

Siento decirle que...	*I'm sorry to tell you that . . .*
Disculpe, pero la verdad es que...	*Excuse me, but the truth is that . . .*
Me parece que aquí hay un error.	*I think there is a mistake here.*
Creo que se ha equivocado.	*I think you have made a mistake.*
¡No puedo seguir esperando!	*I can't keep waiting.*
¡Esto no puede ser!	*It can't be!*
Pero, ¡qué se ha creído!	*But who do you think you are!*
¡Por quién me ha tomado!	*Who do you think I am!*
¡Qué falta de responsabilidad!	*How irresponsible!*
Y ahora, ¿qué voy a hacer?	*And now, what am I going to do?*
¡Ya me cansé de tantos problemas!	*I'm tired of so many problems!*

Práctica y conversación.

A. **Perdón, pero...** ¿Qué dice Ud. en las siguientes situaciones?

1. Ud. está en un restaurante y el mesero le sirve un helado de vainilla en vez de uno de chocolate.
2. Ud. está en el aeropuerto y le dicen que no puede viajar porque no hizo ninguna reservación.
3. Ud. tenía una cita con el dentista para las dos de la tarde. Ya son las cuatro y media y todavía no lo (la) atienden.
4. Ud. está en un restaurante y le traen la cuenta de otra persona.
5. Ud. se inscribió en la clase de español pero su nombre no aparece en la lista del (de la) profesor(-a).

B. **Pero, ¿qué es esto?** Con dos compañeros(-as) de clase, dramaticen la siguiente situación. Ud. y su amigo(-a) van de compras porque necesitan ropa. Le piden ayuda a un(-a) vendedor(-a) pero tienen muchos problemas: se demora mucho en atenderlos(-las), les da las tallas equivocadas, les cobra más de lo que cuestan las cosas y al final no les acepta ni sus cheques ni sus tarjetas de crédito.

Estructuras

Denying and Contradicting
Indefinite and Negative Expressions

Negative words such as *no, never, no one, nothing,* or *neither* are used to contradict previous statements or deny the existence of people, things, or ideas. These negatives are frequently contrasted with indefinite expressions such as *someone, something,* or *either* that refer to non-specific people and things.

Indefinite Expressions		*Negative Expressions*	
algo	*something*	nada	*nothing*
alguien	*someone*	nadie	*no one, nobody*
algún	*any, some, someone*	ningún	*no, none, no one*
alguno(-a)		ninguno(-a)	
algunos(-as)		ninguno(-as)	
alguna vez	*sometime*	nunca ⎫	
siempre	*always*	jamás ⎭	*never*
o	*or*	ni	*nor*
o ... o	*either . . . or*	ni ... ni	*neither . . . nor*
también	*also, too*	tampoco	*neither, not . . . either*
de algún modo	*somehow*	de ningún modo	*by no means*
de alguna manera	*some way*	de ninguna manera	*no way*

a. To negate or contradict a sentence, **no** is placed before the verb.

> **No** vamos de compras hoy.   *We aren't (are not) going shopping today.*

b. There are two patterns for use with negative expressions:

1. NEGATIVE + VERB PHRASE

> Julio **nunca** está a la moda.   *Julio is never in style.*
> **Nadie** tiene tanta ropa como   *No one has as many clothes as Ana.*
> Ana.

2. **No** + VERB PHRASE + NEGATIVE

> Julio **no está** a la moda **nunca**.   *Julio is never in style.*
> **No compro nada** en aquella   *I don't buy anything in that store.*
> tienda.

Point out. Spanish frequently uses a double negative where English does not. **No quiero comprar nada.** *(I don't want to buy anything.)*

c. Indefinite expressions frequently occur in questions while negatives occur in answers.

> —¿Quieres probarte el suéter **o** el   *Do you want to try on the sweater or the*
> chaleco?   *vest?*
> —No quiero probarme **ni** el suéter   *I don't want to try on either the sweater*
> **ni** el chaleco.   *or the vest.*

d. **Algún** and **ningún** are used before masculine singular nouns.

> Compraré ese vestido de **algún**   *I will buy that dress somehow.*
> **modo**.

Supplemental grammar.
Algo / nada can be used
to modify adjectives. **Este**
traje es algo nuevo. =
This suit is somewhat new.
Aquel vestido no es
nada bonito. = *That dress*
isn't pretty at all.

Instructions for Cartoon.
Warm-up. Ask students:
¿Cómo se llama el
personaje en la tira
cómica? *(Garfield)* ¿Qué
tipo de animal es? *(Es un*
gato.) ¿Con qué juguete
juega Garfield? *(Juega*
con un perrito [perro] de
peluche.) Then, ask for
three student volunteers;
each will read one of the
sections of the cartoon
strip. Then ask students:
¿Cuáles son las
expresiones negativas
que usa Garfield?
(nadie / en ningún
momento / en ningún
lugar / de ninguna de
las maneras) ¿Es
verdad que el gato
Garfield es muy
independiente? *(No es*
verdad.) Justifique su
respuesta. *(Garfield*
necesita su perrito de
peluche.)

Estructuras, Indefinite
and Negative
Expressions, Práctica
A Answers. 1. No, no vi
a nadie en la tienda.
2. No, no me encontré
con nadie en el café. 3.
No, no comí nada. 4. No,
no compré ni pantalones
ni ningún suéter. 5. No,
no fui al cine tampoco.
6. No, jamás (nunca) he
estado de tan mal humor
como ahora.

Warm-up B. Students
brainstorm the type of
presents they could buy in
Bolivia, Ecuador and Peru
for their relatives and
friends. Ask them what
they think their friends and
relatives would say if they
don't bring them any
presents.

Instructions B. Ask
students to prepare the
exercise to present it later
in front of the class.

Estructuras, Indefinite
and Negative
Expressions, Práctica B
Answers. *Answers vary.*

Ninguno is generally used in the singular unless the noun it modifies is always plural.

—¿Tienes algunas camisas limpias?   *Do you have any clean shirts?*

—No, no tengo **ninguna.** Y no tengo **ningunos** pantalones limpios tampoco.   *No, I don't have any. And I don't have any clean pants either.*

e. The personal **a** is used before *alguien / nadie* and *alguno / ninguno* when used as direct objects.

—¿Viste **a alguien** en el centro comercial?   *Did you see anyone at the mall?*

—No, no vi **a nadie.**   *No, I didn't see anyone.*

f. The Spanish word **no** cannot be used as an adjective: *no problem* = **ningún problema**; *no person* = **ninguna persona**.

g. In Spanish multiple negative words in the same sentence are common, as in the examples in the following cartoon.

Práctica y conversación

A. **¡No quiero nada de nada!** Su compañero(-a) le hace algunas preguntas, pero Ud. está de mal humor y le contesta negativamente a todo.

> **MODELO**   Compañero(-a):   **¿Le compraste un regalo a Rodrigo?**
>   Usted: **No, no le compré ningún regalo.**

1. ¿Viste a alguien en la tienda?
2. ¿Te encontraste con alguien en el café?
3. ¿Comiste algo?
4. ¿Te compraste pantalones o un suéter?
5. ¿Fuiste al cine también?
6. ¿Alguna vez has estado de tan mal humor como ahora?

B. **¿Qué compraste?** Ud. acaba de regresar de un viaje por Bolivia, el Ecuador y el Perú y como tenía muy poco dinero compró muy pocos regalos. Cuando abre sus maletas sus hermanos(-as) están muy desilusionados(-as) y le preguntan si Ud. les compró aretes de oro, pulseras y cadenas de plata, pantuflas de alpaca, adornos de plata para la casa, alfombras de alpaca, etc. Ud. les responde.

C. Necesito zapatos. Con dos compañeros(-as) dramaticen la siguiente situación. Ud. habla con sus padres y les dice que necesita comprar varios tipos de zapatos para las diferentes actividades que Ud. tiene en la universidad. Sus padres, sin embargo, no están de acuerdo con Ud. y rechazan todo lo que les dice. Trate de llegar a un acuerdo con ellos.

Avoiding Repetition of Previously Mentioned People and Things

Double Object Pronouns

In conversation we avoid the repetition of previously mentioned people and things by using direct and indirect object pronouns; for example: *Did you give Charles that sweater? No, his parents gave **it to him***. These double object pronouns are also used in Spanish.

a. When both an indirect object pronoun and a direct object pronoun are used with the same verb, the indirect object pronoun precedes the direct object pronoun.

—¿Quién te regaló esa pulsera?   *Who gave you that bracelet?*
—Mi hermano **me la** dio para mi   *My brother gave it to me for my birthday.*
cumpleaños.

b. Double object pronouns follow the rules for placement of single object pronouns; that is, both pronouns must attach to the end of affirmative commands and precede negative commands.

—¿Quiere ver esta camisa?   *Do you want to see this shirt?*
—Sí, muéstre**mela**, por favor,   *Yes, show it to me please, but don't wrap it*
pero no **me la** envuelva todavía.   *for me yet.*

c. When both a conjugated verb and infinitive are used, both object pronouns can precede the conjugated verb or attach to the end of the infinitive.

—Me gustaría ver tu traje nuevo.   *I would like to see your new suit.*
—Bueno, voy a mostrár**telo.**
—Bueno, **te lo** voy a mostrar.   *Okay, I'm going to show it to you.*

Note that when two pronouns are attached to an infinitive, a written accent mark is placed over the stressed vowel of that infinitive.

d. When both pronouns are in the third person, the indirect object pronoun **le / les** becomes **se**.

—¿Les enviaste el regalo a tus   *Did you send the gift to your parents?*
padres?
—Sí, **se** lo envié ayer.   *Yes, I sent it to them yesterday.*

e. The pronoun **se** can be clarified by adding the phrase **a** + *prepositional pronoun.*

—¿Le diste la chaqueta a tu   *Did you give the jacket to your brother?*
hermano?
—Sí, **se** la di **a él** ayer.   *Yes, I gave it to him yesterday.*

Práctica y conversación

A. Las compras. Explique si Ud. les compró o no los siguientes regalos a estas personas.

MODELO   a Jaime / la camiseta
Sí, se la compré. / No, no se la compré.

1. a Pepe / la corbata
2. a ti / el sombrero
3. a Silvia / el calentador
4. a nosotros / los guantes
5. a su hermana / la bufanda
6. a Ud. / las camisas
7. a Luis / los calcetines
8. a Luz y Diego / los suéteres

B. Y por fin, ¿compraste... ? Ud. se encuentra con un(-a) amigo(-a) que quiere saber acerca de sus compras en el centro comercial. Conteste las preguntas con SÍ o NO, como Ud. desee.

MODELO   Compañero(-a): **¿Te compraste los zapatos de cuero?**
Usted: **Sí, (No, no) me los compré.**

1. ¿Te compraste una guitarra eléctrica?
2. ¿Te mostraron las joyas?
3. ¿Te dieron crédito?
4. ¿Les compraste regalos a tus padres?
5. ¿Le compraste los juguetes a tu hermanito?
6. ¿Me compraste algo a mí?
7. ¿?

C. ¿Me los compraron? Ud. y uno(-a) de sus compañeros(-as) de cuarto fueron a comprar diferentes cosas que necesitaban. Su tercer(-a) compañero(-a) no quiso ir con Uds. pero sí les hizo una serie de encargos. Al regresar él (ella) les pregunta si le compraron todo lo que él (ella) quería y quiere que Uds. se lo den.

MODELO   Compañero(-a): **¿Me compraron mis discos?**
Ustedes: **No, no te los compramos.**
Compañero(-a): **¿Por qué?**

Linking Ideas

y → e; o → u

The words **y** *(and)* and **o** *(or)* undergo changes before certain words so they will be heard distinctly and understood.

a. When the word **y** meaning *and* is followed by a word beginning with **i** or **hi**, the **y** changes to **e**.

suéteres **e** impermeables   *sweaters and raincoats*
padres **e** hijos   *fathers and sons*

Exceptions: words beginning with **hie** as in **hielo** o **hierro**.

b. When the word **o** meaning *or* is followed by a word beginning with **o** or **ho,** the word **o** changes to **u**.

plata **u** oro   *silver or gold*
ayer **u** hoy   *yesterday or today*

Práctica y conversación

De moda. Complete el siguiente diálogo utilizando **y/e** u **o/u**, según corresponda.

Usted Tengo un abrigo nuevo, muy elegante. ¡Ah! _____ además es impermeable.

Amigo(-a) ¡Oye, qué bien! ¿Pagaste mucho _____ poco por él?

Usted La verdad es que no me acuerdo si pagué mil _____ ochocientos soles por él. Algo así, pero sí sé que fue una verdadera ganga.

Amigo No está mal el precio, pero dime, ¿es pesado _____ liviano?

Usted Es un poco pesado porque tiene un forro muy grueso, pero lo voy a usar todo el tiempo porque abriga mucho. No sé si es Joaquín _____ Óscar el que tiene uno parecido.

Amigo(-a) No sé. ¿Y lo compraste, ayer _____ hoy? Porque sé que hoy había una rebaja.

Usted Hoy. ¿Quieres que te lo enseñe ahora _____ tienes que irte a tu casa?

Amigo(-a) No, no. Enséñamelo que yo también necesito comprarme _____ un abrigo _____ un impermeable uno de estos días, y si me gusta el tuyo me compro uno parecido hoy mismo. ¿Qué te parece?

Usted Bueno... no sé qué decirte... si quieres... bueno...

Making Inferences

Have students work with a partner to prepare this exercise. Then, call on various students to role-play the conversation and provide the answers.

Estructuras, Linking ideas, Answers.
y, o, u, o, u, u, o, o, o

Warm-up. Students describe the drawing in the book and create a story of what is happening there. Ask them to anticipate what they are going to hear, what each person is going to say and why. Draw on the board a box with two columns: one says **Antes**, the other one says **Después**. In the **Antes** column write the general ideas of what the students anticipate is going to be said.

When you are participating in a conversation, there might be instances when either you or the person you are talking to does not say exactly what is meant. For example, if someone asks you if you want to eat some pizza and you say, "Uh . . . well . . . uh . . ." the person might rightly infer that you don't want any or at least that you don't want any at that particular moment. When someone asks you something, you may not always answer the question directly. For example, someone asks you, "Do you want to go to the movies?" and you answer "I have an exam tomorrow." From your answer, the person will think that you would probably like to go to the movies, but you can't because of your exam. Thus, the person has inferred the real meaning of what you said.

Ahora, escuche el diálogo entre una joven y una vendedora en una tienda y tome los apuntes que considere necesarios. Antes de escuchar la conversación, lea los siguientes ejercicios. Después conteste.

A. Algunos detalles. Diga si las siguientes oraciones son verdaderas (**V**) o falsas (**F**) y justifique sus respuestas en base a lo que Ud. oyó.

V   F   1. Necesita un vestido para ir a un picnic.

V   F   2. Tiene muchísimo dinero.

V   F   3. Tiene una vida social interesante.

V   F   4. Es una mujer de negocios.

V   F   5. Disfruta yendo de compras.

B. Un resumen. Con un(-a) compañero(-a) de clase, resuma brevemente la conversación que escuchó.

Siga practicando el vocabulario y las estructuras gramaticales de **Capítulo 7, Segunda situación** en *Interacciones CD-ROM*.

Para saber más:
www.heinle.com

Tercera situación

Perspectivas

De compras en el mundo hispano

Ir de compras en el mundo hispano es una experiencia singular ya que hay gran variedad de alternativas para todos los gustos y bolsillos, desde las tiendas pequeñas en el centro de la ciudad y lujosos centros comerciales en los suburbios hasta los vendedores ambulantes que se encuentran en todos los lugares.

En el centro de la ciudad generalmente proliferan tiendas pequeñas especializadas en un producto u otro, ya sean joyas, ropa, telas, zapatos, carteras, anteojos, o libros, revistas, artículos de escritorio, muebles, o artefactos eléctricos. La ventaja de estas tiendas es la atención personal que recibe el cliente de los empleados o del mismo dueño. También existen, sin embargo, los centros comerciales, grandes y pequeños, sencillos y lujosos. En Lima, por ejemplo, hay muchos centros comerciales muy populares, como el Centro Comercial Jockey Plaza, el más grande y uno de los más caros del Perú. Ahí puede encontrar no sólo tiendas de ropa sino restaurantes, tiendas por departamentos, o cines. LarcoMar es otro centro comercial famoso, el más nuevo en Lima, y estando frente al mar tiene una de las vistas más espectaculares. Por último hay que mencionar los vendedores ambulantes que se sitúan en diferentes lugares de la ciudad para vender todo lo imaginable. Así, venden no sólo comida, ropa y cosméticos, sino todo tipo de artículos para el hogar, herramientas, pinturas, productos para la construcción de viviendas, etc. La calidad de sus productos varía pero sus precios son más económicos y generalmente se puede regatear.

Por otro lado, están los mercados artesanales. Si uno está interesado en comprar artesanía, puede ir a los muchos mercados artesanales que existen especialmente en los países con una población indígena grande como el Perú, Bolivia, el Ecuador, o el Paraguay. En estos mercados los mismos artesanos venden sus productos a muy buenos precios. Se puede conseguir, por ejemplo, todo tipo de ropa de lana y alpaca, joyas y adornos de oro y plata, pinturas, muebles tallados de cuero y madera, cerámica, alfombras, hamacas, etc. En Bolivia y el Ecuador hay muchos mercados artesanales por todas partes, pero en el Ecuador no hay mejor lugar que el Mercado de Otavalo para comprar artículos artesanales.

En resumen, ir de compras en los países hispanos es una experiencia inolvidable.

De compras en el mundo hispano. Cultural products: places to make purchases, such as outdoor markets, supermarkets, shopping malls, and department stores. **Cultural practice:** shopping as a social activity, shopping in a variety of places. **Cultural comparisons:** places where people shop in the U.S. and in the Hispanic world; changing shopping practices.

Warm-up: Práctica intercultural. Ask students the following questions about U.S. culture: **En una semana típica, ¿a cuántos lugares va Ud. para comprar algo? ¿Adónde va Ud. para comprar carne / frutas / vegetales / pan / comida preparada? ¿Adónde va Ud. para comprar ropa? ¿Se puede regatear** *(to bargain)* **en los lugares donde Ud. hace compras? Para Ud. y sus amigos(-as), ¿es la compra una actividad social? Explique.** *Answers vary.*

Otavalo, Ecuador: Un mercado al aire libre

Práctica y conversación

A. **De compras.** Utilizando la información presentada arriba, conteste las siguientes preguntas.

1. Si Ud. quiere comprar ropa deportiva o ropa elegante, ¿qué alternativas tiene en el mundo hispano? ¿Cuál preferiría Ud. y por qué?
2. ¿A qué sitios iría Ud. si quisiera comprar productos típicos del Perú, Bolivia o el Ecuador? ¿Qué le gustaría comprar?
3. ¿Cuál cree Ud. es la ventaja / desventaja de comprar productos a los vendedores ambulantes? Justifique su respuesta.

B. **Comparaciones.** Con un(-a) compañero(-a) de clase, compare los lugares donde se puede ir de compras en los EE.UU. con los del mundo hispano. ¿Qué diferencias y semejanzas hay?

Panorama cultural

De compras en Madrid

A. El Rastro *(flea market).* Ud. y un(-a) compañero(-a) de clase necesitan utilizar la siguiente foto de El Rastro de Madrid para preparar una lista de las cosas que se puede comprar allá. Después preparen una lista de palabras asociadas con ir de compras en El Rastro; su lista puede incluir sustantivos, verbos y adjetivos.

B. De compras en Madrid. Después de mirar el vídeo, empareje los sitios y tiendas con los productos que venden.

Sitios y tiendas

1. El Corte Inglés
2. la Calle del Sonido
3. los mercados tradicionales
4. La Pescadería Fernando VI
5. los Caramelos de Paco
6. el Rastro
7. El Danubio Azul

Productos

a. mariscos
b. dulces
c. ropa feminina
d. productos frescos que se venden al peso
e. equipo electrónico
f. ropa, muebles, y objetos para la casa
g. cualquier obsequio a un precio negociado

Identifying the Core of a Sentence

The reading techniques discussed to this point have been designed to help you with a process called prereading; that is, techniques that help you guess and predict content by looking for broad, general topics in the reading selection.

The process of reading for detail and deeper understanding is called "decoding." In the native language readers go through the prereading process quickly and automatically before proceeding to decoding. Beginning foreign language students often make the mistake of rushing into the decoding process before prereading.

As you learn techniques for decoding, you will need to remind yourself to preread as you have been taught; avoid the urge to decode as soon as you see a new reading selection.

In prereading you focus on the entire reading passage or on important paragraphs. In decoding attention is focused down to the level of individual sentences, phrases, and words. In decoding it is important to identify the core of an individual sentence. The core generally consists of a main verb and the nouns or pronouns associated with it. In most sentences the identification of the verb core will be simple. The following criteria will help you identify the core of Spanish sentences that are particularly long or difficult.

1. Identify the main verb(s). Spanish sentences may contain more than one verb core. Sentences linked by **y** or **pero** will have at least two main verb cores. Sentences with clauses introduced by words such as **que, cuando,** or **mientras** will contain a main and a subordinate verb core.
2. After locating the main verb, identify its subject. Remember that subject pronouns are rarely used with first- and second-person verbs. When mentioned for the first time, third-person subjects are generally nouns; once the noun subject is established, it can be replaced with a pronoun or identified simply by the third-person verb ending.
3. Identify verb objects. Verb objects are generally located close to the verbs with which they are associated. Object nouns usually follow the verb; direct object nouns referring to persons are preceded by the personal **a**. Object pronouns **lo, los, la, las / le, les** precede conjugated verbs.
4. Note that the important or core nouns are generally those not preceded by a preposition (except the personal **a**).

Práctica

A. El título. Dé un vistazo al título, a las fotos y al primer párrafo para determinar el tema del artículo. **Una guayabera =** una camisa tradicional y típica de la América Latina.

B. Los verbos. Identifique el verbo principal en las oraciones del primer párrafo.

C. Los sujetos. Identifique el sujeto de los verbos principales del primer párrafo.

D. El núcleo. Identifique el núcleo *(core)* total de las oraciones de los dos primeros párrafos.

Lectura cultural

La guayabera: cómoda, fresca y elegante

Dos hombres en guayabera

Tal vez no haya prenda de vestir° tan universal como la guayabera, *chaquetilla usada* | article of clothing
*por los hombres desde hace varias generaciones en muchas de las islas del Caribe y en los
países latinoamericanos.*

El uso de la guayabera está muy extendido. Esta prenda, que antes era con frecuencia
de lino y ahora es, por lo general, de algodón, forma parte de la cultura hemisférica hasta
tal punto que no se sabe a ciencia cierta cuál fue su origen.

landowner / settled

mandó

pockets

Se cuenta que en el siglo XVII, un rico terrateniente° de Granada, España, se radicó° en Cuba. Pronto empezó a quejarse de que su vestimenta acostumbrada era demasiado calurosa para el clima tropical de la isla, y encargó° que le hicieran una especie de chaqueta ligera de tela fresca con cuatro bolsillos°. Según algunos cubanos, ésa fue la primera guayabera.

they produced
guavas, tropical fruit
made fun of
fed on

La prenda le resultó tan práctica que fue adoptada por sus vecinos de Sancti Spíritus, ciudad a unos 370 kilómetros de La Habana. Ésta era también una zona donde se daban° las guayabas° que servían de comida de animales. Algunos habitantes de la cercana ciudad de Trinidad se burlaban de° los de Sancti Spíritus llamándoles guayaberos, como si fueran ellos los que se alimentaban de° guayabas y no los animales. Fue así que la prenda que usaban los guayaberos empezó a llamarse guayabera, o por lo menos ése es el cuento.

small pleats, tucks
thread / pleats
seams
to button
chest / above the waist
sleeves

Igual que la guayabera original, la actual es ajustada como una chaqueta de safari y se lleva por fuera del pantalón. Suele ser blanca, pero también las hay beige, azules, grises y de otros colores claros. Tiene alforcitas° que van de arriba a abajo en el frente y en la espalda, o un bordado en hilo° del mismo color de la tela en lugar de las alforzas° del frente. Las costuras° laterales quedan abiertas en la parte de abajo para dar libertad de movimiento. La guayabera tiene botoncitos en muchos lugares donde no hay nada que abotonar°; si tiene bolsillos, dos van en el pecho° y dos a la altura de la cintura°. Hay una variación deportiva de mangas° cortas, pero también las hay de seda o de lino para más vestir.

legacy

Durante la guerra de independencia de Cuba en la década de 1890, José Martí y otros cubanos llevaban la guayabera por patriotismo; simbolizaba la independencia. Con este legado° esta prenda es muy importante para los cubanos que viven ahora en los EE.UU. y, desde hace años, en algunos círculos de Miami el primero de julio se celebra el Día de la Guayabera.

manufacturing / shops

Muchos creen que la guayabera no es una creación de Cuba sino de México, donde la confección° de guayaberas prospera. En Yucatán hay alrededor de 80 talleres° donde las hacen. Más o menos la mitad de las guayaberas hechas en México se exportan. Los EE.UU. y las Antillas compran muchas de ellas, pero los países del Oriente Medio resultan también muy buenos mercados. Se dice que en México «la guayabera no es una moda pasajera. Es una prenda duradera».

comfort
makes people grow fond of

La guayabera es lo que se lleva corrientemente en la mayoría de los países de Centroamérica desde Guatemala hasta Panamá. Sin duda es su comodidad° la que encariña a la gente° con ella. La guayabera es perfecta para la temperatura tropical que hay el año entero, sobre todo en la costa.

Algunos bolivianos, ecuatorianos y peruanos comentan que en su país la guayabera se tiene por prenda veraniega° para los que no pueden gastar mucho en ropa. Para muchos es algo así como un uniforme. — summer

En los EE.UU. el uso de la guayabera se está extendiendo, particularmente en los estados más meridionales°. Si la categoría de la guayabera varía en algunos lugares, en los EE.UU. no es así. En este país ha llegado a aceptarse de tal modo en algunas zonas, que en los restaurantes y clubes particulares es considerada un buen sustituto para el saco° y la corbata. — southern / la chaqueta

Así y todo, la guayabera, de humilde origen, creada sólo pensando en la comodidad, es ahora casi una prenda chic. *Aunque en muchos países son baratas, últimamente en algunas tiendas de los EE.UU. han empezado a aparecer guayaberas hechas por diseñadores°. Adolfo es uno de los que confecciona variaciones de guayaberas para el mercado estadounidense, y en tiendas desde Panamá hasta Puerto Rico se hallan algunas etiquetas° de Givenchy, de la Renta y Dior.* — designers / labels

Dado que algunos países del mundo están compitiendo° por el mercado de las guayaberas y que algunos ricos están dispuestos a pagar hasta 250 dólares por una guayabera de seda hecha a la medida°, el porvenir° de esta prenda parece estar asegurado. — competing / custom-made / *el futuro*

Práctica

A. ¿Ciertas o falsas? Identifique las oraciones falsas y corríjalas.

1. La guayabera es una prenda de vestir muy rara; la usan sólo los indígenas de la península de Yucatán.
2. Antes la guayabera era de lino; ahora suele ser de algodón.
3. Un rico terrateniente de la Argentina creó la primera guayabera.
4. La llaman «guayabera» porque está hecha con el jugo de las guayabas.
5. Las guayaberas suelen ser de colores oscuros.
6. Para los cubanos la guayabera es un símbolo de la independencia.
7. Se usa mucho la guayabera en Centroamérica, especialmente en los lugares donde hace fresco todo el año.
8. En los países andinos los de la clase alta usan la guayabera.
9. En los EE.UU. no se permite llevar la guayabera en los restaurantes.
10. La guayabera siempre es una prenda barata.

B. Descripciones. Haga una lista de los adjetivos que se usan en el artículo para describir la guayabera.

C. Sitios geográficos. En el artículo se mencionan muchos lugares geográficos. Identifique o explique los términos siguientes.

Trinidad	el Oriente Medio	La Habana
Granada	Sancti Spíritus	Cuba
Miami	Guatemala	Panamá
Yucatán	Puerto Rico	

D. La defensa de una opinión. ¿Qué evidencia hay en el artículo que confirma la idea siguiente? «La guayabera es una prenda universal, cómoda y elegante y tiene un futuro asegurado.»

Letters of Complaint

If you are dissatisfied with a product or service, it is sometimes necessary to write a letter of complaint in order to resolve the problem. Letters of complaint are different than complaining directly to a person, for you cannot ask or answer questions or negotiate a settlement quickly. To complain effectively by letter you will first need to give a brief history of the problem, then state what is still unsatisfactory, and finally explain what you would like the person(s) or company to do.

Historia breve del problema

Hace dos meses / El 20 de junio / La semana pasada compré un traje nuevo en su tienda. Al llevarlo la primera vez / En casa / Más tarde descubrí algunos problemas.

Two months ago / On June 20 / Last week I bought a new suit in your store. When I wore it for the first time / At home / Later I discovered various problems.

El problema específico

La blusa me queda demasiado pequeña / grande / corta / larga.

The blouse is too small / large / short / long for me.

Los pantalones están sucios / rotos / descosidos.

The pants are dirty / torn / unsewn.

Remedio deseado

Quisiera cambiarlo(-a) por otro(-a).
Quisiera devolverlos(-las) y que me devuelvan el dinero.

I would like to exchange it for another.
I would like to return them and get my money back.

Note that business letters have a different salutation and closing than personal letters.

Estimado(-s) señor(-es):
Atentamente,

Dear Sir(s):
Sincerely yours,

Composiciones

A. Un pedido equivocado. Ud. vive en Quito, Ecuador. Hace un mes pidió un abrigo gris talla 40 del catálogo de Almacenes Alcalá de Quito. Ayer recibió un abrigo azul oscuro talla 42. Escríbale una carta a la compañía. Todavía quiere el abrigo gris talla 40.

B. Una maleta perdida. En un vuelo reciente la aereolínea perdió su maleta con toda su ropa para las vacaciones. Ud. habló con el gerente en el aeropuerto pero él no pudo encontrar la maleta; tampoco le dio dinero para comprar ropa nueva. Escríbale una carta al presidente de la compañía. Explique el problema y pida dinero para comprar una maleta nueva y más ropa. Incluya una lista de la ropa perdida.

C. **Un regalo de cumpleaños.** Para su cumpleaños sus padres le regalaron un vestido / traje muy caro, pero le quedó grande. Sus padres le dieron el recibo y Ud. trató de devolverlo a la tienda. La dependienta no fue muy amable y no hizo nada. Escríbale una carta al gerente de la tienda; explique el problema, pida otro vestido / traje o el dinero para comprar algo distinto.

A. **Un regalo de cumpleaños.** Your sister / brother asks you to buy a birthday gift for a new boy- / girl-friend. Unfortunately you don't know him / her well, but your brother / sister tells you to buy him / her clothing and that he / she is the same size as you. Go to the store, ask the salesperson (played by a classmate) for suggestions for a gift. Ask to try on the clothing items and purchase one. Have it wrapped, pay, and leave.

B. **El (La) dependiente(-a) desagradable.** You received a new sweater as a gift from your aunt. The sweater doesn't fit and you want to return it and get your money back. You go to the store. The salesperson (played by a classmate) is not at all pleasant. You can't get your money back but you can exchange the sweater for something else. Resolve the situation.

C. **Un(-a) hijo(-a) rebelde.** You are the parent of a teenager. Your son / daughter (played by a classmate) is packing for a two-week trip to Bolivia to visit friends. You tell him / her what to pack and wear at various occasions. Your son / daughter is feeling very negative and rebellious, refuses to follow your advice, and contradicts everything you say. Try to resolve the situation.

D. **Un(-a) reportero(-a) social.** You are the reporter for the social scene for a Hispanic TV station in Miami. You are covering a **quinceañera** party for the daughter of a prominent local family. As the TV camera closes in on various guests at the party, describe what they are doing at this very moment. Inform your audience who the people are and what they are wearing. Among the guests are the following people: an aunt and uncle, various cousins, and the grandparents of the girl being honored; a local businessman and his wife; several neighbors of the family; several girlfriends of the girl being honored.

Para saber más:
www.heinle.com

Communicative modes incorporated.
A: interpersonal;
B: interpersonal;
C: interpersonal;
D: presentational.

Vocabulary incorporated. A: articles of clothing; expressions for making a routine purchase; **B:** expressions for complaining; **C:** articles of clothing; **D:** articles of clothing; party activities.

Grammar incorporated. A: double object pronouns; **B:** double object pronouns, uses of definite articles; **C:** indefinite and negative expressions; **D:** progressive tenses.

Actividades Answers. *Answers vary for Actividades A-D.*

Point out: La quinceañera is a special party for a fifteen-year-old girl. It is celebrated in much the same fashion as a wedding. There is generally a dinner for the guests followed by music and dancing.

Have students describe the photo. If necessary, ask specific questions such as the following: ¿Qué hay en la foto? ¿Cuántas personas hay y quiénes son? ¿Qué hacen? ¿Dónde están?

Have students provide English examples the topics, situations, and phrases that w be covered in each of the communicative goals. **For example**: *Asking for, understanding, and giving directions.* Students might answer "Could you tell m how to get to the museum?" "Turn right a corner and continue straight for two bloc

En la ciudad

Lima, Perú: Plaza San Martín

Cultural Themes

Peru

Hispanic cities

Communicative Goals

Asking for, understanding, and giving directions

Telling others what to do

Asking for and giving information

Talking about other people

Persuading

Discussing future activities

Expressing probability

Suggesting group activities

Primera situación

Presentación

¿Dónde está el museo?

Práctica y conversación

A. Situaciones. Pregúntele a su compañero(-a) de clase adónde Ud. debe ir en las siguientes situaciones.

1. Ud. quiere información sobre los puntos de interés histórico en Cuzco.
2. Ud. necesita comprar aspirina.
3. Ud. quiere ir al centro pero está demasiado lejos para caminar.
4. Ud. se da cuenta de que perdió el pasaporte.
5. Ud. desea comprar un periódico.
6. Ud. tiene que averiguar cuándo sale el autobús para Chosica.
7. Ud. necesita cambiar cheques de viajero.

B. Una excursión a Lima. Las siguientes personas van a pasar un día visitando Lima. Con un(-a) compañero(-a) de clase decida qué puntos de interés deben visitar y por qué.

una familia con tres hijos / cuatro estudiantes norteamericanos / un matrimonio joven / un venezolano que visita Lima por primera vez / Ud. y su compañero(-a)

C. Calendario turístico. Con un(-a) compañero(-a) de clase decidan cuándo van a visitar Lima y a qué actividades turísticas van a asistir. Justifiquen sus respuestas.

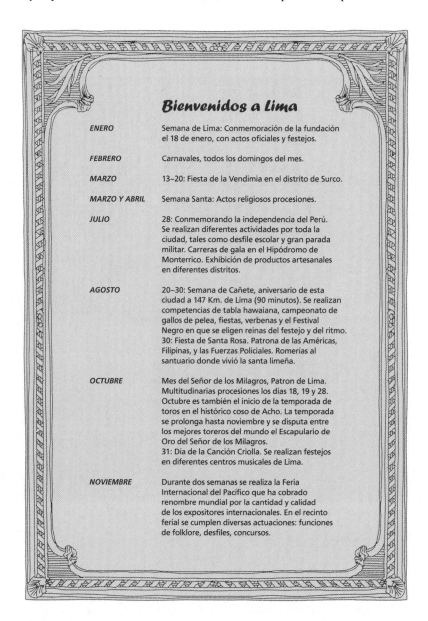

Bienvenidos a Lima

ENERO	Semana de Lima: Conmemoración de la fundación el 18 de enero, con actos oficiales y festejos.
FEBRERO	Carnavales, todos los domingos del mes.
MARZO	13–20: Fiesta de la Vendimia en el distrito de Surco.
MARZO Y ABRIL	Semana Santa: Actos religiosos procesiones.
JULIO	28: Conmemorando la independencia del Perú. Se realizan diferentes actividades por toda la ciudad, tales como desfile escolar y gran parada militar. Carreras de gala en el Hipódromo de Monterrico. Exhibición de productos artesanales en diferentes distritos.
AGOSTO	20–30: Semana de Cañete, aniversario de esta ciudad a 147 Km. de Lima (90 minutos). Se realizan competencias de tabla hawaiana, campeonato de gallos de pelea, fiestas, verbenas y el Festival Negro en que se eligen reinas del festejo y del ritmo. 30: Fiesta de Santa Rosa. Patrona de las Américas, Filipinas, y las Fuerzas Policiales. Romerías al santuario donde vivió la santa limeña.
OCTUBRE	Mes del Señor de los Milagros, Patron de Lima. Multitudinarias procesiones los días 18, 19 y 28. Octubre es también el inicio de la temporada de toros en el histórico coso de Acho. La temporada se prolonga hasta noviembre y se disputa entre los mejores toreros del mundo el Escapulario de Oro del Señor de los Milagros. 31: Día de la Canción Criolla. Se realizan festejos en diferentes centros musicales de Lima.
NOVIEMBRE	Durante dos semanas se realiza la Feria Internacional del Pacífico que ha cobrado renombre mundial por la cantidad y calidad de los expositores internacionales. En el recinto ferial se cumplen diversas actuaciones: funciones de folklore, desfiles, concursos.

D. Creación. Cuente en una narración lo que pasa en el dibujo de la **Presentación**.

Vocabulario

En la calle	On the street	Lugares	Places
la acera	sidewalk	el banco	bank
la avenida	avenue	el centro	downtown
el autobús	bus	la clínica	private hospital
la bocacalle	intersection	la comisaría	police station
el cruce		el cuartel de policía	
el (la) conductor(-a)	driver	la estación de	
la cuadra (A)	block	bomberos	fire station
la manzana (E)		taxi	taxi stand
el edificio de	building of	trenes	train station
cemento	cement	la farmacia	pharmacy
ladrillo	brick	la gasolinera	gas station
madera	wood	el hospital	hospital
piedra	stone	la oficina de turismo	tourist bureau
vidrio	glass	la parada de autobuses	bus stop
el embotellamiento	traffic jam	el quiosco	newsstand
la esquina	corner	**Puntos de interés**	**Points of interest**
el estacionamiento	parking	el ayuntamiento	city hall
la fuente	fountain	el barrio colonial	colonial section
el letrero	sign, billboard	histórico	historic section
el rótulo		la catedral	cathedral
el metro	subway	el jardín zoológico	zoo
el peatón (la peatona)	pedestrian	el museo	museum
el puente	bridge	el palacio presidencial	presidential palace
el rascacielos	skyscraper	el parque	park
el semáforo	traffic light	la plaza mayor	main square
la señal de tráfico	traffic sign	la plaza de toros	bullring
el taxi	taxi		
el tranvía	trolley		

Así se habla

Asking for, Understanding, and Giving Directions

Arnaldo	Disculpe señor, pero quiero ir al Museo Pedro de Osma. ¿Me podría decir dónde se toma el autobús que va para allá?
Señor Gómez	Cómo no. Siga derecho por esta cuadra hasta llegar a la calle Piérola. Luego, doble a la derecha y camine dos cuadras. En la esquina está la parada de autobuses que pasa por el Museo. Es un autobús blanco con letras rojas.
Arnaldo	Muchas gracias, señor. Muy amable.
Señor Gómez	¡Qué ocurrencia! Espero que le guste el museo. ¡Se dice que es excelente!

When you want to ask, understand, or give directions, you can use the following expressions.

Asking for directions

¿Me podría(-s) decir +	*Could you tell me +*
cómo se llega / va a...?	*how to get to . . . ?*
dónde está...?	*where . . . is?*
qué ómnibus tomo para ir a...?	*what bus I should take to go to . . . ?*
dónde para el ómnibus que va para...?	*where the bus going to . . . stops?*

Giving directions

Tome (Toma) el ómnibus / un taxi.	*Take the bus / a taxi.*
El ómnibus pasa por la otra cuadra.	*The bus goes by the other block.*
Camine (Camina) / Vaya (Ve) / Siga (Sigue) derecho.	*Go straight.*

Doble (Dobla) a la derecha / izquierda.	*Turn right / left.*
Al llegar a... siga (sigue) / doble (dobla)...	*When you get to . . . go / turn . . .*

Práctica y conversación

¿Cómo voy a...? Ud. está en el Gran Hotel Bolívar de Lima y quiere ir a diferentes sitios de la ciudad. Pida direcciones a distintos(-as) compañeros(-as) de clase para ir a los siguientes sitios. **Vocabulario:** el jirón = la avenida.

1. el Santuario de Santa Rosa de Lima
2. el Museo de la Inquisición
3. la Iglesia de la Merced
4. la Catedral
5. ¿?

Estructuras

Telling Others What to Do

Formal Commands

Commands are used to give orders and directions. You will need to use formal commands when giving orders to one person you address with **usted**, or more than one person you address with **ustedes**.

Verbos en -AR	Verbos en -ER	Verbos en -IR
tomar	**comer**	**abrir**
(Ud.) **tome** *take*	**coma** *eat*	**abra** *open*
(Uds.) **tomen** *take*	**coman** *eat*	**abran** *open*

a. To form the formal commands of regular verbs, obtain the stem by dropping the **-o** from the first-person singular of the present tense: **paso → pas-; hago → hag-.** To the stem, add the endings **-e / -en** for **-ar** verbs or **-a / -an** for **-er** and **-ir** verbs: **pas- → pase / pasen; hag- → haga / hagan.**

b. Some regular commands will have spelling changes in the stem to preserve the consonant sound of the infinitive.

1. With verbs ending in **-car,** the **c → qu:** buscar → **busque / busquen**
2. With verbs ending in **-gar,** the **g → gu:** llegar → **llegue / lleguen**
3. With verbs ending in **-zar,** the **z → c:**   cruzar → **cruce / crucen**
4. With verbs ending in **-ger,** the **g → j:**   escoger → **escoja / escojan**

c. **Dar, estar, ir, saber,** and **ser** have irregular formal command stems.

DAR	**dé / den**	SABER	**sepa / sepan**
ESTAR	**esté / estén**	SER	**sea / sean**
IR	**vaya / vayan**		

d. Formal commands become negative by placing **no** before the verb.

Doble Ud. en la esquina pero **no cruce** la calle.   *Turn at the corner but don't cross the street.*

e. The pronouns **Ud. / Uds.** may be placed after the command form to make it more polite.

Sigan Uds. derecho y verán el museo.   *Go straight ahead and you will see the museum.*

f. Direct object, indirect object, and reflexive pronouns follow and attach to affirmative commands. They precede negative commands.

—¿Cuándo debemos visitar la Catedral?   *When should we visit the cathedral?*

—**Visítenla** por la mañana, pero **no la visiten** durante la misa.   *Visit it in the morning but don't visit it during mass.*

When adding pronouns to commands of two or more syllables, a written accent mark is placed over the stressed vowel of the affirmative command.

Práctica y conversación

A. Dígale a un(-a) turista lo que debe hacer para disfrutar de una visita a su ciudad.

MODELO   empezar el día temprano
Empiece el día temprano.

1. saber el nombre de su hotel
2. dar un paseo por el barrio colonial
3. tomar el metro al centro
4. ir a la plaza mayor
5. tener cuidado con el pasaporte
6. llegar al aeropuerto a tiempo

B. **Más consejos.** En Lima su compañero(-a) le pide algunos consejos. Contéstele.

MODELO

visitar la catedral / sí

Compañero(-a): **¿Debemos visitar la catedral?**
Usted: **Sí, visítenla.**

1. comprar regalos / sí
2. quedarse en el hotel / no
3. almorzar en un café típico / sí
4. sacar fotos en el museo / no
5. mandar tarjetas postales / sí
6. llevar los pasaportes a la plaza / no
7. ver el Palacio Nacional / sí
8. ¿?

C. **Mi pueblo.** Sus compañeros(-as) de clase piensan hacer una excursión a su pueblo. Dígales tres lugares que deben visitar y tres lugares que no deben visitar. Explíqueles por qué deben o no deben visitar estos lugares.

D. **¡Qué ciudad!** Ud. y sus compañeros piensan visitar Lima y sus alrededores. Discutan qué lugares van a visitar, qué cosas quieren hacer, qué quieren comprar, qué ropa y cuánto dinero tienen que llevar, ¿?

Sitios de interés: Plaza de Armas / el Jirón de la Unión / Plaza San Martín / Palacio de Gobierno / Parque de la Exposición / Palacio Torre Tagle / Iglesia San Pedro / Campo de Marte / Museo de Antropología y Arqueología / Museo de Oro

Asking For and Giving Information

Passive se and Third Person Plural Passive

When giving information, you often use an impersonal subject such as *one, they, you,* or *people* rather than referring to a specific person. In this way, the information or action is stressed rather than the person doing the action.

People say that Lima is very interesting.
You can take a bus or a taxi downtown.

a. The Spanish equivalent of these *impersonal subjects + verb* is **se** + *third person singular verb.*

—¿Dónde **se come** bien por aquí?

Where can you get good food (eat well) around here?

—**Se dice** que el Restaurante Miraflores es muy bueno.

They say that the Miraflores Restaurant is very good.

b. The impersonal **se** can also be used to express an action in the passive voice when no agent is expressed. In such cases the following format is used:

Se + THIRD-PERSON SINGULAR VERB + SINGULAR SUBJECT
Se + THIRD-PERSON PLURAL VERB + PLURAL SUBJECT

Se abre la oficina de turismo a las 8.30 pero no **se abren** las tiendas hasta las 10.

The tourism bureau opens at 8:30 but the stores don't open until 10:00.

c. The **se** passive is a very common construction and is frequently seen in signs giving information or warning.

SE RUEGA
NO TOCAR

Point out. To make these expressions negative, place **no** before **se:** **No se permite fumar.**

Se alquila.	*For rent.*
Se arreglan (relojes).	*(Watches) Repaired here.*
Se habla español.	*Spanish spoken (here).*
Se necesita camarero.	*Waiter needed.*
Se prohíbe fumar.	*No smoking.*
Se ruega no tocar.	*Please don't touch.*
Se vende(-n).	*For sale.*

d. The third-person plural of a verb may also be used to express an action in the passive voice when no agent is expressed.

Venden periódicos en el quiosco.	*Newspapers are sold in the kiosk.*
Construyeron el ayuntamiento en el siglo XVIII.	*The city hall was built in the 18th century.*

Práctica y conversación

Estructuras, Passive se and Third-Person Plural Passive, Práctica A Answers. 1. Se venden periódicos en el quiosco. 2. Se consigue información turística en la oficina de turismo. 3. Se lleva a una persona herida al hospital. 4. Se deposita el dinero en el banco. 5. Se compran aspirinas en la farmacia. 6. Se vende gasolina en la gasolinera (la estación de servicio). 7. Se espera el autobús en la parada de autobuses. 8. Se ven muchos animales en el jardín zoológico.

A. ¿En qué lugar? Conteste las siguientes preguntas de una manera lógica.

1. ¿Dónde se venden periódicos?
2. ¿Dónde se consigue información turística?
3. ¿Adónde se lleva a una persona herida?
4. ¿Dónde se deposita el dinero?
5. ¿Dónde se compran aspirinas?
6. ¿Dónde se vende gasolina?
7. ¿Dónde se espera el autobús?
8. ¿Dónde se ven muchos animales?

B. Diviértase. Use el **se** impersonal para indicar lo que se puede hacer para divertirse en la ciudad de Lima.

MODELO   Toman el autobús al centro.
Se toma el autobús al centro.

1. Piden un plano de la ciudad en la oficina de turismo.
2. Visitan el Palacio Presidencial.
3. Caminan por el parque.
4. Toman un refresco en un café al aire libre.
5. Ven la nueva exposición en el museo.
6. Admiran la arquitectura colonial.
7. Visitan el parque Las Leyendas.

C. Conduzca con cuidado. A veces es difícil conducir en la ciudad. Explíquele a su compañero(-a) de clase lo que se debe hacer en las siguientes situaciones.

1. Hay un accidente.
2. El semáforo está en amarillo.
3. Unos peatones cruzan la calle.
4. Hay un embotellamiento.
5. Necesita estacionar el coche.
6. Hay una escuela cerca.
7. Debe comprar gasolina.

Talking About Other People

Uses of the Indefinite Article

The indefinite article in Spanish and English is used to point out one or several nouns that are not specific.

a. The indefinite article **un / una** = *a, an;* **unos / unas** = *some, a few*, or *about*.

En **unas** ciudades de Latinoamérica hay **un** barrio histórico.	*In some Latin American cities there is a historic section.*

b. The masculine, singular form **un** is used before feminine nouns beginning with a stressed **a-** or **ha-**: **un águila** = *an eagle*; **un hacha** = *a hatchet*. The plural forms of such nouns use **unas**: **unas águilas**.

c. Sometimes the indefinite article is not used in Spanish as in English.

1. The indefinite article is usually required before each noun in a list.

Hay **una** catedral, **un** museo y **un** ayuntamiento en el centro de la ciudad.	*There is a cathedral, museum, and town hall in the downtown area.*

2. After forms of **ser** or **hacerse** meaning *to become*, the indefinite article is omitted before an unmodified noun denoting profession, nationality, religion or political beliefs.

Guadalupe y Manolo son peruanos. Ellos son católicos. Manolo es carpintero y Guadalupe es profesora en una escuela secundaria.	*Guadalupe and Manolo are Peruvian. They are Catholic. Manolo is a carpenter and Guadalupe is a teacher in a high school.*

When such nouns are modified, the indefinite article is used.

> En **unos** años Manolo se hizo **un** carpintero bastante rico.
>
> *In a few years, Manolo became a rather wealthy carpenter.*

3. The indefinite article is omitted before the words **cien(-to), mil, otro, medio,** and **cierto** even though English includes it in such cases.

> —Hay más de mil niños en ese barrio.
>
> *There are more than a thousand children in that neighborhood.*
>
> —Sí, y creo que necesitan otra escuela.
>
> *Yes, and I think that they need another school.*

4. The indefinite article is generally omitted after **sin, con,** and the verbs **tener** and **buscar**.

> Los turistas llegaron a Lima sin reservación pero ya tienen hotel.
>
> *The tourists arrived in Lima without a reservation but they already have a hotel.*

NOTE: **Tener** will be followed by an indefinite article when **un(-a)** refer to how many items a person has.

> —¿Cuántas residencias tienen?
>
> *How many residences do they have?*
>
> —Tienen **un** apartamento y **una** casa.
>
> *They have an apartment and a house.*

Práctica y conversación

A. ¡Qué gusto de verte! Complete el siguiente diálogo con la forma apropiada del artículo indefinido cuando sea necesario.

Elisa	Hola, Susana. ¿Cómo estás? ¡Tanto tiempo sin verte!
Susana	Hola. Sí, hija, ando muy ocupada todo el tiempo. Ahora vengo de ver a _____ amigos que acaban de llegar de Noruega.
Elisa	¡No me digas! ¿Y se van a quedar mucho tiempo por aquí? ¿O sólo se van a quedar _____ días?
Susana	Bueno, él es _____ ingeniero y ella es _____ arquitecta, y piensan mudarse aquí a Lima. Quieren _____ clima cálido y además han recibido _____ contrato fabuloso de _____ compañía internacional para trabajar aquí.
Elisa	¡Qué bien! ¿Cuántos hijos tienen?
Susana	Dos. _____ hijo y _____ hija.
Elisa	¡Qué bien!
Susana	Sí. Si quieres, _____ día de éstos vienes a mi casa para que los conozcas. Son _____ personas muy agradables.
Elisa	¡Maravilloso! Dame _____ llamada cuando quieras.
Susana	¡Perfecto! Te llamo entonces.

B. Mi ciudad. Cuéntele a su compañero(-a) de clase acerca de su ciudad o pueblo. Dígale dónde está, cuánto tiempo hace que vive allá, qué hay en el centro, qué puntos de interés hay. Su compañero(-a) mostrará interés y le hará preguntas.

Siga practicando el vocabulario y las estructuras gramaticales de **Capítulo 8, Primera situación** en *Interacciones CD-ROM*.

Para saber más:
www.heinle.com

Segunda situación

Presentación

¿Qué vamos a hacer hoy?

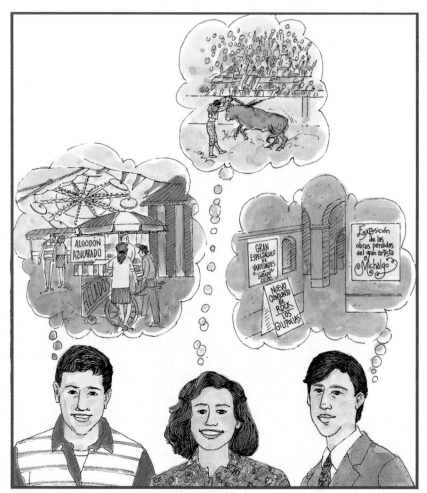

Práctica y conversación

Presentación, Práctica
A Answers. *Answers vary.*

A. ¡Vamos a divertirnos! Complete Ud. las oraciones de una manera lógica.

1. Este domingo podemos ver _____.
2. Si hace buen tiempo, podemos ir _____ o _____.
3. Compramos las entradas en _____.
4. Si queremos asientos buenos, es necesario _____.
5. Si nos gusta mucho lo que vemos, al final vamos a _____.
6. Y si no nos gusta, vamos a _____.

B. **¿Por qué no vamos a... ?** Ud. y dos compañeros(-as) de clase son los tres amigos del dibujo de la **Presentación**. Escoja una actividad y trate de convencer a sus compañeros(-as) de hacer lo que Ud. quiere. Mencione las ventajas y desventajas de la actividad. Luego, sus compañeros(-as) van a tratar de convencerlo(-la) a Ud. de hacer lo que ellos (ellas) quieren.

C. **Un día en Lima.** ¿Qué lugares de interés turístico visitaría Ud. con un día libre en Lima? Utilice las fotos a continuación y también el calendario turístico de la **Presentación** de la **Primera situación**.

Palacio Torre Tagle, construido en 1735 por la familia Torre Tagle, es típico de la arquitectura colonial.

El Jirón de la Unión es una calle principal con tiendas, boutiques y restaurantes.

La Catedral con su magnífico altar es el edificio más antiguo de la Plaza de Armas de Lima. Fue destruida por un terremoto en 1746 pero la reconstruyeron después.

En el centro de la Plaza San Martín está el Monumento a José de San Martín, el general y héroe nacional que proclamó la independencia del Perú el 28 de julio de 1821.

D. Creación. En una narración cuente lo que pasa en el dibujo de la **Presentación.**

Vocabulario

El centro cultural	**Cultural center**
los cuadros	*paintings, pictures*
las pinturas	
los dibujos	*drawings*
el espectáculo de variedades	*variety show*
la exposición de arte	*art exhibit*
la galería	*art gallery*
las obras de arte	*works of art*
los retratos	*portraits*
admirar	*to admire*
aplaudir	*to applaud*
comentar sobre	*to comment on*
criticar	*to criticize*
discutir	*to discuss*
escuchar	*to listen to*
a los cantantes	*the singers*
a los músicos	*the musicians*
al grupo musical	*the musical group*
reservar los asientos	*to reserve seats*
ver una exposición	*to see an exhibit*
La corrida de toros	**Bullfight**
los billetes	*tickets*
los boletos	
las entradas	
el desfile	*parade*

la espada	*sword*
el matador	*bullfighter*
la taquilla	*ticket window*
la tauromaquia	*art of bullfighting*
el toro	*bull*
el traje de luces	*bullfighter's suit*
chiflar	*to boo, hiss*
El parque de atracciones	**Amusement park**
el algodón de azúcar	*cotton candy*
la atracción	*ride*
los caballitos	*carrousel*
el tiovivo	
la casa de	*house of*
espejos	*mirrors*
fantasmas	*horrors*
el globo	*balloon*
la gran rueda	*Ferris wheel*
el juego de suerte	*game of chance*
la montaña rusa	*roller coaster*
las palomitas	*popcorn*
el puesto	*booth, stand*
asustado(-a)	*scared*
peligroso(-a)	*dangerous*
tímido(-a)	*shy, timid*
valiente	*brave, courageous*

Así se habla

Persuading

Ignacio	Humberto, ¿qué haces estudiando un domingo? Vámonos a la playa, arréglate.
Humberto	No, tengo que estudiar. No puedo.
Ignacio	¿No crees que sería mejor si descansaras un poco? Si vas, podrás estudiar mejor después, aprenderás más rápido y todo eso. Ya verás.
Humberto	¿A qué hora crees que regresarán?
Ignacio	Como a las seis.
Humberto	No, creo que mejor no...
Ignacio	Haz lo que quieras, pero si no descansas te vas a enfermar. Mira, Elena, Teresa y Leonor se reunirán con nosotros a mediodía.
Humberto	¡Umm! Espérame, ya voy.
Ignacio	¡Así se habla, hermano!

When you are suggesting group activities, you can use the following expressions.

Quizás debería(-n) / debieras(-n) considerar...	*Perhaps you should consider . . .*
¿No crees(-n) / te (les) parece que podrías(-n)...	*Do you think that you could . . . ?*
¿No crees(-n) que sería mejor si...	*Don't you think it'd be better if . . . ?*
Haz (Hagan) lo que quieras(-n), pero...	*Do what you want, but . . .*
Tienes(-n) que ver las ventajas / desventajas de...	*You have to see the advantages / disadvantages of . . .*
Si te (se) fijas(-n) en...	*If you look at . . .*
Hay que tener en cuenta que...	*You have to take into account that . . .*

Práctica y conversación

A. ¡Vamos! Ud. y sus compañeros(-as) de cuarto tienen que hacer una serie de cosas pero nadie se decide. Ud. toma la iniciativa. ¿Qué les dice si tiene que... ?

1. estudiar para el examen de física
2. hacer la tarea de español
3. comer temprano
4. comprar las entradas para el concierto

Así se habla, Práctica A Answers. *Answers vary.*

B. ¡Cuidémonos! Ud. y su compañero(-a) han empezado un régimen de dieta y ejercicio. ¿Qué dicen?

1. no comer muchos dulces
2. hacer gimnasia todos los días
3. no acostarse tarde
4. no tomar gaseosas
5. comer comida saludable
6. no darse por vencidos(-as)

Así se habla, Práctica B Answers. *Answers vary.*

Estructuras

Discussing Future Activities

Future Tense

The future tense in English is formed with the auxiliary verb *will + main verb: I will work.* Although the Spanish future tense is also used to discuss future activities, it is not formed with an auxiliary verb.

a. The future tense of regular verbs is formed by adding the endings **-é, -ás, -á, -emos, -éis, -án** to the infinitive.

Point out. The English auxiliary verb *will* does not always indicate a Spanish future tense. Frequently the word *will* is used as a translation for the subjunctive. *I hope they will visit Peru.* = **Espero que visiten el Perú.**

Verbos en -AR	Verbos en -ER	Verbos en -IR
visitar	**leer**	**asistir**
visitaré	leeré	asistiré
visitarás	leerás	asistirás
visitará	leerá	asistirá
visitaremos	leeremos	asistiremos
visitaréis	leeréis	asistiréis
visitarán	leerán	asistirán

Mañana **visitaremos** el Palacio Torre Tagle.   *Tomorrow we will visit Torre Tagle Palace.*

b. A few common Spanish verbs do not use the infinitive as a stem for the future tense. These verbs fall into three categories.

Drop the infinitive vowel		Replace infinitive vowel with -d		Irregular form	
haber	**habr-**	poner	**pondr-**	decir	**dir-**
poder	**podr-**	salir	**saldr-**	hacer	**har-**
querer	**querr-**	tener	**tendr-**		
saber	**sabr-**	valer	**valdr-**		
		venir	**vendr-**		

The future tense of **hay** (**haber**) is **habrá** = *there will be.*

c. There are three ways to express a future idea or action in Spanish.

1. The construction **ir a** + *infinitive* corresponds to the English *to be going* + *infinitive.*

   Voy a comprar las entradas.   *I'm going to buy the tickets.*

2. The present tense can be used to express an action that will take place in the very near future.

   Esta tarde **voy** al teatro y **compro** las entradas.   *This afternoon I'm going to the theater and I'll buy the tickets.*

3. The future tense can express actions that will take place in the near or distant future. The future tense is not used as frequently as the other two constructions. Often it implies a stronger commitment on the part of the speaker than the **ir a** + *infinitive* construction.

   Compraré las entradas si tú me das el dinero.   *I will buy the tickets if you give me the money.*

Práctica y conversación

A. Las esperanzas de Charlie Brown. Lea la siguiente tira cómica y conteste las preguntas.

¿Cómo es Charlie Brown generalmente? ¿Cómo va a ser Charlie el año que viene? ¿Qué hará Charlie?

B. **Planes de un(-a) turista.** ¿Qué hará Ud. para divertirse en Lima?

> **MODELO**   leer la guía turística
> **Leeré la guía turística.**

admirar la cerámica del Museo Rafael Larco Herrera / asistir a un concierto en el Campo de Marte / ver el Jardín Japonés en el Parque de la Exposición / reservar asientos para la corrida de toros / ir al Museo de Oro / volver al Jirón de la Unión para comer

C. **La ciudad en 2020.** ¿Cómo será la ciudad en el año 2020?

> **MODELO**   la tecnología / resolver muchos problemas
> **La tecnología resolverá muchos problemas.**

1. nosotros / conducir coches eléctricos
2. las computadoras / controlar el tráfico
3. no haber crimen
4. tú / poder caminar por todas partes
5. la policía / tener poco trabajo
6. las tiendas y los restaurantes / nunca cerrar
7. yo / estar contento(-a) de vivir en el centro de la ciudad

D. **¿Qué vas a hacer?** Con un(-a) compañero(-a), haga planes para el fin de semana. Discutan sus obligaciones, compromisos, fiestas y todo lo que van a hacer.

> **MODELO**   Usted:**¿Qué harás este fin de semana?**
> Compañero(-a): **Creo que estudiaré todo el tiempo.**

E. **¡Quién sabe!** En grupos, hablen de lo que piensan hacer después de su graduación. Otro(-a) estudiante reportará a la clase lo discutido.

Expressing Probability

Future of Probability

In order to express probability in Spanish, you can use the future tense.

a. The English equivalents for the future of probability include *wonder, bet, can, could, must, might,* and *probably.*

—¿Qué **será** esto?	*I wonder what this is?*
—**Será** una entrada para el concierto de mañana.	*It must be a ticket for tomorrow's concert.*
—¿Dónde **estará** Lucía?	*Where could Lucía be?*
—Pues, **llegará** tarde, como siempre.	*Well, she will probably arrive late, as usual.*

Point out. The important concept to be taught here is the English equivalent of the Spanish future tense to express probability.

Estructuras, Future of Probability, Práctica A Answers. Sacaré muchas fotos de las ruinas incaicas en Cajamarquilla. / Conseguiré reservaciones para la excursión a Cuzco. / Iré al mercado de Huancayo. / Visitaré Iquitos y el río Amazonas. / Tendré tiempo para ir a Machu Picchu. / Viajaré a Arequipa. / Veré las líneas de Nazca.

Expansión A. After completing **Práctica A**, have students translate the verbs into English so they see the relationship between the Spanish future tense and the English expressions of probability.

Warm-up Práctica B. Have students brainstorm about the reasons why they might miss classes for over a week. Then, ask them if their friends would be worried and what they would do.

Estructuras, Future of Probability, Práctica B Answers. *Answers vary.*

Point out. English has only one way to suggest group activities (*let's + verb*) while Spanish has two forms (**ir a** + *infinitive* and **nosotros** commands).

Point out. Nosotros commands are subjunctive forms and show the same basic irregularities as the first-person plural of the present subjunctive.

Práctica y conversación

A. Mi primer viaje al Perú. Ud. está pensando en su primer viaje al Perú después de graduarse. Exprese sus opiniones e ideas.

> **MODELO**   visitar muchos lugares
> **Visitaré muchos lugares.**

sacar muchas fotos de las ruinas incaicas en Cajamarquilla / conseguir reservaciones para la excursión a Cuzco / ir al mercado de Huancayo / visitar Iquitos y el río Amazonas / tener tiempo para ir a Machu Picchu / viajar a Arequipa / ver las líneas de Nazca

B. ¿Cómo estará Cristina? Con sus compañeros(-as) hablen acerca de Cristina, su compañera de clase que ha estado ausente las dos últimas semanas.

Estudiante 1	**Estudiante 2**	**Estudiante 3**
1. ¿Qué (pasar) con Cristina?	2. Yo creo que (estar) muy enferma.	3. ¿(Estar) en el hospital?
4. Sí, seguro (estar) en el hospital.	5. ¿Cuándo (regresar)?	6. Pues, (volver) pronto, espero...
7. Probablemente la (llamar) a su casa.	8. Seguramente te (contestar) sus padres.	9. (Estar) bien muy pronto, sin duda.

Suggesting Group Activities

Nosotros *Commands*

When suggesting group activities, the speaker often includes himself / herself in the plans. In English these suggestions are expressed with the phrase *let's + verb: Let's go to the amusement park.* In Spanish these suggestions can be expressed using:

a. the phrase **vamos a** + *infinitive.*

> Primero **vamos a comer** y después **vamos a ir** al cine. — *First, let's eat and then let's go to the movies.*

b. the **nosotros** or first-person command.

> **Salgamos** a las 7 y **regresemos** a las 10. — *Let's leave at 7:00 and let's return at 10:00.*

c. To form the **nosotros** command, drop the **-o** from the first-person singular of the present tense: **bailo → bail-; salgo → salg-.** To the stem add the ending **-emos** for **-ar** verbs or **-amos** for **-er** and **-ir** verbs: **bail- → bailemos; salg- → salgamos.**

1. The **nosotros** commands will show the same spelling changes as formal commands.

Verbs ending in **-car**	c → qu:	**practicar → practiquemos**
Verbs ending in **-gar**	g → gu:	**pagar → paguemos**
Verbs ending in **-zar**	z → c:	**almorzar → almorcemos**
Verbs ending in **-ger** or **-gir**	g → j:	**escoger → escojamos**
		dirigir → dirijamos

2. The following verbs have irregular stems as in the formal commands: **dar →
   demos; estar → estemos; saber → sepamos; ser → seamos**.

   The verb **ir** has the following forms:

Affirmative	**Vamos** a la corrida.	*Let's go to the movies.*
Negative	**No vayamos** a la exposición.	*Let's not go to the exhibit.*

3. Stem-changing **-ir** verbs undergo the same changes in the **nosotros** command as
   in the **nosotros** form of the present subjunctive, that is, **e → i** and **o → u**:
   seguir → si**gamos; dormir → d**u**rmamos**. However, **-ar** and **-er** stem-changing
   verbs follow a regular pattern and do not change the stem in the **nosotros**
   command: **cerrar → cerremos; volver → volvamos.**

d. Pronouns follow and attach to the end of affirmative **nosotros** commands and
precede the negative forms.

—¿Quieres regalarle este disco a Antonio?	*Do you want to give this CD to Antonio?*
—Sí, **comprémoslo** ahora pero **no se lo demos** hasta su fiesta.	*Yes, let's buy it now but let's not give it to him until his party.*

1. When adding pronouns to commands of two or more syllables, a written accent
   mark is placed over the stressed vowel of the affirmative command.
2. The final **-s** is dropped from the **nosotros** command before adding the pronouns
   -se or **-nos**.

—¿Cuándo vamos a enviarle una tarjeta a Roberto?	*When are we going to send a card to Roberto?*
—**Sentémonos** con Mariana y **escribámosela** ahora.	*Let's sit down with Mariana and let's write it to him now.*

Práctica y conversación

A. **¿Qué vamos a hacer?** Haga sugerencias sobre lo que Ud. y su compañero(-a) pueden
hacer el sábado.

ir de compras / mirar la tele / dar un paseo / jugar al tenis / escuchar discos /
cenar en un restaurante / organizar una fiesta / ¿?

B. **Más sugerencias.** Ud. sigue haciendo sugerencias para mañana, pero su compañero(-a)
no está de acuerdo. Cada vez que Ud. sugiere algo, su compañero(-a) responde con una
idea diferente.

> **MODELO** caminar / subir al metro
> **No caminemos. Mejor subamos al metro.**

1. estudiar / divertirnos
2. ir al cine / ir al concierto
3. comprar las entradas más baratas / escoger buenos asientos
4. llamar a Carlos / invitar a Susana y a José
5. llevar jeans / ponernos algo más elegante
6. comer en casa / cenar en un restaurante

Estructuras, *Nosotros*
Commands, Práctica C
Answers. *Affirmative or*
negative may vary.
Arreglémonos con
cuidado. (No nos
arreglemos con
cuidado.) / Reunámonos
temprano. (No nos
reunamos temprano.) /
Olvidémonos de las
entradas. (No nos
olvidemos de las
entradas.) / Sentémonos
en la primera fila. (No
nos sentemos en la
primera fila.) /
Despidámonos tarde.
(No nos despidamos
tarde.) / *Answers vary.*

Warm-up Práctica D.
Have students write a list
of what they do when they
plan a surprise party for a
friend or relative.

Estructuras, Nosotros
Commands Práctica D
Answers. *Answers vary.*

C. **Vamos al concierto.** Ud. y su compañero(-a) deciden ir al concierto. ¿Qué deben hacer o no hacer?

arreglarse con cuidado / reunirse temprano / olvidarse de las entradas / sentarse en la primera fila / despedirse tarde / ¿?

D. **Una sorpresa.** Ud. y su compañero(-a) van a organizar una fiesta sorpresa para su mejor amigo(-a). Mencione por lo menos cinco actividades que pueden hacer en la fiesta.

Taking Notes

When you attend a class or conference or when you ask a friend for a recipe or directions, it is important to take notes about what you hear. Taking notes helps you remember what was said and improves your writing skills in Spanish.

Ahora, escuche la conversación entre tres amigas que hablan sobre cómo van a pasar la tarde. Antes de escuchar la conversación lea los siguientes ejercicios. Después conteste.

A. Algunos detalles. Complete las siguientes oraciones basándose en lo que Ud. escuchó y en sus apuntes.

1. Vilma empieza la conversación sugiriendo ir a _____ o a _____.
2. Margarita preferiría ir a _____ porque es más emocionante.
3. Iris, por su parte, sugiere ir a un _____.
4. Finalmente, las amigas deciden que es mejor ir a la _____ porque _____.

B. Análisis. Escuche el diálogo nuevamente prestando especial atención a la forma en que se relacionan las amigas. Luego, escoja la respuesta más apropiada.

Según el diálogo que Ud. oyó, se puede decir que Margarita, Vilma e Iris

a. se llevan muy bien.
b. se conocen poco.
c. discuten mucho.

Siga practicando el vocabulario y las estructuras gramaticales de **Capítulo 8, Segunda situación** en *Interacciones CD-ROM*.

Para saber más:
www.heinle.com

Instructions for ¿Qué oyó Ud.? Play the conversation once and ask the students to give a summary of what they have listened to. Then, play the conversation a second time. Tell students they should take notes in order to answer the specific information questions. Finally, have students check their answers with their partners.

¿Qué oyó Ud.? Práctica A Answers. 1. la exposición en el Museo de la Nación, al concierto 2. una corrida de toros 3. parque de diversiones 4. exposición en el Museo de la Nación, es sólo hasta mañana y no la podrán ver después

Expansión A. Divide students in groups of three. Have them role-play a situation similar to the one they have just listened to.

¿Qué oyó Ud.? Práctica B Answers. *Answers vary.*

Tercera situación

Perspectivas

Las ciudades hispanas

Mientras la típica ciudad estadounidense está construida a lo largo de una calle principal que se llama muchas veces *Main Street*, la ciudad hispana está construida alrededor de una plaza. En muchas ciudades de España esta plaza principal está llamada la *Plaza Mayor*; en el Perú, el Ecuador y Bolivia es la *Plaza de Armas*, y el *Zócalo* en México, D.F. Alrededor de la plaza se concentran los edificios del gobierno, como el palacio nacional o el ayuntamiento *(city hall)*, la catedral metropolitana, los bancos y negocios importantes y los hoteles de lujo.

La plaza es el centro geográfico y social de la ciudad. Es el lugar donde se reúnen los amigos y donde la gente conversa acerca de los acontecimientos *(happenings)* de la ciudad o de la nación. En las ciudades grandes hay varias plazas importantes y en otras partes de la ciudad se encuentran plazas menos grandes que forman el centro de los barrios residenciales.

Por lo general las ciudades en el mundo hispano son más antiguas que las ciudades de los Estados Unidos. Muchas ciudades de las Américas son del siglo XVI y algunas de España datan de la época griega o romana. Por eso es normal ver edificios muy antiguos pero bien conservados junto a otros edificios contemporáneos.

Otra diferencia entre las ciudades norteamericanas y las hispanas es el tamaño; las ciudades hispanas generalmente tienen menos extensión geográfica que las ciudades estadounidenses.

CLAVE

1 Iglesia y Convento de San Francisco	9 Museo del Banco Central de Reserva
2 Casa de Pilatos	10 Monumento a Pizarro
3 Plaza Bolívar	11 Palacio de Gobierno
4 Congreso de la República	12 Casa del Oidor
5 Museo de la Inquisición	13 Catedral
6 Iglesia y Convento de San Pedro	14 Monumento a Tauli Chusco
7 Palacio de Torre Tagle	15 Palacio Municipal
8 Casa de Goyeneche	

Vocabulario: Jr. = el jirón = la avenida

Práctica y conversación

A. El centro de Lima. Conteste las siguientes preguntas utilizando el mapa del centro de Lima.

1. ¿Qué edificios hay alrededor de la Plaza de Armas?
2. ¿Qué otras cosas hay alrededor de la Plaza de Armas?
3. Además de la Plaza de Armas, ¿qué otras plazas hay en el centro de Lima?
4. ¿Es grande o pequeño el centro de Lima? Justifique su respuesta.
5. Compare el centro de Lima con el centro de una ciudad norteamericana que Ud. conozca. Explique las diferencias y semejanzas entre las dos ciudades.

B. Una visita a Lima. Ud. y un(-a) compañero(-a) de clase visitarán Lima, Perú y se alojarán en un hotel en el centro. Usando el mapa y la información sobre Lima de este capítulo, decidan qué lugares visitarán Uds. ¿Qué actividades pueden hacer en el centro y cerca de la Plaza de Armas?

Panorama cultural

En la ciudad de Madrid

A. La vida nocturna. Con un(-a) compañero(-a) de clase haga una lista de las actividades que se asocian con la vida nocturna de una ciudad grande. Después, utilicen la siguiente fotografía para describir El Teatro de Madrid. ¿Qué funciones tienen lugar allá? ¿Qué hace la gente adentro? ¿Qué llevan las personas cuando asisten a esas funciones?

B. Lugares y edificios. Después de mirar el vídeo, identifique los lugares o edificios que se ven en el vídeo. Luego, mencione las actividades asociadas con todos los lugares o edificios vistos en el vídeo.

un bar	un cine	una iglesia
una biblioteca	una discoteca	un museo
un casino	una escuela	una ópera
una cervecería	un estadio de fútbol	un restaurante
una chocolatería	un gimnasio	

Para leer bien

Background Knowledge: Historical References

You have learned to use and expand your background knowledge of geography in order to better comprehend a reading selection. Another important component of background knowledge are references to important historical dates and periods. Authors mention dates and historical periods for two reasons: to help the reader establish the chronology of events mentioned in the reading, and to help the reader evoke the characteristics of an era and mentally picture the setting and/or characters.

To take advantage of your background knowledge of historical dates and eras, scan the title and reading for clues to time references such as actual dates (1776), the names of important historical events (*Revolutionary War*) or persons (*George Washington*), or historical periods (*colonial America*). After locating the time references, review the characteristics of that period; try to mentally picture the clothing, art, architecture, modes of transportation, and types of recreation, music, and dance. Try to associate other important persons, events and dates with the information given.

Even if you know little about a historical era in Hispanic culture, your knowledge of that same time period in your own or another society will make you aware of the period and help you find similarities and differences.

Práctica

A. La época precolombina. En la lectura que sigue se menciona la época precolombina o prehispánica. Esta época se refiere a la época anterior a la llegada de Cristóbal Colón a las Américas. ¿Cuándo llegó Colón? ¿Cómo era Hispanoamérica en la época precolombina? ¿Quiénes vivían allí? ¿Cómo eran sus culturas?

B. El tema central. Dé un vistazo al título, a las fotos y al primer párrafo para determinar el tema del artículo que sigue.

Para leer bien, Práctica A Answers. Colón llegó a las Américas el 12 de octubre de 1492. Había grandes civilizaciones de pueblos indígenas que vivían en las Américas: los aztecas en el valle de México, los mayas en el sur de México y Centroamérica, y los incas en los países andinos. Eran culturas muy desarrolladas.

Para leer bien, Práctica B Answers. El tema principal: los objetos de oro del Perú.

Lectura cultural Guardián del oro del Perú

Una pieza extraordinaria

Unos guanteletes

    Cuando el vendedor apareció en casa del coleccionista Miguel Mujica Gallo para proponerle° un fragmento de un objeto, éste no vaciló en adquirirlo°. Era de oro, adornado con relieves° antiguos. Mujica lo compró con la esperanza de que vinieran a proponerle los otros pedazos° de la pieza. Con el tiempo logró° reunir sus fragmentos del objeto. Todos pertenecían al mismo artefacto de oro y podían juntarse° como las piezas de un rompecabezas°. Llegó un día, sin embargo, en que los traficantes° no le trajeron más fragmentos; era como un rompecabezas al cual le faltaba la última pieza.

    Algún tiempo después, un campeón nacional de pesca estadounidense, que también era coleccionista, se hallaba en el Perú. Mujica fue a verlo porque le habían dicho que el estadounidense había comprado muchas cosas de oro. Y entre las cosas estaba el fragmento que le faltaba.

    Mujica convenció al pescador de que se lo vendiera. Cuando lo juntó a los otros, completó la copa de oro, forjada° hace siglos por artesanos indígenas° y usada, probablemente, por la realeza°.

    Hoy día, la copa es una de las 13.000 piezas que se hallan en el famoso Museo de Oro del Perú de Mujica, considerado por muchos la mejor colección particular de objetos

to offer / acquiring it

reliefs: embossed or raised patterns

pieces / managed

to join

jigsaw puzzle / dealers

forged / native

royalty

prehispánicos de oro y metales preciosos. La forma en que Mujica logró reunir las dispersas piezas de la copa ilustra cómo ha ayudado a rescatar° el patrimonio° arqueológico del Perú de los contrabandistas°, los guaqueros° y los coleccionistas extranjeros. Si diez guaqueros hallan algo —dice Mujica—, lo parten° en diez pedazos. Es horrible. Hay que comprarles todos los pedazos y rehacer la pieza.

El museo parece más impresionante aún cuando se piensa que el coleccionista, septuagenario° ya y heredero° de una familia acaudalada°, no ha cursado estudios universitarios de antropología ni arqueología. Pero tiene un gran esmero° investigador, una pasión de preservar lo antiguo del Perú y una gran dedicación a mantener intacta su colección.

Su dedicación y celo° son reconocidos por todo el mundo. Según los funcionarios° de turismo del país, este museo privado es la mayor atracción turística de Lima. Además, desde 1958 las exposiciones del museo han viajado por setenta y tres ciudades de veintinueve países. El museo está financiado de dos maneras: la recaudación° de boletos de entrada y el dinero de su fundador°.

Se encuentra el museo en medio de un grupo de edificios situados en un elegante barrio residencial de Lima. En uno de los edificios hay una joyería que vende imitaciones de sus alhajas° antiguas. En otro se halla un restaurante. Hay también dependencias° administrativas, una biblioteca privada y la casa de Mujica.

En la planta baja° del museo hay varios salones que albergan° la colección de armas de Mujica. En un lugar central se expone° la espada° de Pizarro° con sus iniciales, su título de primer gobernador de Lima y la fecha 1539.

Detrás de las salas de exposición de las armas hay una escalera que baja al sótano; allá las paredes son oscuras y el ambiente es más silencioso. Lo único que llama la atención son las vitrinas iluminadas donde se exponen miles de artículos preciosos. Es el Oro del Perú. Hay objetos de oro para beber, para pelear, vestimentas cuajadas° de oro y artefactos ceremoniales.

Entre las cosas más extraordinarias hay una máscara funeral con catorce esmeraldas, suspendidas de los ojos como lágrimas°, y una escena fúnebre de figuras tridimensionales de oro y plata en miniatura. Lo que más estima Mujica es un par de manos moldeadas° como guanteletes°, hechas de hojas° de oro, con uñas° y diseños abstractos. Mujica dice que las manos le llegaron en pedazos, igual que la copa. —A una de las manos tuve que buscarle tres dedos —dice Mujica— y a otra, la muñeca°.

Los antropólogos y arqueólogos hacen notar que Mujica ha reunido restos° de un patrimonio que ha sido saqueado° y ha estado disperso° desde la llegada de los conquistadores en el siglo XVI. Los guaqueros de hoy siguen destruyendo el pasado arqueológico.

Perú tiene mucha razón en querer preservar los fragmentos de su pasado. Las primeras culturas indígenas desarrollaron° métodos avanzados de explotar° las minas y labrar° el oro. Cuando los conquistadores destruyeron el imperio incaico° en 1532, su civilización se extendía por lo que hoy día constituyen cinco países y los artesanos incaicos habían absorbido y mejorado la pericia° metalúrgica de muchas culturas.

—El Perú es un país privilegiado, como heredero de una extraordinaria riqueza cultural indígena—, dice Ramiro Matos, autor de Patrimonio cultural del Perú. La población indígena prehispánica logró crear una de las civilizaciones más originales y complejas de la humanidad. Añade que el Museo de Oro, a causa de la naturaleza de las piezas que contiene y la espectacularidad de la tecnología y la creación artística de las piezas, ha asombrado° al mundo.

---

**Glosas marginales:**

to recover / heritage
smugglers / grave robbers
dividen

persona de 70 años / heir / rica
care

zeal / employees

collection
founder

treasures / outbuildings

main floor / house
exhibit / sword / conquistador del
Perú y el imperio incaico

ropa adornada

tears
molded
gloves used as armor for the hands
sheets / fingernails
wrist
remains
robado / scattered

developed / operate / to fashion, shape
Inca

skill

amazed

Práctica

A. ¿Cierto o falso? Identifique las oraciones falsas y corríjalas.

1. Miguel Mujica Gallo es arqueólogo y antropólogo.
2. Mujica ha rescatado el patrimonio arqueológico del Perú de los contrabandistas y los guaqueros.
3. Mujica compró el último pedazo de una copa de un pescador que lo encontró en un lago.
4. Además del Oro del Perú, Mujica también tiene una colección de arte peruano.
5. Para los guaqueros lo más importante es preservar las alhajas antiguas del Perú.
6. Entre las piezas más impresionantes del museo hay un par de manos de oro.
7. El museo está financiado por el dinero de Mujica y la recaudación de entradas.
8. Las exposiciones del museo nunca salen del sótano por temor a un robo.

B. Referencias históricas. Usando la información del artículo, describa la época precolombina en el Perú. Incluya información sobre el arte indígena.

C. El orden cronológico. Ponga en orden cronológico las siguientes oraciones para contar cómo Mujica obtuvo la copa de oro completa.

1. __5__ Los traficantes no le trajeron más fragmentos.
2. __9__ Mujica juntó el fragmento con los otros y completó la copa de oro.
3. __1__ Un vendedor apareció en la casa de Mujica con un fragmento de un objeto de oro.
4. __8__ Mujica convenció al pescador que le vendiera el fragmento que le faltaba.
5. __2__ Mujica compró el primer fragmento de la copa.
6. __7__ Mujica fue a ver al coleccionista; el último fragmento estaba entre sus cosas.
7. __3__ Mujica esperaba que vinieran a ofrecerle los otros fragmentos.
8. __6__ Un campeón nacional de pesca estadounidense llegó al Perú; era coleccionista y había comprado muchas cosas.
9. __4__ Poco a poco Mujica logró obtener los otros pedazos del objeto.

D. En defensa de una opinión. ¿Qué evidencia hay en el artículo que confirma la idea siguiente? «El Museo de Oro de Lima es impresionante y asombroso *(amazing)*.»

Lectura, Práctica A Answers. 1. Falso. Mujica no ha estudiado antropología ni arqueología. 2. Cierto. 3. Falso. Mujica compró el último pedazo de una copa de un coleccionista estadounidense que fue el campeón nacional de pesca. 4. Falso. Mujica también tiene una colección de armas. 5. Falso. Para los guaqueros lo más importante es el dinero que ganan robando y vendiendo los artefactos. 6. Cierto. 7. Cierto. 8. Falso. Desde 1958 las exposiciones del museo han viajado por todo el mundo.

Lectura, Práctica B Answers. *Answers vary.*

Lectura, Práctica D Answers. *Answers vary.*

Para escribir bien

Keeping a Journal

There are many situations in both private and professional life for which journal entries are useful. In the business or professional world journals are used for logging phone calls and discussions with clients, remembering content of meetings, and recording travel expenses. In private life journals and diaries provide interesting personal records of daily events, travel experiences, special occasions, and family and school activities.

Keeping a personal journal is an effective tool for improving your writing in Spanish for it provides writing practice on a daily basis. The following suggestions will help you write your journal entries.

1. Keep your entries in a special notebook you use only for this purpose.
2. Set aside a period each day for journal writing. It is traditional to write diary entries each evening just prior to going to bed.
3. Try to develop a natural, personal style with emphasis on content.
4. Learn to rephrase and circumlocute in order to express meaning and to avoid excessive use of the dictionary.
5. Spanish diary entries have a format similar to that of letters.

DATE	el 27 de abril de 1942
SALUTATION	Querido diario:
PRE-CLOSINGS	Bueno, querido diario, mi mamá / papá, / amigo me llama. Como siempre, querido diario, tengo que irme / dormirme.
CLOSINGS	Hasta mañana, *Susana.* (your name) Hasta pronto, *Jaime.* (your name)

Composiciones

A. **Querido diario:** Escriba un apunte *(diary entry)* por cuatro días sucesivos. Incluya información sobre su rutina diaria, su trabajo, sus estudios y sus actividades con otras personas.

B. **Un viaje.** Escriba un diario de un viaje real o imaginario. Incluya los detalles de tres días por lo menos.

C. **Un(-a) guía turístico(-a).** Ud. es el (la) guía de un grupo de estudiantes peruanos que estudian en su universidad. Prepare una lista con información básica acerca de su ciudad / pueblo y de la universidad. Explique dónde, qué y cuándo se come, dónde está la biblioteca y las horas de operación, qué se hace en el centro, etc.

A. **Un sábado libre.** It is late Saturday morning. You and three friends have the entire afternoon and evening free. Discuss what you will do and suggest group activities. Try to persuade others to do what you want to do. Decide where you will eat and what you will do in the afternoon and evening. After you have made your decisions, inform your classmates of your plans.

B. **El quiosco turístico.** You work in a tourist information booth located in the Plaza de Armas in Lima, Perú. Two tourists (played by your classmates) come to the booth to obtain information on how to get to various sites in Lima. Using the map of Lima on page 290, tell them how to get to **la Plaza Bolívar, el Palacio Torre Tagle, el Museo del Banco Central de Reserva, el Congreso de la República,** and **la Casa de Pilatos.**

C. **Un viaje especial.** After you graduate, you plan to take a special trip. Explain when and where you will go, with whom you will travel, what cities you will see, what special sites you will visit, and what activities you will partipate in while there.

Actividades Answers.
Answers vary for
Actividades A-D.

D. **«El (La) turista alegre».** As «El (La) turista alegre» you have a weekly five-minute travel segment on a morning television news show. Discuss your favorite city. Describe the famous buildings and sites and explain when they were constructed. Explain what one can see and do there; provide opening and closing hours for museums and events. Explain where one should shop, what one can buy, and where and what one can eat. Include other information you find interesting.

Para saber más:
www.heinle.com

Bolivia, el Ecuador y el Perú

Cultural products and practices. Famous people of Bolivia, Ecuador and Peru and what they have accomplished. **Cultural comparisons:** Famous historical personages and famous entertainment, literary and governmental figures of these regions and the U.S.

Personalidades

Additional information about these figures is included in the IAE, Using the *Interacciones* Program: Herencia cultural.

De ayer

José de San Martín (1778-1850) luchó con Bolívar por la independencia de Sudamérica y fue el libertador de la Argentina, Chile y el Perú. Después de vencer a los españoles en varias batallas, proclamó la independencia del Perú el 28 de julio de 1821 y fue nombrado 'Protector del Perú'.

De hoy

Nacido en Bolivia, **Jaime Escalante** (1931-   ) emigró a Los Ángeles y se hizo profesor de matemáticas en una escuela secundaria. La película *Stand and Deliver* describe a este famoso profesor y los métodos que utilizó en la enseñanza de los estudiantes hispanos. Por su labor con estos alumnos ha recibido muchos premios importantes.

El peruano **Mario Vargas Llosa** (1936-   ) es uno de los novelistas contemporáneos más importantes de la América del Sur. Sus novelas, entre ellas *La ciudad y los perros*, describen la vida social peruana especialmente el mundo urbano de Lima. En 1990 fue candidato a la presidencia del Perú.

Para saber más:
www.heinle.com

Antonio José de Sucre (1795-1830) fue uno de los líderes más respetados de la guerra de independencia de Sudamérica. Bolívar lo nombró su lugarteniente *(deputy)* y con Bolívar y San Martín liberó el Perú y el Alto Perú (Bolivia). Después, formó el gobierno de la nueva República de Bolivia y fue su primer presidente.

La cantante **Tania Libertad** (1965-   ) inició su carrera en su Perú natal a los cinco años de edad; más tarde emigró a México. Ha grabado 32 discos de música variada que incluye salsa, rancheras y música latinoamericana en general. Además de su trabajo en la televisión, también participa en festivales y en giras *(tours)* mundiales.

Javier Pérez de Cuéllar (1920-   ) nació en Lima, Perú y empezó su larga y distinguida carrera diplomática como secretario de la embajada peruana en París. En 1981 fue elegido Secretario General de la Organización de las Naciones Unidas (ONU) y ejerció funciones *(served)* de 1982 a 1991.

Comprensión cultural 1. Have students work in pairs or groups of three. Assign one of the *personalidades* to each group and have them prepare a description of each person as well as a brief biography. Have each group report back to the class.

Comprensión cultural 2. Ask students: ¿Qué países libertó San Martín? ¿Con qué frase es conocido San Martín? ¿Cuándo proclamó la independencia del Perú? ¿Qué lugares o regiones libertó Sucre? Después de la guerra de independencia, ¿qué hizo Sucre? ¿Quién es Vargas Llosa? ¿Cuál fue la primera novela que escribió? ¿Cuál es el tema principal de Vargas Llosa? ¿Quién es Jaime Escalante y qué hizo? ¿Qué película describe sus métodos de enseñanza? ¿En qué país nació Tania Libertad y dónde vive actualmente? ¿Qué tipo de música canta? ¿Dónde nació Javier Pérez de Cuéllar? ¿En qué lugar empezó su carrera diplomática? ¿Qué puesto ocupó en la Organización de las Naciones Unidas?

Arte y arquitectura

Cultural products Colonial and baroque arquitecture in Perú: **Cultural comparisons:** The concept of the colonial period in the U.S. and Perú (Latin America); colonial arquitecture in the U.S. and Perú (Latin America).

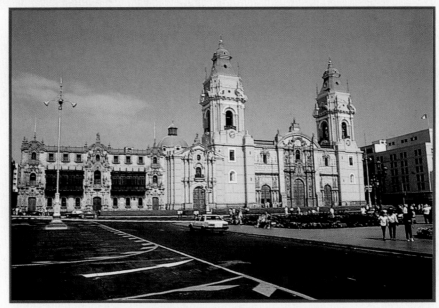

Lima: La Catedral y el Palacio Arzobispal.

La arquitectura colonial del Perú

En la historia de Hispanoamérica, la época que va de la conquista española en el siglo XVI hasta las guerras de independencia en el siglo XIX se llama la época colonial. Durante este período España gobernó a la población y administró la economía del Nuevo Mundo. Los reyes de España dividieron la región en cuatro subdivisiones llamadas virreinatos *(vice-royalties)*. El virreinato del Perú fue la región más rica y su capital, Lima, la Ciudad de los Reyes, fue el centro político y social del territorio. Lima fue una ciudad acaudalada *(affluent)* con numerosos conventos, monasterios e iglesias y opulentos palacios y mansiones. La primera y más antigua universidad de las Américas, San Marcos, fue establecida en Lima en 1551.

El trazado *(layout)* de las ciudades y la arquitectura virreinal reflejan los estilos de España y Europa de aquella época. Los españoles siempre pusieron la plaza mayor en el centro de las ciudades en el Nuevo Mundo, y a su alrededor construyeron la catedral y edificios municipales. El estilo predominante en el Perú y en México fue el barroco, caracterizado por la profusión de adornos y decoración, la línea curva, columnas torcidas *(twisted)* y espacios grandiosos.

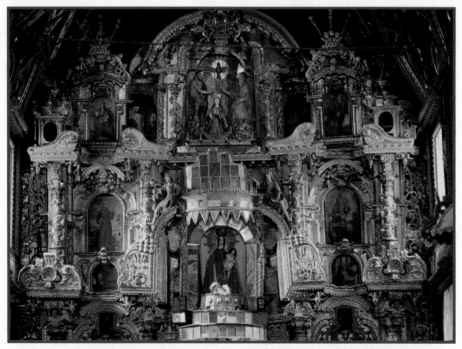

Lima: Interior de la Iglesia de San Pedra, consagrada en 1638

Muchas iglesias contienen magníficos ejemplos de la decoración barroca, con altares dorados, coros de madera labrada y techos embellecidos con escenas del paraíso. También se puede ver buenos ejemplos de la arquitectura colonial en el Cuzco. Allá los españoles solían construir sus iglesias y palacios sobre los restos de edificios incaicos. La Iglesia de Santo Domingo en el Cuzco fue construida sobre las ruinas del Templo del Sol.

Cuzco: Iglesia de Santo Domingo

Comprensión

A. La arquitectura. Complete el gráfico con información acerca de las características de la arquitectura del Perú colonial.

LAS CARACTERÍSTICAS	
Estilo barroco	*profusión de adornos y decoración, la línea curva, columnas torcidas, espacios grandiosos*
Trazado de las ciudades coloniales	*una plaza mayor en el centro con la catedral y edificios municipales a su alrededor*
Interior de las iglesias barrocas	*altares dorados, coros de madera labrada y techos embellecidos con escenas del paraíso*
Arquitectura colonial del Cuzco	*iglesias y palacios construidos sobre los restos de edificios incaicos*

B. Lima. Con un(-a) compañero(-a) de clase, describa la ciudad colonial de Lima, Perú. Incluya información sobre los edificios y la arquitectura.

C. La época colonial. Con un(-a) compañero(-a) compare la época colonial de los EE.UU. con la época colonial del Perú. Incluya las fechas de la época, el estilo de arquitectura predominante, la vida diaria y otros hechos *(facts)* históricos.

Para saber más:
www.heinle.com

Expansión A. Divide the class into three groups; within each group students should work in pairs. The pairs in one group should describe the Plaza de Armas, the Catedral and the Palacio Arzobispal in Lima. Students in the second group should describe the baroque characteristics of the interior of the Iglesia de San Pedro. The students in the third group should describe the Iglesia de Santo Domingo in Cuzco. Have the students in each group choose one pair to report back to the class and describe the photo assigned to them. *Answers vary.*

Warm-up B. Have students work in pairs to describe the concept of *el virreinato.*

Arte y arquitectura, Práctica B Answers. *Answers vary.*

Arte y arquitectura, Práctica C Answers. *Answers vary.*

Identifying Literary Themes

In order to help you comprehend journalistic articles, you have learned to locate the main ideas and supporting elements and apply background knowledge concerning geography and history. These same techniques can be used with literary readings in order to learn to identify and understand themes.

   The literary theme *(el tema)* is generally defined as the central concept, the main idea, or the fundamental meaning of a literary selection. Some common general literary themes include love, death, the meaning of life, and the human condition. Often a general theme can be broken down into more specific sub-themes. For example, the general theme of love can be further described as unrequited love, maternal love, love of family, love of country, or love of a supreme being.

A literary theme can be *explicit,* expressed in a direct manner, or *implicit,* expressed in an indirect or subtle manner. While the main idea of a journalistic article is generally explicit, the main theme of a literary selection is generally implicit. The reader needs to analyze a variety of items within the text in order to establish the main theme of a work of literature. The reader should attempt to formulate the theme according to the effect created by items such as the actions of the characters, the relationships among the characters, the comments made by the main characters, and the comments made by the narrator or author. With a close reading, it should become clear that the author is emphasizing a particular concept or idea; the concept or idea that the author is emphasizing is the main theme of the literary work.

The following work, *La camisa de Margarita* by Ricardo Palma, takes place in eighteenth-century Peru. When approaching this reading, it is important to keep in mind the historical setting in order to establish the theme. Remember to use the reading strategies you have learned as well as the literary terminology presented in previous sections.

Antes de leer

A. El título. Dé un vistazo al título de la siguiente lectura: (**la camisa** = *gown*) ¿Cuáles son las características de una camisa? ¿En qué ocasiones se lleva una camisa? Ahora, mire el dibujo del cuento y conteste estas preguntas: ¿Qué lleva la chica? ¿Quiénes son los dos personajes? ¿Cuál es la ocasión?

B. El escenario. El cuento tiene lugar en Lima en el año 1765. ¿Cómo era Lima en aquella época? Si es necesario, repase la información de **La arquitectura colonial del Perú** en las páginas 299-301.

C. Una dote *(dowry).* El cuento que sigue es la historia de la joven Margarita, que logró contribuir una dote a pesar de las protestas del tío del novio. ¿Qué es una dote y en qué consiste generalmente? ¿Existe el concepto de la dote en nuestra sociedad? ¿Cuándo se usaban las dotes?

D. Un viejo refrán. El cuento *La camisa de Margarita* está escrito en base a un refrán *(saying)* popular peruano: «¡Esto es más caro que la camisa de Margarita Pareja!» ¿En qué situación se puede usar este refrán?

Lectura literaria

Ricardo Palma (1833-1919), uno de los más célebres autores del Perú, fue escritor, lingüista y político. Nació en Lima y fue director de la Biblioteca Nacional. Pasó mucho tiempo coleccionando anécdotas y leyendas *(legends)* históricas del Perú. Publicó estos cuentos en una serie de diez volúmenes con el título de *Tradiciones peruanas.* La *tradición* es un nuevo género literario creado por Palma. Es una narración generalmente basada en una anécdota, una leyenda o un documento histórico; pero, a veces las tradiciones son pura ficción. Las *tradiciones* tienen elementos de un cuento y también un *cuadro de costumbres,* una descripción de las costumbres locales. Las *tradiciones* suelen ser divertidas; muchas son sátiras sociales.

La camisa de Margarita

Entre las viejas de Lima existe la tradición de quejarse del precio alto de un artículo diciendo:
—¡Qué! Si esto es° más caro que la camisa de Margarita Pareja.

This is

Yo tenía mucha curiosidad de saber algo de esa Margarita y un día encontré un artículo en un periódico de Madrid que hablaba de la niña y su famosa camisa. Ahora Uds. van a leer su historia.

I

Margarita Pareja era (por los años de 1765) la hija más mimada° de don Raimundo Pareja, caballero y colector general° del Callao°.

pampered
tax collector / *el puerto de Lima*

La muchacha era una de esas limeñitas° que, por su belleza, cautivan al mismo diablo°. Tenía un par de ojos negros que eran como dos torpedos cargados con dinamita y que hacían explosión en el corazón de los galanes° limeños.

señoritas de Lima /
captivate the devil himself / *señores jóvenes y elegantes*

Llegó por entonces de España un arrogante mancebo° de Madrid, llamado don Luis Alcázar. Tenía éste en Lima un tío solterón y acaudalado°, de una familia antigua e importante, y muy orgulloso°.

joven
rico / *proud*

Por supuesto que, mientras le llegaba la ocasión de heredar al tío, vivía nuestro don Luis tan pobre como una rata y sufriendo mucho.

Alcázar conoció a la linda Margarita en una procesión religiosa. La muchacha le llenó el ojo y le flechó° el corazón. Le echó flores°, y aunque ella no le contestó ni sí ni no, dio a entender con sonrisitas y demás armas del arsenal femenino que el galán era muy de su gusto. La verdad es que se enamoraron muchísimo.

(fig.) wounded his heart / *he courted her*

Don Luis no creía que su pobreza sería obstáculo para casarse con Margarita. Así, fue al padre de Margarita y le pidió la mano de su hija.

A don Raimundo no le cayó en gracia la petición y cortésmente despidió al joven, diciéndole que Margarita era aún muy niña para tomar marido, pues, a pesar de sus diez y ocho años, todavía jugaba a las muñecas.

Pero no era ésta la verdadera razón. La verdad era que don Raimundo no quería ser suegro de un pobretón y les dijo eso en confianza a sus amigos, uno de los que fue con el chisme° a don Honorato, que así se llamaba el tío. Éste, que era más arrogante que el Cid°, se enojó y dijo:

—¡Cómo se entiende! ¡Desairar° a mi sobrino! A muchas les encantaría casarse con el muchacho, porque no hay mejor en todo Lima. Pero, ¿adónde ha de ir conmigo ese colectorcito°?

Margarita, pues era nerviosa como una damisela de hoy, gimoteó° y se arrancó° el pelo, y tuvo convulsiones. Perdía colores y carnes°, se desmejoraba° a vista de ojos, hablaba de meterse monja° y no hacía nada en concierto.

¡O de Luis o de Dios!° gritaba cada vez que los nervios se le sublevaban, cosa que pasaba con mucha frecuencia. Su padre se alarmó, llamó a médicos y a curanderas, y todos declararon que la única medicina salvadora no se vendía en la farmacia. O casarla con el varón de su gusto, o enterrarla°. Tal fue el ultimátum médico.

Don Raimundo se encaminó como loco a casa de don Honorato, y le dijo:

—Vengo a que consienta usted en que mañana mismo se case su sobrino con Margarita, porque si no, la muchacha se va a morir.

—No puede ser —contestó sin interés el tío —. Mi sobrino es un *pobretón* y lo que usted debe buscar para su hija es un hombre con mucha plata°.

El diálogo fue violento. Mientras más rogaba don Raimundo, más se enojaba el tío y ya aquél iba a retirarse cuando don Luis entrando en la cuestión, dijo:

—Pero, tío, no es justo que matemos a quien no tiene la culpa.

—¿Tú te das por satisfecho?

—De todo corazón, tío y señor.

—Pues bien, muchacho, consiento en darte gusto; pero con una condición, y es ésta: don Raimundo me ha de jurar ante la Hostia consagrada° que no regalará un centavo a su hija ni le dejará un real° en la herencia°.

Aquí empezó nuevo y más agitado litigio.

—Pero, hombre —arguyó don Raimundo—, mi hija tiene veinte mil duros° de dote.

—Renunciamos a la dote. La niña vendrá a casa de su marido nada más que con la ropa que lleva.

—Concédame usted entonces regalarle los muebles y el ajuar° de novia.

—Ni un alfiler°. Si no está de acuerdo, dejarlo y que se muera la chica.

—Sea usted razonable, don Honorato. Mi hija necesita llevar por lo menos una camisa para reemplazar la puesta°.

—Bien. Consiento en que le regale la camisa de novia y eso es todo.

Al día siguiente don Raimundo y don Honorato se dirigieron muy de mañana a la iglesia de San Francisco, arrodillándose° para oír misa, y, según lo pactado, en el momento en que el sacerdote elevaba la Hostia divina, dijo el padre de Margarita:

—Juro no dar a mi hija más que la camisa de novia. Así Dios me condene si perjurare°.

II

Y don Raimundo Pareja cumplió su juramento, porque ni en vida ni en muerte dio después a su hija cosa que valiera un centavo. Pero los encajes° de Flandes que adornaban la camisa de la novia

---

gossip
héroe nacional de España
Reject / Who does this little tax collector think he is?
gritó / *pulled out weight* / se enfermaba / *become a nun*
¡Voy a ser la esposa o de Luis o de Dios!

bury her

dinero

sacred Communion Host (wafer) / moneda colonial / *inheritance*

moneda colonial

las joyas y ropa que lleva la novia en el matrimonio / *pin*

replace the one she's wearing

kneeling down

I lie.

lace

costaron dos mil setecientos duros. Y en el cordoncillo° al cuello había una cadena de brillantes°, que valían aun más.

Los recién casados hicieron creer al tío que la camisa no era muy costosa porque don Honorato era tan testarudo°, que habría forzado al sobrino a divorciarse.

Convengamos° en que fue muy merecida la fama que alcanzó la camisa nupcial de Margarita Pareja.

embroidery / diamonds

stubborn

Let's agree

Después de leer

A. Los personajes. Complete el siguiente gráfico con información del cuento.

	Descripción	Relación con los otros personajes
Margarita Pareja	*Joven, mimada, hermosa, ojos negros / la hija de don Raimundo y la novia de Luis Alcázar*	
Don Raimundo Pareja	cortés, rico, un poco viejo / el padre de Margarita y el (futuro) suegro de Luis Alcázar	
Don Honorato	soltero, un poco viejo, orgulloso de su familia, rico / el tío de Luis Alcázar	
Luis Alcázar	joven, pobre, arrogante, español / el sobrino de don Honorato y el novio de Margarita	

B. Ponga en orden cronológico los siguientes sucesos del cuento.

___3___ Luis y Margarita se enamoran.

___9___ Don Raimundo jura no darle a su hija más que la camisa de novia.

___8___ Don Honorato dice que don Raimundo no puede darle dinero a su hija y rechaza la dote.

___7___ Don Raimundo le pide permiso a don Honorato para que los novios se casen.

___2___ Luis conoce a Margarita en una procesión.

___6___ Margarita dice que quiere hacerse monja.

___5___ Don Raimundo prohíbe el matrimonio entre Luis y Margarita.

___1___ Llega Luis Alcázar de España.

___4___ Luis le pide la mano de Margarita a don Raimundo.

___10___ Los dos novios reciben dinero de don Raimundo en forma de una camisa muy costosa.

C. Los temas. Con un(-a) compañero(-a) de clase, decida cuál es el tema principal del cuento. Recuerden que el honor era uno de los valores más importantes en la sociedad colonial. ¿Cómo se ve el tema del honor en los cuatro personajes principales? Además del honor, ¿hay otros temas importantes? Explique.

Lectura literaria, Después de leer, Práctica C Answers. *Temas: Answers may vary.* **el honor / el amor romántico / el amor entre padre e hija / el amor familiar.** *Answers vary.*

Bienvenidos a
la comunidad hispana

Oscar de la Hoya

Celia Cruz

The statistics included in this section are based on the U.S. census figures from the year 2000.

5Cs

The **Culture Standard** is emphasized in this section. Students will learn about the population and concentration of Hispanics in the U.S. Students will also learn the names of famous Hispanics.

Have students use the map showing the concentration of Hispanics in the U.S. located in the opening pages of the student textbook.

Ask students to describe the famous Hispanics in the photos of this **Bienvenidos** section.

For more information on famous Hispanics, see **Herencia cultural: La comunidad hispana en los EE.UU.: Personalidades,** following Capítulo 10. Have students work in small groups and brainstorm the names of other famous Hispanics.

POBLACIÓN

35.300.000 hispanos dentro de los EE.UU.; *chicanos* 64%; *puertorriqueños* 11%; *cubanos* 5%; 20% de los demás países del mundo hispano. Los hispanos representan la minoría más grande dentro de los EE.UU.

CONCENTRACIÓN

Chicanos (personas en los EE.UU. de origen mexicano): de Texas a California; *puertorriqueños*: ciudad de Nueva York y la región metropolitana; *cubanos*: Miami y el sur de la Florida

FUERZA DE TRABAJO HISPANA

Gran variedad de puestos en muchos sectores económicos

HISPANOS FAMOSOS

Cine y televisión: Daisy Fuentes, Andy García, Ricardo Montalbán, Rita Moreno, Edward James Olmos, Cristina Saralegui, Jimmy Smits
Deportes: Joaquín Andújar, Pedro Guerrero, Willie Hernández, Óscar de la Hoya, Nancy López, Sammy Sosa, Lee Treviño

Literatura: Sandra Cisneros, Judith Ortiz Cofer, Esmeralda Santiago, Pedro Juan Soto
Moda: Adolfo, Carolina Herrera, Óscar de la Renta
Música: Marc Anthony, Celia Cruz, Gloria Estefan, Ricky Martin, Jon Secada
Política: Robert Meléndez, Silvestre Reyes, Ileana Ros-Lehtinen

Have students work in pairs to complete the **Práctica geográfica.**

Para saber más:
www.heinle.com

en los EE.UU.

Práctica geográfica

Usando un mapa y lo que Ud. sabe de los hispanos dentro de los EE.UU., conteste las siguientes preguntas.

A. Los chicanos
1. ¿De dónde son los chicanos? ¿Por qué emigraron a los EE.UU.?
2. ¿En qué región de los EE.UU. se encuentran los chicanos? ¿Por qué?
3. ¿Cuáles son algunas de las ciudades que tienen un gran número de chicanos?

B. Los cubanos
1. ¿Cuándo llegó la mayoría de los cubanos aquí? ¿Por qué salieron muchos cubanos de su patria?
2. ¿Dónde se encuentran actualmente? ¿Por qué?

C. Los puertorriqueños
1. ¿Por qué salen los puertorriqueños de la isla?
2. ¿Dónde se encuentran?
3. ¿Por qué van y vienen con frecuencia?

D. Otras regiones. Además de las regiones donde hay alta concentración de chicanos, cubanos y puertorriqueños, ¿qué otras regiones / estados / ciudades tienen población hispana?

E. Su ciudad / pueblo. ¿Hay presencia hispana en la ciudad o el pueblo donde Ud. vive? ¿Cómo se nota la presencia hispana?

Gloria Estefan

Edward James Olmos

Ricky Martin

En la agencia de empleos

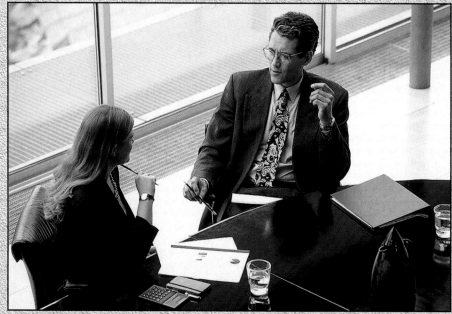

Have students describe the photo. If necessary, ask specific questions such as the following: **¿Qué hay en la foto? ¿Cuántas personas hay y quiénes son? ¿Qué hacen? ¿Dónde están?**

Una entrevista

Cultural Themes

The Hispanic Community: Cubans and Puerto Ricans

The concept of work in the Hispanic world

Have students provide English examples of the topics, situations and phrases that would be covered in each of the communicative goals. **For example:** *Explaining what one would do under certain conditions:* Students might answer, "Under those conditions, I would look for another job."

Communicative Goals

Changing directions in a conversation

Explaining what one would do under certain conditions

Describing how actions are done

Indicating quantity

Double checking comprehension

Talking about unknown or nonexistent people and things

Explaining what you want others to do

Expressing exceptional qualities

Primera situación

Presentación

¿Dónde trabajaría Ud.?

Práctica y conversación

A. Conseguir empleo. ¿Qué hay que hacer para conseguir empleo? Ordene las oraciones en forma lógica escribiendo delante de la oración un número del 1 al 7.

<u>6</u> Se habla de las aptitudes personales.

<u>1</u> Se leen los anuncios clasificados.

<u>5</u> Se consigue una entrevista.

<u>7</u> Se toma una decisión.

<u>4</u> Se manda un currículum vitae con cartas de recomendación.

<u>2</u> Se entera de las condiciones del trabajo.

<u>3</u> Se llena una solicitud.

B. Más anuncios clasificados. ¿Cuáles de los siguientes empleos requieren que el (la) aspirante tenga... ?

habilidades técnicas / experiencia / licenciatura / referencias / permiso de conducir / buena personalidad

---

CABLE TV
Se solicita Linemen en construcción aerea de cable tv y personal con experiencia en construcción soterrada. Posiciones disponibles inmediatamente. Enviar Resume **PO Box 60002, Luquillo PR 00773**

CONTABLE Biningue. Ciclo contabilidad completo. 2 a 3 años experiencia en manufactura, conocimientos computadoras, exper. de oficina. Enviar resume al **731-2600**

DUNKIN DONUTS Busca Asistente Gerente para Plaza Carolina. Enviar resumé a Sonia Ramírez **PO Box 9059, Carolina PR 00988**

GUARDIA DE SEGURIDAD full time. Buen salario, plan médico, se requiere referencias y fotos. Entrevistarse **Meliyan Apartments** Alonso Torres 1404 Santiago Iglesias, Rio Piedras. LU a VI 8am-4pm

● **PANADERIA INDUSTRIAL** tiene plazas para empleo general en línea de producción. Turno nocturno $4.25 hra. Reqs: Lic. Conducir, Cert. Salud y Buena Conducta. **782-2400** Unidad: 18966

REPARADOR (A) DE COMPUTADORAS Exp. en P/C Compatible y Ensamblaje. Referencias necesarias. Area Hato Rey **763-1094**

SOLICITO **GERENTE TIENDA**
Conocimiento música latina y americana. Resumé fax: **720-3726**

SOLICITO BARTENDER sin experiencia. Ofrecemos entrenamiento. $5.00 hora comenzando. Aplicar personalmente Calle Cacique 2277 Esq. Loiza. **726-2171** 8AM.-12AM.

JOVENES Modelos atractivas, dinámicas, con iniciativa y facilidad de palabra para promoción de servicios y productos de estética (No ventas) $15 p/h Inf. **726-1436**

ESTILISTA CON EXPERIENCIA En corte y blower. $50 Diarios. **TECNICA(O) DE UÑAS** Experiencia en todo tipo de uñas **760-0523**

HOGAR DE ANCIANOS Solicita persona con experiencia para trabajar turno nocturno. **756-8224**

SOLICITO CHOFER Part-time, para manejar Van, trabajo laundry. Buen salario, beneficios marginales. Entrevista: Severo Quiñones 526 Esq. San Antonio Pda. 26 Bo. Obrero, Santurce.

Necesito Modista(o)
Que sepa cortar y coser. TEL. **725-4750**

C. El empleo ideal. En grupos, preparen una descripción del empleo ideal. Mencionen por lo menos cinco características.

D. El Manual de Personal. Ud. y su compañero(-a) de clase están creando un Manual de Personal en el que describen todos los puestos de su compañía. Hablen de lo que está en cada hoja de apuntes hasta que Uds. tengan una lista completa de los puestos y las características de los empleados que ocupan esos puestos. A continuación está su hoja de apuntes; la de su compañero(-a) de clase está en el **Apéndice A**.

1. Jefe ejecutivo principal
2. Recepcionista
3. Contador

* Tiene mucho talento artístico y entiende bien a nuestros clientes.

* Entiende todos los reglamentos del comercio. Es experto en cuestiones legales.

* En cuanto a la tecnología avanzada es experto. Crea y mantiene nuestros portales de la Web.

* Se lleva muy bien con los clientes y conoce bien todos nuestros productos.

E. Creación. Cuente en una narración lo que pasa en el dibujo de la **Presentación**.

Vocabulario

La solicitud de trabajo	**Job application**	el currículum vitae	*résumé*
el anuncio clasificado	*classified ad*	el sueldo	*salary*
el (la) aspirante	*applicant*	conseguir (i, i) una entrevista	*to get an interview*
la compañía (Cía.)	*company (Co.)*		
el desempleo	*unemployment*	despedir (i,i)	*to fire from a job*
la destreza	*skill*	emplear	*to employ, to hire*
el empleo	*job, position*	ofrecer un puesto	*to offer a job*
el puesto		tener	*to have*
el personal	*personnel*	buen sentido para los negocios	*good business sense*
el (la) supervisor(-a)	*supervisor*	conocimientos técnicos	*technical knowledge*
cuidadoso(-a)	*careful*		
maduro(-a)	*mature*	experiencia	*experience*
responsable	*responsible*	iniciativa	*initiative*
encargarse de	*to be in charge of*	talento artístico	*artistic talent*
enterarse de	*to find out about*	tomar una decisión	*to make a decision*
llenar una solicitud	*to fill out a job application*	**El progreso**	**Progress**
solicitar	*to apply for a job*	el robot	*robot*
La entrevista de trabajo	**Job interview**	la tecnología	*technology*
las aptitudes personales	*personal skills*	construir	*to construct, to build*
el ascenso	*promotion*	desaparecer	*to disappear*
los beneficios sociales	*(fringe) benefits*	desarrollar	*to develop*
la carrera	*career*	hacerse	*to become*
la carta de recomendación	*letter of recommendation*	predecir (i)	*to predict*
la confianza	*confidence, trust*	resolver (ue)	*to solve*

Así se habla

Changing Directions in a Conversation

Sr. Cáceres	Nuestro personal está creciendo día a día y cada vez es más especializado.
Sra. Figueroa	Jorge, ya que estamos en el tema de personal, no te olvides que necesitamos contratar un buen supervisor técnico para la agencia. Con treinta empleados y con todo el trabajo que tenemos, tú y yo necesitamos alguien que nos ayude.
Sr. Cáceres	Sí, lo sé, y tenemos que hacerlo inmediatamente. Voy a anunciarlo en nuestro portal de la Web y en los periódicos locales.
Sra. Figueroa	Perfecto, y hablando del anuncio, me gustaría que saliera rápidamente. No te descuides.
Sr. Cáceres	No se preocupe, Sra. Figueroa.

When you want to express your ideas, change topics of conversation or interrupt a speaker, you can use the following expressions:

Introducing an idea

Tengo otra idea.	*I have another idea.*
Ya que estamos en el tema...	*Since we are on the topic . . .*
Yo propongo...	*I propose . . .*
Hablando de...	*Speaking of / about . . .*
Yo quisiera decir que...	*I would like to say that . . .*

Changing the subject

Cambiando de tema...	*Changing the subject . . .*
Pasemos a otro punto.	*Let's move on to something else.*
Por otro lado...	*On the other hand . . .*

Interrupting

Un momento.	*Wait a minute.*
Escuche(-n).	*Listen.*
Antes que me olvide...	*Before I forget . . .*
Perdón, pero yo...	*Excuse me, but I . . .*

Returning to the topic

Volviendo a...	*Going back to . . .*
Como decía...	*As I / he / she was saying . . .*

A. Con amigos. Ud. está hablando con unos amigos acerca de su trabajo. ¿Qué dicen Ud. y sus amigos en las siguientes situaciones?

1. Ud. tiene una idea maravillosa para obtener mejores beneficios sociales.
2. Ud. quiere proponer la idea de pedir una entrevista con el supervisor.
3. Su amigo(-a) piensa que su idea es peligrosa y presenta otra alternativa.
4. Ud. defiende su proposición.
5. Su amigo(-a) lo (la) interrumpe.
6. Ud. quiere añadir algo.

B. ¡Ya estoy cansado de trabajar tanto! Ud. ha estado trabajando muchísimo y está muy cansado(-a). Por eso quiere comer algo y divertirse un poco. Con un compañero(-a), complete el siguiente diálogo.

Usted

1. _____, tengo una idea. ¿Qué te parece si...?
3. Ya que estamos en el tema...
5. Perdón, pero yo...

Su compañero(-a)

2. Bueno, pero.... Tengo otra idea...
4. Un momento...
6. Bueno, como tú digas. ¡Vamos, pues!

C. ¿Cómo buscamos trabajo? Ud. y su amigo(-a) están hablando de qué van a hacer para encontrar trabajo el próximo verano ya que quieren trabajar en un país hispano. Ud. prefiere ir a los diferentes consulados o a agencias internacionales, pero su amigo(-a) prefiere consultar en Internet. Discutan qué van a hacer. Luego, informen a la clase su decisión y justifíquenla.

Estructuras

Explaining What You Would Do Under Certain Conditions
Conditional

The conditional tense is used to explain what you would do when certain conditions are present. The English conditional tense is formed with the auxiliary verb *would + main verb: Given your low salary, I would apply for a different job.*

a. In Spanish the conditional of regular verbs is formed by adding the endings of the imperfect tense of **-er** and **-ir** verbs to the infinitive: **-ía, -ías, -ía, -íamos, -íais, -ían.**

Warm-up A. Brainstorm with students about some of the requests that personnel usually presents to management.

Instructions A. Have students form groups of three. Go around the class to see how they are doing. Answer the students' questions and/or correct their mistakes when necessary. Then, call on a few students to give the answers out loud.

Así se habla, Práctica A Answers. 1. Tengo una idea... **2.** Yo propongo... **3.** Por otro lado... **4.** Como decía... **5.** Un momento. **6.** Yo quisiera añadir que...

Warm-up B. Brainstorm with the students about what they do when they are tired of studying or working and want to relax. Write their answers on the board. Then, ask them what they think are the similarities/differences between them and their Hispanic counterparts.

Instructions B. Have students group in pairs and ask them to complete the activity. Ask students to use the expressions they have learned.

Así se habla, Práctica B Answers. *Answers vary.*

Warm-up C. Brainstorm with the students about what they would do if they wanted to get a job in a foreign country.

Instructions C. Have students group in pairs and ask them to complete the activity. Ask students to use the expressions they have learned.

Así se habla, Práctica C Answers. *Answers vary.*

Point out. Even though the endings used for the conditional tense are the same as the imperfect endings for **-er** and **-ir** verbs, the stems are different. For regular verbs, the stem for the conditional is the entire infinitive while the stem for the imperfect tense is the infinitive minus the **-ar, -er,** or **-ir** ending.

Verbos en -AR	Verbos en -ER	Verbos en -IR
trabajar	**ofrecer**	**conseguir**
trabajaría	ofrecería	conseguiría
trabajarías	ofrecerías	conseguirías
trabajaría	ofrecería	conseguiría
trabajaríamos	ofreceríamos	conseguiríamos
trabajaríais	ofreceríais	conseguiríais
trabajarían	ofrecerían	conseguirían

b. Irregular conditional stems are the same as irregular future stems.

Drop the infinitive vowel		Replace infinitive vowel with -d		Irregular form	
haber	**habr-**	poner	**pondr-**	decir	**dir-**
poder	**podr-**	salir	**saldr-**	hacer	**har-**
querer	**querr-**	tener	**tendr-**		
saber	**sabr-**	valer	**valdr-**		
		venir	**vendr-**		

The conditional of **hay (haber)** is **habría** = *there would be.*

c. The conditional is generally used to explain what someone would do in a certain situation or under certain conditions.

Point out. Sometimes the word *would* does not indicate a conditional tense but, rather, *used to.* When *would = used to,* the imperfect tense is used. *When I was younger, I would (used to) go to the park a lot.*

—Con tantos aspirantes, ¿**solicitarías** este puesto?
With so many applicants, would you apply for this job?

—Problamente sí, pero primero **trataría** de enterarme del sueldo.
Probably yes, but I would first try to find out about the salary.

d. The conditional can also be used to soften a request or criticism.

Point out. Verbs frequently used to soften a request or criticism include **me gustaría** = *I would like;* **¿querría Ud.?** = *would you want?;* **¿podría Ud.?** = *could you?;* **debería** = *you should;* **sería mejor** = *it would be better.*

—Perdone, señor. ¿**Podría** Ud. decirme dónde se encuentra la Compañía Suárez?
Pardon me, sir. Could you tell me where Suárez Company is located?

Práctica y conversación

Estructuras, Conditional Tense, Práctica A Answers: Sería responsable. Ofrecería recomendaciones excelentes. Mostraría iniciativa. Trabajaría cuidadosamente. Tendría conocimientos técnicos. Estaría listo(-a) para empezar a trabajar inmediatamente.

A. Un(-a) aspirante perfecto(-a). ¿Cómo sería un(-a) aspirante perfecto(-a)?

MODELO conseguir la entrevista
Conseguiría la entrevista.

ser responsable / ofrecer recomendaciones excelentes / demostrar iniciativa / trabajar cuidadosamente / tener conocimientos técnicos / estar listo(-a) para empezar a trabajar inmediatamente

B. **¿Qué haría Ud.?** Explique lo que Ud. haría si tuviera *(if you had)* una entrevista de trabajo.

> **MODELO**   llegar a tiempo
> **Llegaría a tiempo.**

1. vestirse bien
2. llenar una solicitud
3. traer las cartas de referencia
4. hablar de mis aptitudes personales
5. enterarse de las responsabilidades del puesto
6. tomar una decisión pronto
7. ¿?

C. **Haríamos muchas cosas buenas.** Trabajen en grupos de tres. Supongan que Uds. tienen un puesto dentro de la universidad que les permite mejorar la vida de los estudiantes. Preparen una lista de lo que Uds. harían para mejorar su vida financiera, académica y social y un plan de cómo implementar sus sugerencias. Informen luego al resto de la clase su plan de acción.

Describing How Actions Are Done

Adverb Formation

Adverbs are words that modify or describe a verb, an adjective, or another adverb such as those in the following phrases: *He always works* = Trabaja **siempre**; *rather pretty* = **bastante** bonita; *very rapidly* = **muy** rápidamente.

a. Some adverbs are formed by adding **-mente** to an adjective. The **-mente** ending corresponds to *-ly* in English: **finalmente** = *finally*.

1. The suffix **-mente** is attached to the end of an adjective having only one singular form: **final → finalmente; elegante → elegantemente**.
2. The suffix **-mente** is attached to the feminine form of adjectives that have both a masculine and feminine singular form: **rápido → rápida → rápidamente**.
3. Adjectives that have a written accent mark will retain it in the adverb form: **fácil → fácilmente**.

b. Adverbs are usually placed after the verb. When two or more adverbs are used to modify the same verb, only the last adverb in the series will have the suffix **-mente**.

> Ricardo terminó su trabajo **rápida y eficazmente**.   *Ricardo finished his work rapidly and efficiently.*

c. Adverbs generally precede the adjective or adverb they modify.

> Esta solicitud es **demasiado** larga. No voy a llenarla **muy** rápidamente.   *This application is long. I'm not going to fill it out very quickly.*

d. The preposition **con** + *a noun* are often used in place of very long adverbs: *affectionately* = **cariñosamente, con cariño**; *responsibly* = **responsablemente, con responsabilidad**.

> Berta siempre trabaja **con cuidado**.   *Berta always works carefully.*

Estructuras, Conditional Tense, Práctica B Answers: 1. Me vestiría bien. **2.** Llenaría una solicitud. **3.** Traería las cartas de referencia. **4.** Hablaría de mis aptitudes personales. **5.** Me enteraría de las responsabilidades del puesto. **6.** Tomaría una decisión pronto. **7.** *Answers vary.*

Warm-up C. Have students tell each other what they think the school could do to improve the quality of their lives.

Instructions C. Ask students to role-play this situation and assign different roles: one is in charge of improving the academic aspects, another one of improving the social aspects, and a third one is in charge of improving the financial aspects. Then, the three should put their plans together into a proposal.

Estructuras, Conditional Tense, Práctica C Answers. *Answers vary.*

Point out. Adverbs ending in **-mente** explain or describe *how* something is done.

Práctica y conversación

A. Los nuevos trabajos. ¿Cómo trabajarían estas personas en un nuevo trabajo?

> **MODELO** Carlota / rápido
> **Carlota trabajaría rápidamente.**

1. Juan / eficaz
2. Anita / perezoso
3. Esteban / cuidadoso
4. Mercedes / atento
5. Gerardo / paciente
6. Marcos / feliz
7. Elisa / claro y conciso
8. yo / ¿?

B. Yo trabajaría eficazmente. Ud. está hablando con su compañero(-a) y le cuenta acerca de sus planes de establecer un pequeño negocio. Dígale de qué se trata y por qué quiere hacerlo, cómo piensa empezarlo, cómo va a seleccionar a sus empleados, cómo va a administrarlo, etc.

Indicating Quantity

Adjectives of Quantity

In order to talk about the number or size of people, places, and things, you will need to learn to use adjectives of quantity.

alguno	*some*	numerosos	*numerous*
bastante	*enough*	otro	*other, another*
cada	*each, every*	poco	*little, few*
demasiado	*too much / many*	tanto	*so much / many*
más	*more*	todo	*all, every*
menos	*less*	todos	*all, every*
mucho	*much, many, a lot*	varios	*several, some, various*

a. Adjectives of quantity precede the nouns they modify.

Recibimos **muchas** solicitudes para el nuevo puesto. *We received a lot of applications for the new position.*

b. Some of these adjectives of quantity have special forms and / or usage.

1. **Alguno** is shortened to **algún** before a masculine singular noun: **algún puesto.**
2. **Cada** is invariable; it is used with singular nouns only: **cada anuncio; cada entrevista.**
3. Forms of **todo** are followed by the corresponding article + noun: **toda la carta** = *the whole letter;* **todos los beneficios** = *all the benefits, every benefit.*
4. **Más** and **menos** are invariable.

En mi opinión, ese empleado merece **más** dinero. *In my opinion, that employee deserves more money.*

5. **Numerosos(-as)** and **varios(-as)** are used only in the plural.

Esta compañía ofrece **varios** beneficios sociales. *This company offers several fringe benefits.*

6. The forms of **otro** are never preceded by **un / una.**

¿Vas a **otra** entrevista esta tarde? *Are you going to another interview this afternoon?*

Práctica y conversación

A. Estas entrevistas. Ud. tiene que tomar muchas decisiones antes de ofrecer varios puestos a algunos aspirantes. Diga lo que tiene que hacer primero.

1. Quiero ver todos los **anuncios** clasificados.

   solicitudes / cartas de recomendación / aspirantes

2. Tengo que hablar con mi jefe sobre algunos **puestos**.

   beneficios sociales / aptitudes personales / decisiones

3. Quiero hablar con otro **aspirante**.

   supervisor / empleada de personal / gerente

B. Deseos y quejas. Complete las siguientes oraciones de una manera lógica.

1. Quiero otro(-a) ＿＿＿＿＿＿＿＿＿＿.
2. Nunca hay bastante(-s) ＿＿＿＿＿＿＿＿＿＿.
3. Compro poco(-a) ＿＿＿＿＿＿＿＿＿＿.
4. Tengo que hacer mucho(-a) ＿＿＿＿＿＿＿＿＿＿.
5. Algunos(-as) ＿＿＿＿＿＿＿＿＿＿ son interesantes.
6. Siempre hay demasiado(-a) ＿＿＿＿＿＿＿＿＿＿ en esta universidad.

C. Entrevista personal. Hágale preguntas a un(-a) compañero(-a) de clase.

Pregúntele...

1. qué hace para buscar trabajo.
2. si puede recomendar una agencia de empleos.
3. si quiere trabajar en un país de habla hispana.
4. si habla catalán o portugués.
5. si quiere ganar mucho dinero.

Siga practicando el vocabulario y las estructuras gramaticales de **Capítulo 9, Primera situación** en *Interacciones CD-ROM.*

Para saber más:
www.heinle.com

Segunda situación

Presentación

Necesito una secretaria

Práctica y conversación

A. ¿Qué sección? Indique qué sección de una empresa tiene las siguientes responsabilidades.

1. Se decide dónde y cómo se venden los productos.
2. Se preocupa de la planificación y la coordinación de todas las responsabilidades.
3. Se pagan las obligaciones financieras.
4. Se compran las acciones y los bonos.
5. Se preocupa de los pedidos, los vendedores y las zonas de ventas.
6. Se controla el presupuesto.
7. Se coordina el uso de las computadoras.

B. Definiciones. Dé las palabras que corresponden a estas definiciones.

1. las personas que usan Internet
2. comunicarse con un enlace
3. un programa que ofrece sonido, animación, películas, música, etc.

4. la red mundial de computadoras
5. una máquina que entra las fotos, el texto, etc. en la computadora
6. lo que permite comunicarse con la computadora

C. La tecnología personal. ¿Cuáles de estos productos le gustaría usar? ¿Por qué?

G. Sea puntual con sus citas con este organizador personal y calculadora Royal®. Organizador fácil de usar con memoria de 2KB, calculadora de 10 dígitos, pantalla de 3 líneas, función con código de acceso para información confidencial, apagado automático, alarmas diarias, archivos de teléfonos y memos. La pantalla en ángulo facilita la lectura. Mantiene las horas, alarmas diarias, fechas y detalles de las citas. Solar, con pila auxiliar incluida. Garantía limitada. Importado.
LW369 $39.99*
4.79 por mes*

H. Mantenga su saldo al día con esta chequera y calculadora Royal®. 3 diferentes memorias para cuentas de ahorro, cheques y tarjetas de crédito. Pila auxiliar incluida. Pantalla de 8 dígitos. El protector de memoria guarda el saldo. Tiene código de acceso. Bolígrafo, portador de tarjetas/fotos. Garantía limitada. Importada.
L3972 $19.99* **4.89** por mes*

J. Sea un genio de la ortografía con el Franklin® Spelling Ace®. Corrige la ortografía de más de 80,000 palabras. La función "Confusables" le ayuda con palabras que se confunden fácilmente. Tiene juegos de palabras: Hangman, Jumble, flashcards, anagramas y Word Blaster. Solución incorporada de crucigramas y combinaciones. Pantalla de 16 caracteres. Incluye pilas y estuche. Garantía limitada. Importado.
AU239 $19.99* **4.89** por mes*

I. Guarde sus secretos con este cortador de papel y papelero Sisco® Protector™. Corta de 1 a 3 hojas de papel en tiras de ¼". Opción manual o automática y de seguridad para quitar papeles atascados. Incluye su propio papelero. Garantía limitada. Importado.
LP463 $79.99* **8.79** por mes*

D. Creación. Cuente en una narración lo que pasa en el dibujo de la **Presentación**.

Vocabulario

Las secciones	Departments
la administración	*management*
la bolsa (de acciones)	*stock market*
la contabilidad	*accounting*
las finanzas	*finance*
la informática	*computer science, information technology*
el mercadeo	*marketing*
la publicidad	*advertising*
las relaciones públicas	*public relations*
las ventas	*sales*

La oficina comercial	Business office
el archivo	*file cabinet*
la calculadora	*calculator*
la carpeta	*file folder*
la cinta adhesiva	*tape*
la engrapadora	*stapler*
la grapa	*staple*
el informe	*report*
la papelera	*wastebasket*
el quitagrapas	*staple remover*
el sacapuntas	*pencil sharpener*
el teléfono celular	*cellular phone*

La computadora	Personal computer
el chip	*microchip*
el disco	*disk*

el disco duro	*hard drive*
el documento	*file*
el escáner	*scanner*
el hardware	*hardware*
la impresora	*printer*
el lector CD-ROM de discos	*drive CD-ROM drive disk drive*
el monitor	*monitor*
la pantalla	*screen*
el programa	*program*
el software multimedia	*multimedia software*
la tecla	*key*
el teclado	*keyboard*

La autopista de información	Information superhighway
los cibernautas	*people who use the Internet*
los enlaces	*links*
la página base	*Home Page*
el portal de la Web	*Web site*
la realidad virtual	*virtual reality*
la red	*network*
hacer clic	*to click*
navegar Internet / la red	*to surf the Internet*

Point out. The word **multimedia** is an adjective; it does not change form to agree with the noun it modifies: **el software multimedia, la programación multimedia, los programas multimedia, las oficinas multimedia.**

Point out. The Spanish equivalent of *the Internet* = **Internet** (used without an article) or **la red**. The equivalent of the *World Wide Web* = **la Web**.

b. Likewise, when the verb in the adjective clause describes something that does not exist, the subjunctive is used.

> ### Subjunctive: Negative Antecedent
>
> —Necesitamos alguien que **comprenda** este nuevo programa de computadoras.
>
> *We need someone who understands this new computer program.*
>
> —Lo siento, pero en nuestra sección no hay nadie que lo **comprenda**.
>
> *I'm sorry, but in our department there isn't anyone who understands it.*
>
> ### Indicative: Existing Antecedent
>
> —Pero en la sección de contabilidad hay dos o tres secretarias que lo **usan** y lo **comprenden** bien.
>
> *But in the accounting department there are two or three secretaries who use it and understand it well.*

c. Remember that it is the meaning of the entire main clause and not a particular word that signals the use of the subjunctive. When the main clause indicates that a person or thing mentioned is outside the speaker's knowledge or experience, then the subjunctive is used.

1. The speaker is looking for a specific computer and knows that it exists.

> Buscamos una computadora que **tiene** un teclado español.
>
> *We are looking for a computer that has a Spanish keyboard.*

2. The speaker is not looking for a specific computer and doesn't know if such a computer exists.

> Buscamos una computadora que **tenga** un teclado español.
>
> *We are looking for a computer that has a Spanish keyboard.*

Práctica y conversación

A. Otro contador. Ud. es el (la) gerente del departamento de finanzas en una pequeña empresa que necesita otro contador. Explique las calificaciones necesarias de este empleado nuevo.

1. Buscamos un contador que...

   ser inteligente / conocer nuestro programa de computadoras / saber mucho de contabilidad / aprender rápidamente / resolver problemas eficazmente

2. No necesitamos ninguna persona que...

   equivocarse mucho / perder tiempo / dormirse en su oficina / siempre estar de mal humor / salir temprano

B. Las fantasías. Complete las oraciones de una manera lógica explicando sus ideas.

1. Quiero un trabajo que _____.
2. Quiero un(-a) novio(-a) que _____.
3. Deseo una casa que _____.
4. Quiero comprar un coche que _____.
5. Busco un(-a) profesor(-a) que _____.

C. Se necesitan empleados(-as). Ud. es el (la) jefe(-a) de personal de una compañía y necesita contratar un(-a) contador(-a), un(-a) secretario(-a) y un(-a) mensajero(-a). Hable con su asistente y discuta las características que deben tener estos empleados.

Explaining What You Want Others to Do

Indirect Commands

Indirect commands are used when one person tells another person what a third person (or persons) should do. *Srta. Guzmán, have the new secretary file these documents.*

a. The subjunctive form is always used in Spanish indirect commands.

Que lo **haga** Tomás.	*Let Tomás do it.*
Que **escriba** las cartas la nueva secretaria.	*Have the new secretary write the letters.*

Word order in Spanish indirect commands is very different from the English equivalent.

Que	**+**	**(no)**	**+**	REFLEXIVE or OBJECT PRONOUNS	**+**	VERB (in present subjunctive)	**+**	SUBJECT
Que				las		escriba		la nueva secretaria.
Que		(no)		se		preocupen		los empleados.

b. The indirect command is frequently used to express good wishes directly to another person.

¡Que **te mejores** pronto!	*Get well soon!*
¡Que **se diviertan**!	*Have a good time!*

c. The introductory **que** will generally mean *let* but it can also mean *may* or *have.*

Que seas muy feliz en tu cumpleaños y que cada nuevo cumpleaños te traiga la dulce satisfacción de nuevos logros alcanzados.

¿Qué le desean a la persona que celebra su cumpleaños?

Práctica y conversación

A. En la oficina. Use un mandato indirecto para explicar las responsabilidades de las siguientes personas.

> **MODELO**   contestar el teléfono / la recepcionista
> **Que lo conteste la recepcionista.**

1. mandar las cartas / el secretario
2. hacer publicidad / la publicista
3. tomar decisiones importantes / el gerente
4. pagar las cuentas / el contador
5. ayudar a los clientes / el representante de ventas
6. explicar las leyes / la abogada

B. Que tenga suerte. Expréseles sus buenos deseos a las siguientes personas cuando digan lo que hacen o van a hacer.

> **MODELO**   Su amigo busca trabajo. / tener suerte
> Compañero(-a):   **Busco trabajo.**
> Usted: **Que tengas suerte.**

1. Su hermano llena una solicitud. / conseguir una entrevista
2. Sus amigos salen en un viaje de negocios. / tener buen viaje
3. Su jefe está enfermo. / mejorarse pronto
4. Su novio(-a) empieza un nuevo empleo. / tener éxito
5. Sus compañeros(-as) de trabajo van de vacaciones. / divertirse
6. Su amigo(-a) necesita dinero. / encontrar un empleo pronto

C. ¡Que haga todo esto! Ud. es el (la) jefe(-a) de personal y se va de vacaciones, pero hay un problema: un(-a) nuevo(-a) técnico(-a) de computadoras(-a) va a llegar al día siguiente y Ud. no va a poder darle las instrucciones personalmente. Llame a su asistente y dígale lo que tiene que decirle a esta nueva persona. Él (Ella) le hará una serie de preguntas sobre las órdenes que Ud. deja, dónde lo (la) puede localizar en caso que sea necesario, etc. Finalmente, Ud. se despide y él (ella) le desea unas buenas vacaciones.

Expressing Exceptional Qualities

Absolute Superlative

The absolute superlative is an adjective ending in **-ísimo**; it is used to describe exceptional qualities or to denote a high degree of the quality described. The Spanish forms have the English meaning *very, extremely,* or *exceptionally* + *adjective.*

To form the absolute superlative of adjectives that

1. end in a consonant, add **-ísimo** to the singular form: **difícil → dificilísimo**.
2. end in a vowel, drop the final vowel and then add **-ísimo: lindo → lindísimo; grande → grandísimo**.
3. end in **-co** or **-go,** make the following spelling changes: **c → qu: rico → riquísimo; g → gu: largo → larguísimo**.

Note that the suffix changes form to agree in number and gender with the noun modified.

> Se puede encontrar información **interesantísima** navegando la red, pero requiere **muchísimo** tiempo.

> *You can find very, very interesting information by surfing the Internet, but it requires a lot of time.*

Práctica y conversación

A. Una compañía moderna. Complete las siguientes oraciones utilizando el superlativo absoluto de los adjetivos presentados entre paréntesis.

1. En una compañía moderna hay (muchas) secciones con (muchos) empleados (buenos).
2. Casi todos los empleados tienen un sentido (bueno) para los negocios y son (inteligentes).
3. Trabajan (largas) horas para mejorar la compañía; a veces el trabajo es (difícil).
4. Algunos empleados que tienen una iniciativa (fuerte) se hacen (ricos).
5. En las compañías modernas utilizan una variedad (grande) de tecnología.

B. Mis amigos. Cuéntele a su compañero(-a) acerca de sus amigos(-as). Dígale quién es muy...

pobre / rico / callado / alto / simpático / antipático / inteligente / liberal / ¿?

Summarizing

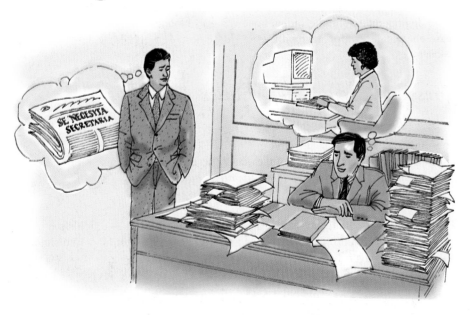

When you listen to a conversation or lecture, you may have to summarize what you heard. A summary can be written in the form of an outline, chart or paragraph. To write an

outline, chart or paragraph you have to recall factual information and categorize it logically in the proper format.

Ahora, escuche el diálogo entre dos compañeros de trabajo que hablan de cómo solucionar algunos problemas en su oficina y tome los apuntes necesarios. Antes de escuchar la conversación, lea los siguientes ejercicios. Después, conteste.

A. Algunos detalles. Complete las siguientes oraciones basándose en lo que Ud. escuchó y en sus apuntes.

1. Los compañeros de trabajo necesitan _____ porque todo el trabajo está _____.

2. Ellos quieren alguien que sea _____, _____, que sepa _____ y que tenga conocimientos de _____.

3. Ellos recuerdan a su _____. Ella era _____, _____ y _____.

B. Análisis. Escuche el diálogo nuevamente prestando atención especial al tono de la conversación. Después, escoja la respuesta más apropiada.

1. Se puede decir que los compañeros de trabajo
   a. están interesados en tener más tiempo libre.
   b. quieren que la empresa funcione eficientemente.
   c. se preocupan poco por la empresa.
2. Se puede decir que estos dos compañeros de trabajo
   a. son desorganizados.
   b. son ahorrativos *(thrifty)*.
   c. están preocupados.

Siga practicando el vocabulario y las estructuras gramaticales de **Capítulo 9, Segunda situación** en *Interacciones CD-ROM.*

Para saber más:
www.heinle.com

Tercera situación

Perspectivas

Cómo se busca trabajo

Los errores más comunes al buscar trabajo

Como regla general y para no equivocarse, piense cómo reaccionaría Ud. en caso de ser el (la) futuro(-a) empleador(-a) y actúe en consecuencia. Por ejemplo, ¿qué impresión le causaría una persona que fuera a solicitar trabajo y se peinara en su despacho? ¿O lo (la) llamara para saber si ya vio su currículum vitae un viernes por la tarde a las cinco menos cuarto?

Aquí le vamos a relacionar unos cuantos de los más comunes (pero nada inocuos) de esos errores.

1. No se siente a esperar que le avisen.
2. Haga una gestión de trabajo en un buen momento. Escoja cualquier día que no sea ni lunes ni viernes.
3. No emita opiniones personales, sino sólo aquéllas que reflejen la imagen que a la empresa le interesa que Ud. proyecte.
4. No hable ni se comporte descuidadamente.
5. No pida una entrevista si no sabe qué plazas hay disponibles.
6. No se descuide cuando le parece que no tiene oportunidades.
7. No se considere definitivamente rechazado(-a) cuando le den el primer «no».
8. Apréndase el nombre de los empleados o ejecutivos que han conversado con Ud.
9. Pregunte cuándo habrá otra oportunidad en el mismo momento que lo (la) rechazan.
10. Envíe una nota de agradecimiento después de tener una entrevista de trabajo.
11. Demuestre un interés especial por trabajar en esa oficina.

Práctica y conversación

A. Busco trabajo. A continuación se presenta una serie de avisos económicos que ofrecen diferentes trabajos. Siga las recomendaciones de arriba en «Los errores más comunes al buscar trabajo» y solicite cualquier trabajo que le interese. Con un(-a) compañero(-a), dramatice una entrevista en una oficina de personal.

B. **Comparaciones.** Utilice el aviso en que se busca una secretaria en la última columna a la derecha (**SECRETARIA** mecanógrafa...) para contestar las siguientes preguntas: ¿Cuáles son algunas de las diferencias en el aviso del mundo hispano y un aviso de los EE.UU.? ¿Qué se puede mencionar en el mundo hispano que no se puede mencionar o pedir en los EE.UU.?

NUEVO CENTRO medico capacita senores(ras) señoritas 30 dias para seleccionar su personal estable en laboratorio RX RRPP instrumentacion emergencia guardia etc. Rz. Marañon 391 Altos Rimac 12 m - 4 pm., L - S.

PANADERIA necesita señoritas despachadoras. Presentarse de lunes a viernes Berlin 580 Miraflores

PARA EQUIPAR nuevo policlinico requerimos profesionales c/equipo dental RX laboratorio ecografo zona central estrategica excelentes ambientes c/telefono Raz. Marañon 391 Rimac frente a Bco. de La Nacion horas oficina.

PERSONAL de vigilancia para turnos de 12 horas diurno I/. 6,500.- nocturnos 5,900.- necesita Viconsa Lampa 879 Of. 408 atencion toda la semana en las mañanas

PERSONAL De mensajeria solicita compañia presentarse Jr. Moquegua 112 - 301 Lima

POLICLINICO requiere 1 doctora Medicina General, Serumista, honorarios mensuales 1 médico radiólogo, ecografista para sus 2 sedes, contamos con pool de pacientes y movilidad una vez por semana. Presentarse asimismo 1 Oftalmólogo, 1 Otorrino, dirección Av. Alfredo Mendiola 5361, Panamericana Norte, frente Acersa Ceper.

SE NECESITA recepcionista 8 a 3 buena presencia y facilidad de palabra para centro Pre Universitario Presentarse lunes en la mañana en Av. Tacna 643 Lima.

SE NECESITA señoritas para trabajos de encuestas sueldo minimo comisiones movilidad presentarse Jr.. Chancay # 856, 10 a.m.

SE NECESITA universitario medicina y enfermeria presentarse Jirón Chancay # 850, a las 10 a.m.

SE NECESITA cortadores, compostureros, saqueros y pantaloneros para empresa de confecciones de prestigio en el mercado presentarse a Jr. Cuzco # 417 Of. 709, Lima

SE NECESITA Srta. Auxiliar Contabilidad con documentos. Presentarse el dia lunes 23 de 10 a 12 m. Manuel Segura 732, Lince

SECRETARIAS ejecutivas bilingues c. experiencia presentarse c. documentos Jose Pardo # 620 of. 214 Miraflores

SECRETARIA mecanografa señorita(ra) 18-25 años, buena presencia, educada, responsable, oficina administrativa de sólida empresa comercial Puerto Bermudez # 122, San Luis, altura Cdra. 15, Nicolas Arriola

SECRETARIA necesito estudio abogados buena presencia documetnos Huancavelica 470 Of. 308 9 am a 1 pm

Panorama cultural

El uso del español en el trabajo

A. **Patty Elizondo.** Ud. y un(-a) compañero(-a) de clase necesitan usar la foto a continuación para describir a Patty Elizondo y su ciudad de San Antonio, Texas. Contesten todas las preguntas. ¿Cómo es Patty Elizondo? ¿Qué lleva ella en la foto? ¿Cómo es San Antonio? ¿Qué edificio se ve en la foto? ¿Cuáles son otros famosos sitios históricos y turísticos de la ciudad? ¿Quiénes fundaron la ciudad? ¿Qué lenguas utilizan en la ciudad?

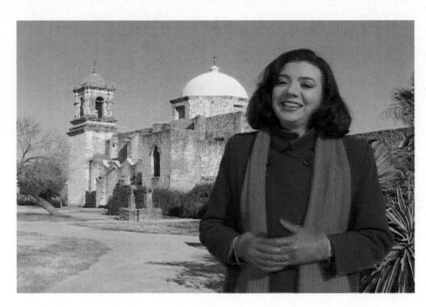

Vocabulario. Before viewing the video segment, have students brainstorm a list of jobs and professions for which proficiency in Spanish would be necessary or useful. *Answers vary.*

Panorama cultural, Práctica B Answers. 1. el español, hijos, discriminación, inglés **2.** español, negocios, economía **3.** español, casa **4.** importante, comunicacion, un día, los dos idiomas. **5.** periódico **6.** su trabajo, clientes, español

Video follow-up. Have students point out the similarities and differences between their own city (or a city of their choice) and San Antonio. Highlight the use of Spanish within the two cities.

B. El uso del español en el trabajo. Complete las siguientes oraciones con información del vídeo acerca del uso del español en San Antonio.

1. En la época de los 40 y los 50 los padres no querían enseñarles _____ a sus _____ porque había muchísima _____ en San Antonio y porque no querían que aprendieran mal el _____.
2. Esa generación que creció sin el bilingüismo tiene una desventaja porque el _____ es muy importante en los _____ y en la _____.
3. La gente aquí (en San Antonio) hablan el _____ en _____.
4. El español es _____ a nivel turístico, a nivel de _____, en todos los niveles. Todo lo que se hace en _____, tiene que hacerse en _____.
5. En San Antonio publican *La Prensa* que es un _____ bilingüe.
6. Según Bret Gilmore el español es muy importante en su _____ porque sus _____ prefieren hablar en _____.

Identifying Point of View

Prereading and decoding are two steps that lead to comprehension. Comprehension is a global task and involves assigning meaning to the entire reading selection. In reading selections containing material that is simple to understand, comprehension may result merely from using prereading techniques and from decoding key words and phrases. Comprehension of more complex reading selections will involve more than just these initial two stages. One key to comprehension is the identification of point of view. The authors of articles and editorials frequently present their own ideas and try to convince the reader to accept these same ideas or point of view. You need to learn to identify these points of view in order to comprehend and interpret the selection. The following techniques will aid you in this process.

1. **Identify the main theme.** Using prereading techniques, identify the main theme of the reading. Decide if the author is merely relaying information or is trying to present an idea and persuade you to his / her point of view.
2. **Identify the point of view.** If the author is trying to present a point of view and convince you of its worth, you as reader must identify that point of view using some of the following techniques.
   a. Find out information about the author that will provide clues as to his / her beliefs. Ask yourself: Who is the author? Where is he / she from? Where and for whom does he / she work? With what political / religious / social group(s) is he / she associated?
   b. As you decode, make a mental list or outline of the main points or ideas of the article.
3. **Evaluate the point of view.** As a reader you need to decide if the author's point of view is valid.
   a. Decide if the main points are presented logically and clearly.
   b. Decide if the author is trying to convince you through emotional appeal or logic and reasoning.
   c. Ask if the main points are supported with legitimate examples, statistics, or research.

4. **Agree or disagree with the point of view.**
   a. Does the author's point of view depend upon special circumstances or cultural background?
   b. Does the author's point of view correspond to your background, experience, and beliefs?
   c. Does the article reinforce or change your opinion?

Práctica

A. El tema. Dé un vistazo al título, a las fotos y al primer párrafo para determinar el tema del artículo.

B. La periodista. Lea el párrafo siguiente sobre la periodista que escribió el artículo de la **Lectura cultural** de este capítulo. Decida qué información puede influir en el punto de vista de la autora.

> La persona que escribió el artículo que sigue es una periodista española llamada Ana Isabel Zarzuela. El artículo fue publicado en la revista española *Cambio 16*, que se publica cada semana y se especializa en noticias sobre política, economía, cultura y sociedad.

C. El punto de vista. Lea los dos primeros párrafos de la lectura a continuación. Decida si la periodista está informando al lector o si está tratando de convencerlo de algo.

D. Un idioma emergente. Explique lo que significa la frase «un idioma emergente». ¿Está Ud. de acuerdo con lo que dice la periodista en los dos primeros párrafos? ¿Por qué?

Para leer bien, Práctica A Answers. *El tema:* El español como una lengua emergente de uso internacional.

Para leer bien, Práctica B Answers. La periodista es española y probablemente tiene un punto de vista español. También la revista es española. Como la revista se especializa en noticias sobre política, economía, cultura y sociedad, la periodista va a escribir sobre estos temas.

Para leer bien, Práctica C Answers. Está tratando de convencer al lector de que el español es un idioma emergente e importante, de uso internacional.

Para leer bien, Práctica D Answers. *Answers vary.*

Lectura cultural

El español: un idioma emergente°   emerging

Más de 500 millones de personas hablan hoy español. Reforzada° por una rica tradición cultural, la lengua española goza de una amplia presencia internacional. El español se ha convertido en° un idioma emergente que aspira a ser la segunda lengua mundial.   Reinforced / become

El gran crecimiento° demográfico de las sociedades latinoamericanas y la pervivencia° del español en plazas° históricas, sostienen en parte esa emergencia. Pero hay otras razones.   growth / survival / centers

Brasil se ha convertido en uno de los mercados más potentes para la literatura y la música hispana, con un crecimiento del 500 por ciento, en los dos últimos años, de los libros procedentes de España. La enseñanza del español ha aumentado° tanto que 50 centros universitarios ofrecen licenciaturas° en español, y el Ministerio de Educación brasileño calcula que en los próximos años el país podría necesitar 210.000 profesores de español, sobre todo, si finalmente se aprueba° el español como materia obligatoria en la enseñanza secundaria.   increased / degree programs / is approved

En Asia Oriental la curiosidad por la cultura latina y el deseo de estrechar lazos° económicos abren las puertas al español, que es ya la segunda lengua más estudiada en las universidades japonesas.   tighten bonds

Pero el avance más espectacular es el que esta lengua ha vivido en los EE.UU. En los EE.UU. el español prospera y no sólo entre la comunidad hispana, ya que casi 80 millones de estadounidenses lo utilizan como segunda lengua. Además, los más de 35.000.000 de

Nuevos ciudadanos hispanos en los EE.UU.

weight

hispanos que viven en el país, su creciente peso° político, su potencial económico y la proliferación de medios de comunicación en español, han impulsado esa emergencia.

Hoy es más fácil, que en ningún otro momento de la historia, ser hispano y vivir el español en los EE.UU. El factor de crecimiento demográfico es el principal elemento de la fuerza de los hispanos que viven en los EE.UU. Según proyecciones de la oficina del Censo, con base en Washington, D.C., los hispanos rozarán° los cien millones de habitantes en el año 2100, cuando la población de los EE.UU. alcance° los 571 millones de personas, el doble de lo que es actualmente.

Con 100 millones de personas, los hispanos pueden marcar el ritmo de la sociedad norteamericana de finales del siglo XXI, cuando la mayoría anglosajona representará menos del 50 por ciento de la población. El resto se comprondrá° de minorías étnicas, lideradas° por la hispana.

Prueba° de la vitalidad económica de los hispanos es el aumento° del poder adquisitivo° del grupo. Además de las estaciones de radio y las cadenas de televisión, en la actualidad° existen 1.300 publicaciones periódicas°, 24 diarios° y 250 semanarios° en español en este país, que, sin duda, han contribuido a mejorar la imagen de lo hispano y aumentar la lealtad de los latinos hacia su propia lengua y cultura.

La cultura es patente° en el ámbito° musical y, sobre todo, en portales de Internet. A pesar de la aparición constante de portales latinos, es muy pequeña la proporción de contenidos en español; un dos por ciento de las páginas web publicadas en el mundo, aunque el español es la segunda lengua (después del inglés) en los medios de comunicación en Internet. Además, el español es la lengua más estudiada en colegios y universidades de los EE.UU. y existen ciudades del país, como Miami, San Antonio o, incluso, Los Ángeles, Chicago y Nueva York, donde el bilingüismo es ya una cosa normal.

Sin embargo, hay algunas personas que son más pesimistas en cuanto al uso del español en el futuro en los EE.UU., y estas personas apuntan° las estadísticas. El 98,5 por ciento de los hispanos cree que hay que aprender inglés para trabajar y obtener prestigio social y sólo un 68 por ciento habla español en su casa, a excepción de algunos estados del suroeste, donde un 82 por ciento de los hispanos mayores de cinco años utiliza el español en su vida diaria. De los hogares° donde se habla español, sólo en un 23 por ciento ningún miembro de la familia habla bien el inglés.

El español, que ya llega a los EE.UU. con raíces° variadas —sobre todo mexicanas, cubanas y centroamericanas— se diversifica aún más en su convivencia° con el inglés. El spanglish —o Spanish U.S., como otros lingüistas prefieren llamarlo—, asume construcciones gramaticales del inglés y se termina convirtiendo en un tipo de dialecto propio. **Puchar** *(to push) por empujar,* **mapear** *(to mop) por pasar la fregona, o* **hablar p'atrás** *(to talk back) por contestar, son expresiones que pueblan° las conversaciones entre hispanos.*

El gran reto° del español en las primeras décadas del siglo XXI será su consolidación como segunda lengua internacional. Y para eso tiene tres lugares donde se la juega°: Estados Unidos, Brasil y un espacio virtual, la sociedad de la información. Sin duda, el español del futuro será más diverso e integrado.

Marginal glosses: point out · homes · roots · coexistence · populate · challenge · is being played out

Práctica

A. ¿Cierto o falso? Identifique las oraciones falsas y corríjalas.

1. No se estudia el español fuera de los países hispanos.
2. El español aspira a ser la segunda lengua mundial.
3. El idioma español no ha cambiado a causa de su convivencia con el inglés.
4. El spanglish es muy común en Brasil.
5. El español del futuro será más diverso e integrado.
6. Según las proyecciones de la oficina del Censo, a finales del siglo XXI los anglosajones representarán el 75 por ciento de la población de los EE.UU.
7. Es más difícil hoy ser hispano y vivir el español en los EE.UU.

B. Las estadísticas. Muchas veces las estadísticas ayudan a defender un punto de vista. Complete las siguientes oraciones con las estadísticas acerca de la información del artículo.

1. Más de _____ de personas hablan hoy español.
2. Actualmente hay más de _____ de hispanos que viven en los EE.UU.
3. Hay casi _____ de estadounidenses que utilizan el español como segunda lengua.
4. En el año 2100 habrá _____ de hispanos dentro de los EE.UU. y la población total de los EE.UU. alcanzará los _____ de personas.
5. Actualmente existen _____ publicaciones periódicas, _____ diarios y _____ semanarios en español.
6. En Brasil hay _____ centros universitarios que ofrecen especializaciones en español.
7. El Ministerio de Educación brasileño calcula que en los próximos años Brasil podría necesitar _____ profesores de español.

C. Otro punto de vista. Utilizando la información del artículo, explique el punto de vista de las personas que piensan que el español no va a ser importante en los EE.UU. en el futuro.

D. En defensa de una opinión. ¿Qué evidencia hay en el artículo que confirma la siguiente idea? «El español es un idioma emergente.»

Filling Out An Application

One of the most common types of writing that many persons do on a regular basis involves filling in forms and applications. While the writing of letters, reports, papers and compositions requires connected text, the completion of forms requires only individual words and phrases. Thus, the accuracy of filling out forms is largely dependent on your ability to read the phrases requesting information. Knowledge of the following vocabulary items should help you in most forms.

Antigüedad: Número de años que ha trabajado en el mismo lugar

Apellido(-s): El nombre de familia, como Gómez, García Fernández, Smith

Código postal (C.P.): Unos números que indican la zona postal donde Ud. vive.

Colonia: Un pequeño pueblo en las afueras de una ciudad mexicana

Cónyuge: El (la) esposo(-a)

Dependencia: En México es un barrio dentro de una colonia

Dirección / Direcciones / Domicilio actual: El lugar donde Ud. vive actualmente

Empresa: Una compañía

Estado civil (Edo. civil): Casado(-a), soltero(-a), viudo(-a), divorciado(-a), separado(-a)

Estado de cuenta (Edo. de cuenta): La cuenta que recibe al fin de cada mes y que tiene que pagar

Ingreso: El sueldo o el salario; el dinero que recibe de su trabajo

Núm.: Número

Solicitante: La persona que llena la solicitud

Teléfono: El número de teléfono

Composiciones

A. Solicitud Personal. Llene la siguiente solicitud.

SOLICITUD PERSONAL PARA LA TARJETA AMERICAN EXPRESS

B. Una carta de recomendación. Su mejor amigo(-a) solicita empleo en una compañía grande e importante. Escríbale una carta de recomendación a la Oficina de Personal describiendo a su amigo(-a). Explíqueles lo que su amigo(-a) haría para la compañía. Incluya información sobre sus aptitudes personales.

C. Un puesto nuevo. En su compañía necesitan un(-a) nuevo(-a) gerente de ventas *(sales manager)*. Ud. trabaja en la Oficina de Personal y tiene que escribir un aviso para el puesto y también crear una solicitud de empleo.

Distíngase.
Solicite
hoy mismo
La Tarjeta
American
Express

Actividades

A. La agencia de empleos. Your agency has placed an ad in the paper for openings in a large corporation specializing in electronics and appliances. The openings include a sales manager, advertising director, accountant, and computer programmer. Interview four classmates for the positions. Find out if they have the necessary qualifications, experience, and personality for one of the four jobs.

B. El (La) nuevo(-a) supervisor(-a). You have applied for a new position as supervisor of a large department in an important company. Explain to the interview team (played by your classmates) what you would do as their new supervisor to improve the company. Explain your personal skills and exceptional qualities.

C. **El (La) consejero(-a).** You are a job counselor for undergraduates who are trying to finalize career plans. Interview a classmate and discuss the type of job he / she wants as well as the exceptional qualities he / she has that would be appropriate for the job.

D. **El trabajo ideal.** Explain what your ideal job would be like. Explain where the job would be located, what your boss and other employees would be like, what type of salary and benefits you would receive, what responsibilities you would have and what tasks you would perform.

Para saber más:
www.heinle.com

Have students describe the photo. If necessary, ask specific questions such as the following: ¿Qué hay en la foto? ¿Cuántas personas hay y quiénes son? ¿Qué hacen? ¿Dónde están?

En la empresa multinacional

Una compañía multinacional

Cultural Themes

The Hispanic community: Chicanos

Hispanic business and banking

Have students provide English examples of the topics, situations and phrases that would be covered in each of the communicative goals. **For example:** *Explaining duration of actions:* Students might answer, "I have been studying Spanish for three years." "How long have you been a student here?"

Communicative Goals

Making a business phone call

Discussing completed past actions

Explaining what you hope has happened

Discussing reciprocal actions

Doing the banking

Talking about actions completed before other actions

Explaining duration of actions

Expressing quantity

Primera situación

Presentación

Quisiera hablar con el jefe

Práctica y conversación

A. ¿Quién lo hace? ¿Quién hace las siguientes actividades?

1. Crea los anuncios comerciales.
2. Explica los reglamentos de comercio.
3. Ejecuta los pedidos.
4. Atiende al público.

5. Trabaja con números.
6. Archiva los documentos.
7. Resuelve los problemas legales.
8. Crea los programas para la computadora.

B. En la oficina. En el dibujo de la **Presentación** hay varios grupos de personas. Con un(-a) compañero(-a) de clase, escoja un grupo y dramatice su conversación a la clase.

C. ¿Está el Sr. Gómez? ¿Cuáles son las ventajas de usar un teléfono contestador? ¿Hay desventajas? ¿Qué diferencias hay entre un teléfono contestador y un contestador automático *(answering machine)*?

D. Creación. En una narración cuente lo que pasa en el dibujo de la **Presentación**.

Vocabulario

El personal	Personnel	Las responsabilidades	Responsibilities
el (la) abogado(-a)	*lawyer*	archivar los documentos	*to file documents*
el (la) accionista	*stockbroker*	atender (ie) al público	*to attend to the public*
el (la) contador(-a)	*accountant*	cumplir pedidos	*to fill orders*
el (la) ejecutivo(-a)	*executive*	entender (ie) los	*to understand the*
el (la) especialista en computadoras	*computer specialist*	reglamentos del comercio de exportación y de importación	*regulations of export and import trade*
el (la) financista	*financier*	exportar productos	*to export products*
el (la) gerente	*manager*	hacer publicidad	*to advertise*
el hombre (la mujer) de negocios	*businessman, businesswoman*	importar productos	*to import products*
el (la) jefe(-a)	*boss*	ofrecer servicios	*to offer services*
el (la) oficinista	*office worker*	pagar los derechos de aduana	*to pay duty taxes*
el (la) operador(-a) de computadoras	*computer operator*	resolver (ue) los problemas	*to solve problems*
el (la) programador(-a)	*programmer*	trabajar con números	*to work with numbers*
el (la) publicista	*advertising person*	trabajar con tecnología avanzada	*to work with advanced technology*
el (la) recepcionista	*receptionist*		
el (la) representante de ventas	*sales representative*		
el (la) secretario(-a)	*secretary*		

Así se habla

Making a Business Phone Call

Have students describe the drawing. Ask questions such as: ¿Quiénes son esas personas? ¿Qué están haciendo? ¿Qué tipo de trabajo tienen? En su opinión, ¿cree Ud. que es un trabajo interesante o aburrido? ¿Por qué?

Ask different students to volunteer and read the roles of Operadora and Sr. Robles.

Operadora   Petróleos del Suroeste, buenas tardes.
Sr. Robles   Buenas tardes. Quisiera hablar con el Sr. Gamarra, por favor.
Operadora   El Sr. Gamarra está en una reunión. ¿Quisiera dejar algún mensaje?

Sr. Robles	Sí, por favor. Dígale que llamó el Sr. Robles y que ya he cumplido con todos sus pedidos. Me hubiera gustado hablar con él, pero si no es posible ahora, por favor dígale que me llame lo más pronto posible.
Operadora	Le haré presente.
Sr. Robles	Muchas gracias, señorita.

To make and/or answer a business telephone call, you can use the following phrases.

Party making call:

Con el (la) señor(-a)..., por favor.	*(I'd like to talk to) Mr. / Mrs. . . . , please.*
Quisiera hacer una cita con..., por favor.	*I would like to make an appointment with . . . , please.*
¿Podría dejarle un mensaje?	*Could I leave him / her a message?*
Dígale por favor que...	*Please tell him / her that . . .*
Llamaré más tarde.	*I'll call later.*
Se lo agradezco.	*I appreciate it.*

Party answering call:

El (La) señor(-a) no se encuentra / está en la otra línea / en una reunión.	*Mr. / Mrs. . . . is not in / is on the other line / is in a meeting.*
¿Quisiera dejar algún mensaje?	*Would you like to leave a message?*
Muy bien, le daré su mensaje.	*Very well, I'll leave him / her your message.*
¿Para cuándo quisiera la cita?	*When would you like your appointment for?*
¿El... a las... estaría bien?	*Would . . . at . . . be convenient for you?*

Práctica y conversación

A. Por favor con... Con un(-a) compañero(-a), dramatice la siguiente situación.

Recepcionista	**Cliente**
1. ¡Riiiin! ¡Riiiin! Ud. responde.	2. Ud. quiere hablar con el Sr. Retes.
3. El Sr. Retes está ocupado.	4. Ud. quiere dejar un mensaje.
5. Ud. responde.	6. Ud. agradece y se despide.

B. ¿Con la Dra. Astete, por favor? En grupos, un(-a) estudiante hace el papel de recepcionista, otro(-a) el papel de la Dra. Astete y otro(-a) el papel de paciente. **Situación:** Ud. quiere pedir una cita con la Dra. Astete, pero sólo puede ir el lunes, miércoles o viernes por la tarde, después de las tres. La doctora está muy ocupada y la recepcionista no puede conseguirle nada que le convenga. Ud. pide hablar con la doctora y le presenta su problema. Llegan a un acuerdo.

Estructuras

Discussing Completed Past Actions

Present Perfect Tense

The present perfect tense is used to express a completed action in the past in both Spanish and English. In English this tense is formed with the present tense of the auxiliary verb *to* *have + the past participle: **I have** already **solved** the problem and Enrique **has filled** the order.*

Point out. The regular past participle ends in -*ed* in English; many irregular forms in English end in -*en*.

Present Perfect Tense

haber	+	past participle
he		-AR
has		pagado
ha		-ER
hemos		vendido
habéis		-IR
han		decidido

a. In Spanish the present perfect indicative is formed with the present tense of the auxiliary verb **haber** followed by the past participle of the main verb. The past participle used in a perfect tense is invariable; it never changes form regardless of the gender or number of the subject.

Point out. Tener = *to have, possess;* **haber** = *to have* and is used only as an auxiliary verb: **Hemos comprado un nuevo edificio. El edificio tiene seis pisos.**

b. The past participle of regular **-ar** verbs is formed by adding **-ado** to the stem: **trabajar → trabaj- → trabajado**. The past participle of regular **-er** and **-ir** verbs is formed by adding **-ido** to the stem: **comprender → comprend- → comprendido**; **cumplir → cumpl- → cumplido**.

Point out. The past participle is invariable. **Raúl ha trabajado. Susana ha trabajado.**

c. Some common verbs have irregular past participles.

abrir	**abierto**	poner	**puesto**
cubrir	**cubierto**	resolver	**resuelto**
decir	**dicho**	romper	**roto**
escribir	**escrito**	ver	**visto**
hacer	**hecho**	volver	**vuelto**
morir	**muerto**		

Note that compound verbs formed from the verbs in the above chart will show the same irregularities in the past participle: **envolver → envuelto** = *wrapped*; **descubrir → descubierto** = *discovered*.

d. Past participles of **-er** and **-ir** verbs whose stem ends with **-a, -e,** or **-o,** use a written accent over the **i** of the participle ending: **traer → traído; leer → leído; oír → oído**.

e. Reflexive and object pronouns must precede the conjugated verb **haber**.

—¿**Le has hablado** al Sr. Ruiz esta mañana?

—No, no **le he hablado** pero **le he escrito** una carta.

Have you spoken to Mr. Ruiz this morning?

No, I haven't spoken to him but I have written him a letter.

Words such as subject pronouns or negatives (**no** = *not*) cannot be placed between **haber** and the past participle. Compare English *Have you worked?* and Spanish **¿Ha trabajado Ud.?**, and *They have not finished* and **Ellos no han terminado.**

f. The present perfect is often used to express an action that was very recently completed or an event that is still affecting the present. In Spain this tense is often used as a substitute for the preterite.

—¿**Has resuelto** el problema con la aduana?

Have you solved the problem with customs?

—Todavía no. Pero **he hablado** con el agente muchas veces.

Not yet. But I have talked with the agent many times.

Práctica y conversación

A. Mi último empleo. Su compañero(-a) de clase quiere saber lo que Ud. ha hecho en su último empleo. Conteste sus preguntas.

MODELO

trabajar con números

Compañero(-a): **¿Ha trabajado Ud. con números?**

Usted: **Sí, he trabajado con números.**

archivar los documentos / hacer publicidad / resolver problemas / trabajar con tecnología avanzada / tomar decisiones / escribir informes / usar una computadora

B. Antes de llegar. Diga seis cosas que Ud. ha hecho hoy antes de llegar a la universidad.

C. Entrevista. Hágale preguntas a su compañero(-a) de clase sobre sus experiencias.

Pregúntele...

1. dónde ha tenido empleo.
2. si ha atendido al público.
3. si se ha llevado bien con los clientes.
4. si ha usado un procesador de textos.
5. si ha trabajado horas extras.
6. si ha sido despedido(-a).
7. ¿?

Explaining What You Hope Has Happened

Present Perfect Subjunctive

When you explain what you hope or doubt has already happened, you will need to use the present perfect subjunctive.

Present Perfect Subjunctive

haber	+	past participle
haya		-AR
hayas		pagado
haya		-ER
hayamos		vendido
hayáis		-IR
hayan		decidido

a. The present perfect subjunctive is formed with the present subjunctive of the auxiliary verb **haber** followed by the past participle.

b. The same expressions that require the use of the present subjunctive can also require the use of the present perfect subjunctive.

> Me alegro / Espero / Dudo / Es
> mejor que **hayan pagado**
> los derechos de aduana.

> *I'm happy / I hope / I doubt / It's*
> *better that they have paid*
> *the duty taxes.*

c. The present perfect subjunctive is used instead of the present subjunctive when the action of the subjunctive clause occurred before the action of the main clause. Compare the following examples.

> Espero que **archives** los
> documentos.
> Espero que ya **hayas archivado**
> los documentos.

> *I hope that you (will) file the*
> *documents.*
> *I hope that you have already filed*
> *the documents.*

> No creo que **tengan** problemas con
> la computadora—es nueva.

> *I don't think that they are having*
> *problems with the computer—*
> *it's new.*

> No creo que **hayan tenido** problemas
> con la computadora—sólo con la
> fotocopiadora.

> *I don't think that they have had*
> *problems with the computer—*
> *only with the photocopier.*

Práctica y conversación

A. En la oficina. Las siguientes personas están trabajando en un proyecto importantísimo. Diga lo que Ud. espera que ellos ya hayan hecho.

> **MODELO** el abogado / resolver los problemas legales
> **Espero que el abogado haya resuelto los problemas legales.**

1. el programador / crear el software multimedia
2. la financista / trabajar con el presupuesto
3. el publicista / terminar los anuncios
4. la ejecutiva / tomar decisiones importantes
5. el oficinista / archivar todos los documentos
6. la representante de ventas / cumplir los pedidos

B. Espero... Ud. acaba de salir de una entrevista de trabajo y ahora está pensando en el puesto. Complete las siguientes frases usando el presente perfecto del subjuntivo de los verbos que se presentan a continuación.

> dar   decidir   demostrar   hablar   hacer   leer

1. Espero que _____ las cartas de recomendación.
2. Ojalá que yo _____ bastante confianza.
3. Dudo que yo _____ demasiadas preguntas.
4. Ojalá que _____ con mi último supervisor.
5. No creo que le _____ el puesto a otro aspirante.
6. Espero que _____ ofrecerme el puesto.

Point out. The perfect tenses are all formed in the same manner: **haber** + *past participle.* The name of the tense is determined by the tense of the auxiliary verb **haber**; when **haber** is in the present subjunctive, the tense is called the *present perfect subjunctive.*

Point out. Students can review the expressions that require the subjunctive as follows: expressions of hope, desire, command and request: **Capítulo 5, Segunda situación**; expressions of judgment, doubt, and uncertainty: **Capítulo 6, Segunda situación.**

Estructuras, Present Perfect Subjunctive, Práctica A Answers. 1. Espero que el programador haya creado el software multimedia. 2. Espero que la financista haya trabajado con el presupuesto. 3. Espero que el publicista haya terminado los anuncios. 4. Espero que la ejecutiva haya tomado decisiones importantes. 5. Espero que el oficinista haya archivado todos los documentos. 6. Espero que la representante de ventas haya cumplido con los pedidos.

Estructuras, Present Perfect Subjunctive, Práctica B Answers. 1. haya leído 2. haya demostrado 3. haya hecho 4. haya hablado 5. haya dado 6. haya decidido

C. Los dueños. Ud. y un(-a) amigo(-a) quieren fundar una compañía nueva. Uds. ya se han dividido las responsabilidades, pero hay dificultades. Diga lo que Ud. espera que ya haya hecho la otra persona.

D. Los hombres y las mujeres de negocios. Ud. es un(-a) ejecutivo(-a) de una empresa multinacional y dos de sus empleados(-as) han ido en viaje de negocios a Latinoamérica. Uno(-a) de ellos (ellas) tenía que resolver los problemas de aduana y el (la) otro(-a) tenía que entrevistarse con los financistas de los diferentes países. Ud. los (las) llama por teléfono para saber qué han hecho y para decirles que Ud. espera que ya hayan hecho.

Discussing Reciprocal Actions

Reciprocal nos *and* se

English uses the phrases *each other* or *one another* to express reciprocal actions. *The couple met each other while working in a firm in Los Angeles.*

a. Spanish uses the plural reflexive pronouns **nos, os, se** to express reciprocal or mutual actions.

1. **nos** + *1st person plural verb*: **nos escribimos** = *we write to each other.*
2. **os** + *2nd person plural verb*: **os escribís** = *you write to each other.*
3. **se** + *3rd person plural verb*: **se escriben** = *they write to each other.*

Armando y Dolores **se conocieron** en la oficina. Ahora **se ven** a menudo.	*Armando and Dolores met at the office. Now they see each other frequently.*

b. Because the reflexive and reciprocal forms are identical, confusions can arise. Compare the following examples.

Armando y Dolores **se conocen** bien.	*Armando and Dolores know themselves well.* *Armando and Dolores know each other well.*

c. The forms **el uno al otro, la una a la otra, los unos a los otros, las unas a las otras** are used to clarify or emphasize a reciprocal action. Note that the masculine forms are used unless both persons are female.

Armando y Dolores se conocen bien **el uno al otro**.	*Armando and Dolores know each other well.*
Cada semana Anita y Marta se escriben **la una a la otra**.	*Anita and Marta write each other every week.*

Práctica y conversación

A. Las amigas. Ana y Bernarda son secretarias de una oficina muy grande. Explique lo que hacen y cuándo lo hacen.

> **MODELO**   escribir notas
> **Ana y Bernarda se escriben notas a menudo.**

hablar / ver / ayudar / llamar por teléfono / entender / reunir / ¿?

B. ¡Mis compañeros son terribles! Ud. está en un hotel en Texas en un viaje de negocios con dos compañeros(-as) de trabajo. Desafortunadamente, ellos (ellas) tienen un carácter terrible y se han peleado todo el tiempo. Ud. habla con ellos (ellas) y les reclama. Ellos (Ellas) niegan todo.

> **MODELO**   Usted: **¡Jorge, Esteban, no aguanto más! Uds. se pelean todo el tiempo.**
> Ellos: **¡Eso es falso! Nosotros no nos gritamos.**

gritar / mirar con desdén / mentir / ignorar / insultar / ¿?

C. En la empresa. Ud. es un(-a) empleado(-a) en una empresa y su amigo(-a) quiere saber cómo es la relación que tiene Ud. con sus compañeros(-as) de trabajo. Ud. le explica.

Siga practicando el vocabulario y las estructuras gramaticales de **Capítulo 10, Primera situación** en *Interacciones CD-ROM.*

Para saber más:
www.heinle.com

Segunda situación

Presentación

En el banco

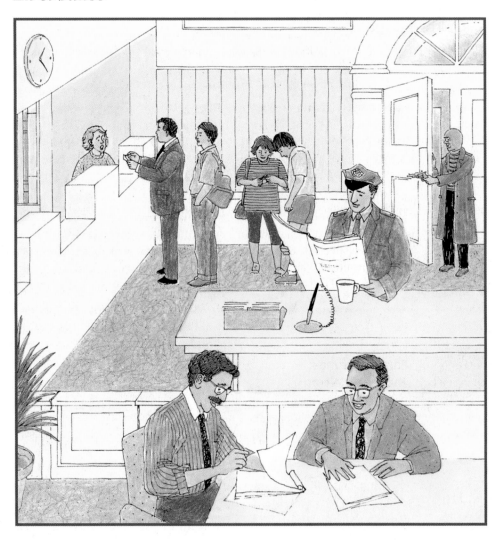

Práctica y conversación

A. Situaciones. ¿Qué debe hacer Ud. en las siguientes situaciones?

1. Ud. quiere pagar con cheques pero sólo tiene cuenta de ahorros.
2. Necesita comprar una casa pero no tiene suficiente dinero.

3. Gasta más dinero de lo que gana.
4. No quiere pagar con dinero en efectivo.
5. Tiene muchos documentos importantes que deben estar en un lugar seguro.
6. Necesita suelto pero sólo tiene billetes.
7. Necesita pesos pero sólo tiene dólares.

B. En el banco. Con un(-a) compañero(-a) de clase, dramatice la conversación entre la cajera y el cliente en el dibujo de la **Presentación**.

C. Préstamos a la mano. Utilizando el anuncio a continuación, diga qué tipo de préstamo van a pedir los siguientes clientes en NationsBank.

1. La cocina de la casa de los Hernández es muy vieja y necesitan renovarla.
2. Celia Prieto necesita un coche nuevo para ir a su trabajo.
3. José Roque va a casarse y necesita dinero para la luna de miel.
4. Manuel Castellanos y su esposa viven en un apartamento pero quieren comprar una casa.
5. Fernando y Marta Torres necesitan dinero para pagar la matrícula universitaria de sus hijos. No tienen dinero en una cuenta de ahorros pero sí tienen una casa.

Préstamos A La Mano.

Un carro nuevo, un cuarto para el bebé que viene en camino, o una buena educación. En NationsBank nos dedicamos a ayudarle hacer sus sueños realidad con los productos y servicios de préstamo que ofrecen las tasas de interés y flexibilidad que usted necesita.

Hipotecas: Abra las puertas al hogar de sus sueños (o refinancíe la suya).

Mejoras Al Hogar: Dele la nueva cara que su hogar merece y que esté a su alcance.

Préstamos Para Automóviles: Siéntese al timón del carro de sus sueños sin dar vueltas.

Líneas De Crédito: Dese el lujo de unas vacaciones bién merecidas.

Préstamos Sobre El Valor Neto De La Vivienda: Ha trabajado por su casa, póngala a trabajar por usted y descubra posibles ahorros en sus impuestos.*

NationsBank
Como Tener Un Banquero En La Familia.

Visite su sucursal NationsBank más cercana, o llame gratis al 1-800-688-6086 y pregunte acerca de los préstamos que le ayudarán hacer sus sueños realidad.

*El crédito está sujeto a aprobción. Consulte a su asesor de impuestos o contador para determinar si las limitaciones sobre deducciones le aplican a usted. NationsBank, N.A. (del Sur). Miembro FDIC. ☎ Ofreciendo Igualdad en Oportunidades de Préstamo Hipotecario. ©1996 NationsBank Corporation.

D. Creación. En una narración cuente lo que pasa en el dibujo de la **Presentación**.

Vocabulario

El dinero	**Money**
el billete	*bill*
la chequera (A)	*checkbook*
el talonario (E)	
la cuenta corriente	*checking account*
de ahorros	*savings account*
el dinero en efectivo	*cash*
el giro al extranjero	*foreign draft*
la moneda	*coin*
el sencillo	*loose change*
el suelto	
la tarjeta de crédito	*credit card*
el vuelto	*change returned*

El préstamo	**Loan**
la fecha de vencimiento	*due date*
el pago inicial	*down payment*
mensual	*monthly payment*
la tasa de interés	*interest rate*
pagar a plazos	*to pay in installments*
pedir (i, i) prestado	*to borrow*

Actividades bancarias	**Banking activities**
ahorrar	*to save*
alquilar una caja de seguridad	*to rent a safety deposit box*
cambiar dinero	*to exchange currency*

cobrar un cheque	*to cash a check*
depositar	*to deposit*
ingresar	
invertir (ie, i)	*to invest*
pedir (i, i) consejo financiero	*to ask for financial advice*
retirar dinero	*to withdraw money*
sacar dinero	
saber la tasa de cambio	*to find out the rate of exchange*
solicitar una hipoteca	*to apply for a mortgage*
verificar el saldo de la cuenta bancaria	*to verify the bank account balance*

La economía	**Economy**
la balanza de pagos	*balance of payments*
el consumo	*consumption*
el costo de vida	*cost of living*
el desarrollo	*development*
la evasión fiscal	*tax evasion*
la inflación	*inflation*
el presupuesto	*budget*
el reajuste de salarios	*salary adjustment*
la reforma fiscal	*tax reform*
la renta	*income*
el subdesarrollo	*underdevelopment*

Así se habla

Doing the Banking

Alexandra	No lo puedo creer. Había encontrado mi chequera pero la he vuelto a perder.
Mario	¿Otra vez? Pero, ¿dónde tienes la cabeza? Tú pierdes la chequera quinientas veces al día. ¿Qué te pasa, Alexandra? Voy a tener que cancelar nuestra cuenta mancomunada y abrir una personal.
Alexandra	No sé, no sé, no sé. No me atormentes. Hace dos horas que la busco pero no la encuentro.
Mario	Bueno, cálmate, pues. A ver, dime ¿cuándo fue la última vez que la viste?
Alexandra	Ayer. Yo había planeado ir al banco esta tarde y sacar dinero para pagarle a Marianita. ¡Ay, Dios mío, me voy a morir!
Mario	No te vas a morir. A ver piensa, piensa.
Alexandra	A ver, a ver...

When doing the banking, you can use the following expressions.

Quisiera abrir una cuenta corriente / de ahorros.	*I would like to open a checking / savings account.*
Quisiera cerrar mi cuenta corriente / de ahorros.	*I would like to close my checking / savings account.*
¿Qué interés paga una cuenta a plazo fijo?	*What is the interest rate on a fixed account?*
He perdido mi libreta / chequera.	*I have lost my savings book / checkbook.*
Quisiera retirar... de mi cuenta.	*I would like to withdraw . . . from my account.*

Have students describe the drawing. Ask questions such as: **¿Quiénes son esas personas? ¿Qué están haciendo? ¿Qué cree Ud. que ha pasado? ¿Qué tipo de personalidad cree Ud. que tienen? ¿Por qué? ¿Qué cree Ud. va a pasar? Justifique su opinión.**

Ask different students to volunteer and read the roles of Alexandra and Mario.

After reading the dialogue aloud, have students locate the expressions in the dialogue that illustrate *Doing the banking.*

Comprehension check. After students have read the dialogue aloud, have them answer the following questions about content. **¿Qué le pasó a Alexandra? (Perdió su chequera nuevamente.) ¿Con qué amenaza Mario a Alexandra? (con cancelar su cuenta mancomunada y abrir una cuenta personal) ¿Hace cuánto tiempo que Alexandra busca la chequera? (Hace dos horas.) ¿Cuándo fue la última vez que Alexandra vio la chequera? (ayer) ¿Cuál es la actitud de Mario? (Quiere que Alexandra se calme y piense dónde puso la chequera.)**

After introducing the phrases, have students repeat them aloud. Correct pronunciation as needed.

Quisiera depositar... en mi cuenta.	*I would like to deposit . . . in my account.*
¿Me podría dar mi estado de cuenta?	*Could you give me my bank statement?*
Quiero una cuenta personal / mancomunada.	*I want a personal / joint account.*
¿Me van a dar una chequera provisional?	*Are you going to give me a temporary checkbook?*

Práctica y conversación

Warm-up. Brainstorm with students about the types of transactions they do at the bank on a regular basis and what other types of transactions they think they will do in the future.

Instructions A. Have students work in pairs. Monitor students to see how they are doing. Answer the students' questions and/or correct their mistakes when necessary. Then, call on a few students to give the answers aloud.

Así se habla, Práctica A Answers. 1. ¿Me podría dar mi estado de cuenta? 2. Quisiera retirar $5.000 dólares de mi cuenta de ahorros. 3. Quisiera abrir una cuenta corriente mancomunada con mi hermano. 4. Quisiera depositar $5.000 en esa cuenta. 5. ¿Me van a dar una chequera provisional? 6. Quisiera saber cuánto interés gana una cuenta de ahorros a plazo fijo.

Warm-up. Brainstorm with the students about what type of expenses are involved when getting married and what couples have to do when they don't have money.

Instructions B. Have students group in pairs and ask them to complete the activity. Ask students to use the expressions they have learned.

Así se habla, Práctica B Answers. *Answers vary.*

A. En el banco. Ud. va al banco a hacer varias cosas. ¿Qué le dice al (a la) empleado(-a) si Ud. quiere... ?

1. saber cuánto dinero tiene en su cuenta de ahorros
2. retirar $5.000 dólares de su cuenta de ahorros
3. abrir una cuenta corriente nueva a nombre suyo y de su hermano
4. depositar $5.000 dólares en esa cuenta
5. una chequera provisional
6. saber cuánto interés gana una cuenta de ahorros a plazo fijo

B. Banco «La Seguridad». Trabajen en parejas. Ud. se va a casar y necesita mucho dinero. Por eso, va al banco «La Seguridad» para pedir información acerca de los préstamos que dan (tasa de interés, fecha de vencimiento, pago mensual, etc.) y para abrir una nueva cuenta de ahorros. Hable con un(-a) empleado(-a). Él (Ella) le ayudará en todo.

Estructuras

Talking About Actions Completed Before Other Actions
Past Perfect Tense

The perfect tenses describe actions that are already completed. The past perfect tense (sometimes called the pluperfect tense) is used to describe or discuss actions completed before another action. *I **had** already **gone** to the bank when Sr. Fonseca called.*

Past Perfect Tense

haber	+	past participle
había		-AR
habías		prestado
había		-ER
habíamos		aprendido
habíais		-IR
habían		invertido

a. In Spanish the past perfect indicative is formed with the imperfect of **haber** + *the past participle* of the main verb.

b. The past perfect is used in a similar manner in both English and Spanish. It expresses an action that was completed before another action, event, or time in the past. The expressions **antes, nunca, todavía,** and **ya** may help indicate that one action was completed prior to others.

Todavía no habíamos depositado todos los cheques.	*We still had not deposited all the checks.*
Mario **ya había sacado** el dinero cuando llegó el jefe.	*Mario had already withdrawn the money when the boss arrived.*

Práctica y conversación

A. En el banco. ¿Qué habían hecho ya estas personas en el banco ayer a las cinco?

1. la Sra. Gómez / alquilar una caja de seguridad
2. nosotros / cobrar un cheque
3. el Sr. Ochoa / solicitar una hipoteca
4. María / sacar dinero en efectivo
5. Uds. / verificar el saldo de la cuenta corriente
6. Tomás / pedir consejo financiero
7. yo / depositar dinero en la cuenta de ahorros

B. Actividades bancarias. Ud. tiene mucho cuidado con los asuntos financieros. Explique cuándo había hecho las siguientes actividades.

> **MODELO**   Verifiqué el saldo de la cuenta de ahorros. Retiré dinero.
> **Ya había verificado el saldo de la cuenta de ahorros cuando retiré dinero.**

1. Averigüé la tasa de interés. Pedí un préstamo.
2. Deposité el dinero. Cobré un cheque.
3. Pedí consejo financiero. Invertí mucho dinero.
4. Averigüé la tasa de cambio. Cambié dinero.
5. Verifiqué el saldo de la cuenta corriente. Cobré un cheque.

C. Averiguaciones. Ud. tiene un(-a) amigo(-a) que ha tenido muchos problemas financieros. Pregúntele si había hecho las siguientes cosas antes de tener problemas.

solicitar una hipoteca / pedir dinero prestado / alquilar una caja de seguridad / pedir una tarjeta de crédito / pedir consejo financiero / ¿?

Explaining Duration of Actions

Hace *and* llevar *in Time Expressions*

In Spanish there are two basic constructions to discuss the duration of actions or situations. These constructions are very different from their English equivalents.

a. Hace + *expressions of time*

Question

¿Cuánto tiempo hace que... (**no**) + *present tense verb?*	*(For) How long* + *has / have* + subject + *been* + *-ing form of verb?*
¿Cuánto tiempo hace que tu hijo ahorra para un coche?	*How long has your son been saving for a car?*

Answer

1. **Hace** + *unit of time* + **que** + *subject* + (**no**) + *present tense of verb*   Subject + *has / have* + *been* + *-ing* form of verb + *for* + unit of time

   Hace dos años que Jorge ahorra y todavía no tiene suficiente dinero.   *Jorge has been saving for two years and he still doesn't have enough money.*

2. Subject + (**no**) + *present tense* + **desde hace** + *unit of time*   Subject + *has / have* + *been* + *-ing* form of verb + *for* + unit of time

   Jorge ahorra **desde hace** dos años.   *Jorge has been saving for two years.*

Note that either variation of the Spanish answer has the same English equivalent.

b. Llevar + *expression of time*

Question

¿Cuánto tiempo + *present tense of* **llevar** + *(subject)* + *gerund?*	*(For) How long* + *has / have* + subject + *been* + *-ing form of verb?*
¿Cuánto tiempo llevas trabajando en este banco?	*How long have you been working in this bank?*

Affirmative answer

(Subject) + **llevar** *in present tense* + *unit of time* + *gerund*   Subject + *has / have* + *been* + *-ing* form of verb + unit of time

Llevo seis meses trabajando aquí.   *I have been working here for six months.*

Negative answer

Llevar *in present tense* + *unit of time* + **sin** + *infinitive*   Subject + *has / have* + *not* + past participle + *for* + unit of time

Llevo tres años **sin** ahorrar dinero.   *I haven't saved money for three years.*

Práctica y conversación

A. ¿Cuánto tiempo? Su compañero(-a) de clase quiere saber cuánto tiempo hace que Ud. hace las siguientes actividades. Conteste sus preguntas.

> **MODELO**   recibir los pagos mensuales / 10 meses
>
> Compañero(-a):   **¿Cuánto tiempo hace que recibes los pagos mensuales?**
>
> Usted: **Hace 10 meses que recibo los pagos mensuales.**

1. esperar hablar con el cajero / media hora
2. pagar a plazos / 8 meses
3. tener una cuenta corriente / 2 años
4. trabajar en este banco / 5 años

5. invertir en las acciones / 3 meses
6. depositar dinero en este banco / 8 semanas
7. ahorrar dinero / 6 meses

B. Mucho tiempo. ¿Cuánto tiempo llevan las siguientes personas en las actividades mencionadas?

> **MODELO**   el Sr. Rojas / 1 año / trabajar en este banco
> **El Sr. Rojas lleva un año trabajando en este banco.**

1. los empleados / 2 años / no recibir un reajuste de salarios
2. Raúl / 3 meses / buscar otro empleo
3. mis padres / 5 años / pedir consejo financiero
4. nosotros / muchos años / pagar impuestos sobre la renta
5. tú / 3 años / alquilar una caja de seguridad
6. la compañía / 6 meses / resolver los problemas financieros

C. Entrevista. Ud. es un(-a) empleado(-a) bancario(-a) y necesita información acerca de un(-a) cliente que solicita un préstamo.

Pregúntele cuánto tiempo hace que...

1. vive en la ciudad.
2. está casado(-a).
3. trabaja en la compañía «Petróleos Sudamericanos».
4. tiene cuenta en el banco.
5. solicitó una hipoteca.

Expressing Quantity

Using Numbers

Numbers are used for many important situations and functions such as counting, expressing age, time, dates, addresses and phone numbers as well as in making purchases and doing the banking.

100	cien, ciento	1.000	mil
200	doscientos	1.001	mil uno
300	trescientos	1992	mil novecientos noventa y dos
400	cuatrocientos	100.000	cien mil
500	quinientos	1.000.000	un millón
600	seiscientos	2.000.000	dos millones
700	setecientos	100.000.000	cien millones
800	ochocientos		
900	novecientos		

a. Cien is used instead of **ciento**

1. before any noun.
   cien pesos   cien cajas
2. before **mil** and **millones**.
   100.000 = cien mil   100.000.000 = cien millones

b. The word **ciento** is used with the numbers 101-199.

     101 = ciento uno   175 = ciento setenta y cinco

c. The masculine forms of the numbers 200-999 are used in counting and before masculine nouns. The feminine forms are used before feminine nouns.

361 pesos = trescien**tos** sesenta y **un** pesos
741 cajas = setecien**tas** cuarenta y **una** cajas

d. The word **mil** = *one thousand* or *a thousand*: 20.000 = **veinte mil**. **Mil** becomes **miles** only when it is used as a noun; in such cases it is usually followed by **de**.

En el banco hay **miles de** monedas.   *In the bank there are thousands of coins.*

e. The Spanish equivalent of *one million* is **un millón**; the plural form is **millones**. *One billion* is **mil millones**. **Millón** and **millones** are followed by **de** when they immediately precede a noun.

$1.000.000 = un millón **de** dólares
$2.100.000 = dos millones cien mil dólares
$25.000.000 = veinticinco millones **de** dólares

Práctica y conversación

A. Vamos a contar. Cuente en español de 100 a 1.000, de cien en cien. Ahora, cuente de 1.000 a 10.000, de mil en mil.

B. En el banco. Ud. trabaja en el departamento internacional de un banco. ¿Cuánto dinero recibe el banco hoy?

1. 5.000.000 (euros)
2. 17.000.000 (dólares)
3. 23.000.000 (pesos)
4. 47.000.000 (bolívares)
5. 61.000.000 (sucres)
6. 83.000.000 (soles)

C. El inventario. Cada año hay que contar lo que hay en la oficina. Telefonee a su colega en la oficina de Caracas y léale su inventario.

1. 867 sillas
2. 571 documentos
3. 1.727 engrapadoras
4. 2.253 carpetas
5. 441 calculadoras
6. 381 impresoras
7. 137 computadoras
8. 690 escritorios

D. Inversiones. Ud. es asesor(-a) financiero(-a) y está hablando con uno de los gerentes de una compañía multinacional. Dígale cómo, dónde y qué cantidades de dinero debe invertir. Él (Ella) tendrá sus propias ideas.

MODELO   Usted: **Definitivamente con los intereses que está pagando le aconsejo que invierta dos millones en una cuenta a plazo fijo en el Banco La Nación.**
              Gerente: **Dos millones es mucho. Quizás sólo cien mil dólares.**

Point out. In some Spanish-speaking countries a decimal point is used in numbers where English uses a comma and vice versa.

Estructuras, Using Numbers, Práctica A Answers. cien(-to), doscientos, trescientos, cuatrocientos, quinientos, seiscientos, setecientos, ochocientos, novecientos, mil / mil, dos mil, tres mil, cuatro mil, cinco mil, seis mil, siete mil, ocho mil, nueve mil, diez mil

Estructuras, Using Numbers, Práctica B Answers. 1. cinco millones de pesetas 2. diecisiete millones de dólares 3. veintitrés millones de pesos 4. cuarenta y siete millones de bolívares 5. sesenta y un millones de sucres 6. ochenta y tres millones de soles

Estructuras, Using Numbers, Práctica C Answers. 1. ochocientas sesenta y siete sillas 2. quinientos setenta y un archivos 3. mil setecientas veintisiete engrapadoras 4. dos mil doscientas cincuenta y tres carpetas 5. cuatrocientas cuarenta y una calculadoras 6. trescientas ochenta y una impresoras 7. ciento treinta y siete computadoras 8. seiscientos noventa escritorios

Estructuras, Using Numbers, Práctica D Answers. *Answers vary.*

Reporting What Was Said

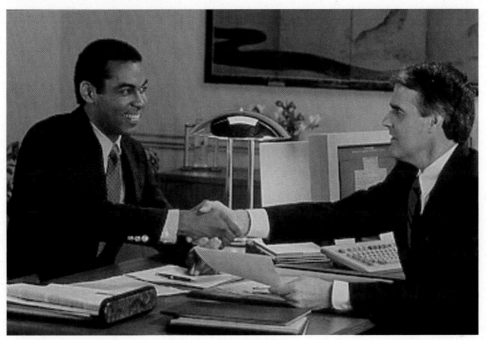

Un banco multinacional

Sometimes when you listen to a conversation or message, you have to report what you have heard to another person. You do this by retelling what happened or by reporting what was said in the third-person singular and plural. For example, "John said he would come to the meeting." If you are telling one person what a second person must do in Spanish, you will generally use **que** + *subjunctive as in an indirect command. For example:* **Que lo haga María.**

Ahora, escuche la conversación entre Nerio y un empleado del banco y tome los apuntes que considere necesarios. Antes de escuchar la conversación, lea los ejercicios a continuación. Después, conteste.

A. Algunos detalles. Escoja entre las alternativas que se presentan a continuación las que mejor recuenten lo que ocurrió.

    1. Nerio quería que
       a. el empleado lo ayudara a abrir una cuenta corriente.
       b. le dieran un préstamo personal y una hipoteca.
       c. le dieran su estado de cuenta.

Play the conversation once and ask the students to give a summary of what they have listened to. *Answer.* Nerio Guerrero goes to a bank in Miami to open a checking account.

Play the conversation a second time. Tell students they should take notes in order to answer the specific information questions. Finally, have students check their answers with their partners.

Qué oyó Ud.?, Práctica A Answers. 1. a 2. b

2. El empleado le dijo a Nerio que
    a. presentara muchos documentos de identidad.
    b. le diera algunos datos personales.
    c. el proceso era muy complicado.
    d. tenía que esperar dos semanas para recibir su primera libreta.

Expansión A. Divide students in groups of three. Have them role-play a situation similar to the one they have just listened to.

¿Qué oyó Ud.?, Práctica B Answers. *Answers vary.*

B. Análisis. Escuche el diálogo nuevamente y compare cómo se lleva a cabo la transacción con una transacción similar que Ud. haya tenido en su banco.

Siga practicando el vocabulario y las estructuras gramaticales de **Capítulo 10, Segunda situación** en *Interacciones CD-ROM*.

Para saber más:
www.heinle.com

Tercera situación

Perspectivas

Las comunidades hispanas

Una comunidad hispana en el suroeste de los EE.UU.

En muchas ciudades de los EE.UU. existen comunidades hispanas donde vive gente de diversos lugares de la América Latina, pero principalmente de México, Cuba y Puerto Rico. Es muy interesante visitar estas comunidades ya que se encuentran mercados, restaurantes, periódicos y agencias de servicios sociales, todo para el público latino.

Además de revistas en español, los mercados latinos venden discos de música latina y también una serie de productos alimenticios típicos que las amas de casa compran para su dieta diaria. Los restaurantes sirven comidas y bebidas típicas de distintos países y son muy visitados por la población latina. Muchas comunidades tienen también periódicos locales donde los profesionales anuncian sus servicios y donde se publican las noticias de la comunidad. Las comunidades más grandes cuentan con una estación de radio que toca preferentemente música latina y que anuncian las noticias locales y mundiales en español. Visite una comunidad latina si tiene la oportunidad de hacerlo. No sólo podrá practicar su español con personas de distintos países hispanos, sino que podrá disfrutar de su cultura desde muy cerca.

Práctica y conversación

A. Vamos al barrio latino. Con un(-a), compañero(-a), haga planes para visitar un barrio latino. Usando los anuncios a continuación diga qué piensa hacer, qué va a comprar, si va a comer en un restaurante. Luego, explíquele sus planes a la clase.

Perspectivas, Práctica B Answers. *Answers vary.*

Warm-up. Use a map of Mexico to point out the location of Volkswagen de México between México, D.F. and Puebla.

Vocabulario. Present or review the following vocabulary before showing the video segment. **el turno** = *shift (of work);* **fabricar** = *to manufacture;* **la fabricación** = *manufacture, production.*

B. ¿Tiene el último disco de Gloria Estefan? Ud. va de compras en el barrio latino. Compre algo que sólo se puede encontrar allá. Un(-a) estudiante hace el papel de un(-a) vendedor(-a) de una tienda latina y otro(-a) el papel de un(-a) cliente.

Panorama cultural

Volkswagen de México

A. De México para el mundo... Utilizando el mapa a continuación, Ud. y un(-a) compañero(-a) de clase necesitan explicar a qué regiones del mundo Volkswagen de México exporta coches. ¿En qué manera es Volkswagen una empresa multinacional?

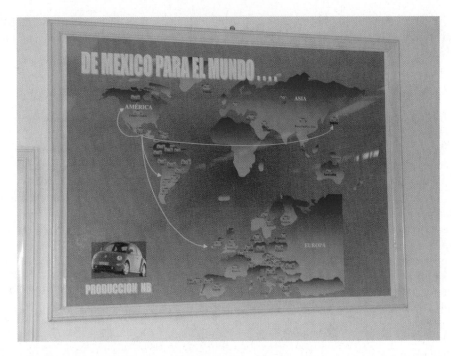

B. Volkswagen de México. Utilizando la información del vídeo, complete las siguientes oraciones para describir la empresa de Volkswagen de México.

Volkswagen de México está localizada entre _____ y _____. Es una gran empresa que tiene _____ hectáreas de extensión territorial; es una fuente de _____. En ese lugar fabrican _____ autos en tres turnos utilizando _____ técnicos y _____ empleados. El personal trabaja _____ días a la semana y descansa _____. Su punto número uno en este momento es fabricar autos con la _____ calidad, una calidad _____.

Para leer bien

Using the Dictionary

You have been learning many techniques to help you guess the meaning of individual words and phrases. There are times, however, when identifying cognates, root words, and prefixes and suffixes or clarifying meaning through context, simply do not offer you any clues as to meaning. In those instances, it is appropriate to consult a bilingual Spanish-English dictionary.

There are certain techniques that can make dictionary use more effective.

1. Remember to try to understand as much as you can before looking up unfamiliar items.
2. Look up only those words that are essential to understanding the passage. Such words would include words in the title, frequently repeated words, and words at the core of a sentence such as verbs, nouns, and adjectives.

The most difficult task facing you when using the dictionary is to select the best English equivalent from the many possible entries. This task is made easier if you know the part of speech of the word in question. Examine the following two examples.

Paso por ti a las ocho.
Tuvo dificultades a cada **paso.**

In the first example, **paso** is a verb and its meaning would be located under **pasar**. The second example would be located under the noun **el paso**.

When an entry provides multiple translations, read the entire entry before trying to decide on the proper equivalent. In that way you will have a more general idea as to the global meaning of the vocabulary item in question.

Be aware of the context of the word in question. Both the expression **el paso del tiempo** and **a cada paso** are located under the noun **el paso**. The context of the first phrase leads you to the meaning of **el paso** = *passing* while in **a cada paso, el paso** = *step.*

Cross-checking entries can also help you determine the best English equivalent. After selecting one English equivalent from the several provided, look up that word in the English-Spanish section of the dictionary. Use that entry to help you judge the appropriateness of your selection. While cross-checking is particularly valuable when writing and trying to find the exact Spanish equivalent for an English word, it is also a valuable reading technique.

Práctica

A. **El tema.** Dé un vistazo al título, a la foto y al segundo párrafo de la siguiente lectura para determinar el tema del artículo.

B. **Nuevos sentidos** *(meanings).* Busque las siguientes palabras en un diccionario para aprender lo que significan. Algunas de las palabras son cognados falsos o palabras con varios sentidos.

el ámbito / la encuesta / la jornada / la tarea / el tiempo / conducir / realizar (realizado) / suceder

C. **Los primeros párrafos.** En algunos párrafos de la lectura que sigue no hay glosas o equivalentes en inglés. Usando varios métodos, incluso el uso del diccionario, decida lo que significan las palabras desconocidas.

Lectura cultural

El estrés: un problema de primera magnitud

Si Ud. vive para trabajar, si Ud. ha adoptado hábitos tan poco saludables° como saltarse° el almuerzo, posponer tareas de su tiempo de ocio°, alargar° su jornada laboral más horas de las pactadas° o llevarse el trabajo y sus consiguientes problemas a casa donde afectan a su pareja, sus amigos o sus hijos, quizá debería sentarse, relajarse un poco y pensar qué es lo que está sucediendo en su vida.

Este frenético ritmo de vida al que nos estamos acostumbrando en los últimos tiempos le puede conducir a una situación física y mental al borde del abismo. Es el estrés.

«Hoy, el estrés es considerado en todo el mundo un problema de primera magnitud en las empresas» afirma Miguel Casas, jefe de la unidad de estrés del servicio de medicina psicosomática del Instituto Dexeus de Barcelona. «Afecta a miles de personas, aunque muchos de ellos o no lo saben, o se niegan a admirtirlo».

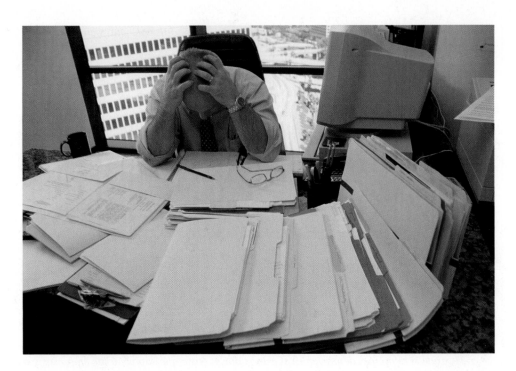

—Es una sensación difícil de describir —explica Isaac Rodríguez, propietario de una empresa inmobiliaria°—. Sientes una angustia permanente; un nudo en el estómago que te impide trabajar con la dedicación adecuada, porque no puedes dejar de pensar ni por un momento en el montón de tareas que tienes aún por hacer. Lo que peor llevo es la sensación insoportable de no poder controlar el trabajo. Con las veinticuatro horas que tiene el día no tienes ni para empezar.

    En el mundo industrializado, la pandemia° ha surgido como una consecuencia del trabajo, pero hoy día se ha trasladado a todos los ámbitos vitales.

    Un reciente estudio de la Agencia Europea para la Seguridad y la Salud en el Trabajo publicado en Bruselas concluye que uno de cada tres europeos sufre estrés relacionado con su trabajo. La Organización Mundial de la Salud (OMS) también se ha sumado a la afirmación y sostiene que el 64 por ciento de los trabajadores lo considera el principal problema de salud dentro de las empresas, cuando en 1996 sólo un 28 por ciento confesaba padecerlo.

    Para los especialistas, esta situación es el resultado de los múltiples cambios que se vienen produciendo en el ámbito laboral; la introducción de nuevas tecnologías y las continuas reducciones de personal han hecho que se eleve en un grado considerable el nivel de competitividad entre los trabajadores. Éstos, para conservar su empleo, responden con más horas y nuevas tareas.

    —No se trata de una enfermedad, pero el estrés puede desencadenar° en algunas enfermedades bastante graves —continúa el doctor Casas—. Lo que comienza con tensiones musculares, dolores de cabeza, mareos e insomnio, acaba en cardiopatías, cáncer, sumisión al alcohol o a las drogas o infartos°.

    Cualquier ámbito de la vida puede causar estrés, pero son las relaciones personales o las cuestiones más prácticas las que más afectan; y, en mayor medida, los cambios de vivienda, el matrimonio, el nacimiento de un hijo, la separación y el divorcio o la pérdida de un ser querido.

    El estrés es más frecuente entre las personas que tienen grandes responsabilidades, las profesiones que entrañan° peligro, como mineros o policías, en las que hay la implicación con problemas familiares como los médicos de las unidades de cuidados intensivos (UCI)°,

*Margin glosses:*
real estate
una enfermedad mundial
set off
heart attacks
attached to
intensive care units

retirees *las amas de casa que también trabajan fuera de casa o los jubilados° que sienten que han perdido el papel dentro de la familia.*

Trabajos relacionados con el estrés

Agentes de Bolsa	Periodistas
Bomberos	Pilotos
Controladores aéreos	Policías
Informáticos	Políticos
Médicos y personal de UCI°	Profesores
Mineros	Trabajadores de la construcción

Unidad de cuidados intensivos

Según una encuesta realizada en diez países de todo el mundo, el 21 por ciento de las mujeres —el 24 por ciento en el caso de aquéllas que también trabajan a tiempo completo fuera de sus hogares y tienen hijos menores de 13 años—, declara que siente estrés. En el caso de los hombres, sólo lo asume un 15 por ciento.

El retrato más común suele ser el de una persona obsesiva con su trabajo: muy meticulosa, puntual, rigurosa y con una obsesión casi enfermiza por el orden.

prevent *—Hay que ser capaces de prevenir° el estrés, por el coste que supone a las empresas y a los individuos —afirma Alfonso Suengas, presidente de la Asociación de Jóvenes Empresarios de Madrid—. La terapia individual no es la única solución.*

Los consejos de los especialistas son muy básicos: «En primer lugar, es fundamental saber a qué nos enfrentamos», explica la psicóloga Marta González. «Aprender una técnica de relajación siempre viene muy bien. Y después, hay que aprender a decir no cuando sea necesario, tomar una alimentación sana, practicar algo de deporte y no olvidarse de las relaciones sociales y familiares».

Hay diferentes síntomas y remedios según el sexo. Según los expertos, los hombres tienden a estar irritables y agresivos y a caer en conductas adictivas. Las mujeres, sin embargo, son más propensas a retraerse y deprimirse. Como remedio, los hombres prefieren la soledad y el ejercicio; las mujeres buscan compañía y conversación.

Lo que empieza a preocupar a los especialistas es el considerable aumento de los casos de estrés infantil. La relación establecida entre los niños entre los 6 y los 12 años y su environment *ambiente° suele cada día ser más conflictiva. Los casos más difíciles son los hijos de divorcios. Para ellos, el fracaso de la relación de sus padres supone una catástrofe. Las* clases *aulas° también provocan crisis de ansiedad y estrés en los pequeños. A pesar de los escasos estudios existentes sobre la incidencia del síndrome en edad infantil, se ha comprobado que los niños estresados pueden desarrollar una personalidad rebelde o excesivamente disciplinada, y una baja autoestima.*

producir *Los expertos mantienen que, a pesar de todo, el estrés es bueno para rendir° más en determinados momentos de nuestra vida, ya que nos permite salir de las dificultades. Lo importante es controlar el estrés y evitar problemas. Necesitamos recordar que la profesión es un simple trabajo, no la vida entera.*

Práctica

A. El estrés. Complete las siguientes oraciones con información del artículo.

1. En el mundo industrializado, el estrés ha surgido como consecuencia del _____.
2. Según la Organización Mundial de la Salud, el 64 por ciento de los trabajadores considera el estrés _____.

3. El _____ por ciento de las mujeres declara que siente estrés. El _____ de los hombres lo siente.

4. La persona más afectada por el estrés suele ser una persona _____.

5. Los hombres estresados tienden a _____ y las mujeres suelen _____.

6. Como remedio, los hombres prefieren _____ mientras las mujeres buscan _____.

7. Hay un considerable aumento de los casos de estrés _____. Unas razones de este aumento son _____ y _____.

B. Los trabajos. Complete el siguiente gráfico con trabajos relacionados a las varias categorías.

Trabajos que producen el estrés		
Trabajos peligrosos	**Trabajos relacionados con problemas familiares**	**Trabajos con muchas responsabilidades**

C. Las causas, los síntomas y los remedios. Con un(-a) compañero(-a) de clase, haga tres listas con la siguiente información: (1) una lista de las causas del estrés, (2) una lista de los síntomas del estrés o las enfermedades relacionadas con el estrés y (3) una lista de los remedios.

D. En defensa de una opinión. ¿Qué evidencia hay en el artículo que confirma la idea siguiente? «El estrés es un problema de primera magnitud.»

Para escribir bien

Writing a Business Letter

The language used in Spanish business letters is quite different from that used in personal letters. There are certain standard phrases that must be used in the salutation, opening, pre-closing, and closing. In the past Spanish business letters were often quite lengthy because of the use of many formulaic courtesy expressions and very "flowery" language. Today, however, most Spanish business letters reflect the concise, clear style typical of business letters in the international market.

Salutations

Estimado(-a) señor(-a) + apellido:
Muy estimado(-a) señor(-a) +
   apellido: *Dear Mr. (Mrs.) + last name*
Distinguido(-a) señor(-a) + apellido

Muy señor(-es) mío(-s):
Muy señor(-es) nuestro(-s):   *Dear Sir(-s):*

Pre-closings

En espera de sus gratas noticias   *Awaiting your (kind) reply*
Le reiteramos nuestro agradecimiento   *We thank you again and we remain*
   y quedamos de Ud.
Su afmo. (afectísimo) amigo y S. S.   *Your devoted friend and servant*
   (seguro servidor)   *(This pre-closing is passing from use.)*

Closings

(Muy) Atentamente,   *Sincerely yours,*
(Muy) Respetuosamente,   *Respectfully yours,*
Cordialmente,   *Cordially yours,*

Other Expressions

acusar recibo   *to acknowledge receipt*
a la mayor brevedad posible   *as soon as possible*
a vuelta de correo   *by return mail*
adjuntar   *to enclose*
me es grato + *infinitive*   *I am happy + inf.*

Abbreviations

Hnos. (Hermanos)   *Brothers*
S.A. (Sociedad Anónima)   *Inc. (Incorporated)*
Cía. (Compañía)   *Co. (Company)*

Shortened Phrases

el corriente	el mes en corriente	*this month*
el pasado	el mes pasado	*last month*
atenta	la atenta carta	*letter*
grata	la grata carta	*letter*
la presente	la carta presente	*this letter*
el p. pdo	el mes próximo pasado	*last month*

Composiciones

A. ***People en español.*** Ud. quiere subscribirse a la revista *People en español*. Escríbale una carta a la compañía preguntando cuántos números anuales hay y lo que cuesta una subscripción anual. Pida una solicitud de subscripción. *People en español;* P.O. Box 61691; Tampa, FL 33661-1691.

B. **Un puesto nuevo.** Ud. acaba de obtener un puesto como gerente general de una empresa multinacional en Los Ángeles. Su jefe quiere saber qué tipo de personal necesita Ud.

para su departamento. Escríbale una carta al jefe describiendo el personal que necesita. Explíquele también las responsabilidades del personal.

C. **El Banco Madrileño.** Ud. es un estudiante de intercambio en Madrid y acaba de recibir el estado de cuenta mensual *(monthly statement)* de su banco. Pero hay un error muy grave. Según el banco Ud. tiene sólo 19.79 euros en su cuenta corriente pero Ud. está seguro de que tiene 1979 euros. Escríbale al banco y trate de resolver el problema. Banco Madrileño; Gran Vía 38; Madrid 28032 España.

A. **Compañía Méléndez, S.A.** You are the secretary for Claudio Meléndez, the president of Compañía Meléndez, S.A., a large clothing firm; you must handle all incoming phone calls. With your classmates, play the following roles.

Sr. Soto: Sales manager who wants to talk to the president about slow sales of the new winter suits. The president doesn't want to talk to Sr. Soto. Offer to take a message.

Dra. Guzmán: Designer of women's dresses. She wants to talk to the president about her designs for spring. Put her through to the president. She talks to the president about what she has done for her new collection.

Sra. Meléndez: Wants to talk to her husband about a dinner party he should attend tomorrow evening. Put her through to the president even though he doesn't want to talk with his wife.

B. **En el Banco Nacional.** A classmate will play the role of the teller in the bank where you have your account. You go to the window with your monthly paycheck. Get cash for the weekend and deposit the rest into your checking account. Explain that you're about to buy a new car. You want some information on an auto loan including the necessary down payment, interest rate and monthly payment on the car of your choice. Then withdraw the amount for the down payment from your savings account.

C. **Una reunión de la junta directiva.** You are the president of a large multinational firm based in San Antonio, Texas. The firm deals with the importation of coffee and fruit from Central and South America. You hold a meeting with three members of the Board of Directors, played by your classmates. Find out how various departments are doing in terms of sales. Explain what you hope the other members of the firm have done to obtain better quality products and sales. Use specific numbers.

D. **En la ocasión de su jubilación.** You are retiring after many years as president of a firm that sells imported furniture and accessories. Explain your history with the firm and how long you have worked in various areas. Explain what you have done to help make the firm what it is today.

Communicative modes incorporated.
A: interpersonal;
B: interpersonal;
C: interpersonal;
D: presentational.

Vocabulary incorporated.
A: expressions for making a business phone call, office personnel, office tasks; **B:** expressions for doing the banking, money-related vocabulary; **C:** numbers, office tasks; **D:** office tasks, economics vocabulary.

Grammar incorporated.
A: present perfect tense;
B: using numbers, present perfect tense; **C:** present perfect, present perfect subjunctive, numbers; **D:** present perfect, **hace** and **llevar** in expressions of time.

Actividades Answers.
Answers vary for
Actividades A–D.

Para saber más:
www.heinle.com

Herencia cultural

La comunidad hispana en los EE.UU.

Cultural products and practices: Famous Hispanics in the U.S. and what they have accomplished. **Cultural comparisons:** famous historical personages and famous entertainment / literary / governmental figures of both cultures.

Personalidades

Additional information about these figures is included in the *IAE*, Using the *Interacciones* Program: Herencia cultural.

De ayer

Por su trabajo para mejorar la vida de los obreros migratorios, **César Chávez** (1927–1993) llegó a ser uno de los líderes chicanos más respetados. Con la influencia del sindicato *(union)* United Farm Workers que Chávez fundó en 1962, los campesinos recibieron contratos y mejores condiciones de trabajo.

Selena Quintanilla Pérez (1971–1995) empezó su carrera cantando con sus hermanos en Texas cuando era muy joven. Llegó a ser la Reina del Tex-Mex después de grabar *Ven conmigo (1990)* y *Amor Prohibido (1994)*. Aunque murió en 1995, todavía es muy popular.

De hoy

Sammy Sosa (1968–) actualmente es la superestrella del béisbol. Juega con el equipo Chicago Cubs y es un excelente jardinero derecho *(right fielder)* y un poderoso bateador. Lo llaman "El Bateador con Corazón" por su trabajo con la Fundación Sosa y su ayuda a la República Dominicana, su país natal.

El guapo y popular actor **Andy García** (1956–) nació en La Habana, Cuba, y emigró a los EE.UU. Ha aparecido en más de veinte películas de Hollywood; entre sus películas más importantes están *The Untouchables, Stand and Deliver, The Godfather, Part III* y *When a Man Loves a Woman*.

Cristina Saralegui nació en Cuba y llegó a los EE.UU. en 1960. Actualmente es una de las personalidades más populares y reconocidas de la televisión mundial. *El Show de Cristina* empezó en 1989 y hoy día llega a más de cien millones de personas en diecisiete países. También tiene una publicación llamada *Cristina la revista*.

La puertorriqueña **Rita Moreno** (1931–) ha tenido una carrera espectacular como cantante, bailarina y actriz durante cinco décadas. Es la única persona que ha ganado los cuatro grandes premios: Emmy, Grammy, Oscar y Tony. Ha aparecido en películas como *West Side Story* y en la televisión en las series *The Rockford Files* y *B. L. Stryker*.

Comprensión cultural 1. Have students work in pairs or groups of three. Assign one of the *personalidades* to each group and have the students prepare a description of each person as well as a brief biography. Have each group report back to the class.
Comprensión cultural 2. Ask students: ¿Qué organización fundó César Chávez? A causa del trabajo de Chávez, ¿qué recibieron los campesinos migratorios? ¿Cómo empezó Selena su carrera musical? ¿Cómo se le llama a Selena? ¿En qué equipo juega Sammy Sosa? ¿Cómo se le llama a Sammy Sosa y por qué? ¿Qué programa de televisión tiene Cristina Saralegui? ¿A cuántas personas llega su programa? ¿De dónde es Andy García? ¿Cuáles son algunas de sus películas? ¿Por qué se dice que Rita Moreno es única?

Para saber más:
www.heinle.com

Arte y arquitectura

Cultural products. Buildings and architecture of Spanish influence in the U.S. **Cultural comparisons:** the early Spanish settlements in the U.S. compared to other early settlements.

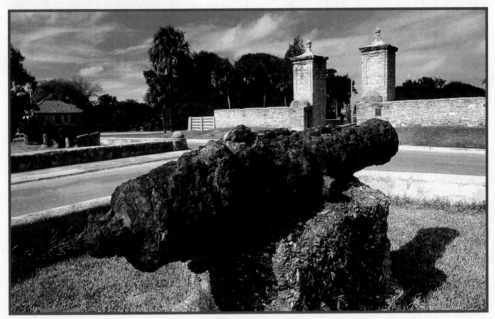

La Florida: San Agustín

El legado hispano dentro de los EE.UU.

Hay una larga tradición hispana dentro de los EE.UU. Cuarenta y dos años antes que los ingleses fundaron Jamestown y cincuenta y cinco años antes de la llegada de los *Pilgrims,* los españoles fundaron el primer pueblo en los EE.UU.: San Agustín, en la Florida. Algunos de los edificios de San Agustín todavía existen en forma preservada o restaurada.

En el oeste de nuestra nación los españoles exploraron y poblaron otros lugares. Les dieron nombres españoles a los estados de California, Colorado, Nevada y Nuevo México y a las ciudades de Amarillo, El Paso, Las Vegas, Los Ángeles, San Francisco y Santa Fe, entre otras. En todos estos sitios construyeron casas, escuelas, iglesias y edificios municipales de estilo «español». Este estilo se caracteriza por el uso de paredes gruesas de adobe, techos de tejas *(tiles)* y vigas *(beams)* de madera. Además, estos edificios suelen tener un patio interior y un decorado sencillo.

San Antonio, Texas: El Álamo

En California se puede ver buenos ejemplos de esta arquitectura típica en las misiones. En el siglo XVIII el rey español Carlos III mandó que los franciscanos fueran a California para evangelizar y educar a los indígenas. Bajo la dirección de Fray Junípero Serra los franciscanos fundaron una serie de misiones a lo largo de la costa del Pacífico. Las misiones incluían una iglesia, un campanario *(bell tower),* la residencia de los frailes y un patio grande con un jardín. La mayoría de ellas ha sobrevivido los desastres naturales y el desarrollo moderno. Muchas de las ciudades importantes de California son una extensión de esas antiguas misiones.

California: Misión San Carlos Borromeo de Carmelo

Comprensión

A. Nombres españoles. Con un(-a) compañero(-a) de clase, prepare una lista de los estados y las ciudades de los EE.UU. que tienen nombre español. Incluya también nombres de ríos, montañas y otros rasgos geográficos.

B. Ciudades españolas. Complete el siguiente gráfico con información acerca de las ciudades estadounidenses que fueron fundadas por los españoles.

Nombre de la ciudad	Estado	Ejemplos de arquitectura española

C. La arquitectura. ¿Cuáles son las características de la arquitectura española? ¿Qué características se puede ver en la foto de San Antonio y de la misión? ¿Dónde se puede ver buenos ejemplos de la arquitectura española en los EE.UU.? ¿Hay ejemplos de este estilo en su ciudad o estado? ¿Dónde?

Para saber más:
www.heinle.com

Para leer bien

Identifying Point of View in Literature

You have learned to identify the point of view by locating the main theme and by obtaining information about the author and his / her beliefs and background. The point of view of a literary work is often presented more subtly than in journalistic articles; nonetheless, it is an important key to understanding the work.

The following work is written by a Hispanic living in the U.S. The point of view represented by immigrants is different from that of native U.S. citizens and it is no longer the view point of a native of a Hispanic country.

La literatura de los hispanos en los EE.UU.

Durante las últimas décadas el número de hispanos que viven en los EE.UU. ha crecido rápidamente. Ya representan una fuerza importante económica y políticamente. Pero su cultura también es importante y rica. Ya existe una literatura de los hispanos de los EE.UU. Es una literatura escrita en español (o a veces traducida al español) pero con temas distintos—temas de la situación particular de los inmigrantes: la pobreza, el aislamiento

Arte y arquitectura, Práctica A Answers. *Answers vary but should include some of the following cities and states.* **Estados:** California, Colorado, Montana, Nevada, Nuevo México. **Ciudades:** Albuquerque, Amarillo, El Paso, Las Vegas, Los Ángeles, San Antonio, San Diego, San Francisco, Santa Fe.

Arte y arquitectura, Práctica B Answers. *Answers may vary.* **San Agustín / la Florida / muchas casas, fortalezas, iglesias; San Antonio / Texas / el Álamo, misiones, iglesias, casas; Carmelo / California / una misión, patio interior, campanario, iglesia, residencia de los frailes**

Arte y arquitectura, Práctica C Answers. **Las características de la arquitectura española incluyen el uso de paredes gruesas de adobe, techos de tejas y vigas de madera. En San Antonio y la Misión de Carmelo se puede ver todas las características arriba mencionadas. En los EE.UU. se puede ver buenos ejemplos de la arquitectura española en San Antonio, en las misiones de California, en Albuquerque y en otros lugares.** *Answers vary.*

372

(isolation), la nostalgia por la patria. Aquí les presentamos un buen ejemplo de esta literatura que ilustra muchos de los temas de los inmigrantes.

Antes de leer

A. Punto de vista. ¿Cuáles son las ideas y los pensamientos de los inmigrantes acerca de los EE.UU.? ¿Qué punto de vista cree Ud. que van a presentar en sus obras literarias?

B. El aislamiento *(isolation).* Con un(-a) compañero(-a) de clase, discuta y describa una experiencia o situación en la cual Ud. no conocía a nadie. ¿Cómo se sentía? ¿Qué hacía? ¿Qué pensaba?

C. La lectura. Con un(-a) compañero(-a) de clase, describan cómo Uds. aprendieron a leer en inglés. ¿Cuántos años tenían? ¿Qué libros o materiales usaban? ¿Era fácil o difícil? ¿Iban Uds. a la biblioteca?

D. La biblioteca. Utilizando el dibujo al principio de la siguiente lectura, describa a la chica y la biblioteca. ¿Por qué está ella en la biblioteca? ¿Qué va a leer?

Lectura Literaria

Esmeralda Santiago es escritora de cuentos, memorias y ensayos. Nació en el campo de Puerto Rico pero en 1961 vino a vivir en Nueva York con sus seis hermanos y hermanas, su abuela y su madre. Se graduó del prestigioso Performing Arts High School de Nueva York y más tarde de la Universidad de Harvard. También tiene una maestría de Sarah Lawrence College. Ganó la fama con su libro *Cuando era puertorriqueña,* publicado en 1993. En su reciente memoria, *Casi una mujer,* Santiago sigue describiendo sus experiencias como inmigrante en los barrios de Brooklyn. En la siguiente selección de *Casi una mujer,* Santiago nos habla de las dificultades de ser inmigrante y el deseo de hablar bien el inglés.

Casi una mujer

Yo no hablaba inglés, así es que el orientador escolar° me ubicó° en una clase para estudiantes que habían obtenido puntuaciones° bajas en los exámenes de inteligencia, que tenían problemas de disciplina o que estaban matando el tiempo en lo que cumplían dieciséis años° y podían salirse de la escuela. La maestra, una linda mujer un par de años mayor que sus estudiantes, me señaló° un asiento en el medio del salón. No me atreví° a mirar a nadie a los ojos. Unos gruñidos° y murmullos° me seguían y aunque yo no tenía idea de lo que significaban, no me sonaron nada amistosos°.

director of orientation / placed scores

became sixteen years old
pointed out / didn't dare
grunts / murmurs
friendly

Me apreté° las manos debajo de la mesa para controlar el temblor y me puse a examinar las líneas sobre el pupitre. Me concentré en la voz de la maestra, en las ondas de sonidos extraños que pululaban° sobre mi cabeza. Hubiera querido salir flotando de ese salón, alejarme° de ese ambiente hostil que permeaba cada rincón, cada grieta°. Pero mientras más trataba de desaparecer más presente me sentía hasta que, exhausta, me dejé ir, y floté con las palabras, convencida de que si no lo hacía me ahogaría° en ellas.

I clenched my hands together

swarmed
to go far away / crack

I would drown

En la escuela, me hice amiga de Yolanda, una nena que hablaba bien el inglés pero que conmigo hablaba español. Yolanda era la única puertorriqueña que yo conocía que era hija única°. A ella le daba curiosidad saber cómo era eso de tener seis hermanos y hermanas y yo a ella le preguntaba qué hacía todo el día sin tener a nadie con quién jugar o pelear.

only child

Un día Yolanda me pidió que la acompañara a la biblioteca. Le dije que no podía porque Mami nos tenía prohibido que nos quedáramos en ningún sitio, sin permiso, de regreso a casa. "Pídele permiso y vamos mañana. Si traes un papel que diga dónde vives, te pueden dar una tarjeta", me sugirió Yolanda, "y puedes sacar libros prestados. Gratis°", añadió cuando titubeé°.

sin pagar
I hesitated

Yo había pasado por la Biblioteca Pública de Bushwick muchas veces y me habían llamado la atención sus pesadas puertas de entrada enmarcadas por columnas y las anchas ventanas que miraban desde lo alto al vecindario°. Alejada de la calle, detrás de un cantito de grama seca°, la estructura de ladrillos rojos parecía estar fuera de lugar en una calle de edificios de apartamentos en ruinas, y enormes e intimidantes proyectos de viviendas. Adentro, los techos eran altos con lámparas colgantes° sobre largas mesas marrón, colocadas° en el centro del salón y cerca de las ventanas. Los estantes alrededor del área estaban llenos de libros cubiertos de plástico. Cogí° uno, de una de las tablillas° de arriba, lo hojeé° y lo devolví a su sitio. Caminé todos los pasillos° de arriba a abajo. Todos los libros eran en inglés. Frustrada, busqué a Yolanda, me despedí en voz baja y me dirigí a la salida. Cuando iba saliendo, pasé por el Salón de los Niños, en donde una bibliotecaria estaba leyéndole a un grupo de niños y niñas. Leía despacio y con expresividad, y después de leer cada página, viraba° el libro hacia nosotros para que pudiéramos verlo. Cada página tenía sólo unas pocas palabras y una ilustración que clarificaba su sentido. Si los americanitos podían aprender inglés con esos libros, yo también podría.

neighborhood
a border of dry grass

hanging
arranged
I took / small shelves
glanced through / aisles

she turned

Después de la sesión de lectura, busqué en los anaqueles° los libros ilustrados que contenían las palabras que necesitaría para mi nueva vida en Brooklyn. Escogí libros del alfabeto, de páginas coloridas donde encontré: *car, dog, house, mailman*. No podía admitirle a la bibliotecaria que esos libros tan elementales eran para mí. *"For leettle seesters,"* le dije, y ella asintió°, me sonrió y estampó la fecha de entrega° en la parte de atrás del libro.

estantes

agreed / return date

Paraba en la biblioteca todos los días después de clase y en casa me memorizaba las palabras que iban con las ilustraciones en las enormes páginas.

Mis hermanas y hermanos también estudiaban los libros y nos leíamos en voz alta las palabras tratando de adivinar° la pronunciación.

to guess

"Ehr-rahs-ser", decíamos en lugar de *"eraser"*. *"Keh-neef-eh"*, por *"knife"*. *"Dees"*, por *"this"* y *"dem"* por *"them"* y *"dunt"* por *"don't"*.

to recognize	En la escuela, escuchaba con cuidado y trataba de reconocer° aquellas palabras que sonaban como las que habíamos leído la noche anterior. Pero el inglés hablado, a diferencia del español, no se pronuncia como se escribe. *"Water"* se convertía en *"waddah"*, *"work"*
words ran together / stream	en *"woik"* y las palabraschocabanunasconotras° en un torrente° de sonidos confusos que no guardaban ninguna relación con las letras cuidadosamente organizadas en las páginas
jeers, laughter	de los libros. En clase, casi nunca levantaba la mano porque mi acento provocaba burlas° en el salón cada vez que abría la boca.

nombre de una hermana	Delsa°, que tenía el mismo problema, sugirió que habláramos inglés en casa. Al principio
we laughed like crazy	nos destornillábamos de la risa° cada vez que nos hablábamos en inglés. Las caras se
grimaces / tongues	nos contorsionaban en muecas°, nuestras voces cambiaban y las lenguas° se nos
got twisted	trababan° al tratar de reproducir los sonidos. Pero, según los demás, se nos fueron uniendo y practicábamos entre nosotros, se nos fue haciendo más fácil y ya no nos reíamos tanto. Si no sabíamos la traducción para lo que estábamos tratando de decir, nos inventábamos la palabra, hasta que formábamos nuestro propio idioma, ni español ni inglés, sino ambos en la misma oración, y a veces, en la misma palabra.

nombre de un hermano /	"Pasa mí esa sabaneichon", le decía Héctor° a Edna° para pedirle que le pasara una
nombre de una hermana / sheet	sábana°.

whispered / nombre de una hermana	"No molestándomi", le soplaba° Edna a Norma° cuando ésta la molestaba.

su abuela	Veíamos la televisión con el volumen bien alto aunque Tata° se quejaba de que oír tanto inglés le daba dolor de cabeza. Poco a poco, según aumentaba° nuestro vocabulario,
increased	
bond	se fue convirtiendo en un vínculo° entre nosotras, uno que nos separaba de Tata y de
perplexed / pride	Mami que nos observaba perpleja°, mientras su expresión pasaba del orgullo°, a la
envy	envidia°, a la preocupación.

Después de leer

A. Los personajes. Identifique los siguientes personajes que aparecen en la selección de *Casi una mujer.*

Nombre	Descripción	Relación con Esmeralda
Mami	muy estricta	la madre de Esmeralda
Tata	vieja, no habla inglés	la abuela de Esmeralda
Yolanda	puertorriqueña, hija única habla inglés y español	una amiga de Esmeralda
la maestra	linda, joven (un par de años mayor que los estudiantes)	la maestra de Esmeralda
Delsa, Edna, Héctor y Norma	ninguna descripción de ellos	hermanos de Esmeralda

B. El primer día de clases. Describa el primer día de clases de Esmeralda en los EE.UU. ¿Cómo se sentía? ¿Qué hacía? ¿Qué pensaba? Compare la experiencia de Esmeralda con su propia experiencia en una situación nueva.

C. Varios puntos de vista. Describa la reacción de la madre, la abuela y los hijos al uso del inglés. ¿Por qué dice Esmeralda al final «Mami... nos observaba perpleja, mientras su expresión pasaba del orgullo, a la envidia, a la preocupación.»? ¿Qué cambios suceden en la familia a causa del inglés?

D. Comparaciones. Compare sus experiencias como estudiante de español con las experiencias de Esmeralda y su deseo de aprender inglés.

Después de leer, Práctica B Answers. *Answers vary.*

Expansión B. Describa el exterior y el interior de la biblioteca. ¿Qué representaba la biblioteca para Esmeralda? Compare sus experiencias en la biblioteca con sus experiencias en la escuela.

Después de leer, Práctica C Answers. *Answers vary but should include some of the following.* **Reacción de la madre: No sabía hablar inglés pero al principio estaba muy orgullosa de sus hijos y su manera de hablar el nuevo idioma. Reacción de la abuela: No le gustaba nada el inglés. Decía que oír mucho inglés le daba dolor de cabeza. Reacción de los hijos: Quieren hablar bien el inglés y estudian bastante para aprenderlo. La madre tiene miedo de perder a sus hijos porque no puede comunicarse con ellos en inglés. Cree que sus hijos van a perder su herencia y sus tradiciones.**

Después de leer, Práctica D Answers. *Answers vary.*

Bienvenidos a
Chile y a la Argentina

5○s

The **Culture Standard** is emphasized in this section. Students will learn about the geography, climate, population, languages, cities, government, and economy of Chile and Argentina.

Las cataratas de Iguazú

Have students locate Chile and Argentina on the map of South America located in the opening pages of the student textbook.

Ask questions about the content of the photos in this **Bienvenidos** section. **¿Cómo se llaman las cataratas de la foto?** *(Son las cataratas de Iguazú.)* **¿Dónde se encuentran?** *(Están en la frontera entre la Argentina, el Brasil y el Paraguay.)* **¿Cómo se llama la ciudad de la segunda foto?** *(Santiago)* **¿En qué país está?** *(Está en Chile.)* **¿Qué se ve en la foto de la ciudad?** *(Se ven las montañas [los Andes], el centro de la ciudad con los edificios y rascacielos y un parque.)*

GEOGRAFÍA Y CLIMA

Chile: País largo y angosto entre el Pacífico y los Andes. Casi 3.000 kilómetros de costa. Norte: desierto de Atacama, la región más seca del mundo; valle central: tierras fértiles y clima templado como en California; montañas: centros de esquí.

La Argentina: Segundo país más grande de Sudamérica. Grandes variaciones geográficas. Parte central: la pampa (*grasslands*); norte: El Chaco, con ríos y árboles; sur: Patagonia, con lagos y glaciares.

POBLACIÓN

Chile: 14.200.000 de habitantes. Mestizos y blancos. En el sur la población es de origen inglés, irlandés, alemán o yugoeslavo.

La Argentina: 34.600.000 de habitantes. Población blanca de origen europeo.

MONEDA

Chile: el peso
La Argentina: el peso

ECONOMÍA

Chile: cobre, uvas y vino
La Argentina: productos agrícolas como carne, trigo, lana; automóviles

INFLUENCIA CULTURAL

Chile: Aislado de sus vecinos; no se parece mucho a los otros países de Latinoamérica.

La Argentina: Aislado del resto de Latinoamérica; mira más hacia Europa; culturalmente la influencia es francesa; económicamente la influencia es inglesa.

Práctica geográfica

Conteste las siguientes preguntas usando la información presentada y un mapa de Chile y la Argentina.

A. Chile

1. ¿Cuál es la capital de Chile? ¿Cuáles son otras ciudades importantes?
2. ¿Qué países están cerca de Chile?
3. ¿Qué hay en el norte de Chile? Descríbalo.
4. ¿Qué hay en el oeste de Chile?
5. Estudiando la geografía de Chile, ¿qué industrias y deportes tendrá?
6. ¿Qué ventajas y desventajas ofrecen la geografía y el clima de Chile?

B. La Argentina

1. ¿Cuál es la capital de la Argentina? ¿Cuáles son otras ciudades importantes?
2. ¿Qué países están cerca de la Argentina?
3. ¿Dónde está y qué es la pampa? ¿Para qué se usa?
4. ¿Qué ríos hay en la Argentina?
5. ¿Qué forman los ríos en la frontera (*border*) entre la Argentina, el Brasil y el Paraguay?
6. ¿Cuáles son las ventajas y las desventajas de la geografía de la Argentina?

C. El aislamiento (*isolation*).
Se dice que Chile y la Argentina están aislados de los otros países de Latinoamérica. ¿Qué produce este aislamiento? ¿Cuáles son las consecuencias?

Una vista panorámica de Santiago de Chile

Para saber más:
www.heinle.com

De viaje

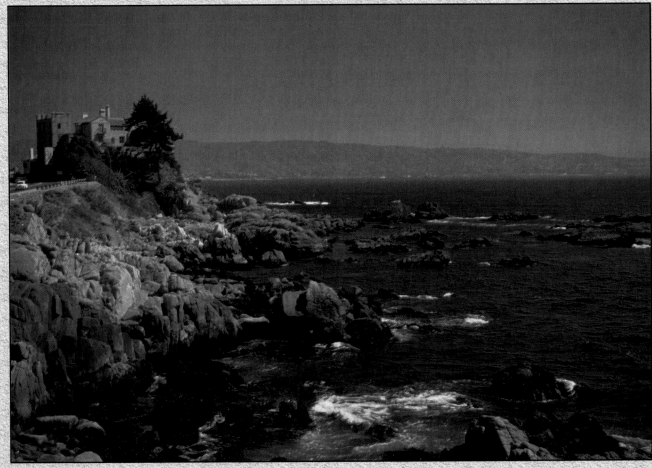

Viña del Mar, Chile

Cultural Themes

Chile

Travel in the Hispanic World

Communicative Goals

Buying a ticket and boarding a plane

Explaining previous wants, advice, and doubts

Making polite requests

Discussing contrary-to-fact situations

Getting a hotel room

Explaining when actions will occur

Describing future actions that will take place before other future actions

Primera situación

Presentación

En el aeropuerto

Práctica y conversación

A. Definiciones. Explíquele las siguientes palabras a un(-a) compañero(-a) de clase.

la pista / la etiqueta / el boleto de ida y vuelta / el despegue / la azafata / la tarjeta de embarque / un vuelo sin escalas

Presentación, Práctica A Answers. *Answers vary.*

B. ¡Buen viaje! ¿Qué hace Ud. cuando viaja en avión? Ordene las oraciones en forma lógica.

——— Sube al avión.   ——— Confirma la reservación.
——— Reclama el equipaje.   ——— Factura el equipaje.
——— Compra un boleto.   ——— Desembarca.
——— Se abrocha el cinturón.

Presentación, Práctica B Answers. 4, 7, 1, 5, 2, 3, 6

C. Datos prácticos. Ud. hace un viaje de negocios a Santiago de Chile y necesita información sobre la ciudad. Conteste las siguientes preguntas utilizando la información a continuación.

SANTIAGO

DATOS PRÁCTICOS

INFORMACION GENERAL

— Santiago está ubicado a 543 mts. sobre el nivel del mar, en la zona central de Chile, a 2.051 kms. al sur de Arica, la ciudad más septentrional del país y a 3.141 kms. al norte de Punta Arenas, la ciudad más austral. Cien kms. la separan de la costa del Océano Pacífico y 40 kms. de la Cordillera de Los Andes.

Clima

— La capital del país presenta clima templado con una temperatura media anual de 14.5° (21°C en enero, verano y 8.4°C en julio, invierno), con una pluviosidad promedio anual de 346 mm.

Población

— El país tiene más de 13 millones de habitantes, de los cuales 5 millones viven en Santiago.

Idioma

— El idioma oficial es el español. En los establecimientos y empresas turísticas el personal superior habla inglés y/o francés.

Hora

— Invierno: −4 horas GMT
— Verano: −3 horas GMT

Aeropuerto Internacional Comodoro Arturo Merino Benítez.

Está a 17 km. del centro de la ciudad. El transporte a Santiago es efectuado por buses (US$ 1.3 aproximadamente) y taxis (US$ 18 aproximadamente) (*).

TRANSPORTES

En el transporte urbano destaca el **METRO** que cruza la ciudad de oriente a poniente y de norte a sur. Buses, colectivos y taxis recorren la ciudad.

(*) US$ 1 = $ 350 (al mes de Mayo de 1992).

La ciudad está conectada al resto del país a través de:

— **Aviones:** dos líneas aéreas nacionales Ladeco y Lan Chile cubren diariamente rutas nacionales con vuelos regulares. Se encuentran disponibles empresas de taxis aéreos.

— **Buses:** Recorren todo el territorio con servicios a bordo de comida, bar, video y teléfono, entre otros. Existen terminales en: Buses Norte: Amunátegui 920 (Tel. 671.21.41); Los Héroes: Roberto Pretot 21 (Tel. 696.92.50); Santiago: Av. L. Bernardo O'Higgins 3800 (Tel. 779.13.85); Alameda: Av. L. Bernardo O'Higgins 3794 (Tel. 776.10.23).

— **Trenes:** Corren desde Santiago hacia el sur con estación terminal en Puerto Montt. La Estación Central de Ferrocarriles se ubica en Av. L. Bernardo O'Higgins 3322 (Tel. 689.51.99).

CAMBIO DE MONEDA Y USO DE TARJETA DE CREDITO

Se puede realizar en bancos, casas de cambio y principales hoteles. La mayoría de las tarjetas de crédito son aceptadas en tiendas, hoteles y agencias de viaje.

Bancos

El horario de los bancos es: lunes a viernes de 9:00 a 14:00 hrs.

Casas de cambio

Horario de casas de cambio: similar a horario de comercio.

COMERCIO

Los locales comerciales están abiertos de 10:00 a 20:00 hrs. de lunes a viernes y de 10:00 a 14:00 hrs. los sábados. Los grandes centros comerciales permanecen abiertos de lunes a domingo de 10:00 a 21:00 hrs.

COMUNICACIONES

Código telefónico para Chile (56).
Código telefónico para Santiago (2).
Centros públicos de telefonía y fax en distintos sectores de la ciudad. Consultar Entel-Chile.

INFORMACION TURISTICA

SERNATUR (Servicio Nacional de Turismo)
— Oficina en Aeropuerto Internacional y en Providencia 1550, Tel. 236.05.31.
Horario: 8:30 a 18:30 hrs. de lunes a viernes y sábado de 9:00 a 13:00 hrs.

FESTIVOS

1 enero / viernes y sábado Santo (variable: marzo-abril) / 1 mayo / Corpus Christi (variable: mayo-junio) / 29 junio / 15 agosto / 18-19 septiembre / 12 octubre / 1 noviembre / 8 diciembre / 25 diciembre /.

HOTELES

Valores referenciales, habitación doble
5☆ desde US$ 180
4☆ desde US$ 100
3☆ desde US$ 40.

ALIMENTACION

Valores referenciales:
Almuerzo, desde US$ 5
Snack o refrigerio, desde US$ 3

DIRECCIONES UTILES

— **Aeropuerto Internacional**
Informaciones: Tel. 601.97.09 / 601.90.01 / 601.96.54
Ladeco, Tel. 601.94.45
Lan Chile, Tel. 601.91.65

— **Estación Central de Ferrocarriles**
Av. L. Bernardo O'Higgins 3322.
Reservas e Informaciones, Tel. 689.51.99 / 689.54.01 / 689.57.18.

Ventas de Pasajes
— Av. L. Bernardo O'Higgins 853, L. 21
tel. 39.82.47.
— Metro Escuela Militar, L. 25
Tel. 228.29.83.
Lunes a viernes de 8:30 a 13:00 hrs.
Sábado de: 9:00 a 13:00 hrs.

— **Compañía de Teléfonos de Chile (C.T.C.)**
Llamadas Nacionales e Internacionales
Moneda 1151

— **Empresa Nacional de Telecomunicaciones, ENTEL**
Huérfanos 1133
Tel. 690.26.12.

— **Télex Chile**
Llamadas Nacionales e Internacionales y Facsímil
Morande 147
Tel. 696.88.07

— **Servicio de Extranjería**
Por pérdida de Tarjeta de Turismo
Policía Internacional, Depto. Fronteras
General Borgoño 1052, Tel. 37.12.92 / 698.22.11.
Lunes a viernes de 8:30 a 12:15 hrs. y de 15:00 a 18:30 hrs.

— Prórroga Tarjeta de Turismo
Intendencia Región Metropolitana
Moneda 1342, Tel. 672.53.20
Lunes a viernes de 9:00 a 13:00 hrs.

EMERGENCIAS

Ambulancia: Tel. 224.44.22
Asistencia Pública: Tel. 34.22.91.
Bomberos: Tel. 132
Carabineros: Tel. 133

Diseño/Design Sernatur 1992

Presentación, Práctica C Answers. 1. Es el Aeropuerto Internacional Comodoro Arturo Merino Benítez. Está a 17 km. del centro de Santiago. 2. El metro, los buses, los colectivos, los taxis recorren la ciudad. Para ir al resto del país se puede viajar en avión, bus y tren. 3. En los establecimientos turísticos hablan inglés y/o francés y español. 4. Answers vary. 5. Cuesta desde US$180. 6. Se puede conseguir información turística en SERNATUR (Servicio Nacional de Turismo). 7. Se puede cambiar dinero en bancos, casas de cambio y en los principales hoteles. 8. Los grandes centros comerciales están abiertos de lunes a domingo de las 10:00 a las 21:00. 9. Se debe llamar a la Policía Internacional, Departamento de Fronteras.

1. ¿Cómo se llama el aeropuerto internacional? ¿Dónde está?
2. ¿Qué formas de transporte se usan para viajar dentro de la ciudad? ¿Y de Santiago al resto de Chile?
3. ¿Qué idiomas se hablan en los establecimientos turísticos?
4. ¿Cuál es la diferencia entre la hora local en Santiago y la hora local en su región de los EE.UU.? (Cuando son las ocho en Nueva York, son las siete en Santiago.)
5. ¿Cuánto cuesta una habitación doble en un hotel de cinco estrellas?
6. ¿Dónde se puede conseguir información turística?
7. ¿Dónde se puede cambiar dinero?
8. ¿Cuándo están abiertos los grandes centros comerciales?
9. ¿A qué agencia se debe llamar si se pierde la Tarjeta de Turismo?

D. Entrevista personal. Hágale preguntas a su compañero(-a) de clase.

Pregúntele...

1. si le gusta viajar en avión. ¿Por qué?
2. qué línea aérea prefiere.
3. si prefiere un vuelo directo. ¿Por qué?
4. dónde prefiere sentarse en el avión.
5. si lleva mucho equipaje cuando viaja. ¿Por qué?
6. qué hace si pierde el avión.

E. Creación. En una narración cuente lo que pasa en el dibujo de la **Presentación**.

Vocabulario

En el aeropuerto	At the airport
el (la) aduanero(-a)	*customs agent*
el billete	*ticket*
el boleto de ida y vuelta	*round-trip ticket*
el control de seguridad	*security check*
la etiqueta	*luggage tag*
la línea aérea	*airline*
la maleta	*suitcase*
el maletero	*porter*
el maletín	*briefcase*
el pasaje (A)	*fare*
el (la) pasajero(-a)	*passenger*
la pista	*runway*
la puerta	*gate*
la sala de reclamación de equipaje	*baggage claim area*
el talón	*baggage claim check*
la tarifa (E)	*fare*
el terminal	*terminal*
el vuelo	*flight*
internacional	*international flight*
nacional	*domestic flight*
confirmar una reservación	*to confirm a reservation*
facturar el equipaje	*to check luggage*
hacer una reservación	*to make a reservation*
pasar por la aduana	*to go through customs*

perder el avión	*to miss the plane*
reclamar el equipaje	*to claim luggage*
A bordo	**On board**
el (la) aeromozo(-a) (A)	*flight attendant*
el (la) azafata (E)	
el (la) camarero(-a)	
el asiento al lado de la ventanilla	*window seat*
en el pasillo	*aisle seat*
el aterrizaje	*landing*
el despegue	*take off*
el equipaje de mano	*carry-on luggage*
la fila	*row*
la sección de (no) fumar	*(no) smoking section*
la tarjeta de embarque	*boarding pass*
un vuelo directo	*direct flight*
sin escalas	
abordar el avión	*to board*
abrocharse el cinturón de seguridad	*to fasten the seatbelt*
aterrizar	*to land*
bajar del avión	*to get off of the plane*
desembarcar	
caber debajo del asiento	*to fit under the seat*
desabrocharse	*to unfasten*
despegar	*to take off*
hacer escala	*to stop over*
subir al avión	*to get on the plane*
volar (ue)	*to fly*

Así se habla

Buying a Ticket and Boarding a Plane

Mireya   Señor, tengo una emergencia personal y quisiera saber si podría comprar un pasaje para el vuelo de esta tarde o de esta noche a Valparaíso.

Empleado   A ver, déjeme ver.

Mireya   Gracias, señor. Ojalá que tenga suerte porque en realidad....

Empleado   Sí, sí tiene suerte, no se preocupe. Aquí hay un asiento disponible en el vuelo de esta mañana, el de las doce. ¿Le conviene o prefiere más tarde?

Mireya   No, no, está bien, mejor aún.

Empleado   Muy bien, entonces, ¿tiene sus maletas para facturárselas?

Mireya   Un momentito, por favor. Anabela, si fueras tan amable, ¿me podrías pasar mis maletas? Me voy en el vuelo de las doce.

Anabela   ¡Qué suerte! Aquí están. ¿Las pongo aquí?

Empleado   Sí, gracias. Muy bien... ya está todo listo. Su vuelo sale a las doce por la puerta 8A. Aquí tiene su tarjeta de embarque. No se olvide que tiene que pasar por Seguridad primero.

Mireya   Sí, no se preocupe. Gracias, señor.

When you are traveling by plane, you can use the following expressions.

Quiero un pasaje de ida y vuelta a...	*I want a round-trip ticket to . . .*
Quiero sentarme al lado de la ventanilla / del pasillo / en el medio.	*I want to sit by the window / aisle / in the middle.*
¿A qué hora sale el vuelo?	*At what time does the flight leave?*
¿A qué hora empiezan a abordar?	*At what time do you start boarding?*
El vuelo está retrasado / sale a la hora.	*The flight is late / is leaving on time.*
El vuelo número... sale por la puerta número...	*Flight number . . . leaves through gate number . . .*

Facture su equipaje.	*Check your luggage.*

Facture su equipaje. *Check your luggage.*
Muestre su tarjeta de embarque. *Show your boarding pass.*
Cargue su equipaje de mano. *Take your hand luggage.*
Ponga su equipaje de mano *Put your hand luggage under the seat in*
  debajo del asiento delantero.   *front (of you).*
Abróchese el cinturón. *Fasten your seatbelt.*
Observe el aviso de no fumar. *Observe the no-smoking sign.*
Ubique las salidas de emergencia. *Find the emergency exits.*

Práctica y conversación

A. De viaje. ¿Qué dice Ud. si está en un aeropuerto y necesita lo siguiente?

1. Quiere comprar un pasaje de Nueva York a Valparaíso.
2. Necesita un pasaje de Nueva York a Santiago con regreso a Nueva York.
3. Prefiere un asiento que le permita mirar por la ventana durante el vuelo.
4. Tiene que llevar dos maletas.
5. No sabe por qué puerta sale su avión.
6. Quiere hacer algunas compras pero no sabe si tiene tiempo antes de que salga su avión.

B. ¡Voy a Santiago! Con un(-a) compañero(-a), complete el siguiente diálogo.

Viajero(-a) Buenos días, necesito comprar un pasaje para Santiago de Chile para salir el día de hoy.
Empleado(-a) Muy bien... Déjeme ver... Sólo tenemos espacio en primera clase. ¿Le parece bien?
Viajero(-a) Sí, no hay problema, pero ¿cuánto me va a costar más o menos?
Empleado(-a) Bueno, depende. ¿Quiere de _____ o sólo de _____?
Viajero(-a) No, de _____ porque tengo que regresar aquí a los Estados Unidos.
Empleado(-a) Y, ¿cuándo desea regresar?
Viajero(-a) _____.
Empleado(–a) En ese caso le va a costar $2.500.
Viajero(-a) Está bien. ¡Qué se va a hacer!
Empleado(-a) Bueno, yo le puedo arreglar todo ahora mismo. ¿Dónde quisiera sentarse? ¿Prefiere _____ o _____?
Viajero(-a) Preferiría _____, si fuera posible.
Empleado(-a) Muy bien. Aquí tiene su _____ y su _____. ¡Que tenga buen viaje!

Estructuras

Explaining Previous Wants, Advice, and Doubts

Imperfect Subjunctive

The imperfect subjunctive is used to express the same functions as the present subjunctive; the main difference is that the situations requiring the use of the imperfect subjunctive occurred in the past.

Since the imperfect subjunctive uses the preterite indicative as the basis for the stem, you may want to review the formation of the preterite prior to introducing the formation of the imperfect subjunctive.

Imperfect Subjunctive of Regular Verbs

volar	perder	subir
volara	perdiera	subiera
volaras	perdieras	subieras
volara	perdiera	subiera
voláramos	perdiéramos	subiéramos
volarais	perdierais	subierais
volaran	perdieran	subieran

a. To obtain the stem for the imperfect subjunctive, drop the **-ron** ending from the third-person plural form of the preterite: **volaron → vola-; perdieron → perdie-; subieron → subie-**. To this stem, add the endings that correspond to the subject: **-ra, -ras, -ra, -ramos, -rais, -ran**. Note the written accent on the first person plural form.

b. There are no exceptions to this method of formation of the imperfect subjunctive. Thus, the imperfect subjunctive will show the same irregularities as the preterite.

Imperfect Subjunctive of Irregular Verbs

-i- Stem		-j- Stem	
hacer	**hiciera**	decir	**dijera**
querer	**quisiera**	traer	**trajera**
venir	**viniera**		

-u- Stem		-y- Stem	
andar	**anduviera**	caer	**cayera**
estar	**estuviera**	creer	**creyera**
poder	**pudiera**	leer	**leyera**
poner	**pusiera**	oír	**oyera**
saber	**supiera**		
tener	**tuviera**		

-cir Verbs		-uir Verbs	
traducir	**tradujera**	construir	**construyera**

Other Irregular Stems

| dar | **diera** | ir | **fuera** |
| haber | **hubiera** | ser | **fuera** |

The imperfect subjunctive of **hay (haber)** is **hubiera**.

Stem-Changing Verbs

| e → i | | o → u | |
| pedir | **pidiera** | dormir | **durmiera** |

c. The same expressions that require the use of the present subjunctive also require the use of the imperfect subjunctive. The present subjunctive is used when the verb in the main clause is in the present tense. When the verb in the main clause is in a past tense, then the imperfect subjunctive is used.

Dudan que despeguemos a tiempo.	*They doubt that we will take off on time.*
Dudaban que **despegáramos** a tiempo.	*They doubted that we would take off on time.*
La azafata les dice a todos los pasajeros que se abrochen el cinturón.	*The stewardess tells all the passengers to fasten their seatbelts.*
La azafata les **dijo** a todos los pasajeros que **se abrocharan** el cinturón.	*The stewardess told all the passengers to fasten their seatbelts.*

d. In Spain and in certain other Spanish dialects an alternate set of endings for the imperfect subjunctive is commonly used: **-se, -ses, -se, -semos, -seis, -sen**. You will see these forms frequently in reading selections and will need to recognize them.

Práctica y conversación

A. Mi primer viaje. ¿Recuerda su primer viaje en avión? Explique lo que era necesario hacer.

MODELO   comprar los boletos dos semanas antes del viaje
Era necesario que yo comprara los boletos dos semanas antes del viaje.

1. hacer una reservación
2. estar en el aeropuerto con una hora de anticipación
3. ir al terminal internacional
4. tener el pasaporte
5. saber el número del vuelo
6. oír el anuncio del vuelo
7. poner el equipaje de mano debajo del asiento

B. En el terminal. Explique lo que un empleado de la línea aérea les aconsejó a los pasajeros.

Les aconsejó que...
poner las etiquetas en las maletas / facturar todo el equipaje / pasar por el control de seguridad / averiguar el número del vuelo / tener lista la tarjeta de embarque / abordar el avión a tiempo

C. A bordo. Ud. acaba de regresar de un viaje por la América del Sur. Cuéntele a un(-a) compañero(-a) qué fue necesario hacer antes de salir de viaje y qué consejos le dieron sus familiares.

Making Polite Requests

Other Uses of the Imperfect Subjunctive

In addition to expressing past wants, advice, and doubts, the imperfect subjunctive has other uses.

a. The imperfect subjunctive forms of **deber, poder,** and **querer** are often used to soften a statement or request so that it is more polite. In such cases, the imperfect subjunctive is the main verb of the sentence. Compare the translations of the following sentences.

El aduanero brusco

Quiero revisar su equipaje. Pase por aquí. Abra sus maletas.

I want to look through your luggage. Come through here. Open your suitcases.

El aduanero cortés

Quisiera revisar su equipaje. ¿**Pudiera** Ud. pasar por aquí y abrir sus maletas?

I would like to look through your luggage. Could you step through here and open your suitcases?

b. The imperfect subjunctive is always used after the expression **como si** meaning *as if.*

Esa mujer se comporta **como si pasara** algo de contrabando.

That woman behaves as if she were smuggling something.

Práctica y conversación

A. El aduanero brusco. Ayude a este aduanero a ser más cortés. Dígale otra manera de expresar las siguientes frases.

1. Ud. debe pasar por aquí.
2. Quiero ver su declaración de aduana.
3. Ud. debe abrir su equipaje.

4. Quiero revisar sus maletas.
5. ¿Puede Ud. cerrar sus maletas?

B. Como si... Complete las siguientes oraciones de una manera lógica.

1. Siempre trabajo como si _____ .
2. Mi novio(-a) maneja como si _____ .
3. Mi mejor amigo(-a) gasta dinero como si _____ .
4. Mi profesor(-a) nos da tarea como si _____ .
5. Mis padres me tratan como si yo _____ .

C. Quisiera... Ud. es un(-a) estudiante de intercambio en Chile y quiere invitar a su padre o madre chileno(-a) a cenar en un restaurante muy elegante. Invítelo(-la); él (ella) acepta. Luego, en el restaurante, pregúntele qué quisiera comer y beber; pida la comida. Mientras están comiendo agradézcale toda su generosidad y hospitalidad. El (Ella) responde.

Discussing Contrary-to-Fact Situations

If *Clauses with the Imperfect Subjunctive and the Conditional*

Contrary-to-fact ideas are often joined with another idea expressing what would or would not be done if a certain situation were true. *If I had the money, I would go to Chile.*

When a clause introduced by **si** *(if)* expresses a contrary-to-fact situation or an improbable idea, the verb in the **si** clause must be in the imperfect subjunctive. The verb in the main or result clause must be in the conditional.

Contrary-to-fact situation

Si tuviera tiempo, te **llevaría** al aeropuerto.	*If I had time* (which I don't), *I would take you to the airport.*

Improbable situation

Si abordáramos ahora mismo, no **llegaríamos** a Santiago sino hasta las 10.	*If we were to board right now* (which is unlikely), *we wouldn't arrive in Santiago until 10:00.*

Práctica y conversación

A. Si yo fuera aeromozo(-a)... Si Ud. fuera aeromozo(-a), ¿qué haría?

Si yo fuera aeromozo(-a)...
recoger las tarjetas de embarque / ayudar a los pasajeros / servir refrescos / hablar con los pilotos / contestar las preguntas de los pasajeros / prepararles las comidas a los pasajeros / viajar mucho

B. Un viaje a Latinoamérica. Explique bajo qué condiciones Ud. iría a Latinoamérica.

Iría a Latinoamérica si...
hablar mejor el español / ganar mucho dinero en la lotería / no preocuparme por los estudios / tener más tiempo / conocer a alguien que quisiera viajar conmigo / no conseguir trabajo / ¿?

C. ¿Qué haría Ud.? Complete las siguientes oraciones de una manera lógica.

1. Si pudiera viajar a un lugar, _____.
2. _____ si tuviera mucho dinero.
3. Si pudiera ser otra persona, _____.
4. Me gustaría _____ si _____.
5. Si tuviera mucho tiempo libre, _____.

D. ¿Qué harían Uds.? En grupos, dos estudiantes hablan de lo que harían si pudieran viajar a un país extranjero. El (La) tercer(-a) estudiante toma apuntes y después informa a la clase lo discutido.

Siga practicando el vocabulario y las estructuras gramaticales de **Capítulo 11, Primera situación** en *Interacciones CD-ROM.*

Para saber más:
www.heinle.com

Segunda situación

Presentación

Una habitación doble, por favor

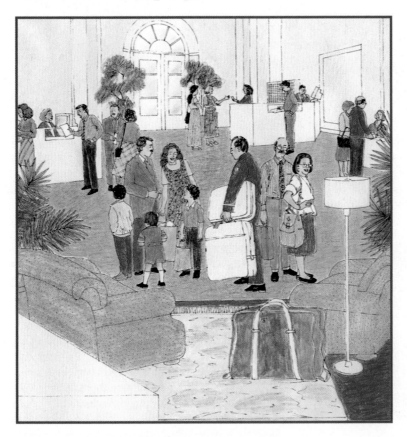

Práctica y conversación

A. ¿Quién lo ayuda? ¿Qué empleado del hotel lo (la) ayuda a Ud. en las siguientes situaciones?

1. Ud. tiene muchas maletas pesadas.
2. Quiere un plano de la ciudad.
3. Necesita cobrar cheques de viajero.
4. Los huéspedes de una habitación vecina hacen mucho ruido.
5. Necesita un taxi.
6. Le faltan toallas y jabón.
7. Quiere reservaciones en un restaurante de lujo.

Presentación, Práctica A Answers. 1. el botones 2. el (la) conserje 3. el (la) recepcionista 4. el (la) recepcionista 5. el portero 6. la camarera (la criada) 7. el (la) conserje

B. **Quejas.** Ud. y su compañero(-a) de clase están ayudando a su amigo(-a), un(-a) recepcionista en el Hotel Alay. Las hojas que contienen las quejas y el nombre de los huéspedes que las pusieron están en desorden. ¿Pueden Uds. juntar cada queja con el nombre del huésped que la puso? A continuación está su hoja; la de su compañero(-a) está en el **Apéndice A.**

> Se necesita limpiar la habitación 223.
> El señor Sánchez quiere ducharse pero no puede.
> Los enchufes en la habitación 418 no funcionan.
> Hace mucho frío en la habitación de la señora Cirre.
> En la habitación 614 el aire acondicionado está descompuesto.

C. **La reunión anual.** Ud. trabaja en Santiago de Chile para una compañía multinacional con oficinas en España y en las capitales de la América del Sur. Ud. está encargado(-a) de organizar su próxima reunión y pidió información en varios hoteles. Con un(-a) compañero(-a) de clase, discutan los servicios de estos dos hoteles y decidan cuál es el mejor para la reunión de los 300 empleados de su compañía. Justifique su decisión.

Situado al borde del mar, sobre el Puerto Deportivo y junto al Paseo Marítimo de Benalmádena-Costa, a 7 Kms. del aeropuerto y a 15 Kms. del centro de Málaga Capital, a 2 Kms. del Golf Torrequebrada. 245 habitaciones y 10 suites con vistas al mar, totalmente climatizadas y con teléfono directo, TV vía satélite, terraza y baño completo. Restaurante, salones sociales, de banquetes, seminarios y congresos, salón de juego y TV, piano bar, peluquería, sauna y gimnasio, pista de tenis, 2 piscinas, una de ellas climatizada. Servicio de lavandería y limpieza en seco.

Disfrute de nuestros restaurantes «Alay» y «Mar de Alborán» y deguste la gran variedad de exquisitos platos.

Para cocktails, cenas, almuerzos de trabajo y banquetes, el Hotel Alay le ofrece cómodas facilidades y un servicio muy esmerado.

Bar americano: Lugar favorito de encuentro para tomar una copa y gozar de una buena música en vivo.

Gran selección de salones para reuniones y banquetes.

Avda. del Alay, s/n
BENALMADENA-COSTA
Costa del Sol - MALAGA - SPAIN
Phone 95 - 224 14 40
Fax 95 - 244 63 80
Telex 77034

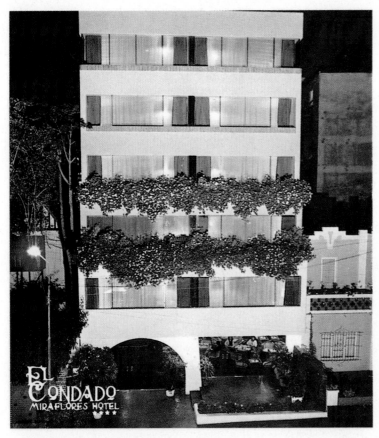

Un sistema organizado por un eficiente equipo de profesionales para brindar una excelente atención y servicio.

Amplias habitaciones que incluyen baños con «jacuzzi» y sauna privada, TV color y minibar; restaurantes, bar, cafetería, discoteca, salas de conferencias para ejecutivos, telex y servicio de mensajería.

Ubicación excelente cerca de playas, área comercial y zona artística, y a sólo 25 minutos del Aeropuerto Internacional.

D. Creación. En una narración cuente lo que pasa en el dibujo de la **Presentación**.

Vocabulario

Los hoteles	Hotels
el albergue juvenil	*youth hostel*
el hotel de lujo con	*luxury hotel with*
piscina	*swimming pool*
salón de cóctel	*cocktail lounge*
terraza	*terrace*
el motel	*motel*
el parador	*government-run historic inn*
la pensión	*boarding house*
alojarse	*to stay*

Registrarse — **To check in**

la caja de seguridad	*safety box*
la estancia	*stay*
la habitación	*(hotel) room*
doble	*double room*
sencilla	*single room*
el (la) huésped	*guest*
la pensión completa	*full board*
la recepción	*registration desk*
el salón de entrada el vestíbulo	*lobby*
bajar el equipaje	*to bring down the luggage*
cargar	*to carry*
hacer	*to make a*
una reserva (E) una reservación (A)	*reservation*
llenar la tarjeta de recepción	*to fill out the registration form*
completo(-a) (E) lleno(-a) (A)	*full*
disponible	*available*

La habitación — **Room**

necesitar	*to need*
jabón	*soap*

papel higiénico	*toilet paper*
una almohada	*a pillow*
una manta	*a blanket*
una toalla de baño	*a bath towel*
unos ganchos (A) unas perchas de colgar (E)	*some hangers*
tener	*to have*
aire acondicionado	*air conditioning*
balcón	*balcony*
baño	*bathroom*
calefacción	*heat*
ducha	*shower*
tener problemas con el enchufe	*to have problems with the electric outlet*
el grifo	*the faucet*
el inodoro	*the toilet*
el lavabo	*the sink*
el voltaje	*the voltage*
cómodo(-a)	*comfortable*
incómodo(-a)	*uncomfortable*

Los empleados — **Employees**

el botones	*bellhop*
la camarera la criada	*chambermaid*
el (la) conserje	*concierge*
el portero	*doorman*
el (la) recepcionista	*desk clerk*

La cuenta — **The bill**

el recargo por	*additional charge for*
las llamadas telefónicas	*telephone calls*
el servicio de habitación	*room service*
el servicio de lavandería	*laundry service*
desocupar la habitación	*to vacate the room*

Así se habla

Getting a Hotel Room

Sra. Menéndez	¿No te habrás olvidado lo que te pedí, Juan?
Sr. Menéndez	¿Qué me pediste, querida?
Sra. Menéndez	Que reservaras una habitación doble de lujo. ¡No me digas que te olvidaste!
Sr. Menéndez	¿Doble? Este… por supuesto que no, querida.
Sra. Menéndez	Y en un piso alto, supongo.
Sr. Menéndez	Este.. sí, sí, sí… por supuesto…
Sra. Menéndez	A menos que te hayas olvidado…
Sr. Menéndez	No, no querida, ¿cómo se me iba a olvidar? … Este… mira… este… ¿Por qué no esperas mejor en el saloncito mientras yo... este... lleno la tarjeta de recepción?
Sra. Menéndez	¿Esperar? ¿En el saloncito? ¿Por qué?
Sr. Menéndez	Este... para que... para que no te canses, mi amor, por supuesto.

The following expressions are used when you want to get a hotel room.

Quisiera una habitación doble / sencilla con baño.	*I would like a double / single room with a bath(room).*
Prefiero una habitación que dé a la calle / atrás / al patio.	*I prefer a room facing the street / the back part / the patio.*
¿Acepta tarjetas de crédito / cheques de viajero / dinero en efectivo?	*Do you accept credit cards / traveler's checks / cash?*
Por favor, llene la tarjeta de recepción.	*Please fill out the registration form.*
Tengo que registrarme.	*I have to check in.*
¿A qué hora tengo que pagar la cuenta?	*At what time do I have to check out?*

Warm-up. Brainstorm with students about some of the things they like to have in their hotel room, and what type of services they like to get. Write their answers on the board.

Instructions A. Have students work in pairs. Then, call on a few students to role-play the situation.

Así se habla, Práctica A Answers. Quisiera una habitación, por favor. ¿Tiene reservación? No, no tengo. Bueno, no importa. Tenemos habitaciones. ¿Qué tipo de habitación prefiere? ¿Doble? ¿Sencilla? ¿Con baño? *Answers vary.* Muy bien. Su habitación es la número... en el... piso, y cuesta... por día. ¿Tiene aire acondicionado? ¿Televisor con cable / con satélite? ¿Hay servicio de habitación? ¿Hay algún restaurante? Sí, la habitación tiene de todo. El servicio de habitación es sólo hasta las... de la noche / No hay servicio de habitación. Sí / No hay restaurante. Muy bien. Por favor, llene la tarjeta de recepción. ¿Me podría enviar el equipaje a la habitación? Sí, por supuesto / No, no tenemos empleados. Que tenga una buena estadía en nuestra ciudad. Muchas gracias.

Warm-up B. Brainstorm with the students about what are some of the similarities / differences between traveling in the United States and traveling abroad. Then ask them what they do when they arrive in a foreign city and don't have any hotel reservations. Ask them what their priorities are and how they differ from those they have when traveling in the United States.

Instructions B. Have students group in pairs and then role-play the situation in front of the class. Ask students to use the expressions they have learned.

Así se habla, Práctica B Answers. *Answers vary.*

Necesito un recibo, por favor.	*I need a receipt, please.*
¿Me podría enviar el equipaje a la habitación?	*Could you send my luggage to my room?*

Práctica y conversación

A. En el hotel. Un(-a) estudiante hace el papel de viajero(-a) y otro(-a) el de recepcionista. ¿Qué dicen en la siguiente situación?

Viajero(-a)	Necesita una habitación.
Recepcionista	Quiere saber si el (la) viajero(-a) tiene reservación.
Viajero(-a)	Contesta negativamente.
Recepcionista	Tiene habitaciones, pero quiere saber qué tipo de habitación necesita el (la) viajero(-a).
Viajero(-a)	Responde.
Recepcionista	Quiere saber en qué sección del hotel prefiere la habitación.
Viajero(-a)	Responde.
Recepcionista	Le da la información necesaria: número de habitación, piso, precio por día, hora de salida.
Viajero(-a)	Quiere saber qué facilidades hay: aire acondicionado, televisor con cable o satélite, servicio de habitación, restaurantes, etc.
Recepcionista	Le da la información.
Viajero(-a)	Decide quedarse en ese hotel.
Recepcionista	Le da la tarjeta de recepción.
Viajero(-a)	Quiere que le lleven el equipaje a la habitación.
Recepcionista	Responde. Le desea al (a la) viajero(-a) una buena estadía en la ciudad.
Viajero(-a)	Responde.

B. Necesitamos una habitación. Con un(-a) compañero(-a), dramatice la siguiente situación. Dos amigos(-as) han llegado a Santiago de Chile. Son las doce de la noche y están muy cansados(-as) pero no tienen reservación en ningún hotel. Del aeropuerto llaman a un hotel y piden la información que necesitan. Otro(-a) estudiante toma apuntes de lo dicho y luego informa a la clase.

Estructuras

Explaining When Future Actions Will Take Place
Subjunctive in Adverbial Clauses

In Spanish the subjunctive is used in clauses when it is not certain when or if an action will take place: *We will spend our vacation in Viña del Mar provided that we can get a room in a good hotel.*

a. The subjunctive is always used in adverbial clauses introduced by the following phrases:

a menos que	*unless*	en caso que	*in case that*
antes que	*before*	para que	*so that*
con tal que	*provided that*	sin que	*without*

> Nos alojaremos en un hotel con piscina **con tal que tengan** una habitación disponible.

> *We will stay in a hotel with a pool provided that they have an available room.*

Note that the future activity (**nos alojaremos**) is dependent upon the outcome of another uncertain action (**tengan**).

b. The subjunctive is used with the following adverbs of time when a future and uncertain action is implied.

así que		cuando	*when*
en cuanto		después que	*after*
luego que	*as soon as*	hasta que	*until*
tan pronto como		mientras	*while*

> Subirán el equipaje **después que Uds. llenen** la tarjeta de recepción.

> *They will take your luggage up after you fill out the registration form.*

When these adverbs of time express a completed action in the past or habitual action in the present, they are followed by verbs in the indicative. Compare the following examples.

Future action

> Saldremos para el aeropuerto **tan pronto como llegue** tu papá.

> *We will leave for the airport as soon as your dad arrives.*

Past action

> Salimos para el aeropuerto **tan pronto como llegó** tu papá.

> *We left for the airport as soon as your dad arrived.*

Habitual action

> Siempre salimos para el aeropuerto **tan pronto como llega** tu papá.

> *We always leave for the airport as soon as your dad arrives.*

c. The subjunctive is used with the following expressions of purpose if they point to an event which is still in the future or uncertain.

a pesar de que	*in spite of*	aunque	*although / even if*
aun cuando	*even when*	de manera que	
		de modo que	*so that*

> Nos alojaremos en el Hotel Pacífico **aunque no tenga** aire acondicionado.

> *We will stay in the Pacífico Hotel even if it doesn't have air conditioning.*

When these adverbs express a certainty, the indicative is used.

> Nos alojamos en el Hotel Pacífico **aunque no tenía** aire acondicionado.

> *We stayed in the Hotel Pacífico although it didn't have air conditioning.*

Point out. Some native speakers use the **de** in the expressions **antes de que / con tal de que / en caso de que**.

Point out. The infinitive is generally used with **antes de / para** when there is no change of subject. **Saldremos para Viña del Mar antes (de) que mi hermano almuerce. Saldremos antes de almorzar.**

Point out. Hasta / después de are followed by the infinitive when there is no change of subject. **Pasamos por la aduana después de facturar el equipaje.**

Point out. Adverbs of place, manner, and condition such as **aunque, como,** and **donde** will use the subjunctive only when they express an uncertainty. **Iremos aunque llueva. Viajaré como me diga el agente.**

Práctica y conversación

A. Vacaciones en Chile. Un(-a) compañero(-a) de clase le hace preguntas a Ud. sobre unas vacaciones que Uds. piensan pasar en Chile. Conteste según el modelo.

MODELO   pasar por El Arrayán: cuando / ir a Farellones para esquiar
¿Pasaremos por El Arrayán?
Pasaremos por El Arrayán cuando vayamos a Farellones para esquiar.

1. visitar Viña del Mar: cuando / ir a Valparaíso
2. ir a Portillo: a menos que / no querer esquiar
3. hacer una excursión a La Serena: mientras / estar en ruta a Antofagasta
4. pasar por Concepción: a menos que / ser la época de la lluvia
5. viajar a Puntas Arenas: sin que / olvidar que es la ciudad más al sur del continente
6. volar a la isla de Pascua: con tal que / tener suficiente tiempo

B. Los viajeros. Combine las dos oraciones que se presentan a continuación usando las frases adverbiales que correspondan.

| a menos que | hasta que | cuando | tan pronto como |
| en cuanto | aun cuando | aunque | luego que |

MODELO   Los viajeros generalmente facturan su equipaje. Sólo llevan una maleta pequeña.
Los viajeros generalmente facturan su equipaje a menos que sólo lleven una maleta pequeña.

1. Generalmente las personas pagan su pasaje al extranjero. Han sido enviadas por su compañía o lugar de trabajo.
2. Saben que tendrán que volver a trabajar. Regresan a la oficina.
3. Saben también que tendrán que administrar su dinero muy bien. Regresan a su país.
4. Los estudiantes prefieren los albergues juveniles. Tienen muchísimo dinero.
5. Muchas veces los viajeros piensan en quedarse a vivir en el extranjero. Saben que sólo se trata de un sueño.

C. ¿Cómo podemos ayudarlo(-la)? Un(-a) estudiante hace el papel de un(-a) empleado(-a) de un hotel y otro(-a) el de un(-a) viajero(-a) que tiene muchos problemas en su habitación (la calefacción no funciona, necesita toallas, ganchos, jabón, no han subido su equipaje, la habitación no está limpia, el teléfono no funciona, etc.). El (La) tercer(-a) estudiante toma apuntes de la conversación y luego informa a la clase.

Describing Future Actions That Will Take Place Before Other Future Actions

Future Perfect Tense

The future perfect tense expresses an action that will be completed by some future time or before another future action. *We will have checked into the hotel before our friends do.*

Future Perfect Tense

habré		*I will have*	
habrás	**-AR**	*you will have*	
	viajado		*traveled*
habrá		*he, she, you will have*	
	-ER		
	aprendido		*learned*
habremos		*we will have*	
habréis	**-IR**	*you will have*	
	decidido		*decided*
habrán		*they, you will have*	

Review. You may want to review the formation of the past participle prior to introducing the future perfect tense: **Capítulo 10, Segunda Situación.**

Point out. Like all "perfect tenses," the future perfect is formed with the auxiliary verb **haber** + *the past participle.*

Reminder. Remind students that the past participle does not change form: **Marta habrá salido para las 7. Ramón habrá salido para las 7.**

a. The future perfect tense is formed with the future tense of the auxiliary verb **haber** + *past participle* of the main verb.

b. The future perfect tense expresses actions that will be completed before an anticipated time in the future.

> **Habré salido** cuando Uds. lleguen.   *I will have gone when you you arrive.*
> **Habré salido** para las 5.   *I will have gone by 5:00.*

c. As is the case with the other perfect tenses, reflexive and object pronouns precede the conjugated forms of **haber.**

> **Me** habré graduado para el año 2010.   *I will have graduated by 2010.*

Práctica y conversación

A. El futuro perfecto. Lea la siguiente tira cómica y conteste las preguntas.

Estructuras, Future Perfect Tense, Práctica A Answers. La maestra y los alumnos están en clase. Estudian la gramática española. La maestra es exigente y antipática. Habrá amado.

¿Quiénes son los personajes en la tira cómica y dónde están? ¿Qué estudian en la clase? ¿Cómo es la maestra? ¿Cuál es el futuro perfecto de amar?

B. Para el año 2025. Explique lo que las siguientes personas habrán hecho para el año 2025.

> **MODELO** Tomás / terminar sus estudios
> **Tomás habrá terminado sus estudios.**

1. Alberto / viajar a Chile
2. Bárbara y Bernardo / casarse
3. tú / conseguir un buen trabajo
4. Elena / escribir una novela
5. nosotros / aprender a hablar español
6. Ángela / hacerse médica
7. mis amigos y yo / graduarse de la universidad

C. Para este fin de semana. Explique lo que Ud. habrá hecho para este fin de semana. Mencione por lo menos cinco actividades.

D. Planes personales. Con unos compañeros de clase, dramaticen la siguiente situación. Ud. es un(-a) empleado(-a) de un hotel y hoy llegó a trabajar muy tarde. Su jefe le habla, le explica que todo está muy atrasado y le dice todo lo que tiene que hacer. Ud. le da un plan detallado de lo que piensa haber terminado para el mediodía, para las cuatro de la tarde y para las ocho de la noche. Él (Ella) se muestra muy sorprendido(-a).

Identifying the Main Topic

En el aeropuerto de Santiago

After you listen to a conversation, you are sometimes required to answer questions about what happened. You might be asked to explain how you perceive the situation: fair or unfair, expected or unexpected. You might also be asked about the attitude of the people involved: calm or nervous, selfish or generous, upfront or dubious, arrogant or humble. To make these judgments, you rely on the factual information you hear, the words and expressions the speaker uses, and your own personal background information concerning the topic or situation.

Ahora, escuche el diálogo entre una pasajera y una empleada de la línea LanChile en el aeropuerto de Santiago y tome los apuntes que considere necesarios. Antes de escuchar la conversación, lea los siguientes ejercicios. Después, conteste.

A. Algunos detalles. De las alternativas que se presentan a continuación, escoja las que mejor identifiquen el tema principal de la conversación.

    1. La viajera no sabía
        a. lo que tenía que hacer antes de facturar su equipaje.
        b. en qué sección ni en qué asiento quería sentarse.
        c. a qué hora salía el avión.
    2. La empleada le dijo a la viajera que
        a. pasara por Inmigración antes de abordar el avión.
        b. no podía viajar porque no tenía visa.
        c. el avión tenía cuarenta y cinco minutos de retraso.

B. Análisis. Escuche el diálogo nuevamente y compare esta situación con otra que alguien que Ud. conoce haya tenido en un aeropuerto.

Siga practicando el vocabulario y las estructuras gramaticales de **Capítulo 11, Segunda situación** en *Interacciones CD-ROM.*

Tercera situación

Perspectivas

El transporte en el mundo hispano

Hay una gran variedad de medios de transporte en el mundo hispano y cada uno tiene sus ventajas y desventajas. El uso de un medio en vez de otro depende de las características geográficas del lugar y de su situación económica.

El autobús es un medio de transporte muy común en todo el mundo hispano pero especialmente en Hispanoamérica. Los autobuses tienen nombres distintos según el país o la región. En México lo llaman «el camión»; en la Argentina, «el colectivo»; en Cuba y Puerto Rico, «la guagua»; y en Chile, «el bus». Generalmente los autobuses interurbanos son grandes y muy cómodos; a veces tienen televisores y servicio de comida.

VALENCIA - ALICANTE
ALICANTE - VALENCIA

HORARIOS
A PARTIR DEL 24-06-96

UBESA
grupo ENATCAR

OFICINAS CENTRALES
**Polígono Industrial Vara de Quart
C/. Dels Coeters, 5 - Tel. (96) 359 26 11
46014 VALENCIA**

CENTRALES DE INFORMACION Y VENTA:

VALENCIA: ESTACION DE AUTOBUSES · TEL. (96) 340 08 55
GANDIA: MAGISTRADO CATALAN, 3 · TEL. (96) 287 16 54
DENIA: PLAZA ARCHIDUQUE CARLOS, 4 · TEL. (96) 578 05 64
JAVEA: PRINCIPE DE ASTURIAS, 50 · TEL. (96) 579 08 45
BENISA: PLA DE CARRALS, S/N. · TEL. (96) 573 01 92
CALPE: CAPITAN PEREZ JORDA, S/N. · TEL. (96) 583 82 98
BENIDORM: JAIME I · APTOS. VALENCIA II · TEL. (96) 585 01 51
  AV. EUROPA, 8 (CENTRO LA NORIA) · TEL. (96) 680 39 55
ALICANTE: ESTACION AUTOBUSES · TEL. (96) 513 01 43

...y en el resto de oficinas de
nuestra red comercial......

*SERVICIO DE
PAQUETERIA EXPRESS*

· **BUEN VIAJE** ·

UBESA

En la mayoría de las ciudades del mundo hispano, el transporte público está bien desarrollado y generalmente es mucho más eficaz utilizarlo que manejar y tratar de encontrar un lugar para estacionar el coche. En las ciudades de Barcelona, Buenos Aires, Caracas, Madrid, México, D.F., y Santiago los habitantes y los turistas pueden utilizar el sistema de trenes subterráneos, llamado el metro, para ir de un lugar a otro.

Pero a pesar de tener buenos sistemas de transporte público, muchas personas prefieren la conveniencia de manejar su propia motocicleta o su propio coche.

En muchos países hay sistemas nacionales de aviones o de trenes. En España RENFE, la Red Nacional de Ferrocarriles Españoles, mantiene un sistema de trenes de muchas categorías, entre ellos el AVE, el tren de Alta Velocidad Española, que transporta pasajeros entre Madrid y Sevilla.

En Hispanoamérica la naturaleza dificulta el transporte. En Centroamérica y México las montañas separan los países y las regiones dentro de los países. En Sudamérica los Andes forman una barrera natural entre las regiones de la costa del Pacífico y el interior del continente. A causa de las montañas es difícil construir carreteras o vías ferroviarias; por eso dependen del transporte aéreo. No debe ser sorprendente saber que la primera línea aérea nacional fue Avianca de Colombia ni que hay más aeropuertos que estaciones de tren en Bolivia.

Además del transporte público arriba mencionado también existen taxis o la posibilidad de alquilar un coche para viajar dentro y fuera de las ciudades.

Práctica y conversación

A. Los medios de transporte. Explique qué medio de transporte van a utilizar las siguientes personas.

1. Un turista en Madrid quiere ir de su hotel al otro lado de la ciudad.
2. Una familia mexicana quiere viajar en autobús de Guadalajara a la capital.
3. Un argentino quiere viajar en autobús de Buenos Aires a Córdoba.
4. Una colombiana quiere ir de Bogotá a Cali.
5. Un turista en Santiago no quiere usar el transporte público para trasladarse dentro de la ciudad.

B. Un viaje en Chile. Ud. y un(-a) compañero(-a) quieren ir de Santiago a Viña del Mar. Discutan los medios de transporte disponibles para ir de una ciudad a otra. ¿Cuáles son las ventajas o desventajas de cada uno? ¿Cómo van a viajar de su hotel a la estación de autobuses o de tren o al aeropuerto? ¿Qué medio de transporte van a utilizar para viajar entre las dos ciudades? Justifiquen su respuesta.

Panorama cultural

El metro de México

A. La vida cotidiana. Se dice que el metro de México es como la universidad donde se puede ver y aprender muchísimo. Con un(-a) compañero(-a) de clase, haga una lista de las actividades y cosas que Uds. piensan ver dentro del metro de México. Después, miren el vídeo y digan cuáles de las cosas y actividades que tienen en su lista aparecieron en el vídeo.

B. Un programa cultural. Durante la construcción de metro los obreros han encontrado objetos de la civilización azteca que ahora forman parte de las galerías y exhibiciones culturales del metro. Utilice la siguiente foto y describa lo que se ve. En su opinión, ¿qué es esto? Después de ver el vídeo, mencione otras facetas del programa cultural del metro.

Video follow-up. Have students point out the similarities and differences between the metro of México and the metro in cities in the U.S. or in other countries.

Para leer bien

Cross-Referencing

Authors generally use synonyms in order to avoid the repetition of the same word within a sentence or paragraph as well as within the entire article or work. This use of synonyms or symbols to refer to frequently mentioned things or people is called cross-referencing. In the following sentence about Santiago, Chile there are two sets of cross-references.

> *Hay quienes piensan que el conquistador español don Pedro de Valdivia se equivocó de lugar cuando en 1541 decidió fundar la ciudad que más tarde sería la capital de Chile: Santiago de la Nueva Extremadura.*

In the first cross-reference the word **el conquistador** is used in place of **Pedro de Valdivia.** This reference provides additional information about the man who founded Santiago by explaining he was also a Spanish conquistador. In the second cross-reference the words **el lugar / la ciudad / la capital / Santiago** are used to refer to the place where Valdivia located the city and to provide further information about it.

Sometimes this avoidance of repetition is accomplished by using pronouns and possessives that also form cross-references.

La playa de Reñaca es la favorita de la juventud; su arena blanca invita a tenderse sobre ella.

The first step in making cross-references is to recognize the synonyms for the already mentioned nouns in a reading. After recognizing synonyms, it is the job of the reader to make the connections among the synonyms, pronouns and possessives.

Práctica

A. Palabras parecidas. Identifique en la columna a la derecha las palabras que tienen algo en común con los tres lugares nombrados a la izquierda.

	la ruta
	las olas
la playa de Reñaca	el mar
los Andes	la vía
la Carretera Panamericana	los sitios elevados
	la arena
	el camino
	el sol
	las montañas

B. Las contrarreferencias *(cross-references)*. Identifique las contrarreferencias en las siguientes oraciones.

1. Uno de los principales atractivos turísticos de Santiago es el llamado Parque Metropolitano, situado en el cerro San Cristóbal, mole de piedra y tierra...
2. La playa de Reñaca, con dos kilómetros de extensión, es la playa favorita de la juventud y el más importante centro de actividades del verano.
3. La cordillera de los Andes se sumerge en el mar de Drake y reaparece más tarde en el Continente Blanco —la Antártida— donde todo es nieve pura, eterna y blanca.
4. Santiago, o mejor dicho, la Región Metropolitana, reúne las mejores condiciones para el desarrollo de la producción nacional: gran concentración de población, personal calificado, recursos naturales suficientes, buenas vías de acceso y suficiente agua y energía.

Lectura cultural

Chile: Un mundo de sorprendentes contrastes

Santiago: La ciudad-jardín

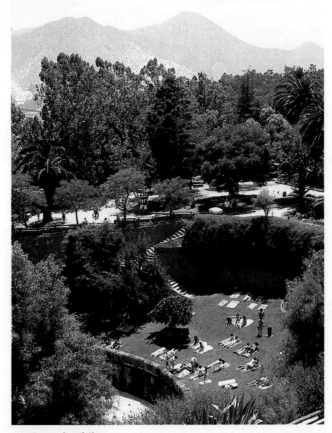

Santiago de Chile

Hay quienes piensan que el conquistador Pedro de Valdivia se equivocó de lugar cuando en 1541 decidió fundar la ciudad que más tarde sería la capital de Chile: Santiago de la Nueva Extremadura. Esta opinión se renueva° cada año cuando llega el otoño y se acentúa° en el invierno. En ambas estaciones Santiago, que está situado en un valle, sufre los efectos del progreso urbano que se traduce en una contaminación atmosférica. Esta contaminación dificulta que los turistas puedan visualizar lo que casi siempre es evidente en la primavera y el verano: el cielo azul, los verdes cerros° que rodean° Santiago y el enorme y blanco telón de fondo° que constituye la cordillera de los Andes.

Fundada el 12 de febrero de 1541 por el ya mencionado capitán de Valdivia, Santiago se caracteriza por ser la ciudad más poblada de Chile. Concentra casi el 40 por ciento de los habitantes del país, al ser un constante foco de atracción de migraciones rurales. Miles de trabajadores del campo y de las ciudades más pequeñas emigran anualmente a Santiago en busca de trabajo.

Santiago, o mejor dicho, la Región Metropolitana, reúne las mejores condiciones para el desarrollo° industrial: gran concentración de población, personal calificado, recursos naturales° suficientes, buenas vías de acceso y suficiente agua y energía.

is renewed

becomes accentuated

hills / surround

backdrop

development

natural resources

is manufactured

articles of clothing / machinery

issues forth

network / railway

mass, pile

zoo

lovers / strolls

boating / forests

streams

Es aquí donde se elabora° prácticamente el 50 por ciento de toda la producción nacional. Las principales industrias manufactureras son las textiles, las de prendas de vestir°, industria del cuero, fábricas de productos metálicos, maquinarias° y equipos, productos alimenticios, bebidas y tabacos, industrias de madera y sus productos derivados.

Santiago tiene modernos sistemas de transporte y comunicaciones. Desde el centro de la ciudad, se desprende° la Carretera Panamericana. Una ruta internacional conecta la capital con la Argentina y hay también otras carreteras y vías que la unen con todo el país. Paralela a los caminos se extiende una red° ferroviaria°; el aeropuerto internacional recibe pasajeros y carga del exterior.

Uno de los principales atractivos turísticos de Santiago es el llamado Parque Metropolitano situado en el cerro San Cristóbal, mole° de piedra y tierra de más de 300 metros de altura. Allí se encuentran sitios para picnic, un jardín zoológico°, piscinas al aire libre y salas de concierto.

En la ciudad misma se conservan aún casonas y mansiones coloniales, las que junto con museos históricos, militares, aeronaúticos, de ciencias naturales y precolombinos, ayudan al visitante a conocer no sólo lo que fue y es Chile sino toda Hispanoamérica.

Para los amantes° de la naturaleza y los paseos° hay muchas posibilidades, desde las canchas de esquí hasta las aguas termales, los ríos para hacer canotaje°, valles y bosques° para acampar sin más temor que el silencio y sin más ruido que el de los riachuelos° y los pájaros.

Viña del Mar, Chile

Viña del Mar

La vida se inicia tarde en Viña del Mar. La gente comienza a salir de sus casas hacia las once y media de la mañana, pero antes los más deportistas, como en todo centro de veraneo°, han salido a trotar°, a andar en bicicleta o, simplemente, a caminar por las costaneras° o por la gran avenida que accede a todas las playas del litoral°. Reñaca, con dos kilómetros de extensión, es la playa favorita de la juventud y el más importante centro de actividades del verano.

Las vacaciones invitan a comer fuera de casa, jugar, bailar. Viña del Mar lo ofrece todo. Las marisquerías° alternan con los restaurantes en los treinta kilómetros del camino costero. El Casino Municipal es el centro de esparcimiento° más completo de la ciudad. Sus salas atraen a jugadores de ruleta y de tragamonedas°; en su café concert durante todo el año se presentan figuras internacionales de la canción y del espectáculo. La juventud tiene otras preferencias. Los últimos ritmos europeos se unen al rock latino en las discotecas de la región. Viña del Mar también ofrece una intensa vida cultural con teatro, conciertos, exposiciones y concursos° de pintura y escultura.

summer resort / to jog
sea-side walk-ways / coast

lugar donde se venden y se come pescado y mariscos / recreation
slot machines

competitions

Magallanes

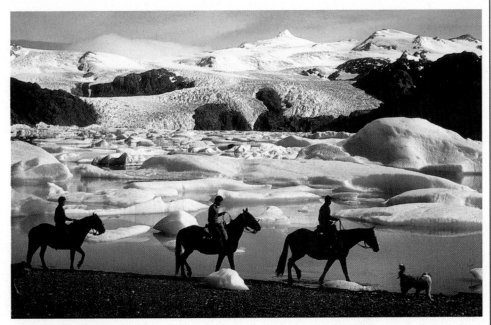

La Antártida chilena

La geografía y el clima de Chile ofrecen grandes y sorprendentes contrastes. En el norte está el desierto de Atacama, el territorio más seco del mundo, mientras al otro extremo del país todo es nieve.

La región de Magallanes y la Antártida chilena están situadas en el sur entre la Argentina y el océano Pacífico. Aunque Magallanes es la región de mayor superficie° del país es la menos poblada, con solamente 130.000 habitantes. Este territorio extenso y variado es sumamente hermoso. El paisaje° casi siempre incluye glaciares, icebergs, fiordos o islas con canales° sinuosos. Allí la cordillera de los Andes está sumergida en el mar de Drake, pero reaparece más al sur en la Antártida.

area

landscape
channels

livestock

participation

Además de ser una de las regiones más bellas del país, también es una de las más ricas en recursos naturales. La economía depende de la industrialización de los recursos mineros, ganaderos°, marinos y forestales.

Magallanes también ofrece muchas atracciones turísticas; los visitantes pueden gozar de una gastronomía sabrosa, la práctica° deportiva y las costumbres tradicionales, al mismo tiempo que viajan por una región vasta e impresionante.

Comprensión

A. Tres regiones distintas. Complete las oraciones con información del artículo.

Santiago

1. La ciudad de Santiago fue fundada por _____ en _____.
2. En el otoño y en el invierno Santiago sufre _____.
3. _____ es la ciudad más poblada del país; allá se concentra casi _____.
4. Santiago reúne las mejores condiciones para el desarrollo industrial: _____.
5. Las principales industrias de Santiago son _____.
6. El Parque Metropolitano es _____; allí se encuentran _____.
7. Dentro de la ciudad algunas de las atracciones turísticas son _____.

Viña del Mar

8. Viña del Mar es _____ que se encuentra en _____.
9. El Casino Municipal es _____.
10. Otras atracciones turísticas de Viña del Mar son _____.

La región de Magallanes

11. La región de Magallanes se encuentra _____.
12. Es la región de mayor _____ y la menos _____.
13. Entre la belleza escénica de esta región se destacan _____, _____ y _____.

B. Descripciones geográficas. Describa Santiago, Viña del Mar y Magallanes. ¿Cuáles son las características geográficas? ¿Cómo es el clima? ¿Cuáles son las ventajas y desventajas de cada región? ¿Se puede comparar estas regiones con algunas regiones en los EE.UU.? ¿Cuáles?

C. En defensa de una opinión. ¿Qué evidencia hay en el artículo que confirma la idea siguiente? «Chile es un mundo de sorprendentes contrastes.»

Explaining and Hypothesizing

When supporting an opinion in a memo, letter, essay or term paper, it is frequently necessary to explain and hypothesize. Hypothesizing involves expressing improbabilities and explaining under what conditions certain events would take place. Hypothesizing often involves the use of contrary-to-fact *if* clauses. Study the examples of explaining and hypothesizing found in the following letter.

Explanation

Thank you for inviting me to spend time with you in Chile this summer. However, I don't think that I can come because I have to work.

Hypothesis

I have applied for a scholarship this semester. If I receive it, then I would quit my job. Under these circumstances, I would be able to visit you. Even if I were to receive a full tuition scholarship, I would not be able to spend the entire summer with you since I also need to take one course in order to graduate on time.

The following phrases used to express cause and conditions will help you explain and hypothesize.

Expressions of Condition

Si yo tuviera la oportunidad / más tiempo / más dinero...	*If I had the opportunity / more time / more money . . .*
Si yo fuera + *adjective:* Si yo fuera (más) rico(-a) / joven / viejo(-a)...	*If I were + adjective: If I were rich(-er) young(-er) / old(-er) . . .*
Si yo fuera + *noun:* Si yo fuera el (la) presidente(-a) / el (la) jefe(-a) / el (la) dueño(-a)...	*If I were + noun: If I were the president / the boss / the owner . . .*
En su (tu) posición...	*In your position . . .*
Bajo otras / mejores condiciones...	*Under other / better conditions . . .*

Expressions of Cause

a causa de / por + *noun*	*because of* + noun
No viajaría allá a causa del / por el calor.	*I wouldn't travel there because of the heat.*
porque + *clause*	*because* + clause
No viajaría allí porque siempre hace mucho calor.	*I wouldn't travel there because it's always very hot.*
puesto que	*since* (used at the beginning of a sentence)
Puesto que no pagan bien, no trabajaría allí.	*Since they don't pay well, I wouldn't work there.*
como consecuencia	*consequently*
por eso / por consiguiente / por lo tanto	*therefore*

Composiciones

A. Un viaje a Santiago. Un(-a) amigo(-a) suyo(-a) estudia en Santiago, Chile este año y lo (la) invita a Ud. a pasar el mes de junio con él (ella). Escríbale una carta explicándole bajo qué condiciones podría visitarlo(-la).

Composiciones Answers. *Answers vary for **Composiciones A-C.***

B. Un puesto en Valparaíso. Hace muchos años que Ud. vive y trabaja en Santiago y le gustan su trabajo y su casa. Ayer recibió una carta de la Compañía Valdéz ofreciéndole un puesto excelente en Valparaíso. Escríbales una carta diciéndoles que aceptará el puesto con tal que ellos hagan ciertas cosas. Explique las condiciones bajo las cuales Ud. aceptaría su oferta.

C. Las vacaciones de primavera. El presidente de la universidad piensa que los estudiantes no son serios y deben estudiar más. Por eso quiere eliminar las vacaciones de primavera este año y todos los alumnos tienen que pasar el tiempo en la biblioteca o en los laboratorios. Ud. tiene que hablar en nombre de *(on behalf of)* los estudiantes en una reunión con el presidente. Escriba su discurso *(speech)* describiendo su posición, explicándole al presidente lo que querría que él hiciera y lo que pasaría si él eliminara las vacaciones.

Actividades

Communicative modes incorporated.
A: interpersonal;
B: interpersonal;
C: interpersonal;
D: presentational.

Vocabulary incorporated. A: airport vocabulary; **B:** hotel vocabulary, expressions for obtaining a hotel room; **C:** travel, general activities; **D:** travel, airport, hotel vocabulary

Grammar incorporated. A: subjunctive in adverbial clauses; **B:** subjunctive in adverbial clauses, *if* clauses with imperfect subjunctive and conditional; **C:** future perfect tense; **D:** *if* clauses with imperfect subjunctive and conditional

Actividades Answers. *Answers vary for Actividades A-D.*

A. En el aeropuerto de Santiago. You are in the airport in Santiago waiting for your return flight to the U.S. Role-play the following situation with a classmate who is the ticket agent in the airport. You go to the LanChile check-in counter. Confirm that your ticket is correct and check in two suitcases. Obtain the seat of your choice; find out when the plane leaves and the gate number; then get your boarding pass. Ask if you have time to do some shopping before departure. Find out when and where to go through customs.

B. Una reservación. You and your family are going to spend a week's vacation in Viña del Mar. Call the Hotel Solimar to obtain a room reservation. Talk with the reservation clerk (played by a classmate). Find out if there are rooms available when you want to arrive and the price for the type of room(-s) you want. Describe any special room items or characteristics you need. Arrange a payment method and confirm your reservation.

C. Para el año 2010. Interview at least five classmates to find out three things they will have done by the year 2010. Compile the results and explain what the majority of the class will have done by that date.

D. El viaje de sus sueños. You are a contestant on the TV quiz show *El viaje de sus sueños.* In order to win the trip of your dreams, you must explain in three minutes or less where and with whom you would go and what you would do if you were to win the trip. You also need to explain under what conditions you would travel or engage in certain activities. After listening to all the contestants, the class should decide on the winner.

Para saber más:
www.heinle.com

CAPÍTULO

12

Los deportes

El polo es un deporte muy popular en la Argentina.

Cultural Themes

Argentina
Sports in the Hispanic World

Communicative Goals

Discussing sports and games

Explaining what you would have done under certain conditions

Discussing what you hoped would have happened

Discussing contrary-to-fact situations

Describing illnesses

Expressing sympathy and good wishes

Discussing unexpected events

Linking ideas

Primera situación

Presentación

¿Fuiste al partido del domingo?

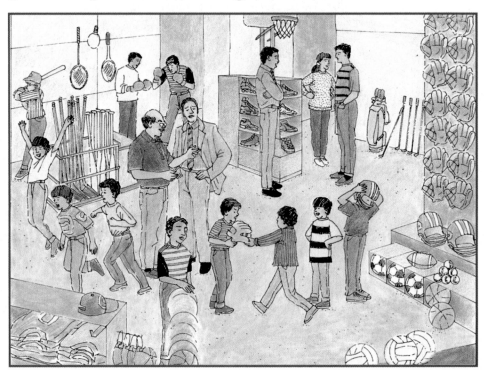

Práctica y conversación

A. El equipo deportivo. ¿Qué equipo deportivo necesita Ud. para practicar los siguientes deportes?

el golf / el béisbol / el básquetbol / el tenis / el fútbol / el vólibol / el hockey

B. De compras. ¿De qué hablan las personas que están en el dibujo de la **Presentación**? Con uno(-a) o dos compañeros(-as) de clase, dramatice su conversación.

C. Póngase en forma. Según el anuncio a continuación, ¿cuáles servicios ofrece el gimnasio Mister Muscle para que Ud. se ponga en forma? ¿Qué piensa Ud. de estos servicios?

MISTER MUSCLE

TODO LO QUE NECESITAS PARA ESTAR EN FORMA

Consulta médico-deportiva y nutricional

Servicio de entrenadores personales

Se alquilan aparatos para publicidad ...

Mini-Gimnasios para casa

* Cinta de andar motorizada con 1CV de pot. Y 0.7 a 10 km/h.
* Plegado vertical
* Monitor electrónico completo
* Ideal para trabajos de fondo físico y cardio-vasculares

* Estación múltiple de ejercicio
* 70 kg en placas de hierro
* Recomendado para trabajo y tonificación de todos los grupos musculares.

Dietética Especializada

*Proteínas
*Aminoácidos
*Vitaminas
*Lipotrópicos
*Potenciadores

Ropa deportiva U.S.A

| * Maillot | * Pantalones | * Mallas |
| * Tops | * Camisetas | * Baggies |

¡¡ INVIERTA EN SALUD !!
NOSOTROS LE PRESUPUESTAMOS SU GIMNASIO EN CASA

D. Creación. En una narración cuente lo que pasa en el dibujo de la **Presentación**.

Vocabulario

En el estadio	At the stadium
el (la) árbitro(-a)	referee, umpire
el (la) campeón(-ona)	champion
el (la) entrenador(-a)	coach
el equipo	team
el puntaje	score
batear	to bat
coger la pelota	to catch the ball
dar una patada	to kick
patear	
entrenar	to coach
ganar el campeonato	to win the championship
jugar	to play
al baloncesto (E)	basketball
al básquetbol (A)	
al fútbol	soccer
lanzar	to throw
tirar	

En el campo deportivo	On the field
la cancha	playing area
la pista	track
correr	to run
hacer jogging	to jog
jugar al béisbol	to play baseball
al golf	golf
al hockey	hockey
al tenis	tennis
saltar	to jump

En el gimnasio	In the gym
entrenarse	to train
hacer ejercicios	to exercise
ejercicios aeróbicos	to do aerobic exercises
ejercicios de calentamiento	to do warm-up exercises
ponerse en forma	to get in shape
practicar el boxeo	to box
la gimnasia	to do gymnastics
la lucha libre	to wrestle
sudar	to sweat

El equipo deportivo	Sports equipment
el bate	bat
la canasta	basket
el casco	helmet
el disco	hockey puck
el marcador	scoreboard
el palo de golf	golf club
de hockey	hockey stick
los patines de hielo	ice skates
la pelota	ball
la raqueta	tennis racquet
la red	net

Así se habla

Discussing Sports and Games

Ada	Y, ¿qué tal tu partido de tenis, Felipe?
Felipe	Hubiera podido ser mejor.
Ada	Pero, ¿qué pasó?
Felipe	Nada, sino que al final me cansé y no pude jugar tan bien.
Ada	¿Quién ganó?
Felipe	Javier.
Ada	¡Qué lástima! Lo siento.
Felipe	Está bien, no te preocupes. Si hubiera practicado más y me hubiera mantenido en forma, no habría perdido.
Ada	Pero si practicaste bastante, mi amor. Todos los días ibas al Club.
Felipe	Evidentemente no fue suficiente.
Ada	Bueno, ojalá que ganes la próxima semana para que te sientas mejor.

When you want to discuss sports, you can use the following expressions:

Para informarse:

¿Qué tal el partido?	*How was the game?*
¿Quién ganó?	*Who won?*

Comentarios negativos:

Perdimos.	*We lost.*
Nos derrotaron.	*They defeated us.*
¡Qué desastre!	*What a disaster!*
¡Qué horrible / terrible / espantoso!	*How horrible / terrible / dreadful!*
¡Ni me cuentes!	*Don't tell me!*
No quiero oír nada más.	*I don't want to hear any more.*
Lo siento.	*I'm sorry.*

Comentarios positivos:

Increíble.	*Incredible.*
Buenísimo.	*Very good.*
Fantástico.	*Fantastic.*
¡Qué bien!	*Great!*

Práctica y conversación

A. ¡Qué partido! ¿Cómo reacciona Ud. en las siguientes situaciones?

1. Su equipo favorito de fútbol ganó el último partido.
2. Su equipo favorito de hockey perdió.
3. Ud. quiere saber el puntaje final.
4. Ud. no quiere oír nada más.
5. Ud. espera que la situación mejore en el futuro.

B. Un partido de fútbol. El equipo de fútbol / básquetbol de su universidad jugó hoy contra uno de los más fuertes rivales. Ud. no pudo ir. Pregúntele a un(-a) compañero(-a) qué pasó.

Estructuras

Explaining What You Would Have Done Under Certain Circumstances

Conditional Perfect

In English the conditional perfect tense is expressed with *would have + the past participle* of the main verb. It is used to express what you would have done under certain conditions or circumstances. *With your height and athletic abilities, I would have been a professional basketball player.*

Conditional Perfect Tense

haber	+	past participle
habría		**-AR**
habrías		jugado
habría		**-ER**
habríamos		corrido
habríais		**-IR**
habrían		asistido

Warm-up A. Brainstorm with students about some of their favorite sport teams and how they feel when they win or lose.

Instructions A. Have students work in pairs. Then, call on a few students to give the answers out loud.

Así se habla, Práctica A Answers. 1. Ganamos. 2. ¡Qué desastre! 3. ¿Cuál fue el puntaje final? 4. ¡Ni me cuentes! 5. Espero que la situación mejore en el futuro / el próximo partido sea mejor.

Warm-up B. Brainstorm with the students about what they do when they cannot go to their favorite game, where they get information about the results, what type of information they are interested in, etc. Then, ask them to think of the similarities / differences there might be between sport fans in the U.S. and in Hispanic countries.

Instructions B. Have students group in pairs and ask them to complete the activity. Ask students to use the expressions they have learned.

Así se habla, Práctica B Answers. *Answers vary.*

Review. You may want to review the formation of the past participle prior to introducing the conditional perfect tense in **Capítulo 10, Segunda situación.**

Point out. The formation of the conditional perfect is consistent with the formation of other perfect tenses: auxiliary verb **haber** + *the past participle.*

Reminder. Remind students that the past participle does not change form: **Marta habrá jugado su partido para las 10. Los tenistas habrán jugado su partido para las 10.**

Estructuras, Conditional Perfect, Práctica A Answers. *Answers vary.*

Estructuras, Conditional Perfect, Práctica B Answers. *Answers vary.*

Warm-up Práctica C. Have students tell each other what they do or expect athletes to do before a game. Then, ask them what they do or expect athletes to do during a game.

Instructions C. Ask students to role-play this situation.

Estructuras, Conditional Perfect, Práctica C Answers. *Answers vary.*

a. The conditional perfect tense is formed with the conditional of the auxiliary verb **haber** + *past participle* of the main verb.

b. The conditional perfect is used to express something that would have or might have happened if certain other conditions had been met.

Con más tiempo **habría asistido** al campeonato en Buenos Aires.	*With more time I would have attended the championship in Buenos Aires.*

Práctica y conversación

A. Con más tiempo. Forme por lo menos seis oraciones describiendo lo que habrían hecho las siguientes personas con más tiempo.

yo	ponerse en forma
mi novio(-a)	entrenarse
el equipo de la universidad	ganar el campeonato
mis amigos	hacer ejercicios aeróbicos
tú	practicar la lucha libre
nosotros	jugar al golf

B. Entrevista personal. Pregúntele a su compañero(-a) de clase lo que habría hecho con más tiempo y bajo condiciones ideales.

Pregúntele...

1. qué deportes habría practicado. ¿Por qué?
2. cómo se habría puesto en forma.
3. cuándo se habría entrenado.
4. dónde se habría entrenado.
5. qué equipo deportivo habría necesitado.
6. ¿?

C. Yo creo que... Su equipo favorito perdió un partido importantísimo ayer. Con un(-a) compañero(-a), hable de lo que Uds. habrían hecho para ganar.

Discussing What You Hoped Would Have Happened

Past Perfect Subjunctive

When you explain what you hoped or doubted had already happened, you use the past perfect subjunctive.

Past Perfect Subjunctive

haber	+	past participle
hubiera		**-AR**
hubieras		practicado
hubiera		**-ER**
hubiéramos		corrido
hubierais		**-IR**
hubieran		salido

a. The past perfect subjunctive (sometimes called the pluperfect subjunctive) is formed with the imperfect subjunctive of the auxiliary verb **haber** + *past participle* of the main verb.

b. The same expressions that require the use of the other subjunctive forms can also require the use of the past perfect subjunctive.

> Esperaba / Dudaba / Era mejor que ya **hubieran terminado** el partido.
> *I hoped / I doubted / It was better that they had already finished the game.*

Note that the phrases requiring the use of the past perfect subjunctive are also in a past tense.

c. The past perfect subjunctive is used instead of the imperfect subjunctive when the action of the subjunctive clause occurred before the action of the main clause. Compare the following examples.

> Esperaba que los Tigres **ganaran** el campeonato.
> *I hoped that the Tigers would win the championship.*
>
> Esperaba que los Tigres ya **hubieran ganado** el campeonato.
> *I hoped that the Tigers had already won the championship.*

Práctica y conversación

A. ¡No ganamos! El equipo de béisbol ha perdido el campeonato. Explique lo que Ud. dudaba que el equipo hubiera hecho antes de llegar a los partidos finales.

Dudaba que el equipo...

entrenarse bien / mantenerse en forma / escuchar al entrenador / querer ganar / correr bastante

B. Para tener éxito. Su compañero(-a) no salió bien en su programa deportivo. Explíquele lo que era necesario que hubiera hecho antes del fin del programa.

To review the expressions that require the use of the subjunctive in noun clauses, see the following: **Capítulo 5, Segunda Situación:** expressions of wishing, hoping, commanding, and requesting; **Capítulo 6, Segunda Situación:** expressions of emotion, judgment, and doubt.

Point out. There is a great deal of variation in the way that the past perfect subjunctive will translate into English.

Estructuras, Past Perfect Subjunctive, Práctica A Answers. Dudaba que el equipo se hubiera entrenado bien. Dudaba que el equipo se hubiera mantenido en forma. Dudaba que el equipo hubiera escuchado al entrenador. Dudaba que el equipo hubiera querido ganar. Dudaba que el equipo hubiera corrido bastante.

Estructuras, Past Perfect Subjunctive, Práctica B Answers. No me puse en forma. Era necesario que te hubieras puesto en forma. No hice ejercicios de calentamiento. Era necesario que hubieras hecho ejercicios de calentamiento. No llegué al gimnasio a tiempo. Era necesario que hubieras llegado al gimnasio a tiempo. No sudé mucho. Era necesario que hubieras sudado mucho. No hice jogging. Era necesario que hubieras hecho jogging. No me entrené todos los días. Era necesario que te hubieras entrenado todos los días.

MODELO	hacer ejercicios
Compañero(-a):	**No hice ejercicios.**
Usted:	**Era necesario que hubieras hecho ejercicios.**

ponerse en forma / hacer ejercicios de calentamiento / llegar al gimnasio a tiempo / sudar mucho / hacer jogging / entrenarse todos los días

C. Entrevista personal. Converse con su compañero(-a) de clase acerca de todo lo que Ud. y él (ella) esperaban que sus padres / amigos / profesores / jefes hubieran hecho el año pasado.

Discussing Contrary-to-Fact Situations

If *Clauses With the Conditional Perfect and the Past Perfect Subjunctive*

Contrary-to-fact ideas, such as *If I had been more careful,* are often joined with another idea expressing what would have or would not have been done. *If I had been more careful, I would not have broken my arm.*

a. When a clause introduced by **si** *(if)* expresses a contrary-to-fact situation that occurred in the past, the verb in the **si** clause must be in the past perfect subjunctive. The verb in the main or result clause is in the conditional perfect tense.

Si **nos hubiéramos entrenado** más, **habríamos ganado** el campeonato.	*If we had trained more,* (but we didn't) *we would have won the championship.*

b. The following chart will help clarify the sequence of tenses in *if* clauses.

1. **Si** + *present indicative* + *present indicative* or *future*

Si **haces** ejercicios, **te pondrás** en forma.	*If you exercise, you will get in shape.*

2. **Si** + *imperfect subjunctive* + *conditional*

Si **hicieras** ejercicios, **te pondrías** en forma.	*If you exercised, you would get in shape.*

3. **Si** + *past perfect subjunctive* + *conditional perfect*

Si **hubieras hecho** ejercicios, **te habrías puesto** en forma.	*If you had exercised, you would have gotten in shape.*

Práctica y conversación

A. Mejor entrenado(-a). Explique lo que no habría ocurrido si Ud. hubiera podido evitarlo *(avoid it).*

Si yo hubiera podido evitarlo, ...

los jugadores no estar en mala forma / las prácticas no ser tan cortas / los jugadores no llegar tarde al gimnasio / el equipo no perder / ¿?

B. **Más consejos.** Explíquele a su compañero(-a) que él (ella) habría ganado la competencia si hubiera escuchado sus consejos.

Habrías ganado la competencia si ...

dormir más / comer comidas más nutritivas / tomar tus vitaminas / prestar atención / practicar más horas / ¿?

C. **¡Te lo dije!** Su amigo(-a) es capitán(-ana) de un equipo deportivo de su universidad y está muy triste porque su equipo perdió el campeonato nacional. Ud. cree que es porque el equipo no practicó, no descansó, no se alimentó lo suficiente, etc. Dígale que no habría perdido si hubiera seguido sus consejos.

Siga practicando el vocabulario y las estructuras gramaticales de **Capítulo 12, Primera situación** en *Interacciones CD-ROM*.

Para saber más:
www.heinle.com

Estructuras, *If* Clauses with the Conditional Perfect and the Past Perfect Subjunctive, Práctica B Answers. Habrías ganado la competencia si hubieras dormido más. Habrías ganado la competencia si hubieras comido comidas más nutritivas. Habrías ganado la competencia si hubieras tomado tus vitaminas. Habrías ganado la competencia si hubieras prestado atención. Habrías ganado la competencia si hubieras practicado más horas. *Answers vary.*

Warm-up C. Have students brainstorm about the type of comment they make when a friend of theirs / a sibling loses a game / gets bad grades / has something bad happen to them.

Instructions C. Have students divide in pairs and role-play this activity. Then, have them check their responses with those of a different pair.

Estructuras, *If* Clauses with the Conditional Perfect and the Past Perfect Subjunctive, Práctica C Answers. *Answers vary.*

Segunda situación

Presentación

En el consultorio del médico

Práctica y conversación

A. Los síntomas. Describa los síntomas de las siguientes enfermedades.

la gripe / la mononucleosis / el catarro / la bronquitis / la pulmonía

B. Los consejos. ¿Qué consejos le da Ud. a su compañero(-a) de clase en las siguientes situaciones?

1. No puede dormirse.
2. Tiene dolor de estómago.
3. Se ha fracturado el brazo.
4. Tiene el tobillo hinchado.
5. Sufre de dolores musculares.
6. Tiene escalofríos.
7. Le duele la garganta.

C. Entrevista personal. Pregúntele a su compañero(-a) de clase sobre su salud.

Pregúntele...

1. qué hace cuando tiene dolor de cabeza.
2. si sufre de alergias.
3. qué hace si se siente deprimido(-a).
4. qué toma para una tos fuerte.
5. qué hace si sufre de insomnio.
6. qué hace cuando tiene fiebre.

D. Herbalife. Según el anuncio a continuación, ¿qué ventajas ofrece el programa Herbalife para controlar el peso? ¿Hay desventajas? ¿Cuáles?

CONTROLA TU PESO

CONTROLA TU PESO Y VOLUMEN, COMIENDO TUS PLATOS FAVORITOS, CON UN BUEN PROGRAMA NUTRICIONAL DE UNA COMPAÑIA INTERNACIONAL CON 15 AÑOS DE EXPERIENCIA

HERBALIFE

SATISFACCION GARANTIZADA DURANTE 30 DIAS O TE DEVOLVEMOS TU DINERO
INFORMA: Srta. MATI
(91) 473 30 85
"CREMA ANTI-CELULITICA" ¡YO LA TENGO!

Vocabulario

Los síntomas	**Symptoms**	las gotas	*drops*
desmayarse	*to faint*	el jarabe para la tos	*cough syrup*
estar deprimido(-a)	*to feel depressed*	las pastillas	*tablets*
estar mal	*to feel sick*	la penicilina	*penicillin*
no estar bien		las píldoras	*pills*
sentirse (ie) mal		la receta	*prescription*
estornudar	*to sneeze*	las vitaminas	*vitamins*
marearse	*to feel dizzy, seasick*	operar a alguien	*to operate on someone*
mejorarse	*to get better*		
padecer de	*to suffer from*	ponerse una inyección	*to get a shot*
alergia	*an allergy*	recetar un remedio	*to prescribe a medicine*
dolores musculares	*muscular aches*		
insomnio	*insomnia*	**Las heridas**	**Injuries**
mareos	*dizziness*	la curita	*band-aid*
sonarse (ue) la nariz	*to blow one's nose*	las muletas	*crutches*
sufrir	*to suffer*	la venda	*bandage*
tener dolor de	*to have a*	el yeso	*cast*
cabeza	*headache*	cortarse el dedo	*to cut one's finger*
estómago	*stomach ache*	enyesar el brazo	*to put one's arm in a cast*
garganta	*sore throat*		
tener escalofríos	*to have chills*	fracturarse la muñeca	*to fracture one's wrist*
fiebre	*fever*		
toser	*to cough*	golpearse la rodilla	*to hit one's knee*
vomitar	*to vomit*	herirse (ie)	*to hurt oneself*
Las enfermedades	**Diseases**	lastimarse el hombro	*to hurt one's shoulder*
el catarro	*cold*		
el resfriado		dar puntos en la mano	*to get stitches in one's hand*
la gripe	*flu*		
la pulmonía	*pneumonia*	romperse la pierna	*to break one's leg*
Los remedios	**Medicines**	tener una contusión	*to be bruised*
los antibióticos	*antibiotics*	torcerse (ue) el tobillo	*to sprain one's ankle*
la aspirina	*aspirin*	vendar el dedo del pie	*to bandage one's toe*

Así se habla

Expressing Sympathy and Good Wishes

Ana María	Carmencita, cuánto lamento la muerte de tu padre. Mi sentido pésame.
Carmencita	Gracias, Ana María. En realidad ha sido horrible. Tan inesperado.
Ana María	Sí, ha sido una cosa tan violenta. Francamente ha sido una impresión muy fuerte para todos.
Carmencita	Un hombre tan fuerte, tan lleno de vida y entusiasmo, se muere de un momento para el otro. Si hubiera estado enfermo o si lo hubiéramos visto deteriorarse poco a poco, quizás el choque no habría sido tan fuerte. ¿Pero morirse así? Es espantoso. No se lo deseo a nadie.
Ana María	Mira, aquí estamos, ya sabes. Si necesitas cualquier cosa, por favor avísanos, que para eso somos las amigas.
Carmencita	Sí, claro. Muchas gracias por venir, Ana María. Muchas gracias por todo. De repente te tomo la palabra y te llamo un día de éstos.
Ana María	Por favor, hazlo.

When you want to express sympathy or good wishes, you can use the following expressions.

Expressing sympathy:

¡Cuánto lo siento!	*I'm sorry!*
Lo siento mucho.	*I'm very sorry!*
Mi sentido pésame.	*Receive my sympathies.*

Expressing good wishes:

Que se (te) mejore(-s).	*I hope you get better.*
Que Dios le (te) bendiga.	*May God bless you.*
Le (te) deseo lo mejor.	*I wish you the best.*
Feliz cumpleaños.	*Happy birthday.*
Feliz Navidad / Año Nuevo.	*Merry Christmas. / Happy New year.*
Felices vacaciones.	*Enjoy your vacation!*

Have students describe the drawing. Ask questions such as: **¿Dónde están estas personas? Describa a las personas y el lugar. ¿Qué cree Ud. que ha pasado? Justifique su respuesta. ¿Ha estado Ud. en una situación similar? Describa la situación.**

Ask different students to volunteer to read the roles of Ana María and Carmencita.

After reading the dialogue aloud, have students locate the expressions in the dialogue that illustrate *Expressing sympathy and good wishes.*

Comprehension check. After students have read the dialogue aloud, have them answer the following questions about content. **¿Cómo se sentía Carmencita? ¿Por qué?** *(Se sentía muy triste porque su padre había muerto.)* **¿Por qué ha sido esta situación particularmente difícil?** *(Porque fue una cosa violenta, inesperada.)* **¿Qué le ofrece Ana María a Carmencita?** *(su apoyo)*

After introducing the phrases, have students repeat them aloud. Correct pronunciation as needed.

Point out. The phrase **Mi (más) sentido pésame.** is reserved for expressing sorrow to someone who has just lost a loved one. The other phrases such as **¡Cuánto lo siento!** or **Lo siento mucho.** can be used in other more general situations.

Warm-up. Brainstorm with students about some of the situations that make people feel good and situations that make people feel bad.

Instructions A. Have students work in pairs. Then, call on a few students to role-play the situation.

Así se habla, Práctica A Answers. 1. ¡Cuánto lo siento! / ¡Que se mejore! **2.** ¡Me alegro por ti! / ¡Qué bien! **3.** ¡Te felicito! **4.** ¡Te deseo lo mejor! **5.** ¡Feliz cumpleaños! **6.** ¡Lo siento mucho! / ¡Que te mejores!

Warm-up B. Brainstorm with students about what they do when a friend is in the hospital.

Instructions B. Have students work in pairs and role-play the situation.

Así se habla, Práctica B Answers. *Answers vary.*

Práctica y conversación

A. ¡Qué vida ésta! ¿Qué dice Ud. en las siguientes situaciones?

1. Su compañero(-a) de cuarto está muy triste porque su abuelo está muy enfermo.
2. Su novio(-a) está muy contento(-a) porque consiguió el trabajo que quería.
3. Su padre recibió un ascenso.
4. Su mejor amigo(-a) se va de vacaciones al Caribe.
5. Su compañero(-a) de clase cumple veintiún años.
6. Su vecino(-a) se siente muy enfermo(-a).

B. ¡Buena suerte! Con un(-a) compañero(-a), dramatice la siguiente situación. Su compañero(-a) está en el hospital y lo (la) van a operar. El (Ella) está muy preocupado(-a) y asustado(-a). Ud. le hace una visita y trata de darle ánimo.

Estructuras

Discussing Unexpected Events

Reflexive for Unplanned Occurrences

In English we often describe accidents, unintentional actions, and unexpected events with the words *slipped* or *got*. For example: *The pills slipped out of my hands; The prescription got lost.* Spanish uses a very different construction to convey these ideas.

a. To express when something happens to someone accidentally or unexpectedly, Spanish uses **se** + *indirect object pronoun* + *verb* in the third person.

Se me perdió la receta.   *My prescription got lost.*
Se me perdieron las píldoras.   *My pills got lost.*

b. In these constructions the subject normally follows the verb. When the subject is singular, the verb is third-person singular; when the subject is plural, the verb is third-person plural.

Se le cayó la botella de aspirinas.   *The aspirin bottle slipped out of his hands.*

c. The indirect object pronoun refers to the person who experienced the action. The indirect object pronoun can be clarified with the phrase **a** + *noun* or *pronoun*.

A Eduardo se le cayó la botella de aspirinas.   *The aspirin bottle slipped out of Eduardo's hands.*

d. Verbs frequently used in this construction are

acabar	*to finish, run out of*	ocurrir	*to occur*
caer	*to fall, slip away*	olvidar	*to forget, slip one's mind*
escapar	*to escape*	perder	*to lose*
ir	*to go, run away*	quedar	*to remain, have left*
morir	*to die*	romper	*to break*

Point out. The indirect object pronoun can be translated as the subject of the sentence or even as a possessive: **Se me olvidó la receta.** = *I forgot the prescription.* Here the indirect object pronoun **me** = the subject *I* in the English sentence. **Se le olvidaron las llaves.** = *He forgot his keys* or *His keys slipped his mind.* Here the indirect object **le** = the subject *He* in the English sentence as well as the possessive *his*.

Práctica y conversación

A. Me falta. ¿Qué se les acabó a las siguientes personas?

MODELO   el Dr. Flores / las pastillas
Al Dr. Flores se le acabaron las pastillas.

1. yo / la aspirina
2. el Dr. Maura / los antibióticos
3. nosotros / el jarabe para la tos
4. la Dra. Valle / la penicilina
5. tú / las vitaminas
6. las enfermeras / las gotas

B. ¡Qué mala suerte! Forme por lo menos seis oraciones explicando lo que les pasó a las siguientes personas.

yo	caer	la botella de jarabe
tú	romper	las gafas
mi mejor amigo(-a)	perder	las recetas
nosotros	olvidar	la pierna
mi compañero(-a)	acabar	el dinero
		las píldoras

C. ¡Se me cayó! Con un(-a) compañero(-a), dramatice la siguiente situación. Ud. no sabe dónde está la receta que el (la) médico(-a) le había dado y ya no tiene más pastillas. Explíquele al (a la) médico(-a) que no es culpa suya.

Linking Ideas

Relative Pronouns: **Que** *and* **quien**

Relative pronouns are used to link short sentences and clauses together in order to provide smooth transitions from one idea to another. The most common English relative pronouns *that, which, who,* and *whom* are often expressed in Spanish with **que** and **quien(-es).**

a. Que = *that, which, who*

1. **Que** is the most commonly used relative pronoun; it may be used as a subject or object of a verb and may refer to a person or thing.

Primero debes tomar la penicilina, **que** es un remedio común para la pulmonía. El médico **que** conocí esta mañana me dijo **que** no vas a sufrir mucho más.

First you should take penicillin, which is a common medicine for pneumonia. The doctor that I met this morning told me that you're not going to suffer much longer.

2. **Que** may also be used after short prepositions such as **a, con, de,** or **en** to refer to a place or thing.

El dolor **de que** te hablé se desapareció.

The pain I talked to you about disappeared.

b. Quien(-es) = *who, whom*

1. The relative pronoun **quien(-es)** is used after prepositions to refer to people.

Las dos enfermeras **con quienes** hablabas son mis primas.

The two nurses with whom you were talking are my cousins.

Warm-up A. Have students talk about the defining characteristics of some of their classmates: those who always do their homework, those that are always late, those that are always prepared, those that speak Spanish very well, those who are always tired, those that practice sports, etc.

Estructuras, Relative Pronouns: *Que* and *quien(-es),* **Práctica A Answers. 1.** Paco es el chico que está deprimido. **2.** Susana es la chica que estornuda todo el tiempo. **3.** La Sra. Blanca es la profesora que tiene dolor de estómago. **4.** El Sr. Gómez es el trabajador que se cortó el dedo. **5.** María es la enfermera que pone inyecciones.

Estructuras, Relative Pronouns: *Que* and *quien(-es),* **Práctica B Answers. 1.** Julio es un muchacho muy activo a quien le enyesé la pierna. **2.** Susana es una enfermera muy eficiente con quien yo trabajé. **3.** Mario es un estudiante a quien le operé la mano. **4.** La Sra. Blanca es la enfermera para quien compré un regalo. **5.** Mariano es el jugador de fútbol a quien le di puntos en la cabeza.

Estructuras, Relative Pronouns: *Que* and *quien(-es),* **Práctica C Answers.** *Answers vary.*

Expansión C. Have students identify who the following persons were / are: George Washington, George W. Bush, John Glenn, Sammy Sosa, Madonna, Brad Pitt, Elvis Presley.

Warm-up D. Have students think of what they do when they are in a place they don't know at all and what type of questions they ask.

Estructuras, Relative Pronouns: *Que* and *quien(-es),* **Práctica D Answers.** *Answers vary.*

2. **Quien(-es)** may also be used to introduce a nonrestrictive clause, that is, a clause set off by commas that is almost an aside and not essential to the meaning of the sentence.

El Sr. Rivas, **quien** es nuestro médico, dijo que vas a mejorarte pronto.

Sr. Rivas, who is our doctor, said that you will get better soon.

In spoken language **que** is generally used in these nonrestrictive clauses; **quien(-es)** is more normally used in written language.

c. The relative pronoun is often omitted in English. In Spanish the relative pronoun must be used to join two clauses.

Esos edificios **que** ves a la derecha son los hospitales de la universidad.

Those buildings (that) you see on the right are the university hospitals.

¿Conoces a todas las personas **con quienes** trabajas en la clínica?

Do you know all the people (that) you work with in the clinic?

Práctica y conversación.

A. **¿Quiénes son?** Explique quiénes son las siguientes personas.

> **MODELO** José / el médico / recetarnos un remedio
> **José es el médico que nos recetó un remedio.**

1. Paco / el chico / estar deprimido
2. Susana / la chica / estornudar todo el tiempo
3. la Sra. Blanca / la profesora / tener dolor de estómago
4. el Sr. Gómez / el trabajador / cortarse el dedo
5. María / la enfermera / poner inyecciones

B. **Enfermeros y pacientes.** Explique quiénes son estas personas. Siga el modelo.

> **MODELO** El Sr. Ochoa es el médico. Hablé con el Sr. Ochoa ayer.
> **El Sr. Ochoa es el médico con quien hablé ayer.**

1. Julio es un muchacho muy activo. Le enyesé la pierna a Julio.
2. Susana es una enfermera muy eficiente. Yo trabajé con Susana.
3. Mario es un estudiante. Le operé la mano a Mario.
4. La Sra. Blanca es la enfermera. Compré un regalo para la Sra. Blanca.
5. Mariano es el jugador de fútbol. Le di puntos en la cabeza a Mariano.

C. **¿Quién es?** Complete las siguientes oraciones utilizando pronombres relativos.

1. Mi mejor amigo(-a) es la persona...
2. El capitán del equipo de fútbol es la persona...
3. Los enfermos son las personas...
4. El entrenador es la persona...
5. El campeón de boxeo es la persona...

D. **¡No conozco nada ni a nadie!** En grupos, dramaticen esta situación. Ud. está en Buenos Aires visitando a unos amigos quienes lo (la) llevan a conocer varios lugares y personas. Ud. les hace preguntas y ellos le contestan.

Linking Ideas

Relative Pronouns: *Forms of* el que, el cual *and* cuyo

The relative pronouns **que** and **quien(-es)** are most often used in the spoken language. In more formal written and spoken Spanish other relative pronouns are often used.

a. **el que, la que, los que, las que** = *who, whom, that, which*
   Forms of **el que** agree in gender and number with their antecedent, that is, the person or thing they refer back to.

b. **el cual, la cual, los cuales, las cuales** = *who, whom, that, which*
   Forms of **el cual** also agree in number and gender with their antecedent.

c. Forms of **el que** and **el cual** are used only after a preposition or after a comma. When there is no preposition or comma, the relative **que** is used. The choice between forms of **el que** or **el cual** is often just a matter of personal preference similar to *that* or *which* in most cases in English.

   1. Forms of **el que** or **el cual** are used to avoid confusion when there are two possible antecedents.

El primo de mi mamá, **el que (el cual)** vive en Buenos Aires, es un cirujano famoso.	*The cousin of my mother, who (the cousin) lives in Buenos Aires, is a famous surgeon.*

   2. Forms of **el que** are generally used after short prepositions such as **a, con, de, en**.

La alergia **de la que** sufre Amalia produce síntomas terribles.	*The allergy from which Amalia suffers produces terrible symptoms.*

   3. Forms of **el cual** are preferred after prepositions of more than one syllable and after the short prepositions **por, para,** and **sin**.

El remedio **por el cual** pagué muchísimo me dio dolores por todas partes.	*The medicine for which I paid a lot made me ache all over.*

d. Forms of **el que** are also used as the equivalent of *the one(-s) that*.

Estas pastillas son buenas pero **las que** el médico me recetó el mes pasado eran mejores.	*These pills are good but the ones that the doctor prescribed for me last month were better.*

e. **lo que** and **lo cual** = *what, that which*
   Lo que / lo cual refers back to a situation, a previously stated idea or sentence, or something that hasn't yet been mentioned.

El tobillo roto me duele un poco, pero **lo que** me molesta más es el yeso.	*My broken ankle hurts me a little but what bothers me most is the cast.*

f. **cuyo** = *whose*
   Cuyo is a relative adjective; it agrees in number and gender with the item possessed.

Eduardo, **cuya madre** es médica, piensa hacerse médico también.	*Eduardo, whose mother is a doctor, plans to become a doctor also.*

Práctica y conversación

A. **¿Qué es esto?** Explique qué son las siguientes cosas. Combine las dos oraciones en una nueva oración usando una preposición y una forma de **el que** o **el cual**.

> **MODELO** Éste es el consultorio. El doctor Milagros trabaja en este consultorio.
> **Éste es el consultorio en el que (el cual) trabaja el doctor Milagros.**

1. Éstos son los antibióticos. Curan la infección con estos antibióticos.
2. Ésta es la receta. El doctor escribe las instrucciones en esta receta.
3. Éstas son las vitaminas. La enfermera me habló de estas vitaminas.
4. Éste es el jarabe para la tos. Paco se puso mejor con este jarabe para la tos.
5. Éstas son las píldoras. Perdí mucho peso con estas píldoras.

B. **Reacciones.** Describa la reacción del paciente en las siguientes situaciones.

> **MODELO** No le dio puntos. Esto le gustó.
> **Lo que le gustó fue que no le dio puntos.**

1. Se torció el tobillo. Esto lo enojó.
2. No se rompió la pierna. Esto le pareció increíble.
3. Padeció de alergias. Esto no le importó.
4. Se cortó el dedo. Esto le molestó.
5. Le puso una inyección. Esto lo puso furioso.

C. **Más reacciones.** Complete las siguientes oraciones de una manera lógica.

1. Lo que me gusta más es...
2. Lo que necesito es...
3. Lo que no me gusta es...
4. Lo que me enoja es...
5. Lo que me parece ridículo es...

D. **¡Qué suerte!** Forme por lo menos cinco oraciones usando una frase de cada columna para describir cómo se sienten estas personas.

Este chico	cuyo	hermanos tienen gripe	está contento(-a)
Aquella señora	cuya	herida no sana	está triste
Ese hombre	cuyos	píldoras se perdieron	está frustrado(-a)
Ese médico	cuyas	pacientes vinieron ayer	está furioso(-a)

Identifying Levels of Politeness

Un partido de fútbol

You have probably heard the expression, "It is not what he said, but the way he said it." Sometimes the way people say something, that is, the intonation of the voice and grammatical structures they use, affects the way you respond to them. In English, for example, you would respond differently to each of the following: "Come here!"; "Could you please come here?;" "Do you mind coming here?"; *and* "Do you think you could come here, please?" *The same phenomenon occurs in Spanish where different levels of politeness are used in different circumstances and with different people. Note the difference between the following:* **"Ven acá"; "¿Puedes venir acá, por favor?"; "¿Podrías venir acá, por favor?";** *and* **"¿Serías tan amable de venir acá, por favor?"**

Ahora, escuche el diálogo entre un médico y un deportista y tome los apuntes que considere necesarios. Antes de escuchar la conversación, lea los siguientes ejercicios. Después, conteste.

A. Algunos detalles. Escoja entre las alternativas que se presentan a continuación las que mejor identifiquen el tema principal de la conversación.

1. El deportista fue a ver al médico porque
   a. se había roto la rodilla.
   b. recibió un golpe muy fuerte.
   c. le dolía mucho todo el cuerpo.
2. El médico le dijo al deportista que
   a. le iba a enyesar la pierna.
   b. no practicara ningún deporte.
   c. le iba a poner una inyección.

B. Análisis. Escuche el diálogo nuevamente y compare la situación con una que Ud. haya tenido con un(-a) médico(-a).

Siga practicando el vocabulario y las estructuras gramaticales de **Capítulo 12, Segunda situación** en *Interacciones CD-ROM*.

Para saber más:
www.heinle.com

Tercera situación

Perspectivas

Las farmacias hispanas

En España y los países latinoamericanos, cuando una persona necesita adquirir remedios o artículos de tocador como colonias, jabones, talcos, desodorantes o cremas, por ejemplo, va a la farmacia, donde generalmente hay un(-a) farmacéutico(-a) y varios empleados que la atienden. En las farmacias hay una gran variedad de remedios que se pueden adquirir sin necesidad de tener receta médica.

Además de poder adquirir remedios y artículos de tocador también es posible recibir inyecciones o vacunas que el médico receta. Como el (la) farmacéutico(-a) es una persona de confianza en el vecindario *(neighborhood),* muchas veces las personas le preguntan qué remedio deben tomar para aliviar un malestar o una enfermedad leve.

Las farmacias generalmente están abiertas de lunes a viernes a las mismas horas que los otros establecimientos comerciales. Los fines de semana y en horas de la noche las farmacias se turnan para abrir y atender al público. Es decir, unas abren un fin de semana, otras otro fin de semana; unas abren ciertas noches, otras abren otras noches. De esta manera uno siempre puede encontrar una «farmacia de turno» para adquirir un remedio durante la noche, un fin de semana o un feriado. Los periódicos de la ciudad o la guía telefónica ofrecen información acerca de las farmacias que están de turno en los diferentes vecindarios.

Las farmacias hispanas. Cultural products: Pharmacies in the Hispanic world, components of a pharmacy, products sold in a pharmacy. **Cultural practice:** Practice of one pharmacy staying open while others in the neighborhood close. **Cultural comparisons:** Comparisons of a U.S. drugstore with a pharmacy in the Hispanic world.

Práctica intercultural. Prior to beginning the reading of **Perspectivas**, have students complete the following pertaining to U.S. culture. **Describa una farmacia típica. ¿Qué se puede comprar allí? ¿Sólo remedios? Además del tamaño, ¿cuál es la diferencia entre una farmacia en un centro comercial y una pequeña en un barrio? ¿Qué papel tiene el farmacéutico? ¿Puede recetarle remedios o ponerle inyecciones a un cliente? ¿Puede recomendar remedios?**

Práctica y conversación

A. ¡Que te mejores! Con un(-a) compañero(-a), dramatice la siguiente situación. Ud. se siente mal. Le duele todo el cuerpo y se siente muy cansado(-a). Vaya a la farmacia y hable con el (la) farmacéutico(-a) quien le recomendará algunos remedios para que se mejore.

B. Comparaciones. Compare una farmacia de su vecindario o ciudad con la farmacia de la foto y descrita en la lectura de **Perspectivas**. ¿Qué diferencias hay entre una farmacia del mundo hispano y las de su vecindario?

La charreada

A. Un charro. Con un(-a) compañero(-a) de clase estudie la foto a continuación. Describan al joven y su ropa. En su opinión, ¿qué va a hacer él? ¿En qué deporte va a participar?

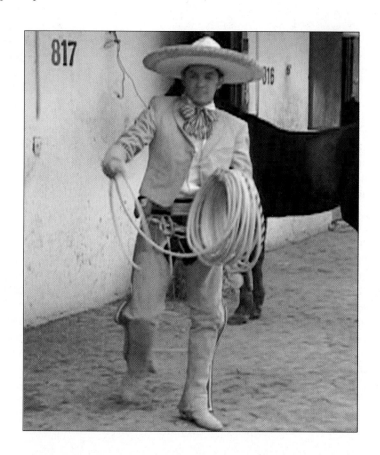

B. La charreada. Utilizando la información del vídeo, complete las siguientes oraciones para describir a varios charros y charras.

1. Charro 1: Yo soy socio de la Asociación _____ de _____ desde el año _____. Toda mi _____ ha pertenecido a esta _____.

2. Charra 1: A veces durante los entrenamientos muchas de nosotras nos hemos _____, nos ha pasado el _____ por encima. Inclusive a mí me han roto las costillas. Me prohibieron montar por _____ meses pero yo no pude; me monté al _____.

3. Charra 2: _____ son algo muy especial para uno, para mí. Es algo difícil manejarlos pero tienes que perder _____. Tienes que ser _____ también.

Panorama cultural, Práctica B Answers.
1. Nacional, Charros, 1942, familia, asociación 2. caído, caballo, tres, mes y medio 3. Los caballos, el miedo, cariñosa

Video follow-up. Have students point out the similarities and differences between **la charreada** and the rodeo found in U.S. culture.

Para leer bien

Responding to a Reading

The comprehension of a reading selection involves collaboration between the reader and the author in order to produce a shared meaning. Many reading selections are designed to elicit a response from the reader. That response can be emotional and / or intellectual. Emotional responses range from laughter to tears, and from pleasure to fear or anger. Intellectual responses include agreeing or disagreeing with the point of view and making inferences, that is, drawing a conclusion or making a judgment about ideas presented in the reading. Making inferences can also involve "reading between the lines" in order to ascertain an author's total point of view.

By taking advantage of the decoding and comprehension techniques you have learned, you will learn to respond appropriately to a reading selection. The following are some useful guidelines.

1. Predict the content by scanning the title and opening sentences. Also use accompanying charts, photos, and art work.
2. Assign meaning to individual words and phrases by using context, cognate recognition, knowledge of prefixes and suffixes, and identification of the core of a sentence.
3. Identify the main ideas and supporting elements of the reading.
4. Use your background knowledge to help decode individual words and phrases and to comprehend the entire reading.
5. Identify the point of view expressed by the author.
6. Draw conclusions and make inferences about the author's point of view or main ideas. Agree or disagree with the ideas expressed.
7. The emotional response to the reading will occur automatically if you comprehend the passage. You must comprehend what the author is saying before laughter can occur; likewise, you must understand the tragic or unjust elements of a situation before you are moved to tears or anger.

Práctica

A. Los géneros literarios. Generalmente se asocia una determinada emoción con un género literario o una clase de lectura. Esta asociación va a ayudarlo(-la) a Ud. a reaccionar al leer. ¿Con qué emociones se asocian las siguientes clases de lectura?

la poesía romántica / una tira cómica *(comic strip)* / un drama trágico / una novela policíaca / las noticias en la primera página de un periódico / su revista favorita

B. Unas reacciones. A veces se puede reaccionar intelectual y emocionalmente. Lea la tira de Garfield que sigue y después conteste las preguntas.

1. ¿De qué se queja Garfield al principio de la tira? Al final, ¿se queja de la misma cosa?
2. ¿Cuál es el punto de vista del autor? ¿Le gusta o no la televisión? Según el autor, ¿para qué sirve la televisión?
3. ¿Cómo reaccionó Ud. emocionalmente al leer esta tira? ¿Cómo reaccionó Ud. intelectualmente? ¿Está Ud. de acuerdo con Garfield?

C. El tema principal. Dé un vistazo al título, a la foto y a los primeros párrafos de la lectura que sigue para determinar el tema principal del artículo.

Lectura cultural   La Argentina deportiva

Para muchas personas lo atractivo de la Argentina es la capital, con su música, su teatro, sus restaurantes y sus barrios étnicos. Para otras personas lo que atrae es la belleza natural del país, desde las cataratas de Iguazú a la magnífica desolación de Patagonia y desde su desértico norte hasta la cordillera andina. Pero los aficionados al deporte conocen otra Argentina que ofrece excelentes oportunidades para la aventura deportiva.

San Carlos de Bariloche es una ciudad de 77.600 habitantes que se levanta a orillas del lago Nahuel Huapi a unos 2.000 kilómetros de Buenos Aires. Tiene un parecido con las villages *ciudades y aldeas° alpinas de Suiza. Hay construcciones de piedra y madera con todo el* flavor *sabor° alpino que uno pueda imaginar. Los hoteles son auténticos refugios para los aficionados a la nieve. Alrededor están las montañas, que son como grandes gigantes* topped off with snow *tocados por la nieve°.*

La ciudad está dedicada por completo al turismo de la nieve. Muchas personas, sobre todo los amantes del esquí, pasan allí las vacaciones en busca del manto° blanco donde no mantle, cloak *van a perder la forma física.*

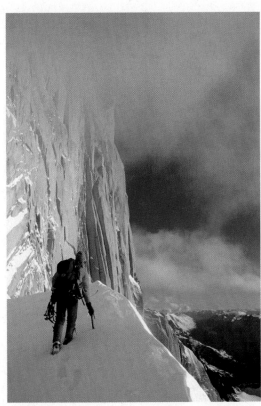

Bariloche, Argentina: Practicando la escalada

La estación de esquí° más importante de San Carlos de Bariloche es Cerro Catedral, que comparte° su nombre con la montaña de 2.388 metros que la rodea. Es la estación más grande del hemisferio sur. En sus pistas se puede practicar tanto esquí alpino como nórdico. Dedicada en exclusiva a este deporte, Cerro Catedral cuenta con una pequeña villa al más puro estilo suizo. Chalés° de estilizada figura combinan paredes de piedra y tejados de pizarra°.

ski resort

shares

chalets

slate roofs

En los primeros días del verano argentino, San Carlos de Bariloche se convierte en punto de encuentro de los practicantes de los deportes acuáticos. A pocos kilómetros al norte de Bariloche está la ruta de los siete lagos y hacia el sur hay otros dos lagos grandes.

La pesca de trucha° en Argentina está localizada en esta región. Comenzando en Bariloche, se puede proceder a la ciudad de Esquel o a Junín de los Andes. Son los mejores centros para la pesca en la nación, particularmente desde febrero hasta

trout

mediados de abril, cuando abundan las enormes truchas en sus lagos.

También se puede practicar la escalada° alrededor de Bariloche. Además del Cerro Catedral, existe el monte Tronador, que con sus 3.554 metros es el pico más alto de esta zona de los Andes. Acceder a este punto es una hermosa y dura excursión y una maravilla para los que buscan aventura. Los primeros hombres que conquistaron la cima° del Tronador fueron Germán Claussen (1934) y Otto Meiling (1937). Meiling fue un veterano guía que ascendió este monte más de sesenta veces. El último refugio antes de llegar a la cima del Tronador lleva su nombre; el cerro Otto que está cerca también homenajea° a este hombre que enseñó a cientos de personas las técnicas de escalada.

mountain climbing

peak

pays tribute to

La Argentina también ofrece otras aventuras en algunos de los más espectaculares paisajes del mundo, como los del parque nacional Torres del Paine en Patagonia, al sur del país. Allá se puede hacer paseos de largo kilometraje acampando a lo largo del camino. En el parque el impacto visual es impresionante por los afilados° pilares de granito que ascienden más de una milla hasta romper° las nubes.

pointed

break through

Alrededor de la capital de la Argentina se extienden las pampas°, que son tierras dedicadas a la cría° del ganado°. Las pampas argentinas están repletas° de estancias o ranchos grandes donde viven los gauchos que cuidan el ganado. También en las estancias entrenan a los famosos jugadores de polo, el orgullo de la Argentina. Actualmente muchas de estas estancias se han convertido en lugares de turismo y ofrecen vacaciones para los que quieren escaparse de la vida urbana y el estrés. En la estancia se puede pescar, montar a caballo y recorrer las pampas, pasear en bicicleta, kayak o canoa o aprender a jugar al polo. Pero también se puede nadar en la piscina y después sentarse a leer un buen libro.

grassy lands, prairies

raising / cattle / filled

Además de la acción y aventura de los deportes argentinos se puede gozar de otra tradición nacional: la comida. La gastronomía argentina está basada en la famosa carne de

Una estancia en la pampa argentina

las pampas pero con influencia italiana, española, francesa, alemana y suiza. Para los argentinos la comida es un ritual para ser disfrutado con amigos y familiares. Para muchos no hay nada mejor en el mundo.

Práctica

A. Los deportes. Complete el gráfico con los deportes que se practican en cada lugar mencionado.

Bariloche	
las pampas	
Esquel y Junín de los Andes	
el parque nacional Torres del Paine	

B. Unos detalles. Identifique los siguientes lugares y personas mencionados en el artículo.

Cerro Catedral / Tronador / Germán Claussen / Otto Meiling / Torres del Paine / Nahuel Huapi

C. En defensa de una opinión. ¿Qué evidencia hay en el artículo que confirma la siguiente idea? «La Argentina ofrece muchas oportunidades para el deporte y la aventura.»

D. Las reacciones. ¿Cómo reaccionó Ud. intelectualmente a la información del artículo? ¿Cómo reaccionó Ud. emocionalmente a la información?

Writing Personal Notes

You frequently need to write brief notes to family, friends, neighbors, and co-workers to wish them well or to express sympathy. Such notes are a more courteous and lasting way of expressing personal sentiments.

In reality, a note is a brief personal letter and, thus, consists of a salutation, brief body, and closing.

When expressing good wishes or sympathy in person, you have the opportunity to react to facial expressions, tone of voice, and the person's responses. However, in a personal note you need to include all the information you want the person to receive since there is no conversational give and take. In the body of the note you will need to explain why you are writing (i.e., you have just heard the good / bad news; you know it is the person's birthday; etc.). Then express your personal feelings and reactions.

The oral expressions taught in the **Así se habla** for the **Segunda situación** of this chapter are also appropriate for written notes. Other ways of expressing good wishes and sympathy include the following.

Indirect Commands

Que tenga(-s) un buen viaje.	*Have a good trip.*
Que se (te) mejore(-s) pronto.	*Get well soon.*

Subjunctive Phrases

Me alegro que + *subjunctive*	*I'm very happy that . . .*
Siento que + *subjunctive*	*I'm sorry that . . .*

Exclamatory Phrases with **qué**

Qué + *noun*
    ¡Qué suerte / lástima!   *What luck / a pity!*
Qué + *adjective*
    ¡Qué bueno / terrible!   *How nice / terrible!*
Qué + *noun* and *adjective*
    ¡Qué noticias más buenas!   *What good news!*

Composiciones

A. Su mejor amigo(-a). Su mejor amigo(-a) asiste a otra universidad e iba a venir a visitarlo(-la) este fin de semana. Desgraciadamente, Ud. acaba de hablar por teléfono con su compañero(-a) de cuarto y él (ella) le dijo que su amigo(-a) tiene gripe y no puede venir. Escríbale a su amigo(-a) expresando su conmiseración *(sympathy)* y dándole ánimo *(encouragement)*.

B. Un partido de fútbol. Su hermano juega al fútbol norteamericano en el equipo de otra universidad. Durante el partido del sábado él se torció el tobillo y ahora no puede jugar; es más, no puede caminar. Escríbale un mensaje por correo electrónico expresando su conmiseración y dándole ánimo.

C. Un examen de química. Suspendieron a un(-a) amigo(-a) de otra universidad en un examen de química y ahora no quiere estudiar más. Escríbale a su amigo(-a) expresando su conmiseración y dándole ánimo. Explíquele como lo (la) habría ayudado si hubiera estudiado con él (ella).

Communicative modes incorporated.
A: interpersonal;
B: interpersonal, interpretive;
C: interpersonal;
D: interpersonal.

Vocabulary incorporated.
A: illnesses and their symptoms, expressions for making a telephone call;
B: expressions for health and keeping in shape;
C: accidents and illnesses, parts of the body;
D: sports and games, expressions of good will and sympathy.

Grammar incorporated.
A: reflexive for unplanned occurrences, relative pronouns; **B:** *if* clauses with conditional perfect and past perfect subjunctive;
C: reflexive for unplanned occurrences; **D:** relative pronouns.

Actividades Answers.
Answers vary for Actividades A–D.

A. Una llamada al doctor. You aren't feeling well. You probably have the flu—you have a fever and a sore throat, you ache all over, and you've been coughing a lot. You call your doctor and speak briefly with the receptionist (played by a classmate). You ask him / her to let you speak with the doctor (played by another classmate). Describe your symptoms to the doctor. Find out if you need to come in to the office. Ask the doctor to prescribe something for your cough.

B. ¡Si lo hubiera sabido! Take a survey of at least five of your classmates. Find out two things from each of them that they would have done differently in their university career if they had only known as beginning students what they know now. After completing the survey, report back to your classmates. As a group, you should draw up a list of the most important ideas that come from the surveys.

C. Unos accidentes de tenis. You and three friends (played by classmates) decided to play tennis for the first time since last summer. Since you were all out of shape, you suffered some minor injuries. One person fell and hurt an ankle, another cut a hand on some broken glass on the court, a third sprained a wrist, and you bruised your leg rather badly. You go to the university clinic. A doctor (played by a classmate) will talk to each of you and help you individually.

D. Un jugador importante. You are the sports reporter for the school newspaper. You must interview the star basketball player of your school and ask him / her about his basketball career. Discuss his / her best and worst games. Find out about his / her injuries and when and how they occurred. Ask him / her what he / she would have done differently if he had had the opportunity. Express good wishes and sympathy where appropriate.

Para saber más:
www.heinle.com

Chile y la Argentina

Cultural products and practices: famous people of Chile and Argentina and what they have accomplished. **Cultural comparisons:** famous historical personnages and famous entertainment, literary, governmental figures of these two countries and the U.S.

Personalidades

Additional information about these figures is included in the *IAE*, Using the *Interacciones* Program: Herencia cultural.

De ayer

Jorge Luis Borges (1899–1986) fue el el escritor argentino más conocido del siglo XX. Escribió ensayos y poesía de gran erudición pero fueron sus colecciones de cuentos como *El Aleph* (1949) que le dieron fama internacional. En sus obras Borges trató temas filosóficos como la existencia humana, la muerte, el tiempo y la realidad.

La pareja controversial de **Juan Domingo Perón** (1895–1974) y **María Eva Duarte de Perón** (1919–1952) dominó la historia de la Argentina a mediados del siglo XX. El poco conocido general Juan Perón usó la belleza y el carisma de su esposa **Evita** (como la llamaron) para llegar a la presidencia de la Argentina en 1946. Mientras él controlaba la vida política, Evita dominaba la vida social de Buenos Aires. Evita murió de cáncer en 1952 y poco después el gobierno peronista empezó a perder el apoyo popular. En 1955 expulsaron a Juan Perón y éste huyó del país.

De hoy

El argentino **Diego Armando Maradona** (1960–) empezó a jugar al fútbol desde muy joven. En 1982 pasó a Europa y como capitán llevó a su equipo de Nápoles (Italia) a ser campeón mundial en 1986. Él mismo llegó a ser el mejor futbolista de su época. En 1993 regresó a la Argentina donde jugó hasta su retiro del fútbol en 1997.

El personaje de **Mafalda** de la tira cómica argentina con el mismo nombre llegó a la fama internacional. El dibujante Joaquín Lavado, apodado Quino, la creó hace unos treinta años. La feminista Mafalda critica la televisión, las guerras, la política y el matrimonio. Aunque Quino ya se ha retirado, Mafalda es más popular que nunca.

La escritora **Isabel Allende** (1942–) nació en Chile y su primera novela, *La casa de los espíritus,* trata de los problemas políticos y económicos de su país natal en el siglo XX. Con la publicación de sus dos últimas novelas, *Afrodita* e *Hija de la fortuna*, Allende ha llegado a ser uno de los escritores más leídos en los EE.UU.

Comprensión cultural 1. Have students work in pairs. Assign one of the *personalidades* to each group and have the students prepare a description and a brief biography of that person. Have each group report back to the class. **Comprensión cultural 2.** Ask students the following questions. **¿De qué país es Borges? ¿Cuáles fueron los temas de sus obras? ¿Qué pasó con Eva Perón? ¿Qué pasó con el gobierno de Juan Domingo Perón? ¿En qué equipo jugó Maradona durante la mayor parte de su carrera? ¿Qué llegó a ser Maradona? ¿Quién es Mafalda y quién la creó? ¿Qué critica Mafalda? ¿De dónde es Isabel Allende? ¿Cuáles son algunas de sus novelas?**

Para saber más: www.heinle.com

Arte y arquitectura

Buenos Aires: La Avenida 9 de Julio

Buenos Aires: Una ciudad cosmopolita y artística

Buenos Aires, la capital de la Argentina con once millones de habitantes, es una de las ciudades más grandes del mundo. Fue fundada en 1536, destruida poco después por los indígenas de la región y fundada otra vez. Llegó a ser una ciudad importante en el siglo XVIII por tener un puerto para la importación y exportación de mercancías de Europa y otros países de la América del Sur. Hoy en día es un gran centro comercial e industrial cuyo puerto tiene las dársenas *(wharves)* más grandes de Latinoamérica. A los habitantes de Buenos Aires se les llama «porteños» por la proximidad de Buenos Aires al puerto.

Además de su importancia como centro comercial, Buenos Aires es conocida como una de las ciudades más hermosas y elegantes del mundo. Al final del siglo XIX empezaron a agrandar las calles para el uso de los automóviles; así destruyeron muchas partes antiguas de la ciudad y construyeron nuevos edificios modernos a lo largo de calles y paseos abiertos y amplios. La Avenida 9 de Julio en el centro de Buenos Aires es una de las avenidas más grandes del mundo, con más de 150 metros de ancho. En el centro de la Plaza de la República en esta avenida hay un alto obelisco que conmemora la fundación de Buenos Aires hace cuatrocientos años.

El corazón de la ciudad es la Plaza de Mayo, rodeada de históricos edificios coloniales como el Cabildo *(town hall),* donde se hicieron los planes para el movimiento de independencia; la Catedral, que contiene la tumba de San Martín, el padre de la independencia argentina; y la Casa Rosada, la residencia oficial del presidente de la República. Muy cerca de la Plaza de Mayo se encuentran la iglesia de Nuestra Señora de la Merced, la Biblioteca Nacional, el centro comercial de la ciudad, y museos de arte e historia.

Buenos Aires: La Plaza de Mayo

También cerca de la Plaza de Mayo está la Calle Florida con quioscos, boutiques y tiendas. Como es un lugar popular para reunirse con amigos a tomar una copa, la calle está reservada para el uso exclusivo de peatones.

El teatro es muy importante en la vida cultural de la ciudad. El Teatro Colón es un centro internacional de música y danza, y uno de los grandes teatros de ópera del mundo entero. El teatro tiene capacidad para 4.000 personas en un interior lujoso.

Buenos Aires: El interior del Teatro Colón

En los últimos años la Argentina ha llegado a ser un centro de producción de cine. Así, hay numerosos cines por todas partes de la ciudad y la selección de películas es tan buena como en cualquier ciudad del mundo.

Durante el siglo XIX Buenos Aires estimuló la inmigración europea. Miles de inmigrantes alemanes, franceses, ingleses e italianos llegaron a la ciudad y fundaron sus barrios étnicos. Esta inmigración ayudó a establecer el sentido cosmopolita de la ciudad. Todavía se puede ver los barrios donde mantienen la lengua, la comida y otras costumbres de su país de origen. Uno de los barrios más antiguos de la ciudad se llama San Telmo, con casas coloniales restauradas donde viven artistas y artesanos. Dentro de este ambiente artístico hay numerosos cafés, restaurantes y tanguerías donde se puede escuchar tango y bailar. Cada domingo hay una Feria de Antigüedades en la Plaza Dorrego en San Telmo.

Buenos Aires: El barrio de San Telmo

Por todas partes de Buenos Aires hay confiterías donde sirven pasteles, helados, postres y bebidas de todo tipo. Además hay muchísimos cafés, incluyendo cafés literarios como el Tortoni, el más antiguo de la ciudad donde se puede escuchar tango y jazz por la noche.

Es evidente que Buenos Aires es una ciudad de estructura moderna y dinámica. La ciudad ha conservado sus viejas tradiciones artísticas, literarias y musicales dentro de un ambiente de arquitectura hermosa e interesante.

Comprensión

A. Lugares de interés. Complete el siguiente gráfico con información acerca de los lugares de interés en Buenos Aires.

LUGAR	CARACTERÍSTICAS / DESCRIPCIÓN / OTRAS COSAS DE INTERÉS
el puerto	
la Avenida 9 de Julio y la Plaza de la República	
Plaza de Mayo	
la calle Florida	
el Teatro Colón	
el barrio San Telmo	

B. La historia. Utilizando información de la lectura, conteste las siguientes preguntas acerca de la historia de Buenos Aires.

1. ¿Cuándo fue fundada la ciudad de Buenos Aires? ¿Qué le pasó poco después? ¿Cuándo llegó a ser importante?
2. ¿Qué tipo de inmigración tuvo Buenos Aires en el siglo XIX? ¿Qué evidencia de esta inmigración se nota todavía? ¿Qué característica le dio a Buenos Aires la inmigración?

C. En defensa de una opinión. ¿Qué evidencia hay en la lectura que confirma la siguiente idea? «Buenos Aires es una ciudad cosmopolita y artística.»

D. Comparaciones. Compare Buenos Aires con Nueva York, Washington, D.C., Chicago, San Francisco u otra ciudad de los EE.UU.

Para saber más:
www.heinle.com

444

Para leer bien

Elements of Poetry

Many of the techniques that you have already learned to apply to works of fiction such as short stories, can also be applied to the reading of poetry. In poetry, just as in fiction, you will need to identify the literary themes, the point of view of the author, and the setting and tone of the work. In addition, you will need to look for and understand the symbols used.

Generally, poetry employs fewer words to express an idea than does narrative fiction. Poets choose each word with great care in order to provide a great many ideas and evoke a maximum amount of feeling. As readers of poetry, we need to study each word and phrase carefully in order to capture all the possible meanings and emotions conveyed. Even though poems contain fewer words than a short story, it may take longer to read a poem because of the multiple meanings of each word and phrase.

Poetry is written and printed in a different format than prose. Each line of poetry is called **un verso** in Spanish, and **una estrofa** (*strophe*) is a grouping or block of lines of poetry. The length of each line of poetry and of each strophe contributes to the overall rhythm (**el ritmo**) of the poem as does the length of individual words. Some poetry contains rhyme (**la rima**) although modern poetry tends not to use this poetic device. Another important characteristic of poetry is repetition, including the repetition of certain words or phrases as well as the repetition of certain vowels or consonants.

Antes de leer

A. El escenario y el tono. Dé un vistazo a los cuatro primeros versos de *Poema 20* y al dibujo presentado al principio del poema. Después, describa el escenario y el tono general del poema.

B. El punto de vista. Lea la información sobre Pablo Neruda para comprender su punto de vista general y el tema del *Poema 20.* ¿Cuáles son las cosas que le importan a Neruda?

C. El formato. Estudie el formato del *Poema 20* y conteste las siguientes preguntas. ¿Son largos o cortos los versos del poema? ¿Son largas o cortas las estrofas? ¿Hay versos que se repiten? ¿Cuáles?

Lectura literaria

El chileno **Pablo Neruda** (1904–1973) fue tal vez el poeta más prestigioso de Hispanoamérica en el siglo XX. Trabajó como diplomático y viajó a muchos países de Latinoamérica, Europa y Asia. Durante sus viajes empezó a identificarse con las víctimas de la guerra, la injusticia social y la tiranía. Más tarde estas ideas aparecieron como temas de su poesía. Otros temas suyos incluyen el amor y la existencia humana. Ganó el premio Nóbel de Literatura en 1971.

Antes de leer, Práctica A Answers. *El escenario:* Es una hermosa noche estrellada. *El tono:* El tono general es triste.

Antes de leer, Práctica B Answers. Neruda se identificó con las víctimas de la guerra, la injusticia social y la tiranía.

Antes de leer, Práctica C Answers. Los versos son cortos. Las estrofas son muy cortas, de uno o dos versos solamente. Se repite el verso «Puedo escribir los versos más tristes esta noche.»

El primero de los poemas de la **Lectura literaria** es el «Poema 20». Es una de las primeras obras de Neruda y forma parte de la colección *Veinte poemas de amor y una canción desesperada,* publicada en 1924. En el poema Neruda describe las emociones confusas de un amor perdido. El segundo poema, «Oda a unas flores amarillas», es de una colección llamada *Odas elementales* (1954) que se caracteriza por el lenguaje sencillo con temas dirigidos al pueblo.

Poema 20

Puedo escribir los versos más tristes esta noche.

Escribir, por ejemplo: «La noche está estrellada°,   *full of stars*
y tiritan°, azules, los astros°, a lo lejos.»   *shiver / stars*

El viento de la noche gira° en el cielo y canta.   *spins*

Puedo escribir los versos más tristes esta noche.
Yo la quise, y a veces ella también me quiso.

En las noches como ésta la tuve entre mis brazos.
La besé tantas veces bajo el cielo infinito.

Ella me quiso, a veces yo también la quería.
¡Cómo no haber amado sus grandes ojos fijos!

Puedo escribir los versos más tristes esta noche.
Pensar que no la tengo. Sentir que la he perdido.

Oír la noche inmensa, más inmensa sin ella.
like dew on grass Y el verso cae al alma como al pasto el rocío°.

Qué importa que mi amor no pudiera guardarla.
La noche está estrellada y ella no está conmigo.

Eso es todo. A lo lejos alguien canta. A lo lejos.
Mi alma no se contenta con haberla perdido.

to approach her Como para acercarla° mi mirada la busca.
Mi corazón la busca, y ella no está conmigo.

to whiten La misma noche que hace blanquear° los mismos árboles.
Nosotros, los de entonces, ya no somos los mismos.

Ya no la quiero, es cierto, pero cuánto la quise.
Mi voz buscaba el viento para tocar su oído.

De otro. Será de otro. Como antes de mis besos.
Su voz, su cuerpo claro. Sus ojos infinitos.

Ya no la quiero, es cierto, pero tal vez la quiero.
act of forgetting Es tan corto el amor, y es tan largo el olvido°.

Porque en noches como ésta la tuve entre mis brazos,
mi alma no se contenta con haberla perdido.

Aunque éste sea el último dolor que ella me causa,
y éstos sean los últimos versos que yo le escribo.

Oda a unas flores amarillas

Contra el azul moviendo sus azules,
el mar, y contra el cielo,
unas flores amarillas.

Octubre llega.

Y aunque sea
tan importante el mar desarrollando
su mito, su misión, su levadura
bursts estalla°
sobre la arena el oro
de una sola
planta amarilla
fasten y se amarran°
tus ojos
a la tierra,
heartbeats huyen del magno mar y sus latidos°.

dust Polvo° somos, seremos.

Ni aire, ni fuego, ni agua
sino
tierra,
sólo tierra
seremos
y tal vez
unas flores amarillas.

Después de leer

A. Poema 20

1. **La noche.** Aunque es una noche hermosa, Neruda está muy triste. ¿Cuál es el origen de la tristeza de Neruda? ¿Qué relación hay entre la noche y la tristeza de Neruda? Justifique su respuesta con palabras o versos del poema.

2. **La historia de su amor.** Con un(-a) compañero(-a) de clase, haga una lista de los versos con verbos en un tiempo *(tense)* pasado. Después, dé un resumen del amor de Neruda.

3. **Sentimientos confusos.** Parece que Neruda no está seguro de sus sentimientos hacia la amada. Dé ejemplos de esta confusión usando palabras o versos del poema.

B. Oda a unas flores amarillas

1. **El escenario.** Describa el escenario, incluyendo la estación del año.

2. **El tema.** ¿Qué significa el verso «Polvo somos, seremos.»? ¿Cuál es el tema central del poema?

3. **Los símbolos.** ¿Qué simbolizan las siguientes cosas en el poema?

   el otoño / el polvo / las flores amarillas

Después de leer, Práctica A Answers.
1. La noche: Answers vary but should include some of the following poetic lines. **En las noches como ésta la tuve entre mis brazos. Oír la noche inmensa, más inmensa sin ella. La noche está estrellada y ella no está conmigo.** *2. La historia de su amor,* **Versos con verbos en un tiempo pasado: Yo la quise, y a veces ella también me quiso. En las noches como ésta la tuve entre mis brazos. La besé tantas veces bajo el cielo infinito. Ella me quiso, a veces yo también la quería. Sentir que la he perdido. Ya no la quiero, es cierto, pero cuánto la quise. Mi voz buscaba el viento para tocar su oído. Porque en noches como ésta, la tuve entre mis brazos.** *La historia de su amor:* **No sabemos mucho. Él la quiso y a veces ella lo quiso también. La besó bajo el cielo.** *3. Sentimientos confusos:* Answers vary but should include some of the following conflicting feelings. **Ya no la quiero. / Mi alma no se contenta con haberla perdido. / Ya no la quiero, es cierto, pero tal vez la quiero.**

Después de leer, Práctica B Answers.
1. El escenario: **Es octubre. Se puede ver el mar azul y el cielo azul. También hay unas flores amarillas.** *2. El tema:* We are dust and we will be dust. **El tema es la idea de que hemos nacido de la tierra y después de la muerte regresamos a la tierra.** *3. Los símbolos:* **El otoño significa el comienzo del fin del año y el fin de la vida. El polvo significa la muerte. Las flores amarillas se refieren al ciclo del nacimiento, la vida y la muerte.**

Appendix A
Information Gap Activities: Alternate Versions of Drawings

Capítulo 1   Primera situación; Presentación; Práctica C:
¡Qué día!; Página 22

Capítulo 3   **Primera situación; Estructuras; Formation and Agreement of Adjectives; Práctica B: Actividades familiares; Página 95**

Capítulo 6   **Primera situación; Estructuras; Familiar Commands; Práctica D: ¿Quién va a hacer esto?; Página 196**

pasar la aspiradora por
    la alfombra de la sala
limpiar la bañera y el
    lavabo
sacar la mala hierba
planchar la ropa

Capítulo 7   Primera situación; Presentación; Práctica D:
De compras; Página 233

El Corte Inglés   un collar de esmeraldas

La Zapatería Toledo   un lavaplatos

Grandes Liquidaciones   un regalo de boda

unas botas

Capítulo 9   Primera situación; Presentación; Práctica E:
El Manual de Personal; Página 310

1. Publicista
2. Abogado
3. Especialista en computadoras
4. Representante de ventas
 • Tiene buen sentido para los negocios y mucha experiencia en manejar diversas empresas.
 • Se lleva bien con otras personas y nunca falta al trabajo.
 • Trabaja bien con los números.

Capítulo 11   Segunda situación; Presentación; Práctica D:
Quejas; Página 390

Se necesita llevar toallas a la habitación 508.
La habitación de la señora Garza está muy sucia.
La calefacción en la habitación 324 está descompuesta.
Hace mucho calor en la habitación de la señorita Pardo.
La tele no funciona en la habitación del señor Bose.

Appendix B
Vocabulary at a Glance

The following lists of common vocabulary items are provided to aid you in describing the art and photo scenes in the textbook. For further vocabulary lists or explanations of vocabulary use, see the index under the appropriate topic heading.

Terms to Describe a Picture

el cuadro	*painting*	a la derecha	*on the right*
el dibujo	*drawing*	a la izquierda	*on the left*
la escena	*scene*	en el centro	*in the middle*
la foto(grafía)	*photo(graph)*	en el fondo	*in the background*
		en primer plano	*in the foreground*
el animal	*animal*	la gente	*people*
el árbol	*tree*	la persona	*person*
el edificio	*building*		

Cardinal Numbers

0	cero	19	diecinueve	90	noventa
1	uno	20	veinte	100	cien, ciento
2	dos	21	veintiuno	110	ciento diez
3	tres	22	veintidós	160	ciento sesenta
4	cuatro	23	veintitrés	200	doscientos
5	cinco	24	veinticuatro	300	trescientos
6	seis	25	veinticinco	400	cuatrocientos
7	siete	26	veintiséis	500	quinientos
8	ocho	27	veintisiete	600	seiscientos
9	nueve	28	veintiocho	700	setecientos
10	diez	29	veintinueve	800	ochocientos
11	once	30	treinta	900	novecientos
12	doce	31	treinta y uno	1.000	mil
13	trece	32	treinta y dos	2.000	dos mil
14	catorce	40	cuarenta	100.000	cien mil
15	quince	50	cincuenta	200.000	doscientos mil
16	dieciséis	60	sesenta	1.000.000	un millón
17	diecisiete	70	setenta	2.000.000	dos millones
18	dieciocho	80	ochenta	1.000.000.000	mil millones

Ordinal Numbers

primer(-o)	*first*	sexto	*sixth*
segundo	*second*	séptimo	*seventh*
tercer(-o)	*third*	octavo	*eighth*
cuarto	*fourth*	noveno	*ninth*
quinto	*fifth*	décimo	*tenth*

Colors

amarillo	*yellow*	gris	*gray*
anaranjado	*orange*	morado	*purple*
azul	*blue*	negro	*black*
blanco	*white*	pardo	*brown*
de color café	*coffee-colored*	rojo	*red*
de color fresa	*strawberry-colored*	rosado	*pink*
de color melón	*melon-colored*	verde	*green*

Articles of Clothing

la blusa	*blouse*	los pantalones	*pants, slacks*
los calcetines	*socks*	el sombrero	*hat*
la camisa	*shirt*	el suéter	*sweater*
la chaqueta	*jacket*	el traje	*suit*
la corbata	*tie*	el vestido	*dress*
la falda	*skirt*	los zapatos	*shoes*

Days of the Week

lunes	*Monday*	viernes	*Friday*
martes	*Tuesday*	sábado	*Saturday*
miércoles	*Wednesday*	domingo	*Sunday*
jueves	*Thursday*		

Months of the Year

enero	*January*	julio	*July*
febrero	*February*	agosto	*August*
marzo	*March*	se(p)tiembre	*September*
abril	*April*	octubre	*October*
mayo	*May*	noviembre	*November*
junio	*June*	diciembre	*December*

Seasons

la primavera	*spring*	el otoño	*autumn*
el verano	*summer*	el invierno	*winter*

Geography

el este	*east*	el oeste	*west*
el norte	*north*	el sur	*south*
el lago	*lake*	el océano	*ocean*
el mar	*sea*	el río	*river*
el bosque	*forest*	la selva	*jungle*
la montaña	*mountain*	el valle	*valley*

Appendix C
Metric Units of Measurement

Measurement of Length and Distance

1 centímetro	=	.3937 inch (less than 1/2 inch)
1 metro	=	39.37 inches (about 1 yard, 3 inches)
1 kilómetro (1.000 metros)	=	.6213 mile (about 5/8 mile)

Measurement of Weight

1 gramo	=	.03527 ounce
100 gramos	=	3.527 ounces (less than 1/4 pound)
1 kilogramo (1.000 gramos)	=	35.27 ounces (2.2 pounds)

Measurement of Liquid

1 litro	=	1.0567 quarts (slightly more than a quart)

Measurement of Land Area

1 hectárea	=	2.471 acres

Measurement of Temperature

C = centígrado o Celsius; F = Fahrenheit

0° C	=	32° F (freezing point of water)
37° C	=	98.6° F (normal body temperature)
100° C	=	212° F (boiling point of water)

Conversion of Fahrenheit to Celsius

$$C = \frac{5}{9}(F - 32) \quad OR \quad (F - 32) \div 1.8$$

Conversion of Celsius to Fahrenheit

$$F = \frac{9}{5}(C + 32) \quad OR \quad (C \times 1.8) + 32$$

Appendix D
The Writing and Spelling System

The Alphabet

Letter	Name	Letter	Name	Letter	Name
a	a	k	ka	s	ese
b	be	l	ele	t	te
c	ce	m	eme	u	u
d	de	n	ene	v	ve, ve corta, uve
e	e	ñ	eñe	w	doble ve, uve doble
f	efe	o	o	x	equis
g	ge	p	pe	y	i griega
h	hache	q	cu	z	zeta
i	i	r	ere		
j	jota	rr	erre		

Some Guidelines for Spelling

Spanish has a more phonetic spelling system than English; in general most Spanish sounds correspond to just one written symbol.

1. There are a few sounds that can be spelled with more than one letter. The spelling of individual words containing these sounds must be memorized since there are no rules for the sound-letter correspondence.

Sound	Spelling	Example
/ b /	b, v	bolsa, verano
/ y /	ll, y, i + vowel	calle, leyes, bien
/ s /	s, z, ce, ci	salsa, zapato, cena, cinco
/ x /	j, ge, gi	jardín, gente, gitano

2. When an unstressed **i** occurs between vowels, then **i→y.** This is a frequent change in verb forms: **creyó; trayendo; leyeron.**

3. The letter **z** generally changes to **c** before **e: lápiz / lápices; vez / veces; empieza / empiece.**

4. The sound / g / is spelled with the letter **g** before **a, o, u,** and all consonants. Before **e** and **i** the / g / sound is spelled **gu.**

garaje   gordo   gusto   Gloria   grande
guerra   guía

5. The sound / k / is spelled with the letter **c** before **a, o, u,** and all consonants. Before **e** and **i** the / k / sound is spelled **qu.**

carta   cosa   curso   clase   criado
que   quien

6. The sound / gw / is spelled with the letters **gu** before **a** and **o.** Before **e** and **i** the / gw / sound is spelled **gü.**

guapo   antiguo   vergüenza   pingüino

Syllabication

In dividing a word at the end of a written line, you must follow rules for syllabication. Spanish speakers generally pronounce consonants with the syllable that follows. English speakers generally pronounce consonants with the preceding syllable.

English: A mer i ca   English: pho tog ra phy
Spanish: A mé ri ca   Spanish: fo to gra fí a

The stress of a Spanish word is governed by rules that involve syllables. Unless you know how to divide a word into syllables, you cannot be certain where to place the spoken stress or written accent mark.

The following rules determine the division of Spanish words into syllables.

1. Most syllables in Spanish end with a vowel.

me-sa   to-ma   li-bro

2. A single consonant between two vowels begins a syllable.

u-na   pe-ro   ca-mi-sa

3. Generally two consonants are separated so that one ends a syllable and the second begins the next syllable. The consonants clusters **ch, ll,** and **rr** do not separate and will begin a syllable. Double **c** and double **n** will separate.

par-que   tam-bién   gran-de   cul-tu-ra
mu-cho   ca-lle   pe-rro
lec-ción   in-nato

4. When any consonant except **s** is followed by **l** or **r,** both consonants form a cluster that will begin a syllable.

ha-blar   si-glo   a-brir   ma-dre   o-tro   is-la

5. Combinations of three or four consonants will divide according to the above rules. The letter **s** will end the preceding syllable.

cen-tral   san-grí-a   siem-pre   ex-tra-ño
in-dus-trial   ins-truc-ción   es-cri-bir

6. A combination of two strong vowels (**a, e, o**) will form two separate syllables.

mu-se-o   cre-e   ma-es-tro

7. A combination of a strong vowel (**a, e, o**) and a weak vowel (**i, u**) or two weak vowels is called a diphthong. A diphthong forms one syllable.

cui-dad   cau-sa   bue-no   pien-sa

NOTE: A written accent mark over a weak vowel in combination with another vowel will divide a diphthong into two syllables.

rí-o   dí-a   Ra-úl

Written accent marks on other vowels will not affect syllabication: lec-ción.

Accentuation

Two basic rules of stress determine how to pronounce individual Spanish words.

1. For words ending in a consonant other than **n** or **s,** the stress falls on the last syllable.

to**mar**   invi**tar**   pa**pel**   re**loj**   universi**dad**

2. For words ending in a vowel, **-n,** or **-s,** the stress falls on the next-to-last syllable.

clase   **to**man   **ca**sas
to**ma**mos   cor**ba**ta   som**bre**ro

3. A written accent mark is used to indicate an exception to the ordinary rules of stress.

sábado   to**mé**   lec**ción**   **fá**cil

NOTE: Words stressed on any syllable except the last or next-to-last will always carry a written accent mark. Verb forms with attached pronouns are frequently found in this category.

ex**plí**quemelo   levan**tán**dose   prepa**rár**noslas

4. A diphthong is any combination of a weak vowel (**i, u**) and a strong vowel (**a, e, o**) or two weak vowels. In a diphthong the two vowels are pronounced as a single sound with the strong vowel (or the second of the two weak vowels) receiving slightly more emphasis than the other.

piensa   alm**uer**zo   c**iu**dad   f**ui**mos

A written accent mark can be used to eliminate the natural diphthong so that two separate vowel sounds will be heard.

cafetería   tío   continúe

5. Written accent marks can also be used to distinguish two words with similar spelling and pronunciation but with different meanings.

   a. Interrogative and exclamatory words have a written accent

cómo	*how*	por qué	*why*
cuándo	*when*	qué	*what, how*
dónde	*where*	quién(-es)	*who, whom*

   b. Note the use of written accent marks on all but the neuter forms of demonstrative pronouns. There is a recent tendency to discontinue use of written accents marks on demonstrative pronouns. As a result you may see examples of these pronouns without the accent marks. However, the *Interacciones* program will continue to use them.

esta mesa	*this table*	ésta	*this one*
ese chico	*that boy*	ése	*that one*
aquellas montañas	*those mountains*	aquéllas	*those*

   c. In ten common word pairs, the written accent mark is the only distinction between the two words.

aun	*even*	aún	*still, yet*
de	*of, from*	dé	*give*
el	*the*	él	*he*
mas	*but*	más	*more*
mi	*my*	mí	*me*
se	*himself*	sé	*I know*
si	*if*	sí	*yes*
solo	*alone*	sólo	*only*
te	*you*	té	*tea*
tu	*your*	tú	*you*

Capitalization

In Spanish, capital letters are used less frequently than in English. Small letters are used in the following instances where English uses capitals.

1. **yo** (*I*) except when it begins a sentence

   Manolo y **yo** vamos a España.   *Manolo and I are going to Spain.*

2. names of the days of the week and months of the year

   Saldremos el **martes** 26 de **abril.**   *We will leave on Tuesday, April 26.*

3. nouns or adjectives of nationality and names of languages

   Susana es **argentina;** habla   *Susan is Argentinian; she speaks*
      español y estudia **inglés.**   *Spanish and is studying English.*

4. words in the title of a book except for the first word and proper nouns

Cien años de soledad   *One Hundred Years of Solitude*
La casa de Bernarda Alba   *The House of Bernarda Alba*

5. titles of address except when abbreviated: **don, doña, usted, ustedes, señor, señora, señorita, doctor,** but **Ud., Uds., Sr., Sra., Srta., Dr., Dra.**

Aquí viene el **doctor** Robles con   *Here comes Doctor Robles with Doña*
doña Mercedes y la **Srta.**   *Mercedes and Miss Guzmán.*
Guzmán.

Appendix E
Verb Conjugations

Regular Verbs

Infinitive	hablar	aprender	vivir
	to speak	*to learn*	*to live*
Present Participle	hablando	aprendiendo	viviendo
	speaking	*learning*	*living*
Past Participle	hablado	aprendido	vivido
	spoken	*learned*	*lived*

Simple Tenses

Present Indicative	hablo	aprendo	vivo
I speak, am speaking, do speak	hablas	aprendes	vives
	habla	aprende	vive
	hablamos	aprendemos	vivimos
	habláis	aprendéis	vivís
	hablan	aprenden	viven
Imperfect Indicative	hablaba	aprendía	vivía
I was speaking,	hablabas	aprendías	vivías
used to speak, spoke	hablaba	aprendía	vivía
	hablábamos	aprendíamos	vivíamos
	hablabais	aprendíais	vivíais
	hablaban	aprendían	vivían
Preterite	hablé	aprendí	viví
I spoke, did speak	hablaste	aprendiste	viviste
	habló	aprendió	vivió
	hablamos	aprendimos	vivimos
	hablasteis	aprendisteis	vivisteis
	hablaron	aprendieron	vivieron
Future	hablaré	aprenderé	viviré
I will speak, shall speak	halbarás	aprenderás	vivirás
	hablará	aprenderá	vivirá
	hablaremos	aprenderemos	viviremos
	hablaréis	aprenderéis	viviréis
	hablarán	aprenderán	vivirán
Conditional	hablaría	aprendería	viviría
I would speak	hablarías	aprenderías	vivirías
	hablaría	aprendería	viviría
	hablaríamos	aprenderíamos	viviríamos
	hablaríais	aprenderíais	viviríais
	hablarían	aprenderían	vivirían

Present Subjunctive	hable	aprenda	viva
(that) I speak	hables	aprendas	vivas
	hable	aprenda	viva
	hablemos	aprendamos	vivamos
	habléis	aprendáis	viváis
	hablen	aprendan	vivan
Imperfect Subjunctive (-ra)*	hablara	aprendiera	viviera
(that) I speak, might speak	hablaras	aprendieras	vivieras
	hablara	aprendiera	viviera
	habláramos	aprendiéramos	viviéramos
	hablarais	aprendierais	vivierais
	hablaran	aprendieran	vivieran
Commands	habla	aprende	vive
speak ***Informal***	(no hables)	(no aprendas)	(no vivas)
	hable	aprenda	viva
Formal	hablen	aprendan	vivan

Compound Tenses

Present Perfect	he	hemos			
Indicative	has	habéis	hablado	aprendido	vivido
I have spoken	ha	han			

Perfect (Pluperfect)	había	habíamos			
Indicative	habías	habíais	hablado	aprendido	vivido
I had spoken	había	habían			

Future Perfect	habré	habremos			
Indicative	habrás	habréis	hablado	aprendido	vivido
I will have spoken	habrá	habrán			

Conditional Perfect	habría	habríamos			
I would have spoken	habrías	habríais	hablado	aprendido	vivido
	habría	habrían			

Present Perfect	haya	hayamos			
Subjunctive	hayas	hayáis	hablado	aprendido	vivido
(that) I have spoken	haya	hayan			

Past Perfect (Pluperfect)	hubiera	hubiéramos			
Subjunctive	hubieras	hubierais	hablado	aprendido	vivido
(that) I had spoken	hubiera	hubieran			

Present Progressive	estoy	estamos			
I am speaking	estás	estáis	hablando	aprendiendo	viviendo
	está	están			

Past Progressive	estaba	estábamos			
I was speaking	estabas	estabais	hablando	aprendiendo	viviendo
	estaba	estaban			

*Alternate endings: **-se, -ses, -se, ́-semos, -seis, -sen**

Stem-changing Verbs

	e→ie		o→ue	
	pensar	perder	contar	volver
Present Indicative	pienso	pierdo	cuento	vuelvo
	piensas	pierdes	cuentas	vuelves
	piensa	pierde	cuenta	vuelve
	pensamos	perdemos	contamos	volvemos
	pensáis	perdéis	contáis	volvéis
	piensan	pierden	cuentan	vuelven
Present Subjunctive	piense	pierda	cuente	vuelva
	pienses	pierdas	cuentes	vuelvas
	piense	pierda	cuente	vuelva
	pensemos	perdamos	contemos	volvamos
	penséis	perdáis	contéis	volváis
	piensen	pierdan	cuenten	vuelvan

Some common verbs in this category:

e→ie		o→ue	
atravesar	empezar	acordar(se)	llover
calentar	encender	acostar(se)	mostrar
cerrar	entender	almorzar	mover
comenzar	negar	colgar	probar
confesar	pensar	contar	recordar
defender	perder	costar	rogar
despertar(se)	sentar(se)	demostrar	soler
		devolver	soñar
		encontrar	volar
		envolver	volver

(NOTE: The verb **jugar** changes **u→ue.**)

	e→ie, i	e→i, i	o→ue, u
	sentir	pedir	dormir
Present Indicative	siento	pido	duermo
	sientes	pides	duermes
	siente	pide	duerme
	sentimos	pedimos	dormimos
	sentís	pedís	dormís
	sienten	piden	duermen
Present Subjunctive	sienta	pida	duerma
	sientas	pidas	duermas
	sienta	pida	duerma
	sintamos	pidamos	durmamos
	sintáis	pidáis	durmáis
	sientan	pidan	duerman

Preterite	sentí	pedí	dormí
	sentiste	pediste	dormiste
	sintió	pidió	durmió
	sentimos	pedimos	dormimos
	sentisteis	pedisteis	dormisteis
	sintieron	pidieron	durmieron
Past Subjunctive	sintiera	pidiera	durmiera
	sintieras	pidieras	durmieras
	sintiera	pidiera	durmiera
	sintiéramos	pidiéramos	durmiéramos
	sintierais	pidierais	durmierais
	sintieran	pidieran	durmieran
Present Participle	sintiendo	pidiendo	durmiendo

Some common verbs in this category:

e→ie, i	e→i, i		o→ue, u
advertir	competir	pedir	dormir(se)
consentir	conseguir	perseguir	morir(se)
convertir	corregir	reír(se)	
divertirse	despedir(se)	repetir	
herir	elegir	seguir	
hervir	impedir	servir	
mentir	medir	vestir(se)	
preferir			
referir(se)			
sentir(se)			
sugerir			

Verbs with Orthographic Changes

1. Verbs that end in **-car** (**c**→**qu** before **e**)

   BUSCAR
   Preterite: busqué, buscaste, buscó, buscamos, buscasteis, buscaron
   Present Subjunctive: busque, busques, busque, busquemos, busquéis, busquen

   Other verbs in this category:

acercar(se)	comunicar	explicar	sacar
atacar	dedicar	indicar	secar
colocar	evocar	marcar	tocar

2. Verbs that end in **-gar** (**g**→**gu** before **e**)

   PAGAR
   Preterite: pagué, pagaste, pagó, pagamos, pagasteis, pagaron
   Present Subjunctive: pague, pagues, pague, paguemos, paguéis, paguen

   Other verbs in this category:

colgar	llegar	obligar	rogar
jugar	negar	regar	

3. Verbs that end in **-zar** (**z**→**c** before **e**)

GOZAR
Preterite: gocé, gozaste, gozó, gozamos, gozasteis, gozaron
Present Subjunctive: goce, goces, goce, gocemos, gocéis, gocen

Other verbs in this category:

alcanzar	cazar	cruzar	forzar
almorzar	comenzar	empezar	rezar
avanzar			

4. Verbs that end in **-cer** and **-cir** preceded by a vowel (**c**→**zc** before **a** and **o**)

CONOCER
Present Indicative: conozco, conoces, conoce, conocemos, conocéis, conocen
Present Subjunctive: conozca, conozcas, conozca, conozcamos, conozcáis, conozcan

Other verbs in this category:

agradecer	crecer	nacer	parecer
aparecer	establecer	obedecer	pertenecer
carecer	merecer	ofrecer	producir
conducir			

(EXCEPTIONS: hacer, decir.)

5. Verbs that end in **-cer** and **-cir** preceded by a consonant (**c**→**z** before **a** and **o**)

VENCER
Present Indicative: venzo, vences, vence, vencemos, vencéis, vencen
Present Subjunctive: venza, venzas, venza, venzamos, venzáis, venzan

Other verbs in this category:
convencer   ejercer

6. Verbs that end in **-ger** and **-gir** (**g**→**j** before **a** and **o**)

COGER
Present Indicative: cojo, coges, coge, cogemos, cogéis, cogen
Present Subjunctive: coja, cojas, coja, cojamos, cojáis, cojan

Other verbs in this category:

corregir	elegir	exigir	proteger
dirigir	escoger	fingir	recoger

7. Verbs that end in **-guir** (**gu**→**g** before **a** and **o**)

SEGUIR
Present Indicative: sigo, sigues, sigue, seguimos, seguís, siguen
Present Subjunctive: siga, sigas, siga, sigamos, sigáis, sigan

Other verbs in this category:
conseguir   distinguir   perseguir

8. Verbs that end in **-uir** (except **-guir** and **-quir**)

HUIR
Present Indicative: huyo, huyes, huye, huimos, huís, huyen
Preterite: huí, huiste, huyó, huimos, huisteis, huyeron
Present Subjunctive: huya, huyas, huya, huyamos, huyáis, huyan
Imperfect Subjunctive: huyera, huyeras, huyera, huyéramos, huyerais, huyeran
Gerund: huyendo

Other verbs in this category:

atribuir	contribuir	distribuir	influir
concluir	destruir	excluir	instruir
constituir	disminuir	incluir	sustituir
construir			

9. Some verbs change unaccentuated **i→y.**

LEER
Preterite: leí, leíste, leyó, leímos, leísteis, leyeron
Imperfect Subjunctive: leyera, leyeras, leyera, leyéramos, leyerais, leyeran
Gerund: leyendo
Past Participle: leído

Other verbs in this category:

caer(se)	creer	oír	poseer

10. Some verbs that end in **-iar** and **-uar** (except **-guar**) have a written accent on the **i** or the **u** in the singular forms and third-person plural in some tenses.

ENVIAR
Present Indicative: envío, envías, envía, enviamos, enviáis, envían
Present Subjunctive: envíe, envíes, envíe, enviemos, enviéis, envíen

Other verbs in this category:

acentuar	confiar	espiar	situar
actuar	continuar	graduar	variar
ampliar	criar		

(EXCEPTIONS: cambiar, estudiar, limpiar)

11. Verbs that end in **-guar** (**gu→gü** before **e**)

AVERIGUAR
Preterite: averigüé, averiguaste, averiguó, averiguamos, averiguasteis, averiguaron
Present Subjunctive: averigüe, averigües, averigüe, averigüemos, averigüéis, averigüen

Irregular Verbs

Infinitive	Gerund/ Past Participle	Familiar Command	Indicative		
			Present	Imperfect	Preterite
andar	andando				anduve
to walk; to go	andado				anduviste
					anduvo
					anduvimos
					anduvisteis
					anduvieron
caber	cabiendo		quepo		cupe
to fit; to be	cabido		cabes		cupiste
contained in			cabe		cupo
			cabemos		cupimos
			cabéis		cupisteis
			caben		cupieron
caer	cayendo		caigo		caí
to fall	caído		caes		caíste
			cae		cayó
			caemos		caímos
			caéis		caísteis
			caen		cayeron
conducir	conduciendo		conduzco		conduje
to lead; to	conducido		conduces		condujiste
drive			conduce		condujo
			conducimos		condujimos
			conducís		condujisteis
			conducen		condujeron
dar	dando		doy		di
to give	dado		das		diste
			da		dio
			damos		dimos
			dais		disteis
			dan		dieron

Indicative		Subjunctive	
Future	**Conditional**	**Present**	**Imperfect (-ra)**
			anduviera
			anduvieras
			anduviera
			anduviéramos
			anduvierais
			anduvieran
cabré	cabría	quepa	cupiera
cabrás	cabrías	quepas	cupieras
cabrá	cabría	quepa	cupiera
cabremos	cabríamos	quepamos	cupiéramos
cabréis	cabríais	quepáis	cupierais
cabrán	cabrían	quepan	cupieran
		caiga	cayera
		caigas	cayeras
		caiga	cayera
		caigamos	cayéramos
		caigáis	cayerais
		caigan	cayeran
		conduzca	condujera
		conduzcas	condujeras
		conduzca	condujera
		conduzcamos	condujéramos
		conduzcáis	condujerais
		conduzcan	condujeran
		dé	diera
		des	dieras
		dé	diera
		demos	diéramos
		deis	dierais
		den	dieran

Irregular Verbs (continued)

Infinitive	Gerund/ Past Participle	Familiar Command	Indicative		
			Present	Imperfect	Preterite
decir	diciendo	di	digo		dije
to say, tell	dicho		dices		dijiste
			dice		dijo
			decimos		dijimos
			decís		dijisteis
			dicen		dijeron
estar	estando		estoy		estuve
to be	estado		estás		estuviste
			está		estuvo
			estamos		estuvimos
			estáis		estuvisteis
			están		estuvieron
haber	habiendo		he		hube
to have	habido		has		hubiste
			ha		hubo
			hemos		hubimos
			habéis		hubisteis
			han		hubieron
hacer	haciendo	haz	hago		hice
to do; to make	hecho		haces		hiciste
			hace		hizo
			hacemos		hicimos
			hacéis		hicisteis
			hacen		hicieron
ir	yendo	ve	voy	iba	fui
to go	ido		vas	ibas	fuiste
			va	iba	fue
			vamos	íbamos	fuimos
			vais	ibais	fuisteis
			van	iban	fueron

Indicative		Subjunctive	
Future	**Conditional**	**Present**	**Imperfect (-ra)**
diré	diría	diga	dijera
dirás	dirías	digas	dijeras
dirá	diría	diga	dijera
diremos	diríamos	digamos	dijéramos
diréis	diríais	digáis	dijerais
dirán	dirían	digan	dijeran
		esté	estuviera
		estés	estuvieras
		esté	estuviera
		estemos	estuviéramos
		estéis	estuvierais
		estén	estuvieran
habré	habría	haya	hubiera
habrás	habrías	hayas	hubieras
habrá	habría	haya	hubiera
habremos	habríamos	hayamos	hubiéramos
habréis	habríais	hayáis	hubierais
habrán	habrían	hayan	hubieran
haré	haría	haga	hiciera
harás	harías	hagas	hicieras
hará	haría	haga	hiciera
haremos	haríamos	hagamos	hiciéramos
haréis	haríais	hagáis	hicierais
harán	harían	hagan	hicieran
		vaya	fuera
		vayas	fueras
		vaya	fuera
		vayamos	fuéramos
		vayáis	fuerais
		vayan	fueran

Irregular Verbs (continued)

Infinitive	Gerund/ Past Participle	Familiar Command	Indicative Present	Imperfect	Preterite
oír *to hear*	oyendo oído		oigo oyes oye oímos oís oyen		oí oíste oyó oímos oísteis oyeron
oler *to smell*	oliendo olido		huelo hueles huele olemos oléis huelen		
poder *to be able*	pudiendo podido		puedo puedes puede podemos podéis pueden		pude pudiste pudo pudimos pudisteis pudieron
poner *to put*	poniendo puesto	pon	pongo pones pone ponemos ponéis ponen		puse pusiste puso pusimos pusisteis pusieron
querer *to want*	queriendo querido		quiero quieres quiere queremos queréis quieren		quise quisiste quiso quisimos quisisteis quisieron

Indicative		Subjunctive	
Future	Conditional	Present	Imperfect (-ra)
		oiga	oyera
		oigas	oyeras
		oiga	oyera
		oigamos	oyéramos
		oigáis	oyerais
		oigan	oyeran
		huela	
		huelas	
		huela	
		olamos	
		oláis	
		huelan	
podré	podría	pueda	pudiera
podrás	podrías	puedas	pudieras
podrá	podría	pueda	pudiera
podremos	podríamos	podamos	pudiéramos
podréis	podríais	podáis	pudierais
podrán	podrían	puedan	pudieran
pondré	pondría	ponga	pusiera
pondrás	pondrías	pongas	pusieras
pondrá	pondría	ponga	pusiera
pondremos	pondríamos	pongamos	pusiéramos
pondréis	pondríais	pongáis	pusierais
pondrán	pondrían	pongan	pusieran
querré	querría	quiera	quisiera
querrás	querrías	quieras	quisieras
querrá	querría	quiera	quisiera
querremos	querríamos	queramos	quisiéramos
querréis	querríais	queráis	quisierais
querrán	querrían	quieran	quisieran

Irregular Verbs (continued)

Infinitive	Gerund/ Past Participle	Familiar Command	Indicative Present	Indicative Imperfect	Indicative Preterite
reír	riendo		río		reí
to laugh	reído		ríes		reíste
			ríe		rió
			reímos		reímos
			reís		reísteis
			ríen		rieron
saber	sabiendo		sé		supe
to know	sabido		sabes		supiste
			sabe		supo
			sabemos		supimos
			sabéis		supisteis
			saben		supieron
salir	saliendo	sal	salgo		
to go out	salido		sales		
			sale		
			salimos		
			salís		
			salen		
ser	siendo	sé	soy	era	fui
to be	sido		eres	eras	fuiste
			es	era	fue
			somos	éramos	fuimos
			sois	erais	fuisteis
			son	eran	fueron
tener	teniendo	ten	tengo		tuve
to have	tenido		tienes		tuviste
			tiene		tuvo
			tenemos		tuvimos
			tenéis		tuvisteis
			tienen		tuvieron

Indicative		Subjunctive	
Future	Conditional	Present	Imperfect (-ra)
		ría	
		rías	
		ría	
		riamos	
		riáis	
		rían	
sabré	sabría	sepa	supiera
sabrás	sabrías	sepas	supieras
sabrá	sabría	sepa	supiera
sabremos	sabríamos	sepamos	supiéramos
sabréis	sabríais	sepáis	supierais
sabrán	sabrían	sepan	supieran
saldré	saldría	salga	
saldrás	saldrías	salgas	
saldrá	saldría	salga	
saldremos	saldríamos	salgamos	
saldréis	saldríais	salgáis	
saldrán	saldrían	salgan	
		sea	fuera
		seas	fueras
		sea	fuera
		seamos	fuéramos
		seáis	fuerais
		sean	fueran
tendré	tendría	tenga	tuviera
tendrás	tendrías	tengas	tuvieras
tendrá	tendría	tenga	tuviera
tendremos	tendríamos	tengamos	tuviéramos
tendréis	tendríais	tengáis	tuvierais
tendrán	tendrían	tengan	tuvieran

Irregular Verbs (continued)

Infinitive	Gerund/Past Participle	Familiar Command	Indicative Present	Indicative Imperfect	Indicative Preterite
traer	trayendo		traigo		traje
to bring	traído		traes		trajiste
			trae		trajo
			traemos		trajimos
			traéis		trajisteis
			traen		trajeron
valer	valiendo	val(e)	valgo		
to be worth	valido		vales		
			vale		
			valemos		
			valéis		
			valen		
venir	viniendo	ven	vengo		vine
to come	venido		vienes		viniste
			viene		vino
			venimos		vinimos
			venís		vinisteis
			vienen		vinieron
ver	viendo		veo	veía	
to see	visto		ves	veías	
			ve	veía	
			vemos	veíamos	
			veis	veíais	
			ven	veían	

Indicative		Subjunctive	
Future	**Conditional**	**Present**	**Imperfect (-ra)**
		traiga	trajera
		traigas	trajeras
		traiga	trajera
		traigamos	trajéramos
		traigáis	trajerais
		traigan	trajeran
valdré	valdría	valga	
valdrás	valdrías	valgas	
valdrá	valdría	valga	
valdremos	valdríamos	valgamos	
valdréis	valdríais	valgáis	
valdrán	valdrían	valgan	
vendré	vendría	venga	viniera
vendrás	vendrías	vengas	vinieras
vendrá	vendría	venga	viniera
vendremos	vendríamos	vengamos	viniéramos
vendréis	vendríais	vengáis	vinierais
vendrán	vendrían	vengan	vinieran

Spanish-English Vocabulary

This vocabulary includes the meanings of all Spanish words and expressions which have been glossed or listed as active vocabulary in this textbook. Most proper nouns, conjugated verb forms, and cognates used as passive vocabulary are not included here.

The Spanish style of alphabetization has been followed: **n** precedes **ñ**. A word without a written accent mark appears before the form with a written accent: i.e., **si** precedes **sí**. Stem-changing verbs appear with the change in parentheses following the infinitive: **(ie), (ue),** or **(i).** A second vowel in parentheses **(ie, i)** indicates a preterite stem change.

The number following the English meaning refers to the chapter in which the vocabulary item was first introduced actively; the letters **CP** stand for **Capítulo preliminar.**

The following abbreviations are used:

A	Americas	*m*	masculine
abb	abbreviation	*n*	noun
adv	adverb	*obj*	object
adj	adjective	*pl*	plural
art	article	*pp*	past participle
conj	conjunction	*poss*	possessive
dir obj	direct object	*prep*	preposition
E	Spain	*pron*	pronoun
f	feminine	*refl*	reflexive
fam	familiar	*rel*	relative
form	formal	*s*	singular
indir obj	indirect object	*subj*	subject
inf	infinitive		

A

a   to, at, toward; **a bordo**   on board **11**; **a casa**   home; **a causa de**   because of, as a consequence of; **a continuación**   following; **a cuadros**   plaid, checkered **7**; **a la derecha**   to (on) the right **8**; **a la izquierda**   to (on) the left **8**; **a menos que**   unless **11**; **a menudo**   often **1**; **a rayas**   striped **7**; **a tiempo**   on time **CP**; **a través de**   through, across; **a veces**   sometimes **1**

abierto   *pp* opened **10**

abogado(-a)   lawyer **10**

abonar   to pay in installments **10**

abordar   to board **11**

abrazar   to hug, embrace

abrazo   hug

abrigo   coat **7**

abril   *m* April

abrir   to open

abrocharse   to fasten **11**

absurdo   absurd

abuelo(-a)   grandfather (-mother) **3**; **abuelos**   grandparents **3**

aburrido   bored, boring

aburrir   to bore; **aburrirse**   to get bored

acá   here

acabar   to finish; *refl* run out of; **acabar de + *inf***   to have just (done something)

acantilado   cliff

acaso   perhaps

acceso   access

accidente   *m* accident

acción   *f* stock **9**

accionista   *m/f* stockbroker **10**

aceite   *m* oil **1**; salad oil

aceituna   olive

acento   accent

acentuar   to accent

aceptar   to accept

acera   sidewalk **8**

acerca de   about, concerning

acercarse a   to approach

acero   steel

acetona   nail polish remover

aclarar   to clear up

acomodar   to accommodate

aconsejable   advisable

aconsejar   to advise **3**

acontecimiento   event

acordarse (ue) de   to remember **1**

acortar   to shorten **7**

acostarse (ue)   to go to bed **1**

acostumbrarse   to become accustomed, get used to

actitud   *f* attitude

actividad   *f* activity **2**

activo   active

actual   *adj* current, present-day

actualmente   nowadays, at the present time

actuar   to act

acuerdo   agreement; **de acuerdo**   I agree; **estar de acuerdo**   to agree, be in agreement **9**; **llegar a un acuerdo**   to reach an agreement

acusado(-a)   accused person **6**

adelantado   early

adelante   forward; come in

adelanto   advance, advancement

además   besides, furthermore

adentro   inside

adiós   good-bye

adivinanza   riddle

adivinar   to guess

adjetivo   adjective

administración   *f* management **9**; **administración de empresas**   business administration **5**

admirar   to admire **8**

adolescente   *m/f* teenager **3**

¿adónde?   where? (used with verbs of motion) **1**

adornar   to decorate, adorn

adorno   decoration, ornament

aduana   customs **10**; **derechos de aduana**   duty taxes **10**; **pasar por la aduana**   to go through customs **11**

aduanero(-a)   customs agent **11**

adverbio   adverb

advertir (ie, i)   to warn

aéreo   *adj* air

aeróbico   aerobic **12**

aeromozo(-a)   *(A)* flight attendant **11**

aeropuerto   airport **11**

afeitadora   shaver **1**

afeitarse   to shave **1**

aficionado(-a)   fan, sports fan

afuera   outside **4**; **afueras**   outskirts, suburbs

agarrar   to take

agencia   agency **1**; **agencia de empleos**   employment agency **10**; **agencia de viajes**   travel agency

agente   *m/f* agent

agosto   August

agradable   pleasant

agradecer   to appreciate, thank

agrado   pleasure

agresivo   aggressive

agrícola   agricultural

agrio   sour

agua   water **1**; **agua mineral**   mineral water, bottled water

aguacate   *m* avocado **4**

aguacero   heavy shower, downpour

ahí   there (near person addressed)

ahijado(-a)   godson(-daughter) **3**; **ahijados**   godchildren **3**

ahogarse   to drown **6**

ahora   now

ahorrar   to save money **10**

ahorros   *pl* savings **10**; **cuenta** *f* **de ahorros**   savings account **10**

aire   *m* air; **aire acondicionado** *m* air conditioning **11**; **al aire libre**   outdoor **2**

aislado   isolated

aislamiento   isolation

ajedrez   *m* chess **3**

al   (**a** + **el**) to the + *ms noun;* **al día**   per day; **al +** *inf* on, upon; **al lado de**   beside, next to; **al principio**   in the beginning

albergue   *m* hostel **11**; **albergue juvenil**   *m* youth hostel **11**

albóndigas   meatballs **4**

alcalde   *m* mayor

alcance   *m* reach; **estar al alcance**   to be within reach

alcanzar   to gain, obtain

alcohólico   alcoholic

alegrarse   to be happy

alegre   happy, cheerful **3**

alegría   happiness

alemán(-ana)   German **3**

alergia   allergy **12**

alérgico   allergic **12; ser alérgico a**   to be allergic to **12**
alfabetización   *f* literacy
alfombra   rug, carpet **6**
algarabía   hustle-bustle
algo   something **7**
algodón   *m* cotton **7; algodón de azúcar**   cotton candy **8**
alguien   someone **7**
algunas veces   sometimes **1**
alguno, algún, alguna   any, some, someone, **7;**   *pl* a few **7**
alimentarse   to feed oneself
alimento   food, nourishment **4**
alivio   relief
allá   there
allí   there
almacén   *m* department store **CP; (grandes) almacenes** *(E) m pl* department store **CP**
almeja   clam **4**
almohada   pillow **11**
almorzar (ue)   to have lunch **1**
almuerzo   lunch **4**
alojarse   to stay in a hotel **11**
alquilar   to rent **10**
alquiler   *m* rent
alrededor de   around **5**
altavoz   *m* loud-speaker
alternativa   alternative
altiplano   high plateau
altitud   *f* altitude
alto   tall, high **CP**
altura   altitude
alumno(-a)   student
alzar   to raise, lift
ama de casa   housewife
amabilidad   *f* kindness
amable   nice, kind
amanecer   *m* dawn; **del amanecer al anochecer** from dawn to dusk
amar   to love **3**
amargo   bitter
amarillo   yellow
amatista   amethyst
ambiente   *m* environment, atmosphere
amigable   friendly
amigo(-a)   friend **1**
ampliar   to extend
amplio   extensive
amoblar (ue); amueblar   to furnish
amor   *m* love

análisis   *m* analysis
anaranjado   *adj* orange
ancho   wide **7**
andar   to walk
anécdota   anecdote
anfitrión(-ona)   host (hostess)
ángel   *m* angel
angosto   narrow
anillo   ring **3; anillo de boda** wedding ring **3; anillo de compromiso**   engagement ring **3**
anoche   last night **2**
anochecer   *m* dusk
ansioso   anxious
ante   *m* suede ; *prep* before, in the presence of
anteayer   day before yesterday **2**
anteojos   *pl* eyeglasses **CP**
anterior   before
antes de   *prep* before
antes que   *conj* before
antibiótico   antibiotics **12**
anticipar   to anticipate; **con anticipación**   in advance
antiguo   former, ancient
anunciar   to announce **6**
anuncio   advertisement; **anuncio clasificado** classified ad; **anuncio comercial**   commercial **6**
añadir   to add
año   year **1; tener ...años**   to be ...years old
aparato   appliance
aparcar   to park
aparecer   to appear **1**
apartamento   apartment
apellido   last name **CP**
apenas   hardly
aperitivo   appetizer **4**
apertura de clases   beginning of the term **5**
apetecer   to have an appetite for
apetito   appetite **4**
aplaudir   to applaud **8**
aplicado   studious **5**
apogeo   peak; **en pleno apogeo** at the height of
aprender   to learn **5; aprender de memoria**   to memorize **5**
apretado   tight **7**
apretar (ie)   to pinch, be too tight **7**
aprobar (ue)   to pass (an exam) **5**

apropiado   appropriate
aprovechar   to take advantage of
aptitud   *f* aptitude, skill **9**
apuntes   notes, classnotes **1; tomar apuntes**   to take notes **1**
apurado   in a hurry
apurarse   to hurry
aquel, aquella   *adj* that (distant) **6; aquellos, aquellas** *adj* those (distant) **6   aquél, aquélla**   *pron* that (one), former **6; aquéllos, aquéllas** *pron* those, former **6   aquello** *neuter pron* that **6**
aquí   here
árbitro   referee, umpire **12**
árbol   *m* tree **6**
arco   arch
archivar   to file **10**
archivo   file cabinet **9**
arena   sand **2**
arete   *m* earring **7**
argentino   *adj* Argentinian
arquitecto(-a)   arquitect
arquitectura   architecture **5**
arreglar   to arrange, to repair, to straighten up **6; arreglarse** to get ready **1**
arreglo   care **1;**   arrangement, repair
arrepentirse (ie, i)   to repent
arrestar   to arrest **6**
arroz   rice **4**
arrugado   wrinkled
arte   *m* art **5; bellas artes**   fine arts **5**
artesanía   craftsmanship
artículo   article, item
artista   *m/f* artist
artístico   artistic **9**
asado   roast(-ed)
ascenso   promotion **9**
ascensor   elevator
asegurar   to assure, to insure **7**
asesinar   to murder
asesinato   murder **6**
asesino(-a)   murderer **6**
así   in this way, thus;   **así que** as soon as **11**
asiduo   frequent
asiento   seat **8**
asignatura   subject **5**
asistencia   attendance
asistente social   *m/f* social worker

asistir a   to attend **5**
asociarse   to associate
asombrar   to astonish
aspecto   aspect
áspero   rough
aspiradora   vacuum cleaner **6**;
  pasar la aspiradora   to vacuum **6**
aspirante   *m/f* applicant **9**
aspirina   aspirin **12**
asunto   subject matter
asustadizo   easily scared
asustado   scared **8**
asustarse   to get scared
atacar   to attack
atar   to tie
atender (ie)   to take care of **10**
atento   attentive
aterrizaje   *m* landing **11**
aterrizar   to land **11**
atleta   *m/f* athlete
atlético   athletic **CP**
atracción   *f* amusement park
  ride, attraction **8; parque** *m*
  de atracciones   amusement
  park **8**
atraer   to attract
atrás   *adv* back; **de atrás**
  behind
atrasarse   to be late
atravesar (ie)   to cross
atribuir   to attribute to
atún   *m* tuna **4**
aumento   raise
aun   even; **aun cuando**   even
  when
aún   still, yet
aunque   although
ausente   absent
austral   *m* previous currency of
  Argentina
autobús   *m* bus **8**
automóvil   *m* automobile
autopista   highway; **autopista**
  de la información   information superhighway **9**
autoridad   *f* authority
autorretrato   self-portrait **CP**
avance   *m* advance
avanzado   avanced **10**
avanzar   to advance, move
  forward
ave   *f* bird
avenida   avenue **8**
aventura   adventure **2; de**
  aventura   *adj* adventure **2**

averiguar   to verify, find out
avión   *m* airplane **11**
avisar   to advise, to inform
aviso   notice, sign
ayer   yesterday **2**
ayuda   help
ayudar   to help
ayuntamiento   city hall **8**
azafata   *(E)* flight attendant,
  stewardess **11**
azúcar   sugar
azul   blue **CP**

B
bacalao   cod
bachillerato   high-school
  diploma **5**
bailar   to dance **CP**
bailarín(-ina)   dancer
baile   *m* dance
bajar   to lower, to get off **11**;
  bajar el equipaje   to take
  the luggage down **11; bajarse**
  to get off
bajo   short **CP**
balanza   balance; **balanza**
  de pagos   balance of payments **10**
balcón   *m* balcony **11**
baloncesto   *(E)* basketball **12**
bancario   *adj* banking **10**
banco   bank **1**
banquero   banker
bañarse   to bathe **1**
bañera   bathtub **6**
baño   bathroom **11; cuarto de**
  baño   bathroom **6**
bar   *m* bar **2**
barato   inexpensive, cheap
barba   beard **CP**
barco   boat
barrer   to sweep **6**
barrio   neighborhood **8**
básquetbol   *m (A)* basketball **12**
¡basta!   enough
bastante   *adj* enough **9**;
  bastante   *adv* rather
basura   garbage, trash **6; sacar**
  la basura   to take out the
  garbage **6**
bata   robe **7**
bate   *m* bat **12**
batear   to bat **12**
batido   milk shake
batir   to beat
bautismo   baptism

bebé   *m* baby **3**
beber   to drink
bebida   beverage **4**
beca   scholarship **5**
béisbol   *m* baseball **12**
bellas artes   fine arts **5**
belleza   beauty
beneficiar   to benefit
beneficio   benefit; **beneficio**
  social   fringe benefit **9**
besar   to kiss
biblioteca   library **5**
bicicleta   bicycle; **montar (en)**
  bicicleta   to ride a bicycle **2**
bien   well, very
bienvenido   welcome
bigote   *m* moustache **CP**
billete   *m* ticket **8**;   bill; **billete**
  de ida y vuelta   round-trip
  ticket **11**
billetera   wallet
biología   biology **5**
bisabuelo(-a)   great-grandfa-
  ther(-mother) **3; bisabuelos**
  great-grandparents **3**
bistec   *m* steak
blanco   white
blando   soft
blusa   blouse
boca   mouth
bocacalle   *f* intersection **8**
bocadillo   sandwich
boda   wedding, wedding ceremony **3; regalo de boda**
  wedding gift **3; torta de boda**
  wedding cake **3**
boletería   ticket office
boleto   ticket **8; boleto de ida y**
  vuelta   round-trip ticket **11**
bolígrafo   pen, ballpoint pen
bolívar   *m* currency of Venezuela
bolsa   *(E)* purse **7; bolsa (de**
  acciones)   stock market **9**
bombero(-a)   firefighter **8**
bonito   nice, pretty
bono   bond **9**
borracho   drunk **2**
borrador   *m* rough draft
bosque   *m* forest, woods
bota   boot **7**
botones   *m s* bellman **11**
boutique   *f* boutique **7**
boxeo   boxing **12; practicar el**
  boxeo   to box **12**
brazo   arm **12**
brillante   *m* diamond **7**

brillar   to shine
bromear   to joke
bronceado   suntan, suntanned
broncearse   to tan **2**
bruja   witch
bueno, buen, buena   *adj* good;
   bueno   *adv* well, all right;
   buena suerte   good luck; **lo**
   bueno   the good thing;
   buenos días   good morning **2**;
   buenas noches   good
   evening **2**; **buenas tardes**
   good afternoon **2**
bufanda   scarf **7**
buscar   to look for; **en busca**
   de   in search of

C
caballero   gentleman **7**
caballitos   *m pl* carousel **8**
caballo   horse; **montar a**
   caballo   to ride horseback **2**
caber   to fit **11**
cabeza   head **12**
cada   *m/f adj* each, every **9**;
   cada dos días   every other
   day **1**
cadena   chain **7**; network **6**
cadera   hip
caer   to fall, slip away; **caer**
   bien (mal)   to suit (not to
   suit) **4**; to get along well
   (poorly) **4**; **caer un aguacero**
   to rain cats and dogs **5**
café   *m* café, coffee **4**;   coffee
   shop; **café al aire libre**   outdoor café **2**; **café con leche**
   coffee with warmed milk;
   café solo   black coffee
caja   box, cash register; **caja de**
   seguridad   safety-deposit
   box **10**
cajero(-a)   cashier **7**
cajón   *m* drawer
calamar   *m* squid
calcetín   *m* sock **7**
calculadora   calculator **9**
calcular   to calculate
cálculo   calculus
caldo   soup, broth **4**; **caldo de**
   pollo con fideos   chicken
   noodle soup **4**
calefacción   *f* heating system **11**
calendario   calendar
calentador   *m (A)* jogging suit **7**
calentar (ie)   to heat

calidad   *(f)* quality
cálido   warm
caliente   hot
calificación   *(f)* qualification
   (skill)
callado   quiet
callarse   to be quiet
calle   *f* street **8**
calmar   to calm, ease
calor   *m* heat; **hace calor**   it's
   hot **5**; **tener calor**   to be hot
calvo   bald **CP**
calzar   to wear shoes **7**
cama   bed **6**
camarero(-a)   *(A)* flight attendant **11**;   *(E)* waiter (waitress) **4**;   chambermaid **11**
camarones   *m pl (A)* shrimp **4**
cambiar   to change; **cambiar**
   dinero   to exchange currency
   10; **cambiarse de ropa**   to
   change clothes **1**
cambio   change; **en cambio**
   on the other hand
caminar   to walk
camino   road; **en camino**   on
   the way to
camión   *m* truck; **camión de**
   juguete   toy truck **3**
camisa   shirt **1**; **camisa de**
   noche   nightgown **7**
camiseta   tee-shirt **7**
campaña electoral   electoral
   campaign **6**
campeón(-ona)   *m* champion **12**
campeonato   championship **12**
campesino(-a)   rural person
campo   country, rural area,
   field **3**; **campo de estudio**
   field of study **5**; **campo de**
   golf   golf course **2**; **campo**
   deportivo   sports field **5**
canadiense   *m/f adj* Canadian **3**
canal   *m* channel **6**
canasta   basket **12**
cancha   playing area, court,
   field **12**; **cancha de tenis**
   tennis court **2**
canoso   *adj* gray hair **CP**
cansado   tired
cantante   *m/f* singer **8**
cantar   to sing
cantidad   *f* quantity
caña de pescar   fishing rod
capital   *f* capital (city); *m* capital (money)

capítulo   chapter
cara   face
caracol   *m* snail
característica   characteristic
caramelo   caramel
cárcel   *f* jail **6**
carecer   to be in need of, lack
cargar   to carry **11**
cariño   affection **3**; **tener**
   cariño a   to be fond of **3**
cariñoso   affectionate **3**
carne   *f* meat **4**; **carne de cerdo**
   pork **4**; **carne de res**   beef **4**
carnet estudiantil   *m* student
   I.D. card **CP**
caro   expensive **4**
carpeta   file folder **9**
carpintero(-a)   carpenter
carrera   career **9**; race
carro   *(A)* car
carta   letter **CP**; **carta de**
   recomendación   letter of
   recommendation **9**;   cartas
   (A) playing cards **2**
cartel   *(m)* poster, sign
cartera   wallet, *(A)* purse
cartero(-a)   mail carrier
casa   house; **a casa**   home; **en**
   casa   at home; **casa de**
   espejos   house of mirrors **8**;
   casa de fantasmas   house of
   horrors **8**; **casa de muñecas**
   dollhouse **3**
casado   married **CP**
casamiento   wedding, wedding
   ceremony **3**
casarse   to get married **3**;
   casarse con   to marry **3**
casco   helmet **12**
casi   almost
castaño   chestnut **CP**
castellano   Spanish
castillo   castle **2**
catalán(-ana)   Catalan
catarata   waterfall
catarro   cold **12**
catedral   *f* cathedral **8**
catedrático(-a)   university professor **5**
católico   Catholic
catorce   fourteen **CP**
causar   to cause
cazar   to hunt
cebolla   onion
celebración   celebration
célebre   famous

celos *m* jealousy; **tener celos** to be jealous **3**

celular cellular

cemento cement **8**

cena dinner **4**; wedding reception **3**

cenar to eat dinner **3**

centígrado centigrade

centro center, downtown **8**; **centro comercial** shopping center, mall **1**; **centro cultural** cultural center **8**; **centro estudiantil** student center **5**

cepillarse to brush (one´s teeth, hair) **1**

cepillo brush **1**; **cepillo de dientes** toothbrush **1**

cerca *adv* next to, near, close

cerca de *prep* near **5**

cercano *adj* near, close

cerdo pig

ceremonia de enlace wedding ceremony **3**

cero zero **CP**

cerrar (ie) to close **1**

cerveza beer **4**

césped *m* lawn, grass **6**

ceviche *m* marinated fish and seafood **4**

chaleco vest **7**

chamaco(-a) *(A)* kid, youngster **3**

champú *m* shampoo **1**

chandal *m (E)* jogging suit **7**

chaqueta jacket

charlar to chat **CP**

chau good-bye **2**

chaval(-a) *(E)* kid, youngster **3**

cheque *m* check; **cheque de viajero** traveler's check; **cobrar un cheque** to cash a check

chequear to check

chequera *(A)* checkbook **10**

chévere wonderful

chicano(-a) Mexican-American

chicle *m* chewing gum

chico(-a) kid, youngster **3**; **chico** *adj* small **7**

chiflar to boo, hiss **8**

chile *m* chili pepper **4**; **chiles rellenos** stuffed peppers **4**

chimenea chimney

chino(-a) Chinese

chip *m* microchip **9**

chisme *m* gossip

chismear to gossip **2**

chiste *m* joke **CP**

chistoso funny, amusing

chocolate *m* chocolate, hot chocolate **4**

choque *m* shock

chorizo hard sausage

cibernauta *m/f* person who uses the Internet **9**

cicatriz *m* scar **CP**

ciclismo biking, cycling

cien, ciento hundred **CP**

ciencia science; **ciencias de educación** education (course of study) **5**; **ciencias económicas** economics **5**; **ciencias exactas** natural science **5**; **ciencias políticas** political science **5**; **ciencias sociales** social sciences **5**

científico(-a) scientist; *adj* scientific

cierto certain, definite, right, true

cigarrillo cigarette

cinco five **CP**

cincuenta fifty **CP**

cine *m* movie theater **2**

cinta tape; **cinta adhesiva** utility tape **9**

cinturón *m* belt; **cinturón** *m* **de seguridad** seatbelt **11**; **(des-) abrocharse el cinturón de seguridad** to (un-)fasten the seatbelt **11**

cita appointment, date

ciudad *f* city; **ciudad universitaria** campus **5**

claro light (in color), clear; of course

clase *f* class **5**; **clase alta** upper class; **clase económica** economy class (travel); **primera clase** first class (travel)

clásico classical **2**

clavel *m* carnation

cliente *m/f* customer **1**

clima *m* climate **5**

clínica private hospital **8**

club nocturno *m* nightclub **2**

cobrar to charge, collect money; **cobrar un cheque** to cash a check **10**

cobre *m* copper

cocina kitchen **6**

cocinar to cook

cocinero(-a) cook, chef

cóctel *m* cocktail **4**; **cóctel de camarones** shrimp cocktail **4**; **cóctel de mariscos** seafood cocktail **4**

coche *m* car

código code; **código postal** zip code

coger to take, seize; to catch **12**

coincidir to coincide

cola line; **hacer cola** to stand in line

colaborar to collaborate

colchón neumático *m* air mattress **2**

colegio elementary school, boarding school, college preparatory high school

colgar (ue) to hang, to hang up **6**

colina hill

colocar to place, put

colombiano(-a) Colombian

colonial colonial **8**

color *m* color; **de color café** brown **CP**; **de color melón** melon-colored; **de un solo color** solid color **7**

collar *m* necklace **7**; **collar de brillantes** diamond necklace **7**

combinar to match, combine **7**

comedia comedy **2**

comedor *m* dining room **6**

comentar to comment **8**

comenzar (ie) to begin **1**

comer to eat

comercio trade **10**; **comercio de exportación** export trade **10**; **comercio de importación** import trade **10**

comestibles *m* food, foodstuffs, unprepared food **4**; **tienda de comestibles** grocery store **4**

cometa *m* comet; kite

cómico funny **2**

comida food, meal, main meal **4**; **comida completa** complete meal **4**; **comida criolla** native or regional food **4**; **comida ligera** light meal **4**; **comida rápida** fast food;

comida típica   typical meal **4**
comisaría   police station **8**
comité   *m* committee
como   as, like, since; **¡Cómo no!**   Of course!; **como si**   as if; **tan** + *adj* or *adv* + **como**   as + *adj* or *adv* + as; **tanto como**   as much as
¿cómo?   how? **1**
comodidad   *f* comfort
cómodo   comfortable **11**
compañero(-a)   companion; **compañero(-a) de clase**   classmate; **compañero(-a) de cuarto**   roommate; **compañero(-a) de juegos**   playmate **3**
compañía (Cía.)   company (Co.) **1**
comparar   to compare
compartir   to share, divide
competir (i, i)   to compete
complacer   to please
complacerse   to take pleasure
complejo turístico   tourist resort **2**
completamente   completely
completar   to complete
completo   full **11**
complicado   complicated
complicarse   to become complicated
comportamiento   behavior
comportarse   to behave **3**
compra   purchase; **hacer compras**   to shop, purchase **1**; **ir de compras**   to go shopping **CP**
comprador(-a)   buyer, shopper
comprar   to buy **1**
comprender   to understand
comprensivo   understanding
comprometerse con   to become engaged to **3**
compromiso   engagement, commitment **3**
compuesto   *pp* composed
computadora   *(A)* computer **1**
comunicarse   to communicate
comunidad   *f* community
con   with **5**; **con tal que**   provided that **11**; **conmigo**   with me **5**; **contigo**   with you *fam s* **5**
concierto   concert **CP**
conciliatorio   conciliatory

conciso   concise
concluir   to conclude
concha   shell **2**
condimentado   spicy
condimento   dressing, condiment
conducir   to drive **1**
conductor(-a)   driver **8**
conectar   to connect
conferencia   lecture **5**; **dar una conferencia**   to give *a* lecture **5**
confesar (ie)   to confess
confianza   trust, confidence **9**; **ser de confianza**   to be close friends
confiar en   to confide in, trust **3**
confirmar   to confirm **11**
confitería   sweetshop, tea shop
conflictivo   conflictive
confundirse   to be confused
confusión   *f* confusion
conjunto   band, musical group **2**
conocer   to know, to meet, to make an acquaintance of, to recognize **1**
conocido(-a)   acquaintance; *adj* familiar, well-known
conocimiento   knowledge **9**
conquistador   *m* conqueror
consciente   aware
conseguir (i, i)   to get, obtain **9**
consejero(-a)   advisor, counselor
consejo   advice **3**; **consejo financiero**   financial advice **10**
conserje   *m* concierge **11**
consentir (ie, i)   to consent to, agree
conservar   to keep, preserve
considerar   to consider
consistir en   to consist of
constituir   to constitute
construcción   *f* construction
construir   to construct **1**
consultorio   doctor's or dentist's office **1**
consumo   consumption **10**
contabilidad   *f* accounting **5**
contador(-a)   accountant **10**
contaminación   *f* pollution; **contaminación del aire**   air pollution
contar (ue)   to count, tell **CP**
contenido   content
contento   content, happy
contestar   answer

continuar   to continue; **a continuación**   following
contra   against **5**
contratar   to hire
contrato   contract
contribuir   to contribute **1**
control   *m* control; **control de seguridad**   *m* security check **11**; **control remoto**   *m* remote control **6**
controlar   to control
contusión   *f* bruise **12**; **tener una contusión**   to be bruised **12**
convencer   to convince
conveniente   convenient
convenir   to agree, be suitable
conversación   *f* conversation
conversar   to converse, talk
convertir (ie, i)   to convert; to become
cooperación   *f* cooperation
cooperador   cooperative
cooperar   to cooperate
coordinación   *f* coordination
copa   drink **2**;   goblet, glass with a stem **4**
coqueta   flirt, flirtatious **3**
corazón   *m* heart
corbata   tie
cordero   lamb
cordillera   mountain range
correcto   correct, right
corregir (i, i)   to correct
correo   post office, mail **1**; **correo electrónico**   e-mail **1**
correr   to run **2**
correspondencia   mail
corresponder   to correspond
corrida de toros   bullfight **8**
cortacésped   *m* lawnmower **6**; **carro cortacésped**   *m* riding lawnmower **6**; **cortacésped de motor**   *m* power lawnmower **6**
cortar   to cut **6**; **cortar el césped**   to cut the grass **6**
cortarse   to cut oneself **12**
corte   *f* court; *m* cut
cortés   courteous, polite
cortesía   courtesy, politeness
corto   short **CP**
cosa   thing
cosmopolita   cosmopolitan
costa   coast
costar (ue)   to cost

costo   cost **10; costo de vida** cost of living **10**

costumbre   *f* custom **3; de costumbre** usual

creación   *f* creation

crear   to create

crecer   to grow

crédito   credit; **tarjeta de crédito**   credit card

creer   to believe

crema de afeitar   shaving cream **1**

crema dental   *(A)* toothpaste

criada   maid, chambermaid **11**

criar   to bring up (children), raise (animals); to look after **3**

crimen   *m* crime **6**

crisis   *f* crisis

crisol   *m* melting pot

criticar   to criticize **8**

cruce   *m* intersection **8**

crucero   cruise

crucigrama   *m* crossword puzzle **CP; hacer crucigramas** solve crossword puzzles **CP**

cruzar   to cross

cuaderno   notebook

cuadra   *(A)* (street) block **8**

cuadrado   square

cuadro   painting **8**

¿cuál(-es)?   which one(-s)? **1**

cualidad   *f* quality

cualquier(-a)   any

cuando   *conj* when **11**

¿cuándo?   when? **1**

¿cuánto?   how much? *pl* how many? **1**

cuarenta   forty **CP**

cuartel   *m* **de policía**   police station **8**

cuarto   room, quarter; *adj* fourth **4; cuarto de baño** bathroom **6**

cuatro   four **CP**

cuatrocientos   four hundred **10**

cubano(-a)   Cuban

cubierto   place setting **4;** *pp* covered **10**

cubo   bucket, pail **6; cubos de letras**   blocks **3**

cubrir   to cover

cuchara   soup spoon **4**

cucharita   teaspoon **4**

cuchillo   knife **4**

cuello   neck

cuenta   account, bill, check **11; cuenta a plazo fijo**   fixed

account **cuenta corriente** checking account **10; cuenta de ahorros**   savings account **10; cuenta mancomunada** joint account **10**

cuento   story, tale

cuero   leather **7**

cuerpo   body

cuidado   care; **con cuidado** carefully; **tener cuidado**   be careful

cuidadoso   careful **9**

cuidar   to look after, to care for

cuidarse   to take care of one-self

culpable   guilty **6**

cultivar   to grow plants

cultura   culture; **centro cultural**   cultural center **8**

cumpleaños   *m* birthday

cumplir   to carry out, to fulfill, execute **5; cumplir... años** to turn... years old

cuñado(-a)   brother-in-law (sister–) **3**

cura   *m* priest **3;** *f* cure

curandero(-a)   healer

curar   to cure

curita   band-aid **12**

curriculum vitae   *m* résumé **9**

cursar   to take courses

curso   course **5; curso electivo** elective class **5; curso obligatorio**   required class **5**

cuyo   whose **12**

D

dama de honor   bridesmaid **3**

damas   checkers **3**

dar   to give **1; dar a**   to face; **dar a luz**   to give birth **3; dar ánimo**   to encourage; **dar consejos**   to give advice **3; dar puntos**   to get stitches **12; dar un paseo**   to take a walk **CP; dar una patada** to kick **12; dar vueltas**   to turn around and around; **darse cuenta de**   to realize, become aware; **darse por vencido**   to give up, acknowledge defeat

dato   fact, a piece of information

de   of, from, about **CP; de acuerdo**   I agree; **de alguna manera**   some way **7; de**

algún modo   some how **7; de atrás**   behind; **de casualidad**   by chance; **de flores**   flowered **7; de la mañana**   A.M. **CP; de la noche**   P.M. **CP; de la tarde** P.M. **CP; de lujo**   luxurious **11; de lunares**   polka dot **7; de nada**   you are welcome; **de ninguna manera**   no way **7; de ningún modo**   by no means **7; de película**   out of the ordinary, incredible; **de repente**   suddenly; **de retraso**   delayed; **de talla media**   of average height **CP; de un solo color**   solid color **7; de vez en cuando** from time to time **1**

debajo de   under, underneath **5**

deber   to have to do something, must

débil   weak, soft (sound) **CP**

decidir   to decide

décimo   tenth **4**

decir   to say, to tell **1**

decisión   *f* decision; **tomar una decisión**   to make a decision **9**

declaración   *f* declaration

decorar   to decorate

dedicarse a   to devote oneself to **1**

dedo   finger **12; dedo de pie** toe **12**

defender (ie)   to defend

dejar   to leave, let, allow, to leave something **5; dejar una clase**   to drop a class **5**

del   (de + el) of the + *ms noun*

delante de   in front of **5**

delgado   slender **CP**

delicado   delicate

delicioso   delicious

delito   crime, offense **6**

demás   *adj* rest (of a quantity)

demasiado   too much **9**

demora   delay

demorarse   to delay

demostrar (ue)   to demonstrate

dentífrico   *(E)* toothpaste **1**

dentista   *m/f* dentist

dentro de   in, inside of **5**

departamento   department

depender de   to depend on

dependiente(-a)   salesclerk **7**

deporte   *m* sport **CP**

deportivo *adj* sport **12**
depositar to deposit **10**
deprimente depressing
deprimido depressed **12**
derecha right; **a la derecha** to the right
derecho law (course of study) **5**; *adv* straight **8; derechos de aduana** duty taxes; **seguir (i, i) derecho** to go straight
derrotar to defeat **12**
desabrocharse to unfasten **11**
desafortunado unfortunate
desherbar (ie) to weed **6**
desagradable unpleasant
desaparecer to disappear **9**
desarrollar to develop **9**
desarrollo development **10**
desastre *m* disaster **6**
desatar to untie
desayunar to have breakfast
desayuno breakfast **4**
descansar to relax, rest
desconocido unknown
descontar (ue) to discount
descortés discourteous, impolite
describir to describe
descripción *f* description **CP**
descubierto *pp* discovered
descubrir to discover
descuento discount
desde from, since **5**
desdén *m* scorn
desear to want, desire
desembarcar to get off **11**
desempleo unemployment **9**
desfile *m* parade **2**
desierto desert
desinfectante *m* disinfectant **6**
desmayarse to faint **12**
desmoralizado demoralized
desocupado unoccupied
desocupar to vacate **11**
desodorante *m* deodorante **1**
desorden *m* disorder
desorganizado unorganized
despacio slowly
despedida farewell
despedir (i, i) to fire, to dismiss **9**; to see someone off **11; despedirse (i, i)** to say goodbye **1**
despegar to take off **11**
despegue *m* takeoff **11**
despejarse to clear up (weather) **5**
despertador *m* alarm clock **1**

despertarse (ie) to wake up **1**
después *adv* afterwards, later; **después de** *prep* after **11; después que** *conj* after **1**
destacar to stand out
destreza skill **9**
destruir to destroy **1**
desventaja disadvantage
desvestirse (i, i) to get undressed **1**
detalle *m* detail
detener to detain
detergente *m* detergent **6**
deteriorarse to deteriorate
detrás de behind, in back of **5**
deuda debt
devolución *f* return (of something)
devolver (ue) to return something **7**
día *m* day **1; día de la boda** wedding day **3; al día** per day; up to date; **día feriado** holiday
diamante *m* diamond
diálogo dialogue
diario daily
dibujo drawing, sketch **8; dibujo animado** cartoon
diciembre *m* December
dictar una conferencia to give a lecture
dicho *pp* said **10**
diecinueve nineteen **CP**
dieciocho eighteen **CP**
dieciséis sixteen **CP**
diecisiete seventeen **CP**
diente *m* tooth **1; cepillo de dientes** toothbrush **1**
dieta diet **4; estar a dieta** to be on a diet **4**
diez ten **CP**
diferente different
difícil difficult
dificultad *f* difficulty
diligencia errand **1; hacer diligencias** run errands **1**
dinero money **10; dinero en efectivo** cash **10; cambiar dinero** to exchange currency **10**
diputado(-a) representative **6**
dirección *f* direction, address **CP**
directo direct **11**
director(-a) de personal director of personnel

dirigir to direct
discar to dial (a telephone)
disco record, computer disk **9**; hockey puck **12; disco compacto** CD; **disco duro** hard drive **9**
discoteca discotheque **2**
disculpar to excuse
discurso speech **6**
discusión *f* discussion
discutir to discuss **8**
diseño design **7**
disfraz *m* costume; **fiesta de disfraces** costume party
disfrutar de to enjoy, to make the best out of something, to have **2**
disgustar to displease **4**
disminuir to diminish
disponible available **11**
distinguir to distinguish
distracción *f* distraction
distraído distracted
distribuir to distribute
distrito district; **distrito postal** zip code
diversión *f* hobby, amusement, recreation
diverso diverse; **diversos** various
divertido fun, amusing
divertirse (ie, i) to enjoy oneself, to have fun **1**
dividirse to be divided
divorciado divorced **CP**
doblar to turn **8**
doce twelve **CP**
doctorado doctorate **5**
documento document, official paper **CP**; computer file **9**
dólar *m* dollar
doler (ue) to ache, feel pain (emotional or physical) **12**
dolor *m* ache, pain **12; dolor muscular** muscular ache **12**
doméstico domestic **6**
domicilio residence **CP**
domingo Sunday
dominó dominoes **3**
don sir, male title of respect
¿dónde? where? **1**
doña lady, female title of respect
dormilón(-ona) heavy sleeper **1**
dormir (ue, u) to sleep **1; dormirse (ue, u)** to fall asleep **1**

dormitorio   bedroom **6**
dos   two **CP; dos veces**   twice
doscientos   two hundred **10**
drama   *m* drama **2**
dramatizar   to dramatize
ducha   shower **11**
ducharse   to shower **1**
duda   doubt
dudar   to doubt
dudoso   doubtful
dueño(-a)   owner
dulce   *adj* sweet; *n m pl* candy
durante   during **5**
durar   to last
duro   hard

E
e   and (replaces **y** before words
    beginning with **i-** and **hi-**)
economía   economy **10**
económico   inexpensive **4;**
    ciencias económicas   eco-
    nomics **5**
echar: echar de menos   to
    miss someone; **echar una
    carta**   to mail a letter **1;**
    echar una siesta   to take a
    nap **1; echarles flores y arroz**
    to throw flowers and rice **3**
edad   *f* age **CP**
edificio   building **8**
educación   *f* education;
    ciencias de educación
    education (course of study) **5**
efectivo   *n* cash
efecto   effect; **efectos
    personales**   personal effects
eficaz   efficient **9**
egoísta   selfish
ejecutar   to fill, execute
ejecutivo(-a)   executive **10**
ejemplo   example; **por
    ejemplo**   for example
ejercer   to exercise
ejercicio   exercise; **ejercicio
    aeróbico**   aerobic exercise
    **12; ejercicio de
    calentamiento**   warm-up
    exercise **12; hacer ejercicios**
    to exercise **12**
el   the
él   *subj pron* he; *prep pron*
    him **5**
elecciones   *f pl* election **6**
electricista   *m/f* electrician
eléctrico   electric **1**

electrodoméstico   appliance
elegante   dressy, elegant **7**
elegir (i, i)   to choose, elect **5**
ella   *subj pron* she; *prep pron*
    her **5**
ellos(-as)   *subj pron* they; *prep
    pron* them **5**
embajada   embassy
embarazada   pregnant
embarcar   to board
emborracharse   to get drunk **2**
embotellamiento   traffic jam **8**
emitir   to broadcast **6**
empanada   turnover **4**
empeorar   to make worse
empezar (ie)   to begin **1**
empleado(-a)   employee **11**
emplear   to employ, hire **9**
empleo   employment, job **1;**
    agencia de empleos
    employment agency
empresa   company;
    **administración f de
    empresas**   business
    administration **5**
en   in, on, at **5; en casa**   at
    home; **en caso que**   in case
    that **11; en cuanto**   as soon
    as **11; en grupo**   in a group;
    en parejas   in pairs; **en
    punto**   on the dot, exactly;
    en vez de   instead of
enamorarse de   to fall in love
    with **3**
encaje   *m* lace **7**
encantador   charming
encantar   to adore, love,
    delight **4**
encanto   charm
encargado   in charge of
encargarse de   to be in charge
    of **9**
encargo   message
encender (ie)   to light
enciclopedia   encyclopedia
encima de   on top of, over **5**
encontrar (ue)   to find, meet **1;**
    encontrarse (ue) con   to meet
enchilada   cheese or meat
    filled tortilla **4**
enchufe   *m* electric outlet **11**
enérgico   energetic
enero   January
enfadarse   to get angry
enfatizar   to emphasize
enfermarse   to get sick

enfermedad   *f* disease, illness **12**
enfermero(-a)   nurse
enfermizo   sickly
enfermo   sick **12**
enfrentarse   to face
enfrente de   in front of **5**
engordar   to gain weight **4**
engrapadora   stapler **9**
enlace   *m* link **9**
enojado   angry **3**
enojarse   to get angry
enriquecer   to enrich
ensalada   salad **4**
enseñanza   teaching **5**
enseñar   to teach, show
entender (ie)   to understand **1**
enterarse de   to find out about **9**
entero   entire
entidad   *f* entity
entonces   then, at that time
entrada   *(E)* entrée, main
    course; *(A)* first course **4;**
    ticket **8;** entrance; **salón** *m*
    de entrada lobby **11**
entrar (en)   to enter
entre   between, among **5**
entregar   to hand in, deliver **5**
entremés   *m (E)* appetizer **4;**
    hors d'oeuvre
entrenador(-a)   coach **12**
entrenar   to coach **12;**
    entrenarse   to train **12**
entrevista   interview **9**
entrevistar   to interview **6**
entusiasmado   enthusiastic
enviar   to mail, send **1**
envolver (ue)   to wrap **7**
envuelto   *pp* wrapped
enyesar   to put a cast on **12**
equipaje   *m* baggage, luggage
    11; equipaje de mano
    carry-on luggage, hand lug-
    gage **11; bajar el equipaje**
    to bring the luggage down **11;**
    subir el equipaje   to bring
    the luggage up **11**
equipo   team, equipment **12**
equivocado   mistaken
equivocarse   to be mistaken
error   *m* mistake, error
esbelto   slender **CP**
escala   stop(over); **hacer
    una escala**   to make a
    stop(over) **11**
escalofrío   chill **12**
escáner   *m* scanner **1**

escaparate *m* store window (E), display case (A) **7**

escaparse to escape

escaso scarse

escena scene

escoba broom **6**

escocés(–esa) Scottish **3**

escoger to choose

escribir to write **CP; escribir a máquina** to type **1**

escrito *pp* written **10**

escuchar to listen to **2**

escuela school **1; escuela primaria** elementary school; **escuela secundaria** high school

ese, esa *adj* that **6; esos, esas** *adj* those **6**

ése, ésa *pron* that (one) **6; ésos, ésas** *pron* those **6; eso** *neuter pron* that **6**

esforzarse (ue) to make an effort **5**

esfuerzo effort

esmeralda emerald **7**

espacio space

espada sword **8**

espalda back

espantoso awful

España Spain

español(-a) Spanish

espárragos *m pl* asparagus

especial special

especialidad *f* specialty; **especialidad de la casa** restaurant specialty **4; especialidad del día** today's special

especialista *m/f* specialista **especialista en computadoras** computer specialist **10**

especialización *f* major area of study

especializarse en to major in **5**

específico specific

espectáculo show, floorshow, variety show **2; espectáculo de variedades** variety show **8**

espejo mirror **1; casa de espejos** house of mirrors **8**

esperanza hope

esperar to hope, wait for, expect

espiar to spy

esponja sponge **6**

esponsales *m* engagement announcement **3**

esposo(-a) husband (wife) **3**

esquema *m* chart

esquí *m* ski; **esquí acuático** m water-skiing **2; practicar el esquí acuático** to water-ski **2**

esquiar to ski

esquina corner **8**

establecer to establish

establecerse to settle

estación *f* season, station **8; estación de servicio** gas station **1; estación de taxi** taxi stand **8; estación de trenes** train station **8**

estacionamiento parking **8**

estadio stadium **5**

estado state; **estado civil** marital status **CP; estado de cuenta** bank statement

Estados Unidos (EE.UU.) United States

estadounidense *m/f adj* of or from the United States **3**

estampado printed (fabric) **7**

estampilla *(A)* stamp **1**

estancia stay **11**

estar to be **CP; estar a dieta** to be on a diet **4; estar al alcance** to be within reach; **estar bien (mal) educado** to be well (poorly) brought up **3; estar de + profession** to work as; **estar de acuerdo** to be in agreement; **estar de huelga** to be on strike; **estar de moda** to be in style **7; estar de pie** to stand; estar de **vacaciones** to be on vacation **2; estar embarazada** to be pregnant **3; estar en liquidación** to be on sale **7; estar en oferta** to be on sale; **estar loco por** to be crazy about **4; estar mal** to feel sick **12; estar pendiente** to be hanging

estatura height

este *m* east

este, esta *adj* this **6; estos, estas** *adj* these **6**

éste, ésta *pron* this (one), latter **6; éstos, éstas** *pron* these (ones), latter **6; esto** *neuter pron* this **6**

estómago stomach **12**

estornudar to sneeze **12**

estrecho narrow **7**

estricto strict

estuche *m* box

estudiante *m/f* student; **estudiante de intercambio** exchange student

estudiantil *adj* student **CP**

estudiar to study **1**

estudio study

estudioso studious

estupendo terrific, marvelous

etiqueta label **7;** luggage tag **11**

étnico ethnic

europeo European

evasión fiscal *f* tax evasion **10**

evento event

evidente evident

evitar to avoid **6**

evocar to evoke

exacto exact; **ciencias exactas** natural sciences **5**

examen *m* exam **1; examen de ingreso** entrance exam **5**

examinar to examine, give a test **5**

excluir to exclude

excursión *f* outing **3**

excusa excuse

exhausto exhausted

exhibición *f* display

exhibir to exhibit, display

exigente demanding **3**

exigir to demand

existir to exist

éxito success; **tener éxito** to be successful

exótico exotic

experiencia experience **9**

experimentar to experience, undergo

explicar to explain

exportar to export **10**

exposición *f* exhibit **8**

expresar to express

extrañar to miss someone, something, or some place

extranjero(-a) *adj.* foreign; n. foreigner; **en el extranjero** abroad **10**

F

fábrica factory **1**

fabricación *f* manufacturing

fabuloso   fabulous
fácil   easy
factura   bill, receipt
facturar   to check (luggage) **11**
facultad   *f* school, college **5**
falda   skirt
falso   false
falta   lack
faltar   to be missing, lacking; to need **4; faltar a**   to miss, be absent from **5**
familia   family **3**
familiar   *adj* family **3;**   n relative
famoso   famous
fantasma   *m* ghost **8**
fantasía   fantasy
fantástico   fantastic
farmacéutico(-a)   pharmacist
farmacia   pharmacy (course of study) **5;** pharmacy, drugstore **8**
fascinar   to fascinate **4**
favor   *m* favor; **por favor** please
favorito   favorite
febrero   February
fecha   date; **fecha de nacimiento**   date of birth **CP; fecha de vencimiento** due date **10**
felicidades   *f* congratulations
felicitaciones   *f* congratulations
felicitar   to congratulate
feliz   happy **3**
feo   ugly **7**
feria   festival, holiday
fértil   fertile
fideo   noodle **4**
fiebre   *f* fever **12**
figura   figure
fijarse en   to notice, pay attention to
fijo   fixed, steady
fila   row **11**
filosofía y letras   liberal arts **5**
fin   *m* end; **fin de semana** weekend
final   final
finalmente   finally **1**
financiero   financial **10; consejo financiero**   financial advice **10**
financista   *m/f* financier **10**
finanzas   *f pl* finance **9**
fingir   to pretend

fino   of good quality
firmar   to sign
física   physics **5**
físico   physical **CP**
flaco   skinny **CP**
flan   *m* caramel custard **4**
flexible   flexible
flojo   lax, weak **5;**   loose fitting **7**
flor   *f* flower **6**
folklórico   folkloric **2**
folleto   brochure
fondo   background; bottom; fund
forma   form, shape
formidable   splendid
formulario   form
forzar (ue)   to force
foto   *f* photo
(foto)copia   (photo)copy
(foto)copiadora   copying machine **1**
fotocopiar   to photocopy
foto(grafía)   photo(graph)
fracturarse   to fracture **12**
francamente   frankly
francés(-esa)   *adj* French **3**
frase   *f* sentence, phrase
frecuencia   frequency
frecuentemente   frequently **1**
fregadero   sink **6**
fregar (ie)   to clean, scrub, wash **6**
fregona   mop **6; pasarle la fregona al suelo**   to mop **6**
fresa   strawberry
fresco   coolness, cool temperature; **hace fresco**   it's cool
frijol   *m* bean
frío   cold **5; hace frío**   it's cold **5; tener frío**   to be cold
frito   *pp* fried
frontera   border
fruta   fruit **4; fruta del tiempo** fruit in season **4**
fuego   fire; **fuegos artificiales** fireworks **2**
fuente   *f* fountain **8,**   source
fuera de   outside of
fuerte   strong **CP**
fuerza   force
fumar   to smoke
funcionar   to work, operate, function
funcionario(-a)   official

fundar   to found, establish
furioso   furious
fútbol   *m* soccer **CP**

G
gafas   *f pl* eyeglasses **CP; gafas de sol**   sunglasses **2**
galería   art gallery **8**
gallego(-a)   Galician
gambas   *pl (E)* shrimp **4**
gana   desire, wish, longing; **tener ganas de** + *inf*   to feel like (doing something)
ganar   to win **12**
gancho   *(A)* clothes hanger **11**
ganga   bargain **7**
garganta   throat **12**
gaseosa   mineral (soda) water **2**
gasolina   gasoline
gasolinera   gas station **8**
gastar   to spend (money)
gato   cat
gazpacho   chilled vegetable soup **4**
gemelos(-as)   twins **3**
generalmente   generally **1**
gente   *f* people
gentil   nice, kind
gentileza   kindness
geográfico   geographical
geografía   geography
gerente   *m/f* manager **10**
gimnasia   gymnastics **12; practicar la gimnasia**   do gymnastics **12**
gimnasio   gymnasium **2**
giro   bank draft **10; giro postal** money order
gitano   gypsy
glaciar   *m* glacier
globo   balloon **8**
gobierno   government
golf   *m* golf **CP; campo de golf** course golf **2; palos de golf** golf clubs **12**
golpear   to hit
golpearse   to hit oneself **12**
gordo   fat **CP**
gota   drop **12**
gozar de   to enjoy, to make the best out of something, to have **2**
gozoso   enjoyable **3**
gracia   grace, wit; **tener gracia** to be witty
gracias   thanks

gracioso   funny, amusing
graduación   graduation
graduado(-a)   graduate
graduarse   to graduate **5**
gran   (before *s n*) great;
   grande   big, large **7; gran
   rueda**   Ferris wheel **8**
granate   *m* garnet
grande   big, large
grapa   staple **9**
grapadora   stapler **9**
gratis   free (of charge)
grifo   faucet **11**
gripe   *f* flu **12**
gris   gray
gritar   to shout
grupo   group **8; en grupo**   in
   a group
guacamole   *m* avocado dip **4**
guante   *m* glove **7**
guapo   handsome
guardar   to keep, save, put
   away
guerra   war **6**
guía   *m/f* guide; **guía de
   televisión**   *f* TV guide **6**
guitarra   guitar **CP**
gustar   to like, to be pleasing **4**
gusto   pleasure, taste **4; de
   buen (mal) gusto**   in good
   (bad) taste **7**

H

haber   there to be; **hay**   there
   is, there are; **hubo**   there
   was, there were; **haber**   to
   have (auxiliary verb) **10**
habilidad   *f* skill **1**
habitación   *f* room **11;
   habitación doble**   double
   room **11; habitación sencilla**
   single room **11**
habitante   *m/f* inhabitant
hablador   talkative
hablar   to talk
hacer   to do, make **1; hacer +
   unit of time + preterite ago;
   hacer clic**   to click **9; hacer
   cola**   to stand in line; **hacer
   compras**   to purchase **1;
   hacer daño**   to harm, injure;
   hacer de niñero(-a)   to
   babysit **3; hacer diligencias**
   to run errands **1; hacer
   ejercicios**   to exercise **CP;
   hacer el favor**   to do the

favor; **hacer el papel**   to play
   the part; **hacer escala**   to
   make a stop(-over); **hacer
   jogging**   to jog **12; hacer
   juego con**   to match **7;
   hacer la cama**   to make the
   bed **6; hacer la sobremesa**
   to have after-dinner conversation **3; hacer las maletas**   to
   pack; **hacer un brindis**   to
   propose a toast; **hacer un
   picnic**   to go on a picnic **2;
   hacer un viaje**   to take a trip
hacerse   to become **1**
hacha   hatchet
hambre   hunger **4; tener
   hambre**   to be hungry **4;
   morirse de hambre**   to be
   starving **4**
hardware   *m* hardware **9**
harina   flour
hasta   *prep* until, as far as, even
   5; hasta luego   good-bye;
   hasta pronto   good-bye
hasta que   *conj* until **11**
hay   there is, there are; **hay que
   + *inf***   it is necessary + *inf;* **no
   hay de qué**   you are welcome
hecho   *pp* done, made **10**
helado   ice cream **4**
herida   injury, wound **12**
herido   *pp* wounded **12**
herir (ie, i)   to hurt **12**
herirse (ie, i)   to get hurt **12**
hermanastro(-a)   stepbrother
   (-sister) **3**
hermano(-a)   brother (sister) **3**
hermoso   beautiful, pretty
hervir (ie, i)   to boil
hielo   ice
hijastro(-a)   stepson(-daughter)
   3
hijo(-a)   son (daughter) **3;** *pl*
   children
hinchado   swollen **12**
hipoteca   mortgage **10**
historia   history **5**
histórico   historic **8**
hockey   *m* hockey **12; disco de
   hockey**   hockey puck **12;
   palo de hockey**   hockey stick
   12
hoja de papel   sheet of paper
¡hola!   hi!
holandés(–esa)   Dutch **3**

hombre   *m* man; **hombre de
   negocios**   businessman **10**
hombro   shoulder **12**
honrado   honorable, honest
hora   hour, time of day; **horas
   extras**   overtime **1; horas
   pico** *(A),* **horas punta** *(E)*
   rush hours; **media hora**   half
   hour
horario   schedule **5**
horno   oven **6**
hospedarse   to stay as a guest
hospital   *m* hospital **8**
hotel   *m* hotel **2**
hoy   today; **hoy (en) día**
   nowadays, at the present time **3**
huachinango   red snapper **4**
hubo   there was, there were
huelga   strike **6**
huésped   *m/f* guest **11**
hueso   bone
huevo   egg
huir   to run away
humedad   *f* humidity
húmedo   humid, damp **5**

I

idea   idea
ideal   ideal
identidad   *f* identity **CP**
identificar   to identify
idioma   *m* language used by a
   cultural group; **idioma extranjero**   foreign language **5**
iglesia   church **3**
igual   equal
ilustrar   to illustrate
imaginación   *f* imagination
imaginarse   to imagine
impaciente   impatient
impedir (i, i)   to impede,
   obstruct, prevent
importante   important
impermeable   *m* raincoat **7;
   impermeable**   *adj* waterproof
importar   to be important, to
   matter **4;**   to import **10**
imposible   impossible
impresión   *f* impression
impresora   printer **1**
impuesto   tax
incendio   fire **6**
incluir   to include
incómodo   uncomfortable **11**
increíble   incredible
independencia   independence **2**

indicar to indicate
indiferencia indifference
indiferente indifferent
indígena indigenous
indio(-a) Indian
individuo individual
industria industry
inesperado unexpected
infeliz unhappy **3**
inferior inferior
inferir (ie, i) to infer
inflación *f* inflation **10**
influir to influence
información *f* information
informar to inform **6**
informática computer science, information technology **9**
informe *m* report **9**
ingeniería engineering **5**
ingeniero(-a) engineer
inglés(–esa) English **3**
ingresar to enter; to deposit **10**
ingreso admission **5**; income; **examen de ingreso** entrance exam **5**
inicial initial; **pago inicial** down payment
iniciativa initiative **9**
inicio beginning
injusticia injustice
inmediato immediate
inocencia innocence
inodoro toilet **11**
inolvidable unforgettable
insatisfecho unsatisfied
inscribirse to enroll in a class **5**
inscripción *f* registration
insistir en to insist on
insomnio insomnia **12**
insoportable intolerable
instalar to install
interno internal
instituto high school
instruir to instruct
intentar to try, make an attempt
interacción *f* interaction
intercambiar to exchange
intercambio exchange; **estudiante de intercambio** exchange student
interés *m* interest; **tasa de interés** interest rate **10**
interesante interesting
interesar to be interesting, to interest **4**
internacional international **6**

Internet (used without an article) Internet **9**
interrumpir to interrupt
íntimo close, intimate **3**
intranquilo uneasy
inundación *f* flood **6**
inútil useless
invertir (ie, i) to invest **10**
investigación *f* research **5**
invierno winter
invitación *f* invitation
invitado(-a) guest **3**
invitar to invite
inyección *f* injection **12**
ir to go **CP**; **ir de compras** to go shopping **CP**; **ir a misa** to attend Mass **3**
irlandés(-esa) Irish **3**
irse to go away, leave, run away **1**
isla island
-ísimo very, extremely
italiano(-a) Italian
izquierda left; **a la izquierda** to (on) the left

J

jabón *m* soap **1**
jamás never **1**
jamón *m* ham
japonés(-esa) Japanese **3**
jarabe *m* syrup **12**; **jarabe para la tos** cough syrup **12**
jardín *m* yard **6**; **jardín zoológico** zoo **8**
jefe(-a) boss **10**; **jefe(-a) de ventas** sales manager **CP**
jícama jicama **4**
jornada work day
jornal *m* day´s work
joven *m/f adj* young **3**
joya jewel; *pl* jewels, jewelry **7**; **joyas de fantasía** costume jewelry
joyería jewelry shop **7**
juego game; **hacer juego con** to match; **juego de suerte** game of chance **8**
jueves *m* Thursday
juez(-a) *m/f* judge **6**
jugar (ue) to play (a sport, game) **CP**; **jugar a la casita, jugar a la mamá** to play house **3**; **jugar a ladrones y policías** to play cops and robbers **3**; **jugar al escondite**

to play hide and seek **3**; **jugar a las visitas** to have a tea party **3**
jugo *(A)* juice
juguete *m* toy **3**; **de juguete** *adj* toy **3**
julio July
junio June
junto together; **junto a** next to
justificar to justify
justo *adj* fair, just; *adv* coincidentally
juventud *f* youth
juzgar to judge

L

la the; *dir obj pron* it, her, you *(form s)* **2**
labio lip
labor *f* work
laboratorio laboratory; **laboratorio de lenguas** language lab **5**
laca hair spray **1**
lado side; **al lado de** next to, beside **5**; **por otro lado** on the other hand
ladrillo brick **8**
ladrón(-ona) thief **6**
lago lake
lamentar to be sorry
lámpara lamp
lana wool **7**
lancha motorboat, launch **2**
langosta lobster
lanzar to throw **12**
lápiz *m* pencil; **lápiz de labios** lipstick **1**
largo long **CP**
las the; *dir obj pron* them, you *(form pl)* **2**
lástima pity **¡Qué lástima!** That´s too bad!
lastimar to injure, hurt, offend **12**
lastimarse to get hurt **12**
lavabo sink **6**
lavadora washing machine **6**
lavandería laundry room **6**
lavaplatos dishwasher **6**
lavar to wash
lavarse to wash oneself **1**; **lavarse los dientes** to brush one's teeth **1**
le *indir obj pron* (to, for) him, her, you *(form s)* **4**

lección *f* lesson

leche *f* milk

lechón *m* **asado** roast suckling pig

lechuga lettuce

lector(-a) reader; **lector de discos** disk drive **9**; **lector de CD-ROM** CD-ROM drive **9**

lectura reading

leer to read **CP**

legal legal

legumbre *f* vegetable

lejos *adv* far

lejos de *prep* far from **5**

lema *m* slogan

lengua language, tongue

lenguado sole **4**

lenguaje *m* specialized language

lentes *(A)* *m* eyeglasses **CP**; **lentes de contacto** *m pl* contact lenses **CP**

les *indir obj pron* (to, for) them, you *(form pl)* **4**

letrero sign, billboard **8**

levantar to raise, lift; **levantar pesas** to lift weights **2**

levantarse to get up **1**

ley *f* law **6**

libertad *f* freedom **2**

libre free; **libre de derechos de aduana** duty free **10**

librería bookstore **5**

libreta (de ahorros) savings book

libro book

licenciado having a university degree **5**

licenciarse en to receive a bachelor's degree **5**

licenciatura bachelor's degree **5**

liceo high school

licor *m* liquor

ligero light in weight

limón *m* lemon

limonada lemonade

limpiar to clean **6**

limpieza cleaning, cleanliness **6**; **productos de limpieza** cleaning products **6**

limpio clean **1**

lindar to border

lindo nice, pretty **7**

línea line; **línea aérea** airline **11**

lingüística linguistics

lino linen **7**

liquidación *f* sale **7**; **estar en liquidación** to be on sale **7**; **tienda de liquidaciones** discount store **7**

líquido liquid

liso smooth **CP**

lista list; **lista de vinos** wine list **4**

listo ready (with **estar**), clever, smart (with **ser**) **3**

liviano light

llamada call **11**

llamar to call

llamarse to be called **1**

llano plain

llave *f* key

llegar to arrive; **llegar a ser** to become; **llegar de visita** to visit; **llegar tarde** to arrive late, be tardy

llenar to fill, fill out **1**

lleno full **11**

llevar to carry, take, to wear **1**; **llevar a cabo** to carry out, accomplish; **llevar una vida feliz** to lead a happy life **3**; **llevarse bien** to get along well **1**

llorar to cry **3**

llover (ue) to rain **5**; **llover a cántaros** to rain heavily, to pour **5**

lluvia rain **5**

lo *dir obj pron* it, him, you *(form s)* **2**; **lo** *neuter def art* the; **lo mejor** the best thing; **lo mismo** the same thing; **lo peor** the worst thing; **lo que** what, that which

local local **6**; *m* place, quarters

loción *f* lotion **2**; **loción solar** sunscreen **2**

loco crazy; **estar loco por** to be crazy about

locura craziness

locutor(-a) announcer **6**

lógico logical

lograr to achieve, obtain

lomo loin **4**

los the; *dir obj pron* them, you *(form pl)* **2**

lotería lottery

lucir traje de novia y velo to wear a wedding gown and veil **3**

lucha libre wrestling **12**; **practicar la lucha libre** to wrestle **12**

luego later, then, afterwards **1**; **luego que** as soon as **11**

lugar *m* place **1**; **lugar de nacimiento** birthplace **CP**

lujo luxury **4**; **de lujo** luxurious, deluxe **4**; **tienda de lujo** expensive store **7**

luna de miel honeymoon **3**

lunar *m* beauty mark **CP**

lunes *m* Monday

luz *f* light

M

macanudo wonderful

madera wood **8**

madrastra stepmother **3**

madre *f* mother **3**

madrina maid of honor; godmother **3**

madrugada dawn

madrugador(-a) early riser **1**

madrugar to get up early

maduro mature **9**

maestría master's degree **5**

maestro(-a) teacher

magnífico wonderful

mal *adv* bad, sick **12**; *adj* before m s noun bad, evil; **mal educado** bad-mannered

maleta suitcase **11**; **hacer las maletas** to pack

maletero porter **11**

maletín *m* briefcase **11**

malhumorado bad humored

malo *adj* sick (with **estar**), bad, evil (with **ser**) **3**; **lo malo** the bad thing

mancha stain

mandar to mail, send **1**; **¿mande?** what?

mando a distancia *(E)* remoto control **6**

manejar to drive

manera manner; **de alguna manera** somehow, some way; **de manera que** so that; **de ninguna manera** by no means, no way; **de todas maneras** at any rate

manguera hose **6**

manifestación *f* demonstration **6**

mano *f* hand **12**

manta   blanket **11**
mantener   to maintain **6**
manzana   apple; *(E)* (street) block **8**
mañana   *f* morning **CP; de la mañana**   A.M. **CP; pasado mañana**   day after tomorrow; **por la mañana**   in the morning; *adv* tomorrow **CP**
mapa   *m* map
maquillaje   *m* make-up **1**
maquillarse   to put on make-up **1**
máquina   machine; **máquina de escribir**   typewriter; **máquina de fax**   fax machine **1; escribir a máquina**   to type **1**
maquinaria   machinery; computer hardware
mar   *m* sea **2**
maravilloso   wonderful
marca   brand **7**
marcador   *m* scoreboard **12**
marearse   to feel dizzy, seasick **12**
mareo   dizziness **12**
marido   husband **3**
mariscos   seafood **4; cóctel de mariscos**   seafood cocktail **4**
marítimo   maritime, marine
martes   *m* Tuesday
marzo   March
más   more **9; más o menos**   more or less; **más tarde**   later **1**
masticar   to chew
matador   *m* bullfighter **8**
matemáticas   *f* mathematics **5**
materia   material; subject **5; materia prima**   raw material
materno   maternal
matrícula   tuition **5**
matricularse   to register **5**
matrimonio   married couple
maya   Mayan
mayo   May
mayor   older; **la mayor parte**   most **1**
me   *dir obj pron* me **2;** *indir obj pron* (to, for) me **4;** *refl pron* myself
medianoche   *f* midnight **CP**
medias   *f pl* stockings **7**
medicina   medicine (course of study) **5**

médico(-a)   doctor **12**
medio   middle, average **CP; media hora**   half hour; **medio tiempo**   half-time, part-time **1**
mediodía   *m* noon **CP**
medir (i, i)   to measure
mejillón   *m* mussel **4**
mejor   better, best; **lo mejor**   the best thing
mejorar   to improve
mejorarse   to get better, improve **12**
memoria   memory; **aprender de memoria**   to memorize **5**
mencionar   to mention
menor   younger
menos   less, except **5; a menos que**   unless **11; menos mal**   thank goodness
mensaje   *m* message
mensajero(-a)   messenger
mensual   monthly **10; pago mensual**   monthly payment
mentir (ie, i)   to lie
mentira   lie
menú   *m* menu **4; menú del día**   special menu of the day **4; menú turístico**   tourist menu **4**
menudo   tripe soup **4; a menudo**   often
mercadeo   marketing **9**
mercado   market
mercancía   merchandise **7**
merecer   to merit, deserve **1**
merienda   snack **4**
mes   *m* month **1**
mesa   table **4**
mesero(-a) *(A)*   waiter, waitress **4**
meta   goal
metal   *m* metal
meter   to put, place
metro   subway **8**
mexicano(-a)   Mexican **3**
mi   *poss adj* my **3**
mí   *prep pron* me **5**
microondas   *m* microwave oven **6**
miedo   fear; **dar miedo a**   to scare; **tener miedo de**   to be scared of
miembro   member
mientras   while **11**
miércoles   *m* Wednesday

mil   thousand **10**
milagro   miracle, surprise
millón   *m* million **10**
mimado   spoiled **3**
mineral   *m* mineral; **agua mineral**   mineral water **2**
minero   *adj* mining
mínimo   minimum
minuto   minute **2**
mío   *poss adj* and *pron* my, mine **3**
mirar   to watch, look at **CP**
misa   Mass **3**
mismo   same; **lo mismo**   the same thing
mitad   *f* half
mixto   mixed, tossed; **ensalada mixta**   tossed salad **4**
mochila   backpack
moda   style **7;** fashion; **estar de moda**   to be in style **7; estar pasado de moda**   out of style **7**
moderado   moderate
moderno   modern
modo   manner, way; **de algún modo**   some way, somehow; **de modo que**   so that; **de ningún modo**   by no means; **de todos modos**   at any rate
molestar   to annoy, to bother **4**
molestia   bother, nuisance
molesto   annoyed **3**
monarquía   monarchy
moneda   coin, currency **10**
monitor   *m* monitor **9**
mono   cute **3**
monótono   monotonous
montaña   mountain; **montaña rusa**   roller coaster **8**
montañoso   mountainous
montar   to ride **2; montar a caballo**   to ride horseback **2; montar (en) bicicleta**   to ride a bicycle **2**
morado   purple
moreno   brunette **CP**
morir (ue, u)   to die **1; morirse de hambre**   to be starving **4**
mostrador   *m* counter
mostrar (ue)   to show **1**
motel   *m* motel **11**
moto(cicleta)   motorcycle
mover (ue)   to move

movimiento movement
mozo(-a) *(A)* waiter, waitress **4**
muchacho(-a) boy (girl) **3**
mucho *adv* much, a lot; *adj* much, *pl* many, a lot **9**
mudarse to move (change residence)
mueble *m* piece of furniture; *pl* furniture **6**
muerto *pp* dead **10**
mujer *f* woman; **mujer de negocios** businesswoman **10**
muleta crutch **12**
multimedia *m/f adj* multimedia **9**
multinacional international
mundial *adj* worldwide
muñeca doll **3**; wrist **12**
museo museum **3**
música music **2; música clásica** classical music **2; música jazz** jazz **2; tienda de música** music store **7**
musical musical **8**
músico(-a) musician **8**
muy very

N

nacer to be born **CP**
nacimiento birth **CP**
nacional national **6**
nacionalidad *f* nationality **CP**
nada nothing **7; de nada** you are welcome
nadar to swim **2**
nadie no one, nobody **7**
naipe *m* playing card **2**
naranja *n* orange
nariz *f* nose **12; sonarse (ue) la nariz** to blow one's nose **12**
narración *f* narration
narrar to narrate
natación *f* swimming
navegar to sail **2; navegar Internet / la red** to surf the Internet **9**
Navidad *f* Christmas
neblina fog **5**
necesario necessary
necesitar to need
negar (ie) to deny
negocio transaction, deal; *pl* business **9; hombre (mujer) de negocios** businessman (-woman)

negro black **CP**
nervioso nervous
nevar (ie) to snow **5**
ni nor **7; ni...ni** neither...nor **7; ni siquiera** not even **7**
nieto(-a) grandson(-daughter); *pl* grandchildren **3**
nieve snow **5**
ninguno, ningún, ninguna no, none, no one, (not)...any **7**
niñero(-a) babysitter **3**
niño(-a) child; boy (girl); *pl* children
no no, not **7**
noche *f* night, evening **CP; camisa de noche** nightgown **7; de la noche** P.M. **CP; esta noche** tonight; **Nochebuena** Christmas Eve; **Nochevieja** New Year´s Eve; **por la noche** in the evening **CP**
nocturno *adj* nighttime, nocturnal **2**
nombrar to name
nombre *m* first name **CP; en nombre de** in the name of
noreste *m* northeast
noroeste *m* northwest
norte *m* north
nos *dir obj pron* us **2;** *indir obj pron* (to, for) us **4;** *refl pron* ourselves
nosotros *subj pron* we; *prep pron* us **5**
nostalgia nostalgia
nota grade, note **5**
noticia news item **6;** *pl* news **1**
noticiero news program **6**
novecientos nine hundred **10**
novedad *f* novelty
novela novel
noveno ninth **4**
noventa ninety **CP**
noviazgo engagement period **3**
noviembre *m* November
novio(-a) boyfriend (girl–), fiancé(–e) **3;** *pl* engaged couple, bride and groom **3**
nublado cloudy **5**
nuera daughter-in-law **3**
nuestro *poss adj* our **3;** *poss pron* our, ours **3**
nueve nine **CP**

nuevo new
nuez *f* nut **6**
número number; size (clothing) **7**
numerosos numerous **9**
nunca never **1**

O

o or **7; o... o** either... or **7**
obedecer to obey **1**
obligación *f* obligation
obligar to oblige, force
obligatorio obligatory
objeto object
obra (literary, artistic or charitable) work **8**
obrero(-a) worker
observar to observe
obtener to obtain
obvio obvious
ocasión occasion
ocasionar to cause
océano ocean
ochenta eighty **CP**
ocho eight **CP**
ochocientos eight hundred **10**
octavo eighth **4**
octubre *m* October
ocupación *f* occupation
ocupado busy
ocupar to occupy
ocurrencia occurrence, idea; **¡Qué ocurrencia!** What a crazy idea!
ocurrir to occur
oeste *m* west
ofender to offend
oferta offer, sale item; **estar en oferta** to be on sale
oficina office **1; oficina administrativa** administrative office **5; oficina comercial** business office **9; oficina de correos** post office **1; oficina de turismo** tourist bureau **8**
oficinista *m/f* office worker **10**
ofrecer to offer **1**
oír to hear, listen to **1**
ojalá (que) I hope that
ojo eye **CP; ¡ojo!** be careful!
ola wave **2**
oler (ue) to smell
olor *m* aroma, smell
olvidar to forget

ómnibus *m* bus
once eleven **CP**
ondulado wavy **CP**
ópalo opal
ópera opera **2**
operador(-a) operator **10**;
  operador(-a) de
  computadoras computer
  operator **10**
operarle a uno to operate on
  someone **12**
opinar to have an opinion
oponerse to be opposed
oportunidad *f* chance
oración *f* sentence
orden *f* order
ordenador *m (E)* computer **1**
ordenar to order
organizar to organize, arrange
orgullo pride **1**
orgulloso proud
oro gold **7**
orquesta orchestra **2**
orquídea orchid
os *dir obj pron* you *(fam pl)* **2**;
  indir obj pron (to, for) you
  (fam pl) **4**; *refl pron* your-
  selves *(fam pl)* **1**
otoño autumn
otro other, another **9**
oyente *m/f* listener; **ser oyente**
  to audit **5**

P
paciencia patience
paciente *adj* patient; *m/f*
  patient
padecer to suffer **12**
padrastro stepfather **3**
padre *m* father, priest **3**; *pl*
  parents **3**
padrino best man, godfather,
  pl godparents **3**
paella seafood, meat and rice
  casserole
pagar to pay; **pagar a plazos**
  to pay in installments **10**; **pagar**
  al contado to pay in cash
página page; **página base**
  Home Page **9**
pago payment **10**; **balanza de**
  pagos balance of payments
  10; **pago inicial** down payment **10**; **pago mensual**
  monthly payment **10**
país *m* country

pájaro bird
palabra word
palacio palace **8**
palo stick, club; **palo de golf**
  golf club **12**; **palo de hockey**
  hockey stick **12**
palomitas *f pl* popcorn **8**
palta *(A)* avocado **4**
pampa grassy plain in
  Argentina
pan *m* bread
pantalones *m pl* pants **1**
pantalla screen **9**
pantufla slipper **7**
papa potato
papá *m* father
papel *m* paper, role; **hacer el**
  papel to play the role; **papel**
  higiénico toilet paper **11**
papelera wastebasket **6**
paquete *m* package **1**
par *m* pair **7**
para *prep* for, in order to **5**;
  para que *conj* so that **11**
parada de autobús bus stop **8**
parador *m* government-run
  historic inn **11**
parafrasear to paraphrase
paraguas *m s* umbrella **7**
parar to stop
pardo brown
parecer to seem **1**; **parecerse**
  a to look like
parecido similar
pareja *f* couple **3**; **en parejas**
  in pairs
pariente *m* relative **3**; **parientes**
  políticos in-laws **3**
parque *m* park **8**; **parque de**
  atracciones amusement
  park **8**
parte *f* part; *m* report; **¿de**
  parte de quién? who is calling? **la mayor parte** the
  greater part; **parte** *m* **de las**
  carreteras traffic report;
  todas partes everywhere
participar en to participate
particular particular
partido game, match **12**
partir to leave, depart, set off
párrafo paragraph
pasado *pp* last, past; **pasado**
  de moda out of style;
  pasado mañana day after
  tomorrow

pasaje *m (A)* fare **11**
pasajero(-a) passenger **11**
pasaporte *m* passport **CP**
pasar to come in, pass; to happen; to spend time; **pasar la**
  aspiradora to vacuum **6**;
  pasar lista to take attendance **5**; **pasar por la aduana**
  to go through customs **11**;
  pasarle la fregona al suelo
  to mop **6**; **pasarlo bien** to
  have a good time **2**
pasatiempo *m* leisure-time
  activity **CP**
Pascua Easter
pasearse to take a walk **2**
paseo walk, outing; **dar un**
  paseo to take a walk **CP**
pasillo aisle **11**
pasta de dientes toothpaste **1**;
  pasta dental *(A)* toothpaste
  1; **pasta dentífrica** *(E)*
  toothpaste **1**
pastel *m* pastry
pastilla tablet **12**
patada kick **12**
patata *(E)* potato
patear to kick **12**
paterno paternal
patín *m* skates **12**; **patines de**
  hielo ice skates **12**
patinaje *m* skating
patinar to skate
patio patio **4**
patria native country
patriótico patriotic **2**
paz *f* peace **6**
peatón(-ona) pedestrian **8**
peca freckle **CP**
pecho chest
pedazo piece
pedido order **10**
pedir (i, i) to ask for something, to request, to order **1**;
  pedir prestado to borrow **10**
peinarse to comb one's
  hair **1**
peine *m* comb **1**
pelear to fight
película movie, film **2**;
  película de acción action
  movie **2**; **película**
  documental documentary **2**;
  película de terror horror
  movie **2**; **película de**
  vaqueros western **2**

peligroso dangerous **8**
pelirrojo red-haired **CP**
pelo hair **CP**
pelota ball **12**
peluquería beauty shop, barber shop **1**
pena shame
penicilina penicillin **12**
península peninsula
pensar (ie) to think **1; pensar + *inf*** to plan; **pensar de** to think of, think about; **pensar en** to think of, think about someone or something
pensión *f* boarding house **11; pensión completa** full board **11**
peor worse; **lo peor** the worst thing
pequeñito(-a) toddler **3**
pequeño small in size; young
percha *(E)* clothes hanger **11**
perder (ie) to lose; to waste; to miss something, to fail to get something **1;**
perderse to get lost
perdido lost
perezoso lazy **5**
perfumarse to put on perfume **1**
periódico newspaper **CP**
periodismo journalism **5**
periodista *m/f* journalist
perla pearl **7**
permiso permission; **permiso de conducir** driver's license **CP**
permitir to permit, allow
pero but
perro(-a) dog
persecución *f* persecution
perseguir (i, i) to pursue
persona person
personaje *m* character (in literary work)
personal *adj* personal **CP**; *m n* personnel **9**
personalidad *f* personality
pertenecer to belong
pesa weight; **levantar pesas** to lift weights **2**
pesado heavy; **ser pesado** to be boring, to be unpleasant
pésame condolence
pesar to weigh; **a pesar de que** in spite of

pesca fishing
pescado fish (as food) **4**
pescar to fish **2; caña de pescar** fishing rod
peseta currency of Spain
peso weight; currency in Mexico and several Latin-American countries
petición *f* **de mano** marriage proposal **3**
petróleo oil
pez *m* fish
piano piano **CP**
picante spicy
picar to snack
picnic *m* picnic **2; hacer un picnic** to go on a picnic **2**
pie *m* foot; **a pie** on foot; **dedo del pie** toe; **estar de pie** to stand
piedra stone **8; piedra preciosa** precious stone **7**
piel *f* fur **7**; skin
pierna leg **12**
pieza piece
pijama pajamas **7**
píldora pill **12**
pimentero pepper shaker **4**
pimienta pepper
pintura painting **8**
piña pineapple
piscina swimming pool **2**
piso floor **6**
pista runway **11**; track **12**
pistola de juguete toy gun **3**
placer *m* pleasure
plan *m* plan
plancha iron **6**
planchar to iron **6**
planear to plan
planificación *f* planning
planificar to plan
plano map
plantar to plant **6**
plata silver
platillo saucer **4**
plato plate, course **4; plato de la casa** restaurant's specialty **4; plato del día** today's specialty **4; plato principal** entrée, main course **4**
playa beach **2**
plaza square **8; plaza de toros** bullring **8; plaza mayor** main square **8**

plazo installment **10**
plomero(-a) plumber
plomo lead
población *f* population
pobre poor; (precedes noun) unfortunate
pobreza poverty
poco *adj* little, small (quantity), slight **9;** *pl* few **9;** *adv* little, not much; **un poco de** a little, a little bit of
poder *m* power; **poder (ue)** to be able, can **1**
política politics **6; ciencias políticas** political science **5**
político(-a) politician **6**
policía *m* policeman; *f* police; **mujer policía** policewoman
policíaca *adj* mystery **2**
pollo chicken **4**
polvo dust
poner to put, place **1; poner el despertador** to set the alarm clock **1; poner fin** to end; **poner la mesa** to set the table **6; poner la tele** to turn on the TV; **poner una inyección** to get a shot **12**
ponerse to put on **1;** to become **10; ponerse en forma** to get in shape **12**
popular popular **2**
por for, by, in, through **5; por aquí / allí** around here / there **5; por ciento** percent; **por desgracia** unfortunately **5; por ejemplo** for example **5; por eso** therefore, for that reason **5; por favor** please **5; por fin** finally **5; por la mañana / noche / tarde** in the morning / evening / afternoon **CP; por lo general** generally **1; por lo menos** at least; **por medio** through, by means of; **por otro lado** on the other hand; **¿por qué?** why? **1; por supuesto** of course **5; por último** finally **1**
porque because **1**
portal de la Web *m* Web site **9**
portarse to behave
portero doorman **11**
portugués(–esa) Portuguese **3**
poseer to own, to possess
posgrado post graduate

posteriormente finally
postre *m* dessert **4**
practicar to practice, participate in (sports) **CP**
préstamo loan **10**
precio price **7**
precioso lovely, precious **7**; **piedra preciosa** precious stone **7**
preciso necessary
predecir to predict **9**
preferencia preference **4**
preferentemente preferably
preferir (ie, i) to prefer **1**
pregunta question; **hacer preguntas** to ask questions
preguntar to ask a question; **preguntar por** to ask about
premio prize
prenda de vestir article of clothing
preocupado preoccupied, worried
preocuparse (por) to worry (about) **1**
preparar to prepare; **prepararse** to prepare oneself **1**
preparativo preparation
presentador(-a) show host **6**
presentación *f* presentation
presentar to introduce, present; **presentarse** to appear
presente present
presidencial presidential **8**
presidente *m/f* president
préstamo loan **10**
prestar to lend; **prestar atención** to pay attention **5**
presupuesto budget **10**
pretender to claim, pretend
pretexto pretext
previo previous
primavera spring
primero, primer, primera *adj* first **4**
primo(-a) cousin **3**; **primo(-a) hermano(-a)** first cousin **3**; **primo(-a) segundo(-a)** second cousin **3**
principio beginning; **al principio** in the beginning
probar (ue) to prove, to try, taste, test something **1**; **probarse (ue)** to try on **7**

problema *m* problem; **¡Ningún problema!** No problem!
procedimiento procedure
procesador *m* **de textos** word processor
producir to produce **1**
producto product **10**
profesión *f* profession, job **CP**
profesor(-a) teacher in secondary school, professor
profesorado faculty **5**
programa *m* program **9**; **programa de concursos** game show **6**
programación *f* **de computadoras** computer programming **5**
programador(-a) programmer **10**
progreso progress **9**
prohibir to prohibit
prometer to promise
pronóstico forecast
pronto soon
propiedad *f* property
proponer to propose
proteger to protect
protestar to protest **6**
provisional temporary
provocar to tempt
próximo next
proyecto plan, project
prueba test, quiz
publicidad *f* advertising **9**; **hacer publicidad** to advertise **10**
publicista *m/f* advertising person **10**
público audience, public **10**
pueblo town; people
puente *m* bridge **8**
puerta door, gate **11**
puertorriqueño(-a) Puerto Rican
pues well. . .
puesto booth, stand **8**; position, job **9**; *pp* put, placed **10**; **puesto que** because, since
pulmonía pneumonia **12**
pulpo octopus
pulsera bracelet **7**
puntaje *m* score **12**
punto point; stitch **12**; **dar puntos** to get stitches **12**; **en punto** exactly, on the dot **CP**

Q

que *rel pron* that, which, who
¡qué! how! what (a)!; **¡qué barbaridad!** how awful! **¡qué va!** no way! **¿qué?** what?, which? **1**; **¿qué hay de nuevo?** what's new?; **¿qué tal?** how are things?; **¿qué tiempo hace?** what's the weather like?
quedar to be located, be left, be remaining **4**; to fit **7**; **quedar viudo(-a)** to be widowed **CP**; **quedarse** to remain, stay; **quedarse con** to keep for oneself
quehacer *m* **doméstico** task, chore, *pl* housework **6**
quejarse (de) to complain (about) **1**
quemar to burn **6**; **quemarse** to burn oneself **2**
querer (ie) to want, wish **1**; to love; **querer decir** to mean
querido dear (greeting for a personal letter)
queso cheese
¿quién(-es)? who? **1**
química chemistry **5**
químico chemist
quince fifteen **CP**
quinientos five hundred **10**
quinto fifth **4**
quiosco newsstand **8**
quitagrapas *m s* staple remover **9**
quitarse to take off (clothing) **1**
quizás perhaps, maybe

R

radio *f* radio (sound from); *m* radio (set)
ramo bouquet
rápido rapid
raqueta racquet **12**
raro strange, rare
rascacielos *m* skyscraper **8**
rastrillo rake **6**
rato short time, while **2**; **ratos libres** free time
ratón mouse **9**
raza race
razón *f* reason; **tener razón** to be right
reacción *f* reaction

reaccionar to react
reajuste *m* adjustment **10**
real actual, true
realidad *f* reality; **en realidad** actually, as a matter of fact
realidad *f* **virtual** virtual reality **9**
rebaja reduction, sale **7; en rebaja** on sale
rebajar to reduce, lower
recado message
recambio parts (of machinery)
recargo additional charge **11**
recepción *f* reception **3;** registration desk **11**
recepcionista *m/f* receptionist **10;** desk clerk **11**
receta prescription **12;** recipe
recetar to prescribe a medicine **12**
recibir to receive
recién recently; **recién casados** newlyweds **3**
recientemente recently
reclamar el equipaje to claim luggage **11**
recoger to pick up, put away **1**
recomendación *f* recommendation
recomendar (ie) to recommend **1**
reconocer to recognize **1**
recontar (ue) to recount, tell
recordar (ue) to remember **1**
recuento recount; inventory
recurso resource
red *f* net **12;** network **9**
redactar to write, draft
redondo round
referirse (ie, i) to refer
reforma fiscal tax reform **10**
refresco soft drink **2**
refrigerador *m* refrigerator **6**
refugio shelter
regalar to give (a present) **7**
regalo gift, present **3; regalo de bodas** wedding gift **3; tienda de regalos** gift store **7**
regañar to scold **3**
regar (ie) to water **6**
regadera watering can **6**
regador giratorio *m* sprinkler **6**
región *f* region
registrarse to check in **11**
reglamento regulation **10**

regresar to return; **de regreso** *adj* return
regular all right, so-so
reina queen; **reyes** king and queen
reintegrar to reimburse
reír (i, i) to laugh **3**
relación *f* relationship; **relaciones públicas** public relations **9**
relajado relaxed
religioso religious
reloj *m* watch, clock **7; reloj de pulsera** wristwatch **7**
remedio remedy, medicine **12**
rendirse (i, i) to give oneself up **6**
renta income **10**
reñir (i, i) to quarrel **3**
reparar to repair
repartir to deliver
repasar to review **5**
repetir (i, i) to repeat **1**
reportar to report
reportero(-a) reporter **6**
representante *m/f* representative; **representante de ventas** *m/f* sales representative **10**
república republic
requerido required
requerir (ie, i) to require **5**
requisito requirement **5**
res; carne *f* **de res** beef
rescatar to rescue **6**
reserva *(E)* reservation **4**
reservación *f (A)* reservation **4**
reservar to reserve **8**
resfriado *m* cold **12; estar resfriado** to have a cold **12**
residencia home, dormitory; **lugar** *m* **de residencia** city or area of residence; **residencia estudiantil** dormitory **5**
resolver (ue) to resolve **9**
respetar to respect **3**
respetuoso respectful
responder to respond
responsabilidad *f* responsibility **10**
responsable responsible **9**
respuesta answer
restaurante restaurant **4**
resto rest
resuelto *pp* resolved **10**
resultado result
resumen *m* summary

retirar dinero to withdraw money **10**
retrasado delayed
retrato portrait **8**
reunión *f* meeting
reunirse to get together **1**
revisar to check **1**
revista magazine **CP**
rey *m* king; *pl* king and queen
rezar to pray
rico rich, delicious **4**
ridículo ridiculous
rímel *m* mascara **1**
rincón *m* corner **4**
río river
risa laughter
rizado curly **CP**
rizar to curl **1**
robar to rob **6**
robo robbery **6**
robot *m* robot **9**
roca rock
rodeado surrounded
rodear to surround
rodilla knee **12**
rogar (ue) to beg, to implore
rojizo reddish **CP**
rojo red
romántico romantic **2**
romper to break **12**
ron *m* rum **2**
ropa clothing **6; cambiarse de ropa** to change clothing **1; ropa de caballeros** men's clothing **7; ropa femenina** women's clothing **7**
rosa rose
rosado pink
roto *pp* broken, torn **10**
rótulo sign, billboard **8**
rubí *m* ruby
rubio blond **CP**
ruido noise
ruidoso noisy
ruinas *f pl* ruins
ruso(-a) Russian; **montaña rusa** roller coaster **8**
ruta route
rutina routine

S
sábado Saturday
saber to know **1;** (to taste); **saber +** *inf* to know how to
sabor *m* flavor, taste
sabroso delicious **4**

sacapuntas *m s* pencil sharpener **9**

sacar to take out, to get, to withdraw **6; sacar buenas (malas) notas** to get good (bad) grades **5; sacar fotos** to take pictures; **sacar la basura** to take out the garbage **6; sacar prestado un libro** to check out a book **5**

sacudir to dust **6**

sal *f* salt

sala living room **6; sala de reclamación de equipaje** baggage claim area **11**

salado salty

salario salary **10**

salchicha sausage

salchichón *m* salami

saldo de la cuenta bancaria bank account balance **10**

salero salt shaker **4**

salida departure; exit

salir (de) to leave **1;** to turn out to be, to come out; **salir con** to date, go out with **3; salir mal** fail **5**

salón *m* large room; **salón de cóctel** cocktail lounge **11; salón de entrada** lobby **11**

salsa sauce

saltar to jump **12**

salud *f* cheers, health

saludable healthy

saludar to greet

saludo greeting

salvar to rescue something or someone

sandalias sandals **2**

sandwich, sándwich *m* sandwich

sangre *f* blood

sangría wine punch

santo saint; **santo patrón** patron saint

satisfacer to satisfy

satisfecho *pp* satisfied

se *refl pron* himself, herself, itself, yourself(-ves), themselves

secador *m* hair dryer **1**

secadora clothes dryer **6**

secar to dry; **secarse** to dry off **1**

sección *f* department; section **9**

secretario(-a) secretary **10**

secuestrar to kidnap, hijack

sed *f* thirst; **tener sed** to be thirsty

seda silk **7**

seguido often

seguir (i, i) to follow, pursue **1; seguir derecho** to go straight

según according to **5**

segundo second **4**

seguridad *f* security; **caja de seguridad** safety deposit box **10; cinturón** *m* **de seguridad** seatbelt; **control** *m* **de seguridad** security check

seguro certain, sure

seis six **CP**

seiscientos six hundred **10**

seleccionar to choose

selva jungle

sello *(E)* stamp **1;** seal

semáforo traffic light **8**

semana week **1; fin de semana** weekend

semejante similar

semejanza similarity

semestre *m* semester **5**

sencillo *adj* simple, plain; *n* loose change **10**

sentarse (ie) to sit down

sentido sense **9; sentido de humor** sense of humor; **tener sentido** to make sense

sentir (ie, i) to be sorry, regret, feel **1; sentirse a gusto** to feel at ease; **sentirse mal** to feel sick **12**

seña feature **CP; seña particular** distinguishing feature **CP**

señal *f* **de tráfico** traffic sign **8**

señalar indicate

señor *m* Mr., sir, gentleman, abb **Sr.**

señora Mrs., lady, abb **Sra.**

señorita Miss, young lady, unmarried lady, abb **Srta.**

separado separated **CP**

separar to separate

septiembre, setiembre *m* September

séptimo seventh **4**

ser to be **CP**

serie *f* series

serio serious

servicio service **10; servicio de habitación** room service **11; servicio de lavandería** laundry service **11**

servilleta napkin **4**

servir (i, i) to serve **1**

sesenta sixty **CP**

setecientos seven hundred **10**

setenta seventy **CP**

sexto sixth **4**

si if

sí yes

sicología psychology **5**

sicológico psychological

sicólogo(-a) psycologist

sidra cider

siempre always **1**

sierra mountain range

siesta nap **1**

siete seven **CP**

siglo century

significado meaning

siguiente following

silla chair

sillón armchair

símbolo symbol

similar similar

simpático nice

simplificado simplified

sin *prep* without **5; sin embargo** however; **sin que** *conj* without **11**

singular singular

sino but, but rather

síntoma *m* symptom **12**

sitio place

situación *f* situation

situar to put, place

sobre on top of, over **5**

sobremesa after-dinner conversation **3**

sobresaliente outstanding **5**

sobresalir to excel **5**

sobretodo overcoat **7**

sobrino(-a) nephew (niece) **3**

sociable sociable

sociología sociology **5**

software *m* software **9**

sol *m* sun **2; hace sol** it's sunny **5; el nuevo sol** Peruvian currency; **tomar el sol** to sunbathe **2**

soldadito de juguete toy soldier **3**

soler (ue) to be accustomed to

solicitar to apply **9**

solicitud *f* job application **9**
solo *adj* alone
sólo *adv* only
solomillo sirloin
soltero *adj* unmarried *n* bachelor **CP**
solución *f* solution
solucionar to solve
sombra de ojos eye shadow **1**
sombrero hat **2**
sombrilla beach umbrella **2**
sonar (ue) to sound; **sonarse (ue) la nariz** to blow one's nose **12**
sonreír (i, i) to smile **3**
sonriente smiling
soñar (ue) to dream **1**
sopa soup **4**
soportar to tolerate **4**
sorprendente surprising
sorprender to surprise
sorpresa surprise
sortija ring
sospechoso suspect **6**
sótano basement
su *poss adj* his, her, its, your *(form s)*, their, your *(pl)* **3**
suave smooth, soft
subdesarrollo underdevelopment **10**
subir to go up(stairs); **subir el equipaje** to take the luggage up **11**
subscribirse to subscribe
suceder to follow or succeed (someone in a post), happen
sucio dirty **1**
sucre *m* currency in Ecuador
sudar to sweat **12**
suegro(-a) father(mother)-in-law **3**
sueldo salary **9**
suelto *adj* light in consistency **7**; *n* loose change **10**
sueño dream, sleep; **tener sueño** to be sleepy
suerte *f* luck; **buena (mala) suerte** good (bad) luck; **juego de suerte** game of chance; **tener suerte** to be lucky
suéter *m* sweater
sufrir to suffer **12**
sugerencia suggestion
sugerir (ie, i) to suggest **4**
supermercado supermarket **1**
supervisor(-a) supervisor **9**

suponer to suppose
supuesto *pp* supposed; **¡por supuesto!** of course!
sur *m* south
sureste *m* southeast
suroeste *m* southwest
sustituir to substitute
suyo *poss adj* and *pron* his, her, hers, its, your, yours *(form s* and *pl)*, their, theirs **3**

T

tabla board; **tabla de planchar** ironing board **6; tabla de windsurf** windsurfing board **2**
taco crisp tortilla filled with meat, lettuce, tomatoes, cheese **4**
tacón *m* heel **7; zapatos de tacón** high–heel shoes **7**
tal such; **tal vez** maybe, perhaps
talento talent **9**
talón *m* baggage claim check **11**
talonario *(E)* checkbook **10**
talla size **7; de talla media** of average height **CP**
taller *m* garage, repair shop, workshop **1**
también also, too **7**
tampoco neither, not... either **7**
tan so; **tan... como** as... as; **tan pronto como** as soon as **11**
tanque *m* automobile gasoline tank **1**
tanto(-a) so much, as much **9; tantos(-as)** so many, as many; **tanto... como** as... as
taquilla ticket window **8**
tapa *(E)* appetizer **4**
tardar to take time
tarde late **CP; más tarde** later
tarde *f* afternoon **CP; de la tarde** P.M. **CP; por la tarde** in the afternoon **CP**
tarea task; homework **1**
tarifa *(E)* fare **11**
tarjeta card **CP; tarjeta de crédito** credit card **10; tarjeta de embarque** boarding pass **11; tarjeta de identidad** I.D. card **CP;**

tarjeta de recepción registration form **11; tarjeta postal** postcard
tasa rate; **tasa de cambio** rate of exchange **10; tasa de interés** interest rate **10**
tatarabuelo(-a) great-great-grandfather(–mother) **3;** *pl* great-great-grandparents **3**
tataranieto(-a) great-great-grandchild **3**
tauromaquia art of bullfighting **8**
taxi *m* taxi **8**
taza cup **4**
te *dir obj* you *(fam s)* **2;** *indir obj pron* (to, for) you *(fam s)* **4;** *refl pron* yourself *(fam s)*
té *m* tea **4**
teatro theater **2**
tecla key **9**
teclado keyboard **9**
técnico technical **9**
tecnología technology **9**
tecnológico technological
tela fabric, material **7**
tele *f* TV **6**
telefónico *adj* telephone
telefonista *m/f* telephone operator
teléfono telephone; **teléfono celular** cellular phone **9**
telegrama *m* telegram
telenovela soap opera **1**
telepromoción *f* informercial **6**
televidente *m/f* television viewer **6**
televisión *f* television **CP**
televisor *m* television set **6**
tema *m* topic, theme
temer to fear
temeroso fearful
temperatura temperature
templado moderate
temporada season, period **5; temporada de exámenes** examination period **5**
temprano early **CP**
tenacillas de rizar *(E)* (hair) curler **1**
tender (ie) a + *inf* to have a tendency
tenedor *m* fork **4**
tener to have **CP; tener... años** to be... years old; **tener calor** to be hot; **tener celos** to be

jealous; **tener dolor de**... to have a ... ache, to have a pain in... **12**; **tener en cuenta** to take into account; **tener frío** to be cold; **tener ganas de** + *inf* to feel like (doing something); **tener hambre** to be hungry; **tener la bondad de** + *inf* to be so kind as to (do something); **tener miedo de** to be afraid of; **tener que** + *inf* to have to (do something); **tener razón** to be right; **tener sed** to be thirsty; **tener sueño** to be sleepy; **tener suerte** to be lucky

tenis *m* tennis **CP**; **zapatos de tenis** tennis shoes **7**

tercero, tercer, tercera third **4**

terminar to finish

terminal *f* terminal **11**

termómetro thermometer

ternera veal

terraza terrace **11**

terremoto earthquake **6**

territorio territory

testigo *m/f* witness **6**

texto textbook **5**

ti *prep pron* you *(fam s)* **5**

tiempo time, period of time, weather; **a tiempo** on time; **tiempo completo** full time **1**

tienda store, shop **1**

tierra land; soil; earth

timbre *m (A)* stamp **1**

tímido shy, timid **8**

tintorería dry cleaner **1**

tío(-a) uncle (aunt) **3**; *pl* uncle and aunt **3**; **tío(-a) abuelo(-a)** great uncle (aunt) **3**

tiovivo carousel **8**

típico typical

tipo type, kind

tira cómica comic strip

tirar to throw **12**

titular *m* headline **6**

título degree **5**; title

toalla towel **1**

tobillo ankle **12**

tocadiscos *m* disk player, record player

tocar to play (a musical instrument) **CP**; to knock; to be one's turn

todavía still, yet; **todavía no** not yet

todo all, every **9**; **todos los días** every day; **todas partes** everywhere

tomar to take, eat, drink; **tomar el sol** to sunbathe **2**; **tomar un curso** take a course **5**; **tomar un examen** to take an exam **5**; **tomar una decisión** to make a decision **9**

tomate *m* tomato

topacio topaz

torcerse (ue) to sprain **12**

torero bullfighter

tormenta storm

toro bull **8**

torta cake

torturar to torture

tos *f* cough **12**

toser to cough **12**

trabajador *adj* hard-working **5**; *n* worker

trabajar to work **1**

trabajo work, job **9**

traducir to translate **1**

traer to bring, carry **1**

tráfico traffic

trágico sad, tragic **2**

traje *m* suit; **traje de baño** bathing suit **2**; **traje de luces** bullfighter's suit **8**; **traje de novia** wedding gown **3**

tranquilizar to calm

tranquilo calm

transmitir to transmit

tranvía trolley **8**

trapeador *m* mop **6**; **trapear el suelo** to mop **6**

trapo rag **6**

tratar to handle or treat something or somebody; **tratar de** to try, make an attempt; **tratarse de** to be about, deal with

trato treatment, relation **3**

travieso naughty, mischievous **3**

trayecto route, way

trece thirteen **CP**

treinta thirty **CP**

tren *m* train **8**

tres three **CP**

trescientos three hundred **10**

trigo wheat

trimestre *m* quarter **5**

triste sad **3**

tristeza sadness

triunfar to triumph, win

tropical tropical

tu *poss adj* your *(fam s)* **3**

tú *subject pron* you *(fam s)*

tumulto commotion

turismo tourism **8**

turista *m/f* tourist

turístico *adj* tourist **2**

turquesa turquoise

tuyo *poss adj and pron* your, yours *(fam s)* **3**

U

u or (replaces **o** in words beginning with **o-** or **ho-**)

ubicar to locate

último last; **por último** finally

un(-a) a, an, one; **unos(-as)** some, a few, several

único only, unique

unido close-knit, united **3**

universidad *f* college, university **5**

universitario *adj* university **5**

uno one **CP**

uña fingernail

usar to use **1**; **usar talla** ___ to wear size ___ **7**

uso use

usted *subj pron* you *(form s)*; *abb* **Ud.**; *prep pron* you *(form s)* **5**

ustedes *subj pron* you *(fam and form pl)*; *abb* **Uds.**; *prep pron* you *(fam and form pl)* **5**

útil useful

utilizar to use

uva grape

¡uy! Oh!

V

vacaciones *f pl* vacation **2**; **estar de vacaciones** to be on vacation **2**

vaciar to empty **6**

vacío empty

valer to be worth

valiente brave, courageous **8**

valle *m* valley

valor *m* value

valorar to appraise **7**

variación *f* variation

variado assorted, varied

variar to vary

variedad *f* variety

varios *pl* various **9**
vasco(-a) Basque
vascuense *m* Basque language
vaso (drinking) glass **4**
vecino(-a) neighbor
vegetal *m* vegetable
vehículo vehicle
veinte twenty **CP**
veinticinco twenty-five **CP**
veinticuatro twenty-four **CP**
veintidós twenty-two **CP**
veintinueve twenty-nine **CP**
veintiocho twenty-eight **CP**
veintiséis twenty-six **CP**
veintisiete twenty-seven **CP**
veintitrés twenty-three **CP**
veintiún, veintiuno(-a) twenty-one **CP**
velero sailboat **2**
velo veil **3**
vencer to defeat
venda bandage **12**
vendar to bandage **12**
vendedor(-a) salesperson
vender to sell
venezolano(–a) Venezuelan
venir to come **1**
venta sale **9**
ventaja advantage
ventana window **4**
ventanilla small window, ticket window **11**
ver to see **CP**
verano summer
verdad *f* truth; **¿verdad?** right?, true?
verdadero actual, true
verde green **CP**; **tarjeta verde** resident visa, green card
verduras *f pl* vegetables
verificar to verify **10**
vestíbulo lobby **11**
vestido dress **1**
vestirse (i, i) to get dressed **1**
vez *f* time (in a series), occasion, instance **1**; **a veces** sometimes, at times **1**;

algunas veces sometimes **7**; **de vez en cuando** from time to time **1**; **dos veces** twice; **en vez de** instead of; **muchas veces** often; **otra vez** again; **una vez** once
viajar to travel
viaje *m* trip; **hacer un viaje** to take a trip
viajero *adj* and *n* traveler; **cheque** *m* **de viajero** traveler's check
victoria victory
vida life
videocasetera VCR **6**
videocinta videotape **6**
vidrio glass (material) **8**
viejo old **3**
viento wind; **hace viento** it's windy **5**
viernes *m* Friday
vino wine **2**; **vino blanco** white wine; **vino tinto** red wine
violencia violence
violento violent
violín *m* violin
visitar to visit **3**
visto *pp* seen **10**
vistoso bright, colorful, flashy **7**
vitamina vitamin **12**
vitrina *(E)* display case **7**; *(A)* store window **7**
viudo(-a) widower (widow) **CP**
vivir to live
vivo alive (with **estar**), lively, alert (with **ser**) **3**
vocabulario vocabulary
volar (ue) to fly **11**
vólibol *m* volleyball **12**
voltaje *m* voltage **11**
volumen *m* volume
volver (ue) to return **1**; **volver** *a* + inf to do something again; **volverse** to become

vomitar to vomit **12**
vos *subj pron* you *(fam s)* in Argentina, Uruguay, and other parts of Hispanic America
vosotros(-as) *subj pron* you *(fam pl, E)*; *prep pron* you *(fam pl, E)* **5**
voz *f* voice; **en voz alta** out loud
vuelo flight **11**
vuelto *pp* returned **10**; *n* money returned as change **10**
vuestro *poss adj* your *(fam pl, E)* **3**; *poss adj and pron* your, yours *(fam pl, E)* **3**

W
Web *f* World Wide Web **9**
windsurf *m* windsuring; **tabla de windsurf** windsurfing board **2**

Y
y and
ya already **1**; **ya no** not any more, no longer
yate *m* yacht **2**
yerno son-in-law **3**
yeso cast **12**
yo I
yugoslavo(-a) Yugoslavian

Z
zafiro sapphire
zapatería shoe store **7**
zapato shoe **7**; **zapatos bajos** low–heeled shoes **7**; **zapatos de tacón alto** high heels **7**; **zapatos de tenis** tennis shoes **7**; **zapatos deportivos** athletic shoes **7**
zona de ventas sales zone
zumo *(E)* juice

Index

Photo Credits

Page 1-Young adults at an outdoor cafe,Spain © Marcello Bronsky/DDB Stock Photo

Page 12-Bus scene © Chip & Rosa Maria de la Cueva Peterson

Page 18-Beach scene © Peter Menzel/Stock Boston

Page 46-Rowing on canal, Seville © Patrick Ward/Corbis

Page 50-Two women on pay phones © Frerck/ © Odyssey/Chicago

Page 61-Young adults in a restaurant © Peter Menzel

Page 72-Beach scene in/near Benidorm, Spain. © Frerck/ © Odyssey/Chicago

Page 76 bottom left-Spanish film director Pedro Almódovar © Sygma Corbis

Page 76 bottom right-Golfer Sergio García © Mike Fiala/The Liaison Agency

Page 76 middle left-"Ferdinand and Isabella Seeing Christopher Columbus Off from the Dock at Palos" by Victor A. Searles. Library of Congress, © Washington, D.C./The Bridgeman Art Library

Page 76 middle right-King Juan Carlos & Queen Sofia © Michael Smith/The Liaison Agency

Page 76 top left-Statue of El Cid in Burgos, Spain © Frerck/Odyssey/ Chicago

Page 76 top right-Enrique Iglesias © Robin Platzer/Newsmakers/ The Liaison Agency

Page 77-"Burial of Count Orgaz" El Greco © Erich Lessing/ © Art Resource

Page 78-"Las Meninas"Velazquez © Erich Lessing/ © Art Resource

Page 79-"The Third of May" Goya © Scala/ © Art Resource

Page 81 top-Spanish author Ana Maria Matute © Courtesy of the Castilleja School

Page 82-Gustavo Adolfo Bécquer (1836-1870) © Courtesy of MAS

Page 84-Paseo de la Reforma © Randy Faris/Corbis

Page 85-Taxco © Peter Menzel/ Stock Boston

Page 86-Mexico. Family scene © Bob Daemmrich/Stock Boston

Page 90-Two women greeting each other © Frerck/ © Odyssey/ Chicago

Page 100-Birthday celebration © David Young-Wolff/ © PhotoEdit

Page 111-Guadalajara, Mexico © Porterfield-Chickering/Photo Researchers Inc.

Page 112-Mariachi band © Sergio Dorantes/Corbis

Page 113-View of Lake Chapala © Danny Lehman/Corbis

Page 116-Mexico. Sanborn's House of Tiles © Danny Lehman/Corbis

Page 118 bottom left-Gazpacho © David Simson/Stock Boston

Page 118 bottom right-Flan © John Lei/Stock Boston

Page 118 top left-Ceviche © LeDuc/ Monkmeyer Press Photo

Page 118 top right-enchiladas © Carol & Mike Werner/Stock Boston

Page 119-Patio restaurant © Beryl Goldberg

Page 137-Restaurant, Morelia, Mexico. © Beryl Goldberg

Page 144 bottom-Bellas Artes metro station, Mexico City © Beryl Goldberg

Page 148 bottom left-Mexican President Vicente Fox © Wesley Bocxe/The Liaison Agency

Page 148 bottom right-Mexican author Carlos Fuentes © Christopher Cormack/Corbis

Page 148 middle left-Sor Juana Ines de la Cruz © Archivo Iconografico,S.A./Corbis

Page 148 middle right-Singer Luis Miguel © Buck Kelly The Liaison Agency

Page 148 top left- Aztec emperor Cuauhtémoc © Artist, A. Tirado/ Art Archive/The Picture Desk

Page 148 top right-Salma Hayek © AFP/Corbis

Page 149-Rivera mural © Frerck/ © Odyssey/Chicago

Page 150 bottom-Siqueiros Mural, UNAM © Owen Franken/Stock Boston

Page 150 top-Hidalgo by Orozco © Comstock

Page 151-"Self-Portrait with Diego on my Mind", 1943, Frida Kahlo. Jacques and © Natasha Gelman Collection of Twentieth Century Mexican Art. Courtesy of The Vergel Foundation,NY.

Page 154-Mexican author Elena Poniatowska © Courtesy of Alfaguara Publishing

Page 155-Guatemala. Lake Atitlán. © Dave G.Houser/Corbis

Page 156-Bogota. © Larry Lee/ Corbis

Page 158-Francisco Marroquin University, Guatemala City © Doug Bryant/ © DDB Stock Photo

Page 183-Lecture-type classroom, Barcelona © Ulrike Welsch

Page 185-National Park Braulio Carrillo,CR © Bob Winsett/ © Corbis

Page 186-La Fortuna de San Carlos Church, Costa Rica © Rom Benoit/ © Stone

Page 189-Hispanic family © Michael Newman/PhotoEdit/ PictureQuest

Page 194 left-House in Puerto Rico © Dave G.Houser/Corbis

Page 194 right-People watching large screen TV © Michael Newman/PhotoEdit

Page 216-Merida, Venezuela © Kevin Schafer/Stone

Page 221 bottom left-Oscar Arias Sanchez © The Liaison Agency

Page 221 bottom right-Rubén Blades © Touchstone Television/ The Liaison Agency

Page 221 middle left-Ruben Dario, poet from Nicaragua-Courtesy of OAS

Page 221 middle right-Rigoberta Menchu © Sygma Corbis

Page 221 top left-Portrait of Simon Bolivar © Christie's Images/ Corbis

Page 221 top right-Colombian singer Shakira © Chris Weeks/ © The Liaison Agency

Page 222-"Presidential Family", 1967, Botero. Oil on canvas, 6'8 1/8" × 6'5 1/4". Collection, © The Museum of Modern Art, NY. © Gift of Warren D. Benedek.

Page 223-"Penetrable", & the artist Jesús Rafael Soto © Sygma Corbis

Page 225-Gabriel Garcia Marquez © Piero Pomponi/The Liaison Agency

Page 229-Quito, Ecuador © Mireille Vautier/Woodfin Camp/ Picture Quest

Page 230-Lake Titicaca © Jeff Greenberg/Photo Edit

Page 232-Quicentro Shopping Center, Quito © Pablo Corral/ © Corbis

Page 237-Shopping,Quito © Frerck/ © Odyssey/Chicago

Page 258-Otavalo Market in Ecuador. © Brian Vikander/Corbis